may be kept

𝕌niversity of 𝕄ichigan 𝕡ublications

LANGUAGE AND LITERATURE

VOLUME XV

THREE CENTURIES OF
FRENCH POETIC THEORY

Vol. XIV — Parts I–II
Vol. XV — Parts III–IV

THREE CENTURIES OF FRENCH POETIC THEORY

A CRITICAL HISTORY OF THE CHIEF ARTS OF POETRY IN FRANCE (1328–1630)

BY

WARNER FORREST PATTERSON
UNIVERSITY OF MICHIGAN

ANN ARBOR
UNIVERSITY OF MICHIGAN PRESS
1935

PRINTED IN THE UNITED STATES OF AMERICA
BY THE PLIMPTON PRESS · NORWOOD · MASS.

CONTENTS

PART III. CHRONOLOGICAL LISTS OF TREATISES

PART IV. GENRES OF VERSE

PART III

CHRONOLOGICAL LISTS OF TREATISES

CHRONOLOGICAL LISTS OF TREATISES

THESE four Chronological Lists have been prepared in order that the time sequence of works studied or referred to or of related interest may be seen readily at a glance. The Index includes all the names of authors of treatises given in the Lists and also references to any bibliographical data added to titles in the Lists or to be found elsewhere in this study. Names of modern critics, unless mentioned in the text or in special notes, are omitted from the Index, except in a few cases.

List A includes all the French treatises and the chief French poems dealing with poetic theory that have been studied in this work. The titles of less important French poems which deal with literary theory appear only in the Index. In this and succeeding Lists a question mark after a date means that it is approximate only.

List B puts these treatises and poems under the names of the French kings during whose reigns they were written or published. It also mentions a number of important historical events.

List C comprises other French treatises and poems not discussed in the present study, but of collateral interest and editions of certain Greek and Latin critical works. In a few cases bibliographical details are added concerning treatises mentioned in this work, but not studied.

List D gives as complete a compilation as it was possible to make of the Italian critical treatises and editions of Greek and Latin critical works contemporary with and, in numerous cases, influential upon the French documents discussed. There have been appended to the tabular part of this List references to the modern literature that has grown up about the various treatises and to other works which are of a more general character, but which will facilitate the study of the treatises. As a further convenience in the use of this part of the List titles have been grouped under special headings.

3

LIST A

TREATISES STUDIED OR REFERRED TO

(Further essential bibliographical details are to be found in the text or in the notes of the chapters in which the documents are discussed or mentioned.)

725? The Venerable Bede, *De arte metrica* (medieval Latin).

1200? Raimon Vidal de Besalù, *Las Razos de trobar* (Provençal).

1213? Évrard l'Allemand, *Laborintus* (medieval Latin), in verse (Faral VIII).

> Other medieval Latin treatises on rhetoric or poetics, exclusive of those by Italians (see List D), are: Marbode, *De apto genere dicendi* and *De ornamentis verborum* (before 1050); Ekkehard, *De lege dictamen ornandi* (*c.* 1050), Onulf de Spire, *Rhetorici colores* (*c.* 1050); John of Salisbury, *Metalogicus* (*c.* 1159); Matthieu de Vendôme, *Ars versificatoria* (before 1175); Alain de Lisle, *Anticlaudianus* (*c.* 1200); Évrard de Béthune, *Graecismus* (*c.* 1200?); Geoffroi de Vinsauf, *Poetria nova* and *Documentum de modo et arte dictandi et versificandi* and *Summa de coloribus* (*c.* 1210); Gervais de Merkley, *Ars versificatoria* (*c.* 1213); Vincent de Beauvais, *Speculum doctrinale* (before 1264). These treatises are referred to in Chapter II, pp. 14, 15, 18, 19, notes 2, 3, 6, 9. They are discussed in works there named, by Giovanni Mari, Charles Sears Baldwin, George Saintsbury, or Edmond Faral, as are those named in this List.

1240? Uc Faidit, *Donatz proensals* (Provençal).

1250? Jean de Garlande, *Poetria*, including the *Ars rythmica* (medieval Latin) (Mari V).

1250? Alexandre de Villedieu, *Doctrinal* (medieval Latin). (This work is also dated earlier, *c.* 1200.)

1260–65 Brunetto Latini, *Li Livres dou tresor* (Old French work by an Italian).

1290? Jaufré de Foxá, *Règles de trobar* (Provençal).

1324 Raimon de Cornet, *Doctrinal de trobar* (Provençal), in verse.

1340? Guillaume de Machaut, *Intermèdes lyriques* of *Le Remède de fortune* (1340?). (This is a series of model poems supplementary to the *Prologue* (1370?) below.)

4

1356   Pierre Bersuire, *Préface* to translation of *Tite-Live*, *La Déclaration des motz qui n'ont point de propres françois ou qui autrement ont mestier de déclaration.*

1356   Guilhem Molinier, *Las Flors del Gay Saber estiers dichas Las Leys d'amors* (Provençal). (The prose version of a work which appears later in verse. See Vol. I, Chapter II, p. 37, note 20.)

1370?   Guillaume de Machaut, *Prologue*, in verse, to *Le Dit dou vergier* (1330?), considered in the light of the *Intermèdes lyriques* (1340?), in verse, of *Le Remède de fortune* (1340?), in verse.

1392   Eustache Deschamps, *L'Art de dictier et de fere chançons, balades, virelais et rondeaulx.*

1405   Jacques Legrand, *Des rithmes et comment se doivent faire* in *Archiloge Sophie* (Langlois I). (An adaptation of the earlier *Sophologium ex antiquorum poetarum, oratorum atque philosophorum gravibus sententiis collectum.*)

1411–32   Anonymous Picard I, *Les Règles de la Seconde Rhétorique* (Langlois II).

1432   Bauldet Herenc, *Le Doctrinal de la Seconde Rhétorique* (Langlois III).

1450?   Anonymous Lorrain, *Le Traité de l'art de rhétorique* (Langlois IV).

1465?   Georges Chastellain, *Les Douze Dames de rhétorique*, in verse.

1475   Guillaume Tardif, *Rhetoricae artis ac oratoriae facultatis compendium* (medieval Latin).

1493   Jean Molinet, *L'Art de rhétorique vulgaire* (Langlois V).

1495–1500   Anonymous Picard II, *L'Art de rhétorique pour rimer en plusieurs sortes de rimes*, in verse (Langlois VI).

1497   Michel de Boteauville, *L'Art de métriffier françois* (concerning French quantitative verse).

1500?   Robert Gaguin, *De arte metrificandi* (*Petit traité de versification latine*).

1501   L'Infortuné (Regnaud Le Queux), *L'Instructif de la Seconde Rhétorique*, in verse (contained in the anthology, *Le Jardin de plaisance et fleur de rhétorique*, compiled by Regnaud Le Queux, with the aid of André de la Vigne).

1501   Regnaud Le Queux and André de la Vigne, *Le Jardin de plaisance et fleur de rhétorique* (anthology of model poems).

1509   Claude de Seyssel, *Prologue* to *La Translation de Justin.*

1511   Jean Le Maire de Belges, *La Concorde des deux langages françois et toscan*, in verse.

1516 Jean Bouchet, *Le Tabernacle des ars et sciences et des inventeurs et amateurs d'icelles*, in *Le Temple de bonne renommée et repos des hommes et femmes illustres*, considered with *Épistre CVII* of the *Épistres morales et familières* (1545), in verse.

1521 Pierre Fabri, *Le Grand et Vray Art de pleine rhétorique*, including *Le Premier Livre: l'Art de la Première Rhétorique* and *Le Second Livre: l'Art de rithmer*.

1524– Molinet's continuator, *L'Art et science de rhétorique* (Langlois
25 VII).

1529 Geoffroy Tory, *Champ-Fleury*.

1530 John Palsgrave, *L'Esclarcissement de la langue françoyse*.

1532 Clément Marot, *Préface* to the *Adolescence Clémentine*.

1533 Pierre Grognet, *De la louenge et excellence des bons facteurs qui bien ont composé en rime, tant deça que delà les monts*, contained in *Les Motz Dorez du grand et saige Cathon*.

1534 Gracien du Pont, *Controverses des sexes masculin et féminin* (anthology of model poems).

1537 Lazare de Baïf, *Diffinition de la tragédie*, *Préface* to *Électre*, translation from Sophocles.

1539 Gracien du Pont, *L'Art et science de rhétorique métriffiée*, considered with the illustrative anthology, *Controverses des sexes masculin et féminin* (1534).

1540 Estienne Dolet, *L'Orateur françois*, including *La Manière de bien traduire d'une langue en aultre*; *De la poinctuation de la langue françoise*; *Les accens de la langue françoise*. (The other sections of the projected work were never completed.)

1540 Charles de Sainte-Marthe, *Élégie du Tempé de France*.

1542 Louis Meigret, *Traité touchant le commun usage de l'escriture françoise, auquel est debattu des faultes et abus en la vraye et ancienne puissance des lettres*, with its application, *Le Menteur ou l'Incrédule de Lucian, traduit de grec en françoes, aveq une escritture q'adrant à la prolacion françoeze, e les rézons* (1548).

1543 Charles Estienne, *Épistre au Dauphin*, *Préface* to *Les Abusez*, translation of the Italian comedy *Gl'ingannati* (1531), a collective work.

1543 Clément Marot, *Épistre au Roy François Premier*, *Préface* to the *Pseaumes*, in verse (an earlier partial edition of the *Pseaumes* appeared in 1541).

1544 Lazare de Baïf, *Dédicace au Roy* to *Hécube*, tragedy translated from Euripides.

1544   Jacques Peletier, *L'Art poétique d'Horace,* in verse, especially the prose *Préface,* with the illustrative *Œuvres poétiques* (1547).

1545   Jean Bouchet, *Épistre CVII* of the *Épistres morales et familières.*

1545   Charles Fontaine, *Préface* to *La Fontaine d'amour, contenant élégies, épistres et épigrammes.*

1546   Richard Le Blanc, *Préface* to *Le Dialogue de Plato intitulé Io, qui est de la fureur poétique et des louanges de poésie, translaté en françois.*

1547   Jacques Peletier, *Œuvres poétiques.*

1548   Louis Meigret, *Le Menteur ou l'Incrédule de Lucian, traduit de grec en françois aveq une escritture q'adrant à la prolaçion françoeze, e les rézons.*

1548   Thomas Sebillet, *Art poétique françois.*

1549   Joachim du Bellay, *La Deffence et illustration de la langue françoise* considered in the light of the *Seconde Préface* to the *Olive* (1550) and of sundry poems of various date.

1549   Thomas Sebillet, *Épistre aux lecteurs* to *L'Iphigénie d'Euripide poëte tragiq: tourné de Grec en François par l'auteur de l'Art poëtique.*

1550   Barthélemy Aneau, *Le Quintil Horatian sur la Deffence et illustration de la langue françoise* (formerly attributed to Charles Fontaine, now thought by some critics not to be by him but to have been written to some extent with his knowledge and connivance).

1550   Guillaume des Autelz, *Préface* to *Repos de plus grand travail.*

1550   Guillaume des Autelz, *Réplique aux furieuses défenses de Louis Meigret.*

1550   Joachim du Bellay, *Seconde Préface* to the *Olive.*

1550   Louis Meigret, *Le tretté de la grammere françoeze.*

1550   Pierre de Ronsard, *Préface* to *Odes.*

1552   Estienne Jodelle, *Prologue* to *Eugène,* a comedy in verse.

1552–   Pontus de Tyard, *Discours philosophiques: Solitaire premier, ou*
72   *discours des muses et de la fureur poétique* (1552); *Solitaire second, ou discours de la musique* (1552), considered in the light of sundry other *discours* and poems.

1554   Claude de Boissière, *Art poétique réduict en abrégé en singulier ordre et souverain méthode* (an abridged version of Thomas Sebillet's *Art poétique françois*).

1554   Jacques Tahureau, *Avis au lecteur* to *Sonnets, odes et mignardises à l'admirée.*

1555   Antoine Foclin (or Fouquelin) de Chauny, *La Rhétorique françoise.*

1555   Louis Le Caron (Charondas), *Philosophie.*

1555   Jacques Peletier, *L'Art poétique,* considered in the light of the works mentioned above, 1544, and of sundry other poems and prose works.

1555   Joachim Périon, *Dialogues sur la langue françoeze.*

1556   Barthélemy Aneau, *Préface* to *Trois premiers livres de la Métamorphose, traduicts en françois, le premier et second par Cl. Marot, le tiers par B. Aneau.*

1556   Louis Le Caron (Charondas), *Dialogue IV, Ronsard, ou de la poésie* in the *Dialogues philosophiques.*

1557   Pierre de Courcelles, *La Rhétorique.*

1557   Robert Estienne, *Traicté de la grammaire françoise.*

1557   Jean Macer, *Contre les poëtastres et rimailleurs françoys de nostre temps.*

1559   André de Rivaudeau, *Préface, Au lecteur* to *La Christiade.*

1560   Pierre de Ronsard, *Préface sur la musique au Roy François II.*

1561   Pierre de Ronsard, *Élégie à Jacques Grévin,* in verse.

1561   Giulio-Cesare Scaliger (Jules-César de l'Escalle de Bordonis), *Poetices libri septem.*

1562   Jacques Grévin, *Préface* to tragedy *La Mort de César,* entitled *Brief discours pour l'intelligence de ce théâtre.*

1562   Jacques Grévin, *Advertissement au lecteur* and *Avant-jeux* to comedies *La Trésorière* and *Les Esbahis.*

1562   Pierre de la Ramée (Ramus), *Gramere.*

1565   Henri Estienne, *Conformité du langage françois avec le grec,* considered with *Deux dialogues du nouveau langage françois italianizé et autrement desguizé* (1578), the *Project du livre intitulé de la précellence du langage françois* (1579) and the *Hypomneses de gallica lingua* (1582).

1565   Pierre de Ronsard, *L'Abrégé de l'Art poétique,* considered in the light of the *Préface* to the *Odes* (1550), the *Préface sur la musique au Roy François II* (1560), the *Élégie à Jacques Grévin* (1561) and sundry other poems, the *Première Préface* (1572) and *Troisième Préface* (1587) to the *Franciade,* and various minor prose works.

1566 André de Rivaudeau, *Avant parler* to tragedy *Aman.*

1572 Pierre de Ronsard, *Première Préface* to the *Franciade.*

1572 Jean de la Taille, *Préface, L'Art de la tragédie,* to tragedy *Saül le furieux.*

1572 Estienne Tabourot (Des Accords), *Les Bigarrures,* examples of poetic types, and *Le Dictionnaire de rimes françoises* (a systematization of the earlier manuscript of Jean Lefèvre, reprinted in 1588).

1573 Jacques de la Taille, *La Manière de faire des vers en françois comme en grec et en latin* (French quantitative verse).

1573 Jean de la Taille, *Prologue* to comedy *Les Corrivaux.*

1574 Jean-Antoine de Baïf, *Etrénes de poézie fransoeze an vers mesurés* (French quantitative verse).

1575 Jehan de Nostredame, *Vies des plus célèbres et anciens poëtes provençaux.*

1578 Jean Édouard du Monin, *Miscellaneorum poeticorum adversaria.*

1578 Henri Estienne, *Deux dialogues du nouveau langage françois italianizé et autrement desguizé.*

1579 Henri Estienne, *Project du livre intitulé de la Précellence du langage françois.*

1579 Pierre Larivey, *Préface* to *Comédies.*

1580–
88–
95 Michel Eyquem de Montaigne, *Essais.*

1581 Claude Fauchet, *Recueil de l'origine de la langue et poésie françoises.*

1582 Jean de Beaubreuil, *Avant propos* to tragedy *Régulus.*

1582 Jean Édouard du Monin, *Discours philosophique et historial de la poësie philosophique.*

1582 Henri Estienne, *Hypomneses de gallica lingua.*

1587 Pierre de Ronsard, *Troisième Préface* to the *Franciade.*

1587 Blaise de Vigénère, *Préface* to *Pseaumes pénitentiels de David, tornez en prose mesurée* (French unrimed verse).

1595 Guillaume du Vair, *Traicté de l'éloquence françoise et des raisons pourquoi elle est restée si basse.*

1596 Estienne Pasquier, *Recherches de la France,* 1560–1621, *Book VII* (called Book VI in edition of 1596, which is in six books; Book VII in later fuller editions).

1598 Pierre de Laudun, *Art poétique françois.*

1598– Scévole de Sainte-Marthe, *Gallorum doctrina illustrium qui nostra*
1602– *patrumque aetate floruerunt elogia.*
1606

1605 Jean Vauquelin de la Fresnaye, *Art poétique,* in verse (begun in
      1574).

1606 François de Malherbe, *Commentaire sur Desportes* (MS) in the
      light of Honorat de Racan's *Mémoires pour la vie de Malherbe*
      (1672).

1606 Mathurin Régnier, *Satire IX au poète Rapin* in the light of various
      others of the *Satires* (1608), in verse.

1610 Pierre de Deimier, *Académie de l'art poétique.*

1611 Estienne Pasquier, *Recherches de la France,* 1560–1621, *Book
      VIII.*

1616 Théodore Agrippa d'Aubigné, *Préface* to *Les Tragiques.*

1621 Théophile de Viau, *Élégie à une dame,* in verse (written before
      1621).

1626 Marie de Gournay, *L'Ombre* or *Les Advis.*

1628 François Ogier, *Préface* to Jean de Schelandre's tragedy *Tyr et
      Sidon.*

1630 Louys du Gardin, *Les Premières Addresses du chemin de Parnasse*
      together with *Les Nouvelles Inventions pour faire marcher les
      vers françois sur les pieds des vers latins* (second part of work
      is on French quantitative verse).

1637 Jean Chapelain, *Sentiments de l'Académie sur le Cid.*

1644 Guillaume Colletet, *Éloges des hommes illustres qui, depuis un
      siècle ont fleuri en France dans la profession des lettres,* a
      translation of the S. de Sainte-Marthe work, named above,
      1598–1602–1606.

1647 Claude Favre de Vaugelas, *Remarques sur la langue françoise.*

1650? Guillaume Colletet, *Vies des poètes françois* (MS).

1652– Guillaume, Colletet, *Le Parnasse français ou l'Escole des Muses*
  64   (earlier editions, 1652, 1656, as *L'Escole des Muses*).

1672 Honorat de Racan, *Mémoires pour la vie de Malherbe.*

1674 Nicolas Boileau-Despréaux, *Art poétique.*

1675 Le Père René Le Bossu, *Traité du poème épique.*

1684 Le Père Mourgues, *Traité de la poésie françoise.*

1684 Madeleine de Scudéry, *Conversations nouvelles de la poésie fran-
      çoise jusqu'à Henri IV.*

LIST B

REIGNS IN WHICH THE TREATISES WERE COMPOSED

In four cases (Peletier, 1547; Rivaudeau, 1559; Baïf, 1574; Deimier, 1610) works are placed in a given reign when they may belong to the one preceding or following, depending upon the date of the synchronization of a book's *privilège* and a king's death. It seemed more fitting to place works thus dated in the reigns during which they were composed.

1180–1223   Philippe Auguste, king of France
                Raimon Vidal de Besalù, *Las Razos de trobar*, 1200?
                Évrard l'Allemand, *Laborintus*, 1213?

1223–1226   Louis VIII

1226–1270   Louis IX (Saint Louis)
                Uc Faidit, *Donatz proensals*, 1240?
                Jean de Garlande, *Poetria*, 1250?
                Alexandre de Villedieu, *Doctrinal*, 1250?
                Brunetto Latini, *Li Livres dou tresor*, 1260–65

1270–1285   Philippe III

1285–1314   Philippe IV (the Fair)
                Jaufré de Foxá, *Règles de trobar*, 1290?

1314–1316   Louis X

1316–1322   Philippe V (Salic law invoked)

1322–1328   Charles IV (direct Capetian line expires)
                Raimon de Cornet, *Doctrinal de trobar*, 1324

1328–1350   Philippe VI (first Valois king)

      1337   Hundred Years' War begins

      1346   Battle of Crécy
                Guillaume de Machaut, *Intermèdes lyriques*, 1340?, to *Le Remède de fortune*, 1340?

1350–1364   Jean II (the Good)

      1356   Battle of Poitiers
                Pierre Bersuire, *Préface* to *Tite-Live*, 1356
                Guilhem Molinier, *Las Leys d'amors*, 1356

1364–1380 Charles V (the Wise)
           First expulsion of the English
               Guillaume de Machaut, *Prologue*, 1370?, to *Le Dit dou
               vergier*, 1330?, considered in the light of the *Inter-
               mèdes lyriques*, 1340?, to *Le Remède de fortune*,
               1340?

1380–1422 Charles VI (the Mad)

    1415   Second invasion of the English

    1415   Battle of Agincourt
               Eustache Deschamps, *L'Art de dictier*, 1392
               Jacques Legrand, *Des rithmes et comment se doivent faire*,
               1405, in *Archiloge Sophie*

1422–1461 Charles VII (the Well-Served)

 1429–30   Career of Jeanne d'Arc

    1453   End of Hundred Years' War

    1453   Fall of Constantinople

    1456   Mainz Bible, first printed book
               Anonymous Picard I, *Les Règles de la Seconde Rhétorique*,
               1411–1432
               Bauldet Herenc, *Le Doctrinal de la Seconde Rhétorique*,
               1432
               Anonymous Lorrain, *Le Traité de l'art de rhétorique*,
               1450?

1461–1483 Louis XI
           Struggle with Charles the Bold, duke of Burgundy

    1477   Death of Duke Charles before Nancy
               Georges Chastellain, *Les Douze Dames de rhétorique*,
               1465?
               Guillaume Tardif, *Rhetoricae artis ac oratoriae facultatis
               compendium*, 1475

1483–1498 Charles VIII

    1492   Discovery of America

 1494–95   Invasion of Italy
               Jean Molinet, *L'Art de rhétorique vulgaire*, 1493
               Anonymous Picard II, *Art de rhétorique pour rimer en
               plusieurs sortes de rimes*, 1495?
               Michel de Boteauville, *L'Art de métriffier françois*, 1497

1498–1515 Louis XII
           Unsuccessful wars in Italy
               Robert Gaguin, *De arte metrificandi* (*Petit traité de versi-
               fication latine*), 1500?

L'Infortuné (Regnaud Le Queux), *L'Instructif de la Seconde Rhétorique*, 1501, in Regnaud Le Queux and André de la Vigne, *Le Jardin de plaisance et fleur de rhétorique*, anthology, 1501

Claude de Seyssel, *Prologue* to *La Translation de Justin*, 1509

Jean Le Maire de Belges, *La Concorde des deux langages françois et toscan*, 1511

1515–1547 François I
Wars with Charles V, Holy Roman emperor of Germany and king of Spain

1525 Battle of Pavia

Jean Bouchet, *Le Tabernacle des ars et sciences et des inventeurs et amateurs d'icelles*, 1516

Pierre Fabri, *Le Grand et Vray Art de pleine rhétorique*, 1521

Molinet's continuator, *L'Art et science de rhétorique*, 1524–25

Geoffroy Tory, *Champ-Fleury*, 1529

John Palsgrave, *L'Esclarcissement de la langue françoyse*, 1530

Clément Marot, *Préface* to the *Adolescence Clémentine*, 1532

Pierre Grognet, *De la louenge et excellence des bons facteurs qui bien ont composé en rime, tant deça que delà les monts*, 1533

Gracien du Pont, *Controverses des sexes masculin et féminin*, 1534

Lazare de Baïf, *Diffinition de la tragédie*, *Préface* to Sophocles' *Électre*, 1537

Gracien du Pont, *L'Art et science de rhétorique métriffiée*, 1539

Estienne Dolet, *L'Orateur françois*, 1540 (Three treatises only were completed of this projected work. See List A)

Charles de Sainte-Marthe, *Élégie du Tempé de France*, 1540

Louis Meigret, *Traité touchant le commun usage de l'escriture françoise*, 1542

Charles Estienne, *Épistre au Dauphin*, *Préface* to comedy *Les Abusez*, 1543

Clément Marot, *Épistre au Roy François Premier*, *Préface* to *Pseaumes*, 1543

Lazare de Baïf, *Dédicace au Roy* to Euripides' tragedy, *Hécube*, 1544

Jacques Peletier, *L'Art poétique d'Horace*, especially *Préface*, 1544

Jean Bouchet, *Épistre* CVII, of the *Épistres morales et familières*, 1545

Charles Fontaine, *Préface* to *La Fontaine d'amour, contenant élégies, épistres et épigrammes*, 1545

Richard Le Blanc, *Préface* to Plato's *Ion*, 1546

Jacques Peletier, *Œuvres poétiques*, 1547

1547–1559   Henry II
Persecution and growing power of Protestants

Louis Meigret, *Le Menteur ou l'Incrédule de Lucian*, 1548

Thomas Sebillet, *Art poétique françois*, 1548

Joachim du Bellay, *La Deffence et illustration de la langue françoise*, 1549

Thomas Sebillet, *Épistre aux lecteurs* to *L'Iphigénie d'Euripide poëte tragiq*, 1549

Barthélemy Aneau, *Le Quintil Horatian*, 1550

Guillaume des Autelz, *Repos de plus grand travail*, 1550

Guillaume des Autelz, *Réplique aux furieuses défenses de Louis Meigret*, 1550

Joachim du Bellay, *Seconde Préface* to the *Olive*, 1550

Louis Meigret, *Le tretté de la grammere françoeze*, 1550

Pierre de Ronsard, *Préface* to *Odes*, 1550

Estienne Jodelle, *Prologue* to comedy *Eugène*, 1552

Pontus de Tyard, *Discours philosophiques*, 1552–72: *Solitaire Premier, ou Discours des muses et de la fureur poétique* (1552); *Solitaire Second, ou Discours de la musique* (1552), etc.

Claude de Boissière, *Art poétique réduict en abrégé en singulier ordre et souverain méthode*, 1554

Jacques Tahureau, *Avis au Lecteur* to *Sonnets, odes et mignardises à l'Admirée*, 1554

Antoine Foclin, *La Rhétorique françoise*, 1555

Jacques Peletier, *L'Art poétique*, 1555

Louis Le Caron, *Philosophie*, 1555

Joachim Périon, *Dialogues sur la langue françoeze*, 1555

Barthélemy Aneau, *Préface* to *Trois premiers livres de la Métamorphose*, 1556

Louis Le Caron, *Dialogue IV, Ronsard, ou de la Poésie*, in the *Dialogues philosophiques*, 1556

Pierre de Courcelles, *La Rhétorique*, 1557

Robert Estienne, *Traicté de la grammaire françoise*, 1557

Jean Macer, *Contre les poëtastres et rimailleurs françoys de nostre temps*, 1557

André de Rivaudeau, *Préface* to *La Christiade*, 1559

1559–1560 François II
  Pierre de Ronsard, *Préface sur la musique au Roy François II*, 1560

1560–1574 Charles IX
  Wars of Religion

  1572 Saint Bartholomew Massacre
    Pierre de Ronsard, *Élégie à Jacques Grévin*, 1561
    Giulio-Cesare Scaliger, *Poetices libri septem*, 1561
    Jacques Grévin, *Préface* to tragedy *La Mort de César*, 1562
    Jacques Grévin, *Advertissement au lecteur* to comedies *La Trésorière* and *Les Esbahis*, 1562
    Pierre de la Ramée, *Gramere*, 1562
    Henri Estienne, *Conformité du langage françois avec le grec*, 1565
    Pierre de Ronsard, *L'Abrégé de l'Art poétique*, 1565
    André de Rivaudeau, *Avant parler* to tragedy *Aman*, 1566
    Jean de la Taille, *L'Art de la tragédie*, *Préface* to tragedy *Saül le furieux*, 1572
    Pierre de Ronsard, *Première Préface* to the *Franciade*, 1572
    Estienne Tabourot (Des Accords), *Les Bigarrures*, 1572
    Estienne Tabourot and Jean Lefèvre, *Dictionnaire de rimes françoises*, 1572
    Jacques de la Taille, *La Manière de faire des vers en françois comme en grec et en latin*, 1573
    Jean de la Taille, *Prologue* to comedy *Les Corrivaux*, 1573
    Jean-Antoine de Baïf, *Etrénes de poézie fransoeze an vers mesurés*, 1574

1574–1589 Henry III
  Struggle of the monarchy with the Protestants and with the Holy League of the Catholic Guises
  End of Valois line
    Jehan de Nostredame, *Vies des plus célèbres et anciens poëtes provençaux*, 1575
    Jean Édouard du Monin, *Miscellaneorum poeticorum adversaria*, 1578
    Henri Estienne, *Deux dialogues du nouveau langage françois italianizé et autrement desguizé*, 1578
    Henri Estienne, *Project du livre intitulé de la Précellence du langage françois*, 1579
    Pierre Larivey, *Préface* to *Comédies*, 1579
    Michel Eyquem de Montaigne, *Essais*, 1580, 1588, 1595
    Claude Fauchet, *Recueil de l'origine de la langue et poésie françoises*, 1581

Jean de Beaubreuil, *Avant propos* to tragedy *Régulus*

Jean Édouard du Monin, *Discours philosophique et historial de la poësie philosophique*, 1582

Henri Estienne, *Hypomneses de gallica lingua*, 1582

Pierre de Ronsard, *Troisième Préface* to the *Françiade*, 1587

Blaise de Vigénère, *Préface* to *Pseaumes pénitentiels de David*, 1587

1589–1610 Henry IV (the Great, king of Navarre, then first Bourbon king of France)

1593 Conversion of king to Roman faith

1598 Edict of Nantes

Guillaume du Vair, *Traicté de l'éloquence françoise et des raisons pourquoi elle est restée si basse*, 1595

Estienne Pasquier, *Recherches de la France*, 1560–1621, *Book VII*, 1596 (called Book VI in the 1596 edition of six books, Book VII in later fuller editions)

Pierre de Laudun, *Art poetique françois*, 1598

Scévole de Sainte-Marthe, *Gallorum doctrina illustrium qui nostra patrumque aetate floruerunt elogia*, 1598–1602–1606

Jean Vauquelin de la Fresnaye, *Art poétique*, 1605

François de Malherbe, *Commentaire sur Desportes*, 1606

Mathurin Régnier, *Satire au poète Rapin* (1606) in *Satires*, 1608

Pierre de Deimier, *Académie de l'art poétique*, 1610

1610–1643 Louis XIII (the Just)

1624 Cardinal Richelieu becomes prime minister

Estienne Pasquier, *Recherches de la France*, 1560–1621, *Book VIII*, 1611

Théodore Agrippa d'Aubigné, *Préface* to *Les Tragiques*, 1616

Théophile de Viau, *Élégie à une dame*, before 1621

Marie de Gournay, *L'Ombre* or *Les Advis*, 1626

François Ogier, *Préface* to Jean de Schelandre's tragedy *Tyr et Sidon*, 1628

Louys du Gardin, *Les Premières Addresses du chemin de Parnasse*, 1630

Louys du Gardin, *Les Nouvelles Inventions pour faire marcher les vers françois sur les pieds des vers latins*, 1630

Jean Chapelain, *Sentiments de l'Académie sur le Cid*, 1637

1643–1715 Louis XIV (the Great)

Guillaume Colletet, *Éloges des hommes illustres qui depuis un siècle ont fleuri en France dans la profession des lettres*, 1544

Claude Favre de Vaugelas, *Remarques sur la langue françoise*, 1647

Guillaume Colletet, *Vies des poètes françois*, 1650?

Guillaume Colletet, *Le Parnasse françois, ou l'Escole des Muses*, 1652–64.

Honorat de Racan, *Mémoires pour la vie de Malherbe*, 1672

Nicolas Boileau-Despréaux, *Art poétique*, 1674

Le Père René Le Bossu, *Traité du poème épique*, 1575

Le Père Mourgues, *Traité de la poésie françoise*, 1684

Madeleine de Scudéry, *Conversations nouvelles de la poésie françoise jusqu'à Henri IV*, 1684

LIST C

WORKS (EXCLUSIVE OF THOSE IN ITALIAN) RELATING TO
POETICS, RHETORIC, AND LANGUAGE WHICH WERE
PUBLISHED IN FRANCE DURING THE PERIOD OF
THIS STUDY, BUT WHICH DO NOT DEMAND
DETAILED MENTION IN IT

(I have added a few titles of works which were not published in France or Italy, but which circulated there. All these are of interest for the parallel study of the French Second Rhetorics, Arts of Poetry, and related documents.)

For seven titles (not otherwise known to me) of sixteenth-century works dealing with the French language or grammar I am indebted to my colleague at the University of Michigan, Dr. Newton S. Bement. Those interested in the linguistic aspects of the French Renaissance as well as in the rhetorical and poetic may profitably consult Dr. Bement's *French Modal Syntax in the Sixteenth Century*, Volume XI in this series, and also a number of articles by him: " Petrus Ramus and the Beginnings of Formal French Grammar," *Romanic Review*, 19 (1928), 309–323; " The Subjunctive in Relative Clauses from Commynes to Malherbe," *Philological Quarterly*, 10 (1931), 294–306; " The Conditional Sentence from Commynes to Malherbe," *Romanic Review, Supplement* (1931), 26 pp.; " The French Imperfect Subjunctive and Present Conditional in the Sixteenth Century," *Publications of the Modern Language Association*, 47 (1932), 992–1011; " Some Phonological, Orthographical, and Syntactical Aspects of the Persistence of the French Present Subjunctive Endings –*ons* and –*ez*," *Papers of the Michigan Academy of Science, Arts and Letters*, 18 (1932), 505–524. The fundamental reference for the history of the French language is, of course: Ferdinand Brunot, *Histoire de la langue française des origines à 1900*, vols. I–IX, still in progress, (Paris, 1905—).

Since a bibliography of Platonic and Neo-Platonic works relating to aesthetics is included in the text and notes of Chapter XVI, such titles are usually omitted in this List and in the one for Italy, which follows. In List A a certain number of the more important (though by no means all) Platonic and Neo-Platonic documents appearing in France during the period of this study do find mention. The references in the text and notes of Chapter XVI are, however, the chief source for this essential

18

bibliography for Italy and France, which it seemed best to concentrate at that point. Chapter XVI also contains important Aristotelian, Horatian, and Ciceronian references, besides other bibliographical material comple-mentary to that found in the Lists and the chapters.

A doctoral dissertation in progress, under the direction of Professor John Lawrence Gerig of Columbia University, which, when it becomes available, should be of both interest and use in connection with the Chronological Lists here offered, is that by Ruth Bunker, *A Bibliography of Greek Translations and Editions of Greek Works in the Sixteenth Century*. A similar bibliography of Renaissance editions of Latin works would seem an important desideratum. The present Lists no doubt contain lacunae and are subject to addition or correction. They should be, it would seem, comprehensive enough to serve to show the important trends of interest in aesthetic theory in its various manifestations in Italy and France during Renaissance times.

For a bibliography of works dealing with aesthetics in France, from the days of Eustache Deschamps, consult: Théodore Mavroïdi Mustoxidi, *Histoire de l'esthétique française, 1700–1900, suivie d'une bibliographie générale de l'esthétique française des origines à 1900, avec Préface de M. André Lalande* (Paris, 1900); Hugo Paul Thieme, *Essai sur l'histoire du vers français* (Paris, 1916). Bibliographical material on older French writers on aesthetics, poetics, literary criticism, or their modern critics may also be sought in Gustave Lanson, *Manuel bibliographique de la littérature française moderne, 16e, 17e, 18e et 19e siècles* (Paris, 1925); Hugo Paul Thieme, *Bibliographie de la littérature française de 1800 à 1930*, 3 vols. (Paris, 1933).

There exist several general studies of French literary criticism of various age, merit, and extent: Ferdinand Brunetière, *L'Évolution de la critique depuis la Renaissance jusqu'à nos jours* (Paris, 1890); Léon Levrault, *La Critique littéraire*, in the useful series Les Genres Littéraires (Paris, Mellottée, n.d.); Henri Carton, *Histoire de la critique littéraire en France* (Paris, 1886); Alfred Michaels, *Histoire des idées littéraires en France au 19e siècle et de leurs origines dans les siècles antérieurs*, 2 vols. Paris, 1863).

1498   Diomedes, *Diomedis Ars Grammatica* (ed. T. Kerver). Parisiis. (It is said that an earlier edition of Diomedes was issued at Paris in 1472.)

1499?   Horace (Quintus Horatius Flaccus), *Horatii de Arte poetica ad Pisones* (ed. A. Denidel). Parisiis.

1499?   Horace (*Quinti Horatii Facci* [*sic*] *de Arte poetica ad Pisones* (ed. D. Roce). Parisiis.

1500?   Aristotle, *Aristotelis Rhetoricorum libri III, ex interpretatione Georgii Trapezuntii* (ed. J. Stoll and P. Caesar). Parisiis. Early edition, date unknown. (Among other editions by several editors are those of Paris, 1509, 1519, 1540, 1549, 1559; Lyon, 1544, etc.)

1500　Horace, *Quinti Horatii Flacci de Arte poetica opusculum aureum, ab Ascensio* [Jodoeus Badius Ascensius] *familiariter expositum.* Parisiis. Also 1503, 1505. (Among other editions by various editors are those of Paris, 1533; Lyon, 1536; Paris, 1552, 1557, 1569, etc.)

1527　Diomedes and Donatus, *Diomedis et Donati artes grammaticae diligentissime repositae, cum annotationibus Joan. Caesaris.* Parisiis. Also 1528. (Numerous translations and adaptations of Donatus, familiarly known as *Donats*, appeared during the sixteenth century. The earliest French edition of Donatus was issued, it is said, at Paris, 1476.)

1529　Estienne, Robert, *Donatus. De tragoedia et comoedia*, in *P. Terentii Comoediae sex.* Parisiis. Also 1593.

1530　Hermogenes, *Hermogenis rhetorica absolutissima* (Greek, ed. Chrestien Wechel). Parisiis.

1530　Palsgrave, John, *L'Esclarcissement de la langue françoyse composé par maistre Jehan Palsgrave Angloys natyf de Londres et gradué de Paris.* London. (There is a reprint of the grammar of John Palsgrave, together with the similar work also published in England by Giles du Guez: F. Genin, *L'Esclaircissement de la langue française par Jean Palsgrave suivi de la Grammaire de Giles du Guez, publié pour la première fois en France,* Collection des documents inédits sur l'histoire de France, Paris, Imprimerie Nationale, 1852.)

1531　Dubois, Jacques (Jacobus Silvius), *In linguam gallicam isagoge, una cum ejusdem grammatica latino-gallica, ex hebraeis, graecis, et latinis authoribus* (ed. Robert Estienne). Parisiis.

1531?　Du Guez, Giles (or Giles du Wès or Dewes), *An introductorie for to lerne to rede, to pronounce and to speke French trewly, compiled for the right high excellent, and most vertuous lady Mary of England, doughter to our most gracious soverayn lorde Kynge Henry the eight.* London. Republished about 1540 and about 1554.

1536　Quintilian (Marcus Fabius Quintilianus), *M. Fab. Quintiliani Oratoriarum Institutionum libri XII. . . . Additae sunt adnotationes Petri Mosellani in lib. septem* (together with Quintilian's *Declamationes;* ed. I. Kerver). Parisiis. (Numerous later editions by various editors; Paris, 1538, 1542, 1549; Lyon, 1555, 1575, 1580; Geneva, 1591, 1604, etc.)

1537　Estienne, Robert, *Ciceronis ad Quintum fratrem dialogi de oratore.* Paris.

1540   Scaliger, Giulio-Cesare, *De causis linguae latinae libri tredecim.* Lugduni.

1541   Aristotle, *Aristotelis de Arte poetica liber, graece* (ed. apud vid. Conradi Neobarii). Parisiis.

1544   Estienne, Robert, *M. T. Ciceronis opera rhetorica.* Parisiis. (Various editions of Cicero's rhetorical works, or treatises therefrom, appeared in France during the sixteenth century: Lugduni, 1546, 1562, 1585, etc.)

1547   Estienne, Henri, *Dionysii Halicarnassensis, De compositione, etc.* (Greek texts with Latin titles). Paris. Also Paris, 1554.

1550   Dionysius of Halicarnassus, *Libri duo. Joannis Sturmii de periodis unus, Dyonisii Halicarnassi de collocatione verborum* (ed. W. Rihelius). Argentorati. (Sundry other editions of this or other treatises of Dionysius appeared: Basileae, 1557; Francofurdi, 1586; Samoscii, 1604.)

1550   Meigret, Louis, *Le Tretté de la grammere françoeze* (ed. Chrestien Wechel). Paris.

1550   Pillot, Jean (Joannes Pillotus Barrensis), *Gallicae linguae institutio latino sermone conscripta* (ed. Estienne Groulleau). Parisiis.

1555   Aristotle, *Aristotelis de Arte poetica liber, graece* (ed. Guillaume Morel). Parisiis.

1555   Demetrius (of Phalerum?), *Demetrii Phalerei de elocutione* (Greek text, ed. Guillaume Morel). Parisiis. (*Demetrii de elocutione* was long ascribed to Demetrius of Phalerum, of the fourth century B.C. The work may be, however, by another Demetrius of the first century B.C.)

1555   Périon, Joachim (Perionius), *Dialogorum de linguae gallicae origine, eiusque cum graeca cognatione, libri IV* (ed. Sebastien Nivelle). Parisiis.

1557   Estienne, Robert, *Traicté de la grammaire françoise.* Paris. Also Paris, 1569.

1558   Garnier, Jean (Joannes Garnerius), *Institutio gallicae linguae in usum iuventutis germanicae ad illustrissimos iuniores Landtgravios Haessiae conscripta* (ed. Joannes Crispinus). Genevae.

1561   Anonymous, *Aristotelis . . . Rhetoricorum Artisque poeticae libri omnes* (ed. apud haeredes Jacobi Juntae) (Latin translation of the *Poetics*, pp. 256 ff.). Lyon.

1561   Gemusaeus, Hieronymus, *Aristotelis . . . Opera post omnes quae in hunc usque diem prodierunt editiones, summo studio emaculata et ad graecum exemplar diligenter recognita* (ed. apud J. Frellonium), 2 vols. in 1. Lyon.

1562   La Ramée, Pierre de (Ramus), *Grammere* (edition in reformed spelling). Paris. (Another edition, that of André Wechel, Paris, 1572, is entitled *Grammaire* and is changed from the reformed to the current contemporary French orthography.)

1567   Estienne, Henri, *Donatus. De tragoedia et comoedia*, in *Recueil de tragédies grecques avec traductions latines*. Paris.

1569   Portus, Franciscus, *Apthonius, Hermogenes et Dionysius Longinus, Francisci Porti opera illustrati*. Genevae. Also Genevae, 1570, 1694. (Franciscus Portus, a philologist who died in 1581, was professor of Greek at the University of Geneva. Another edition of Longinus, with notes by J. Follius and Gabriele de Petra, appeared at Geneva in 1612. This was reprinted, with additional material, in 1644.)

1575? Amyot, Jacques, *Project de l'éloquence royale composé pour Henri III, roi de France*. (Modern edition " d'après le manuscrit autographe de l'auteur," Paris, Lamy, 1805.)

1575   Corbin, Robert, *Traité de poésie et des poètes en vers françois*. Paris?

1575? Valois, Henri de (Henri III, king of France?), *Préceptes de rhétorique*. (Modern edition in *Precetti di rettorica scritti per Enrico III, re di Francia*, published in *Memorie della Real Accademia di Modena*, Vol. V, 1887.)

1577   Estienne, Henri, edition of Horace's *Ars Poetica* and poems. Paris. Also 1588.

1582   Estienne, Henri, *Hypomneses de gallica lingua*. Parisiis.

1583   Du Bartas, Guillaume de Saluste, *L'Uranie* (a poem sometimes dated 1573, certainly to be found in the edition of Du Bartas' works to that time, entitled *Commentaires et annotations sur la Sepmaine de la création du monde. La Judith; L'Uranie; Le Triomphe de la Foy*, etc., Paris, A. Langelier, 1583, also to be found in R. Asheley's edition, *L'Uranie ou muse céleste de G. de Saluste Seigneur du Bartas. Urania sive Musa Coelestis R. Ashelei de Gallica . . . delibata*, French and Latin texts, London, J. Wolfius, 1589. Of some literary interest are also Du Bartas' *Préface* to *Judith*, 1573, and the *Préfaces* to *Les Semaines*, 1578, etc.)

1584   Bèze, Thèodore de, *De Franciae linguae recta pronuntiatione tractatus* (pub. E. Vignon). Genevae.

1585   La Chaume, Pierre de Gaynard de, *Promptuaire de l'unisons ordonné et disposé méthodiquement pour tous ceux qui voudront composer promptement en vers françois*. Poitiers.

1585   Matthieu, Pierre, *Tragoediae Dialogismus* (published " à la suite " of the tragedy, *Esther*, by J. Stratius). Lyon.

1590   Casaubon, Isaac, *Aristotelis Poetica, graece.* Leyden.

1590   Casaubon, Isaac, *Operum Aristotelis . . . nova editio graece et latine,* 2 vols. Lyon. Also Genevae, 1596, 1597, 1602, 1605, 1606–7, 1646; Lyon, 1597.

1594   Pontan, Jacques (Jacobus Pontanus, S. J.), *Institutiones poeticae.* Ingolstadt. Also Ingolstadt, 1597, 1600; Lyon, 1670.

1596   La Noue, Odet de, *Dictionnaire des rimes françoises selon l'ordre des lettres de l'alphabet* (pub. E. Vignon). Paris. Also Genève, M. Berjon, 1623.

1607   Maupas, Charles, *Grammaire françoise contenant reigles très certaines et adresse très asseurée à la naïve connoissance et pur usage de nostre langue. En faveur des estrangers qui en seront désireux* (ed. Philippe Cottereau). Blois.

1608   Du Sin, Jean, *Les trois livres de la Rhétorique d'Aristote traduits de grec en françois.* Paris. Also 1613.

1610   Heinsius, Daniel, *Aristotelis de Poetica liber; Dan. Heinsius recensuit, ordini suo restituit, latine vertit, notas addidit* (Greek and Latin texts). Leyden.

1610   Heinsius, Daniel, *Q. Horatii Flacci Opera omnia cum notis Danielis Heinsii; accedit . . . Aristotelis de Poetica libellus, ordini suo nunc demum ab eodem restituta* (ex. off. Platiniana). Antwerp.

1611   Heinsius, Daniel, *De tragoediae constitutione liber, in quo, inter caetera, tota de hac Aristotelis sententia dilucide explicatur* (prostat in bibliopolio L. Elzevirii). Leyden.

1613   Aubert, Esprit, *Les Marguerites poétiques.* (Au mot: poésie, il y a tout un art poétique.) Lyon. (Fuller title, *Les Marguerites poétiques tirées des plus fameux poètes françois, tant anciens que modernes, réduites en forme de lieux communs et selon l'ordre alphabétique, nouvellement recueillies et mises en lumière,* pub. B. Ancelin.)

1618   Godard, Jean, *La Nouvelle Muse ou les loisirs de J. Godard* (ed. J. Morillon). Lyon.

1619   Du Val, Guillaume, *Aristotelis Opera omnia quae extant, graece et latine, veterum ac recentiorum interpretum . . . studio emendatissima,* 2 vols. Paris. Also 1629, 1639, 1654.

1620   Broutesauge, Philibert, *Les préceptes et briefves règles tant de l'ortographe françois que de la prononciation* (ed. H. Anthoine). Bruxelles.

1620   Godard, Jean, *La Langue françoise* (ed. N. Jullieron). Lyon.

1621   La Porte, J. du Pré de, *Le Pourtraict de l'éloquence françoise.
       Avec dix actions oratoires* (ed. I. L'Esvesque). Paris.

1623   Chapelain, Jean, *Préface* to Giambattista Marini's *L'Adone*. Paris.
       See E. Bovet, " La Préface de Chapelain à l'Adonis," *Aus ro-
       manischen Sprachen und Litteraturen, Festschrift Heinrich
       Morfs* (Halle, 1905).

1624   Estienne, Robert, *La Rhétorique d'Aristote, les deux premiers
       [livres] traduits en françois par le feu sieur Robert Estienne
       . . . et le troisième par Robert Estienne son neveu.* Paris.
       Also 1630.

1625   Heinsius, Daniel, *Aristotelis . . . Rhetoricorum libri tres (A.
       Riccobono interprete); ejusdem de Poetica liber unus (Daniele
       Heinsio interprete); nuperrime recensiti* (Greek and Latin
       texts, pub. apud J. Libert). Paris.

1627   Sorel, Charles, *Le Berger extravagant, ou parmi des fantaisies
       amoureuses on voit les impertinences des romans et de la poésie*
       (ed. Du Bray). Paris.   (One also finds attributed to Sorel a
       Lutte de Malherbe contre Ronsard, 1622. He certainly com-
       posed a sort of history of earlier French literature, including
       poetry, called *Bibliothèque françoise*, Paris, 1644, 1664–67,
       also a *Traité de la connoissance des bons livres*, Paris, 1671.)

1630   Anonymous, *Aristotelis liber de Poetica, graece*. Parisiis.

LIST D

CRITICAL WORKS PUBLISHED IN ITALY DURING
THE SIXTEENTH CENTURY, INCLUDING
A FEW TREATISES BEFORE 1500 AND
OTHERS TO 1630

(References of interest for the parallel study of the French Arts Poétiques
and related documents)

1200–
1300
Anonymous, *Regulae de rythmis.*

1200–
1300
Anonymous, *Summa dictaminis.* (Breve "*Arte*" di Monaco.)

1200
1300
Bologna, Galeotto da, *Rettorica nuova di M. Tullio Cicerone
traslata di latino in volgare per lo eximio maestro Galeotto da
Bologna.* (An adaptation of the *Rhetorica ad Herennium.*)

1200–
1300
Bologna, Frate Guidotto da, *Il fiore di retorica.*

1200–
1300
Brescia, Albertano da, *Ars loquendi et faciendi.*

1200–
1300
Capuano, Tommaso, *Dictator.*

1200–
1300
Sion da Vercelli, Maestro, *De rythmico dictamine* (3 versions).

1218?
Bene-Bonus da Firenze-Bologna, Maestro, *Candelabrum* or *Cande-
labra dell' eloquenza* and *Summa grammaticae.*

1260?
Latini, Brunetto, *Inc. qui comincia lonsegnamento di rectorica,
lo quale è ritractato in volgare del [latino, sbiadito] di Tullio e
di molti phylosofi per Ser Brunetto Latini da Firenze.* (Codice
della Biblioteca Nazionale Fiorentina, II, IV, 124.) (For
Latini see also Chapter I, pp. 8–9, note 4, of the present work.)

1265?–
70?
Latini, Brunetto, and Giamboni, Bono, *Li Livres dou tresor* (Old
French version, 1260–65). (In Italian version, *Il tesoro vol-
garizzatto da Bono Giamboni.*)

1300–
1400
Tibino, Niccolò, *Tractatus de rithmis vel rithmorum magistri
Tybini.*

25

1301 Naldo da Colle, Minotto, *Notulae super Arte dictaminis*. (Codice della Biblioteca Nazionale Fiorentina, VI, 152.) (For discussions of *dictamen* or other medieval treatises of this type cf. works named in List A, under date 1213.)

1302?– Alighieri, Dante, *De vulgari eloquentia*.
21

1321?– Sommacampagna, Gidino da, *Trattato dei ritmi volgare*, and also
32   *Rhetorica novissima*. (Cf. M. G. B. C. Giuliari, *G. Da Somma-campagna, Trattato dei ritmi volgari*, Bologna, Romagnoli, 1870, a volume of the *Scelta di curiosità letterarie*.)

1332 Tempo, Antonio da, *De rithmis vulgaribus*. (Cf. G. Grion, *Delle rime volgari, Trattato di A. da Tempo, giudice padovano, composto nel 1332, dato in luce integralmente ora per la prima volta*, Bologna, Romagnoli, 1869, a volume in *Collezione di opere inedite o rare*.)

1390?– Barzizza, Gasparino, *De compositione*.
1431

1420?– Filelfo, Francesco, *Utilissima . . . Aristotelis Rhetorica*. (Com-
81   pleted before 1481.)

1420?– Filelfo, Francesco, *Rhetorices ad Alexandrum liber*. (Completed
81   before 1481.)

1435 Trapezuntio, Giorgio (Giorgios Trapezuntios, a Greek), *Aristotelis Rhetoricorum libri III*.

1426?– Valla, Lorenzo, *De latinae linguae elegantia*.
57

1466? Medici, Lorenzo de' (Il Magnifico), *Epistola " Al' illustrissimo signore Federico di Aragona figliolo del re di Napoli."* (Of it Vittorio Rossi says: " Può dirsi la prima esposizione critica della più antica nostra letteratura.")

1474?– Poliziano, Angelo Ambrogini, *Lamia*. (Cf. Isidoro Del Lungo,
94   *Prose volgari inedite, poesie latine edite ed inedite di A. Ambrogini Poliziano*, Firenze, 1867.)

1476 De Blavis, Tommaso, *Ciceronis Rhetorica nova et vetus, seu Rhetorica ad Herennium et De Inventione*. Venetiis. (Sundry editions, 1481, 1483, etc., by various hands.)

1476 Latin Grammarians (Diomedes, Donatus, Priscian, and others): Diomedes, *Ars grammatica*; Phocas, *De nomine et verbo*; Priscian, *Epitoma*; Caper, *De latinitate*; Agraetius, *De orthographia*; Donatus, *De barbarismo et octo partibus orationis*; Servius et Sergius, *In Donatum* (ed. N. Jenson). Venetiis. (There were other editions of the Latin grammarians, published collectively or singly, Venetiis, 1495, 1500, 1511, 1522, 1526, 1528, 1542, etc.)

1480   Cicero, *De oratore*. Venetiis. Also 1488, Milano, *c.* 1500, etc.

1481   Reggio, Rafaelo, *Horatii Opera* (with commentaries). Padova.

1481   Zerlis, Lancilotto de, (*Aristotelis*) *Rhetorica, ex arabico latine reddita, interprete Alemanno, praemissa Alpharabii declaratione super eadem rhetorica. Excerptum ex Aristotelis poetica, ex recensione Lancilloti de Zerlis.* (Aristotle. The Latin version of the *Rhetorica* by Hermannus, abridged from the Arabic version of Averroës, preceded by the *Declaratio* of Alfarabius on the *Rhetorica*, translated from the Arabic into Latin by Hermannus and followed by the *Summary of the Poetica* by Averroës, also translated from the Arabic into Latin, the whole corrected and edited by Lancilottus de Zerlis of Verona.) Venetiis. (Cf. also Fausto Lasinio, *Il commento medio di Averroë alla Poetica di Aristotele, per la prima volta publicata in arabo e in ebraico, e recato in italiano*, Pisa, 1872.) (Other editions of Averroës on the *Poetica*, Venetiis, 1515, Basileae, 1534, etc.)

1483   Poliziano, Angelo Ambrogini, *Panepistemon* (contains a reference to Aristotle's *Poetica*). Florentiae.

1485   Alberti, Leone Battista, *De re aedificatoria*. Florentiae. (Alberti was the author of sundry other prefaces and treatises on aesthetic and literary subjects. *De re aedificatoria* is of interest for the history of the theater. See items at end of this List, pp. 49–50.

1487   Landino, Cristoforo, *Disputationes camaldulenses de vita activa et contemplativa*. Florentiae. (This work is of interest for Renaissance interpretation of Plato and Virgil.)

1487   Spagnuolo, Battista (Frate Battista Mantovano), *Contra poetas impudice loquentes carmen*. Roma.

1488   Vettori, Mario Fabio, *Ciceronis Rhetorica vetus et nova cum commenta*. Venetiis.

1492?   Savonarola, Girolamo Maria Francesco Matteo, *In poeticen apologeticus*, from *Opus perutile de divisione ac utilitate omnium scientiarum*. (This work is dated Florence, *c.* 1492, by some. It is called *L'apologetica del poetare* in Italian. It is discussed by P. Villari, in *La storia di Girolamo Savonarola*, Firenze, 1859, I, 473 ff.)

1498   Valla, Giorgio, *Aristotelis Ars poetica* (Latin translation). Venetiis.

1501   Valla, Giorgio, *De musica libri V; De grammatica libri IV; De poetica liber unus; De rhetorica libri II*. Venetiis. (To be found in *Georgiae Vallae Placentini viri clarissimi de expetendis et fugiendis rebus opus*.)

1502   Bonfini, Matteo, *Tractatus de arte metrica utilissimus*. Fani.

1505   Ricci, Pietro (Petrus Crinitus), *Libri de poetis latinis*. Florentiae. Also 1511.

1508   Manuzio (Manutius), Aldo Pio, *Hermogenis Ars rhetorica* (Greek): in Vol. I, *Rhetores Graeci*; in Vol. II, *Syriani, Sopatri, Marcellini commentarii in Hermogenis Rhetorica*. Venetiis. (Hermogenes was also edited in 1558 by A. Lollius.)

1508   Manuzio, Aldo Pio, *Demetrii Phalaerei De interpretatione* (Greek text, in *Rhetores Graeci*). Venetiis. (*Demetrii de elocutione* was long ascribed to Demetrius of Phalerum of the fourth century B.C. It may be by another Demetrius of the first century B.C.)

1508   Manuzio, Aldo Pio, *Aristotelis Rhetoricorum ad Theodecten; eiusdem Rhetorica ad Alexandrum, eiusdem Ars Poetica* (Greek texts in *Rhetores Graeci*) Venetiis. (Greek texts reprinted, Venetiis, 1536, etc.)

1509   Filelfo, Francesco, *Utilissima . . . Aristotelis Rhetorica* (a work dating before 1481). Parisiis.

1509   Paciolo (or Pacinolo, or Pacciol), Luca, *De divina proportione*. Venetiis. (On aesthetics of fine arts.)

1509   Tempo, Antonio da, *De rithmis vulgaribus* (printing under title, *Summa artis ritmici vulgaris* of a work dated 1332). Venetiis.

1512–   Pico della Mirandola, Giovanni, and Bembo, Pietro, *Lettere*,
13   (Epistles on imitation in poetry. See below, 1518, 1530.)

1513   Liburnio, Niccolò, *Le selvette* (especially *Prima selvetta*). Vinegia. (Liburnio also wrote two works, *Le vulgari eleganzie* and *Dialogo sopra le lettere del Trissino*, n. d.)

1514   Manuzio (Manutius), Aldo Pio, *Ciceronis opera rhetorica*. Venetiis. Also Venetiis, 1521, 1533, 1546, 1554, 1564, 1569, etc.

1515   Aristotle, *Poetica* (a Latin translation, with Averroës' *Summary*). Venetiis.

1515   Manuzio (Manutius), Aldo Pio, *Ausonii* [i.e. Aphthonii] *Praeludia*. Venetiis.

1516   Fortunio, Gianfrancesco, *Regole grammaticali della volgar lingua*. Ancona. Also Vinegia, 1524, 1534, etc.

1518   Pico della Mirandola, Giovanni, *Physici libri duo . . . et rhetorici duo . . . .* Basileae (reprinted in part in *Io. F. Pici . . . ad P. Bembum de imitatione libellus*, Venetiis, 1530). (See above 1512–13, below 1530. Pico wrote to Cardinal Pietro Bembo a letter on imitation, September 19, 1512, to which Bembo replied, in January, 1513.)

1519   Valla, Lorenzo, *De Latinae linguae elegantia.* Parisiis. (Written before 1457. Also Lugduni, 1532; Paris, 1541; etc.; often reprinted.)

1520?   Arsilli, Francesco, *De poëtis urbanis . . . libellus.* (Date unknown; 1520 arbitrarily suggested.)

1520?   Casalio, Giambattista, *De tragoedia et comoedia lucubratio* (In Vol. 8 of Jacobus Gronovius, *Thesaurus Graecarum antiquitatum,* 13 vols., Leyden, 1697–1702. Casalio offers an Aristotelian definition of tragedy in col. 1600.)

1522   Campiano, Nausea Blancacampiano, *In artem poeticam primordia.* Venetiis. (Friedrich Nausea Blancacampianus, or Campiano, was not an Italian, but his treatise was printed in Italy.)

1522   Trapezuntio, Giorgio (Giorgios Trapezuntios, a Greek), *Aristotelis Rhetoricorum libri III* (printing of a work dated 1435). Basileae. Also Parisiis, 1500? Venetiis, 1523; Parisiis, 1540.

1523   Filelfo, Francesco, *Rhetorices ad Alexandrum liber.* Venetiis. (Aristotelian work dating before 1481.)

1525   Bembo, Pietro, *Le prose della volgar lingua,* or *Prose di M. Pietro Bembo nelle quali si ragiona della volgar lingua scritte al Cardinale de' Medici che poi è stato creato a Sommo Pontifice et detto Papa Clemente Settimo divise in tre libri.* Venetiis. Also many later editions.

1525   Equicola, Mario, *Libro de natura de amore.* Venetia. Also thirteen later editions.

1527   Vida, Marco Girolamo, *De arte poetica.* (Written about 1520.) Cremona. Also in *Opera,* Lugduni, 1566, 1586.

1529   Alighieri, Dante, and Trissino, Giangiorgio, Trissino's Italian version, *Dante de la volgare eloquenzia tradotto in lingua Italiana.* Vicenza. Also 1538. (The Latin original of the treatise, also known sometimes as the *De vulgari eloquio,* was first printed by Jacopo Corbinelli, Paris, 1577. Giangiorgio Trissino's translation is, therefore, the first edition of Dante's treatise, which has survived in three manuscripts, the Grenoble, the Trivulzio, and the Vatican. Cf. *Il trattato De vulgari eloquentia,* per cura di Pio Rajna, Firenze, Successori Le Monnier, 1896.)

1529   Trissino, Giangiorgio, *Dialogo del Trissino intitulato Il Castellano, nel quale si tratta de la lingua italiana.* Vicenza. Also 1583.

1529   Trissino, Giangiorgio, *La poetica, Divisioni IV.* Vicenza. (A fuller edition, Venezia, 1563. In the *Prima divisione* there is an apparent allusion to the Aristotelian " mimesis," the first reference to Aristotle's theory of the imitation of reality, as opposed to Cicero's doctrine of the imitation of others, in an Italian Renaissance treatise, according to Walter L. Bullock, in " The Precept of Plagiarism in the Cinquecento," *Modern Philology*, 25 [1928], 293–312.)

1530   Pico della Mirandola, Giovanni, *Io. F. Pici . . . ad P. Bembum de imitatione libellus*, followed by *Petrus Bembus Ioanni Pico S. P. D. . . .* Venetiis. Also Strasburg, 1531?; Lyon, 1532; Strasburg, 1535; Paris, 1578, etc.

1531   Parrasio (Parrhasius), Aulo Giano, *In Q. Horatii Flacci Artem Poeticam commentaria*. Napoli. Also Napoli, 1546; Paris, 1533.

1533   Martirano, Bernardino, *Q. Horatii Flacci Ars Poetica cum commentariis A. J. Parrhasii*. Parisiis.

1534   Savonarola, Girolamo Maria Francesco Matteo, *In poeticen apologeticus*, or *Apologetica del poetare* (printing of a work dated *c.* 1492). Firenze. (In *Compendium totius philosophiae tam naturalis quam moralis*.).

1535   Dolce, Lodovico, Horace's *Ars Poetica* (Italian version with *Commentary*). Venezia. Also 1536, 1559.

1536   Daniello, Bernardino, *Della Poetica* (contains *Commentary* on Petrarch, also references to Averroës' *Summary* of Aristotle's *Poetics*). Vinegia. (Cf. Ralph Coplestone Williams, " The Originality of Daniello," *Romanic Review*, 15 (1924), 121–122; also Walter L. Bullock, " The Precept of Plagiarism in the Cinquecento," *Modern Philology*, 25 (1928) 193–312. Note 3, p. 301, of this latter article indicates Daniello's rôle in the adoption of *versi sciolti* for epic translation.)

1536   Pazzi (Paccius), Alessandro de, *Aristotelis Poetica in Latinum conversa; eadem graece*. Venetiis. Also Basileae, 1538, 1542, 1545, 1548; Parisiis, 1538; Florentiae, 1548; Lugdunum, 1549; Venetiis, 1550, 1572, 1576, 1600, etc.

1537   Berni, Francesco, *Dialogo contro i poeti*. Ferrara. (Also Venezia, 1542, in *Tutte le opere*.)

1538   Brucioli, Antonio, *Rhetorica di M. Tullio Cicerone* [or, rather, of Q. Cornificius] *tradotta in lingua toscana*. Venetia. Also Venetia, 1542.

1539   Tolomei, Claudio, *Versi e regole della nuova poesia toscana*. Roma.

1540   Calcagnini, Celio, *Ad Cynthii G. B. Gyraldi . . . super imitatione commentatio* (with *Cynthii G. B. Gyraldi poemata*). Basileae. (See below, 1545.)

1540   Doni, Antonio Francesco, *IV dialoghi della musica*. Fiorenza?

1540   Giraldi, Lilio Gregorio, *De poetica et poetarum dialogus I*, in *De historia poetarum tam Graecorum quam Latinorum, Dialogi decem* (in *Operum quae extant omnia*). Basileae. Also edition of *Dialogi*, Basileae, 1545.

1540   Scaliger, Giulio-Cesare, *De causis linguae latinae libri tredecim*. Lugduni.

1541   Equicola, Mario, *Instituzioni al comporre in ogni sorte di rima*. Milano.

1541   Gaurico (Gauricus), Pomponio, *Super Arte Poetica Horatii. Ejusdem legis poeticae epilogus*. Romae.

1541   Giraldi Cinthio, Giambattista, *Dedication* of *Orbecca, tragedia*. Venetia?

1541   Ricci, Bartolomeo, *De imitatione libri tres*. Venetiis. (See below, 1545.)

1542   Maturantio, Francesco, and Mancinello, Antonio, *M. T. Ciceronis Rhetoricorum ad C. Herennium libri, quos alii non esse Ciceronis asseverant. Ejusdem De Inventione libri duo* (with sundry commentaries). Venetiis.

1542   Speroni, Sperone, *Dialogo delle lingue. Dialogo della rhetorica* (in *I dialoghi di Messer Sperone Speroni*, Vinegia). Subsequently often reprinted. There is a French translation of the *Dialogo delle lingue*, by Claude Gruget, Paris, 1551. For the great influence exercised by this dialogue consult Pierre Villey, *Les Sources italiennes de la Deffence et illustration de la langue françoise de Joachim du Bellay*, Paris, 1908. Cf. also Francesco Cammarosano, *La vita e le opere di Sperone Speroni*, Empoli, 1920.)

1542   Vettori (Victorinus), Piero, *Commentarii in librum Demetrii Phaleraei De Elocutione*. Firenze? Also Firenze, 1547, 1552, 1562, 1594.

1543   Giraldi Cinthio, Giambattista, *Discorso sulle comedie e sulle tragedie* (Al . . . S. D. Hercole II d' Este. Letter on tragedy, and especially his *Didone* [first printed 1543], also with the *Didone, Tragedia*, Venetia, 1583, pp. 129–157).

1544   Barbaro, Daniello, *In tres libros Rhetoricorum Aristotelis commentaria*. Lugduni.

1544   Delminio, Giulio Camillo, *Due trattati; l'uno delle materie che possono venir sotto lo stile dell'eloquente; l'altro della imitatione*. Venezia. Cf. also *Di M. Giulio Camillo, Tutte le opere*, Vinegia, 1555.

1544   De Nores, Giason, *In Epistolam [Horatii] de Arte Poetica . . . interpretatio*. Parisiis.

1544 Luisino, Francesco, *In librum Q. Horatii Flacci de Arte Poetica commentarius.* Venetiis. Also Venetiis, 1546, 1554.

1545 Calcagnini, Celio, *De imitatione commentatio,* Basileae? (Also in *Caelii Calcagnini . . . opera aliquot,* Basileae, 1548, pp. 269–276.)

1545 Cataneo, R. (or Giovan Maria?), *Dialogo di Marco Tullio Cicerone d'intorno alle partitioni oratorie con la spositione.* Venezia.

1545 Del Rosso, Paolo, *Regole osservanze et avvertenze sopra lo scrivere . . . in prosa & in versi.* Napoli.

1545 Giraldi, Lilio Gregorio, *Historiae poetarum tam graecorum quam latinorum dialogi decem.* Basileae.

1545 Memo, Giovammaria, *L'Oratore del magnifico dottore e cavaliere M. . . .* Venetia.

1545 Ricci, Bartolomeo, *De imitatione libri tres.* Venetia. Also Paris, 1557.
Concerning the date of Ricci's treatise Walter L. Bullock states that, according to Antoine Augustin Renouard, it was first printed in 1541, but that in the 1545 edition Giulio Camillo Delminio's *Trattato della imitatione,* Venezia, 1544, is cited among those works that " proxime decessere." For material on Ricci and other authors, see Bullock, " The Precept of Plagiarism in the Cinquecento," *Modern Philology,* 25 (1928), 293–312, an article of value also for Pico, Bembo, Vida, Daniello, Speroni, G. Camillo Delminio, Muzio, Giraldi Cinthio, Minturno, Parthenio, Patrizzi, Castelvetro, in their relation to the aesthetic doctrine of imitation.

1545 Tomitano, Bernardino, *Ragionamenti della lingua toscana divisi in tre libri.* Venetia? Also, with additions, Venetia, 1546, and Padova, 1570.

1546 Filippo (Philippus), F. (Federico?), Horace's *Ars Poetica* (An edition). Venetia?

1546 Manuzio, Paolo Aldo, *Orator Ciceronis ad M. Brutum.* Venetiis.

1546 Pedemonte, Francesco, *Ecphrasis in Horatii Flacci Artem poeticam.* Venetiis.

1546 Sansovino, Francesco, *L'arte oratoria . . . in tre libri, ne' quali si ragiona tutto quello che all' artificio appartiene, così del poeta come dell'oratore.* Venezia. Also 1569, 1575.

1547 Dolce, Lodovico, *Il Dialogo dell' Oratore di Cicerone tradotto.* Vinegia.

1548 Figliucci, Felice, *Tradottione antica della Rettorica d'Aristotele, nuovamente trovata.* Padova.

1548   Robortelli (or Robortello), Francesco, *In librum Aristotelis de Arte Poetica explicationes.* Florentiae.

1548   Robortelli (or Robortello), Francesco, *Paraphrasis in librum Horatii de Arte Poetica.* (Another title — *Francesci Robortelli in librum Horatii qui de vulgo de Arte Poetica inscribitur.*) Florentiae.

1548   Robortelli (or Robortello), Francesco, *De fine et materia historiae facultatis.* Florentiae? Also Basileae, 1555, 1576.

1549   Fòrnari, Simone, *La sposizione di M. Simon Fòrnari da Reggio sopra l'Orlando Furioso de M. Ludovico Ariosto.* Fiorenza.

1549   Giraldi Cinthio, Giambattista, *Discorso intorno al comporre dei romanzi.* (In *Scritti estetici di G. B. Giraldi Cinthio*, 2 vols., Milano, 1864.)

1549   Landi, Costanzo, *Libro primo della poetica.* Piacenza.

1549   Rapicio (Rapicius), Jovita, *De numero oratorio libri quinque.* Venetiis.

1549   Segni, Bernardo, *Rettorica et Poetica d'Aristotele, tradotte di greco in lingua vulgare fiorentina.* Firenze. Also 1557; Venezia, 1551, 1643.

1550   Cavalcanti, Bartolomeo, *Giuditio sopra la tragedia di Canace e Macareo,* [*di Sperone Speroni degli Alvarotti*] *con molte utili considerazioni circa l'arte tragica et di altri poemi, con la tragedia appresa.* . . . Lucca. Also Venetia, 1566. (The work is dated 1543, but apparently was not published then.)

1550   Dolce, Lodovico, *Le osservationi della lingua volgare. Quarto libro nel quale si tratta della volgar poesia.* Vinegia. Also Vinegia, 1554, 1556.

1550   Grifoli (Grifolus), Jacopo, *Q. Horatii Flacci de Arte Poetica . . . explicatio.* Florentiae. Also Paris, 1552; Venezia, 1562.

1550   Grifoli (Grifolus), Jacopo, *Rhetorices libros ad Herennium ad M. Tul. Ciceronem nihil omnino pertinere . . . declaratur.* Florentiae.

1550   Landi, Ortensio, *La sferza de' scrittori antichi et moderni di M. Anonimo di Utopia.* Vinegia.

1550   Maggi (Madius), Vincenzo and Lombardi (Lombardus), Bartolomeo, *Objectiones adversus Robortelli explicationes in primum Aristotelis contextum.* Venetiis.

1550   Maggi (Madius), Vincenzo and Lombardi (Lombardus), Bartolomeo, *In Aristotelis librum de Poetica communes explanationes; Madii vero in eundem librum annotationes; eiusdem de ridiculis.* . . . Venetiis. Also 1560.

1550   Maggi (Madius), Vincenzo and Lombardi (Lombardus), Bartolomeo, *In Q. Horatii Flacci de Arte Poetica interpretatio.* Venetiis.

1550   Manuzio, Paolo Aldo, *Rhetoricorum ad C. Herennium libri IV, incerto auctore. Ciceronis De Inventione libri II. De Oratore, ad Q. Fratrem libri III. Brutus, sive, De Claris Oratoribus, liber I. Orator ad Brutum. Topica ad Trebatium. Oratoriae Partitiones. Initium libri De Optimo Genere Oratorum.* Venetiis.

1550?   Mutoni, Niccolò, *Poetica di Marco Girolamo Vida in versi toschi sciolti trapportata.* Vinegia.

1551   Giraldi, Lilio Gregorio, *Dialogi duo de poetis nostrorum temporum.* Florentiae.

1551   Muzio, Girolamo, *Dell' arte poetica* (in *Tre libri di arte poetica, Tre libri di lettere in rime sciolte*). Vinegia.

1552   Corrado, Sebastiano, *Commentarius, in quo M. T. Ciceronis de Claris Oratoribus liber, qui dicitur Brutus, & loci pene innumerabilis, quum aliorum scriptorum, tum Ciceronis ipsius explicantur.* Florentiae.

1552   Delminio, Giulio Claudio, *Discorso in materia del suo Theatro.* Venezia. (Reprinted later.)

1553   De Nores, Giason, *In epistolam Q. Horatii Flacci de Arte Poetica . . . interpretatio. Eiusdem brevis, ex distincta summa praeceptorum de arte dicendi ex tribus Ciceronis libris de Oratore collecta.* Venetiis.

1553   Patrizio (or Patrizzi), Francesco, *La Città Felice . . . Discorso della diversità de' furori poetici.* Venetia.

1554   Dolce, Lodovico, *Il dialogo dell'Oratore* [*di Cicerone*] *tradotto . . . con una espositione. . . .* Vinegia.

1554   Giraldi Cinthio, Giambattista, *Discorsi intorno al comporre dei romanzi, delle commedie, tragedie e di altre maniere di poesie.* Vinegia.

1554   Giraldi Cinthio, Giambattista, *Lettera ovvero discorso sopra il comporre le satire atte alle scene* (dated 1554, but apparently not printed until 1864, in *Scritti estetici di G. B. Cinthio,* Milano, Daelli, II, 124–150).

1554   Lionardi, Alessandro, *Dialoghi della inventione poetica et insieme di quanto, alla istoria et alla arte oratoria s'appartiene et del modo de finger la favola.* Venetiis.

1554   Nicolucci (detto Il Pigna), Giambattista, *I Romanzi . . . divisi in tre libri, ne'quali della poesia et della vita dell'Ariosto con nuovo modo si tratta.* Vinegia.

1554 Robortelli (or Robortello), Francesco, *Dionysii Longini. . . . Liber de Grandi sive Sublime Orationis Genere, hunc primum . . . in lucem editus.* Basileae. Also 1694.

1554 Ruscelli, Girolamo, *Tre discorsi a M. Lodovico Dolce.* Venetia.

1554 Varchi, Benedetto, *Lezione della poetica in generale.* Fiorenza. (Varchi's *Lezione della poetica in generale* and five *Lezioni della poesia,* delivered partly in 1553, partly in 1554, were not printed until several years later; Fiorenza, 1560–61, 1590, etc.)

1555 Capriano, Giambattista, *Della vera poetica, Libro uno.* Vinegia.

1555 Fracastoro, Girolamo, *Naugerius, sive de poetica dialogus.* Venetiis. Fuller edition, 1584.

1555 Fracastoro, Girolamo, *Opera omnia.* Venetiis. Also 1574, 1584, 1621, etc.

1555 Gelli, Giambattista, *Ragionamento sopra le difficoltà del mettere in regole la nostra lingua.* Firenze?

1555 Manuzio, Paolo Aldo, *Dionysii Longini de Sublime Genere Dicendi.* Venetiis.

1555 San Martino, Conte di, *Le osservazioni grammaticali e poetiche della lingua italiana.* Roma.

1556 De la Barba, Simon and Pompeio, *La Topica di Cicerone col comento.* Vinegia.

1556 Lenzoni, Carlo (or Dante del), *La difesa della lingua fiorentina et di Dante . . . con le regole di far bella e numerosa la prosa.* Firenze?

1557 Barbaro, Daniello, *Della eloquenza* (edited by Girolamo Ruscelli). Venetia.

1557 Giraldi Cinthio, Giambattista, *Lettera* (to Bernardo Tasso on epic and heroic poetry: thirty-two pages. Dated Ferrara, Oct. 10, 1557; *Lettere di XIII huomini illustri . . . da Tomaso Porcacchi, Libro XVII,* Venetia, 1582. Cf. *Scritti estetici di G. B. Giraldi Cinthio,* 2 vols., Milano, 1864.

1558 Caro, Annibale, *Apologia degli Academici di Banchi di Roma contra a messer Lodovico Castelvetro.* Parma.

1558 Viperano (Viperani), Gianantonio, *De poetica libri tres.* Antwerp. (Also 1579.)

1559 Atanagi, Dionigi, *Ragionamento della eccellentia et perfettion de la historia.* Venetia.

1559 Cavalcanti, Bartolomeo, *La retorica.* Venezia.

1559 Minturno, Antonio Sebastiano, *De poeta libri sex.* Venetiis.

1559   Nicolucci (detto Il Pigna), Giambattista, *Gli heroici*. Ferrara. Also Vinegia, 1561.

1559   Ruscelli, Girolamo, *Trattato del modo di comporre in versi nella lingua italiana*. Vinegia. Also 1572, 1581–82.

1559   Ruscelli, Girolamo, *Alcune altre cose da avvertire nel Furioso*. Vinegia?

1559   Tolomei, Claudio, *Delle lettere*. Vinegia. Also 1566.

1560   Ammirato, Scipione, *Il Dedalione, dialogo del poeta*. Napoli.

1560   Castelvetro, Lodovico, *Ragione d'alcune cose segnate nella canzone d'Annibal Caro*. . . . (Modena, 1559–60.)

1560   Delminio, Giulio Camillo, *Discorso sopra l'Idee di Hermogene* (in *Opere*, Vol. II). Vinegia. Reëdited later.

1560   Delminio, Giulio Camillo, *La Topica, o vero della elocutione* (in *Opere*, Vol. II). Vinegia.

1560   Dolce, Lodovico, *Osservationi*. Vinegia.

1560   Mascher, Girolamo, *Il fiore della rettorica*. Vinegia.

1560   Parthenio, Bernardino, *Della imitatione poetica*. Vinegia. (There is also a Latin translation, apparently somewhat expanded by Parthenio, entitled *De poetica imitatione*, Venetiis, 1565. See below, 1565. Parthenio reverses the procedure of Antonio Sebastiano Minturno, who wrote first in Latin, then in Italian. See above, 1559, below, 1563.)

1560   Patrizzi, Francesco, *Della historia*. Venetia.

1560   Vettori (Victorinus), Piero, *Commentarii in primum librum Aristotelis de Arte Poetarum* (Greek and Latin texts of *Poetics* with commentary). Florentiae. Also 1563, 1564, 1573.

1561   Castelvetro, Lodovico, *Gli eroici*. Vinegia. (Cf. also *Opere varie critiche*, Lione, 1727.)

1561   Nicolucci (detto Il Pigna), Giambattista, *Poetica Horatiana*. Venetiis.

1561   Scaliger, Giulio-Cesare, *Poetices libri septem*. Lugdunum. Also Genovae.

1561   Toscanella, Orazio, *Retorica di M. Tullio Cicerone a G. Herennio ridotta in alberi*. Vinegia.

1562   Doni, Antonio Francesco, *Libro dell'eloquenza*. Vinegia.

1562   Patrizio (or Patrizzi), Francesco, *Della retorica. Dieci dialoghi . . . nelli quali si favella dell'arte oratoria con ragioni repugnanti all'opinione che intorno a quella hebbero gli antichi autori*. Venezia.

1562   Tasso, Bernardo, *Ragionamento della poesia.* Vinegia.

1562   Toscanella, Orazio, *Precetti necessarii et altre cose utilissime . . . sopra diverse cose pertinenti alla . . . poetica, retorica . . . et ad altre facoltà.* Venetia.

1562   Vettori (Victorinus), Piero, *Commentarii in librum Demetrii Phalerei de Elocutione, positus ante singulas declarationes graecis vocibus auctoris, iisdemque ad verbum latine expressis.* Florentiae.

1563   Dolce, Lodovico, *Osservazioni della volgar lingua. Lib. IV, Della volgar poesia, e del modo ed ordine di comporre diverse maniere di rime.* Venezia.

1563   Minturno, Antonio Sebastiano, *L'arte poetica del Sig. A. M. nelle quale si contengono i precetti heroici, tragici, comici, satyrici, e d'ogni altra poesia.* (Translated and altered from the author's *De Poeta*, Venezia, 1559.) Venezia. Also Napoli, 1725.

1563   Trissino, Giangiorgio, *La quinta e la sesta divisione della poetica.* Venezia. (Enlargement to the edition in four books only, Vicenza, 1529. Cf. *Le sei divisioni della poetica*, in *Tutte le opere*, Verona, 1729.)

1564   Capiduro, Girolamo (Hieronymus Capidurus), and others, *M. Tulli Ciceronis Rhetoricorum ad Herennium libri quatuor, alias, Ars nova, sive Nova rhetorica. Rhetoricorum de Inventione libri duo, alias, Ars vetus, seu Vetus rhetorica* (with sundry commentaries). Venetiis.

1564   Dolce, Lodovico, *Modi affigurati . . . della volgar lingua, con un discorso sopra i mutamenti e diversi ornamenti dell' Ariosto.* Venetia.

1565   Parthenio, Bernardino, *De poetica imitatione libri quinque.* Venetiis.

1565   Piccolomini, Alessandro, *Copiosissima parafrase nel primo libro della Retorica d'Aristotele.* Venetia.

1565   Speroni, Sperone, *Opere.* Venezia. (Nothing here not contained in the 1542 edition. Cf. also edition of the *Opere*, Venezia, 1740.)

1566   Fabrini da Fighine, Giovanni, *L'opere d'Oratio . . . comentate in lingua vulgare Toscana.* Venetia. (See below, 1587.)

1566   Giraldi, Lucio Olimpio, *Ragionamento in difesa di Terentio.* Monte Regale.

1566   Grasso, Benedetto, *Oratione contra gli Terentiani.* Monte Regale.

1566   Sigonio, Carlo, *Aristotelis De Arte Rhetorica libri tres, C. S. Interprete.* Venetiis.

1566 Toscanella, Orazio, *Osservazioni sopra l'opere di Virgilio per discoprire ed insegnare a porre in prattica gli artifici importantissimi dell'arte poetica.* Vinegia.

1567 Lapini, Frosino, *Lettione nella quale si ragiona del fine della poesia, letta privatamente nella Academia fiorentina.* . . . Firenze.

1567 Mosellano, Piero (Petrus Mosellanus), and others, *M. Fabii Quintiliani de Institutione Oratoria libri duodecem. Additae sunt Petri Mosellani . . . annotationes in septem libros priores et Joachimi Camerarii in primum et secundum. Quibus et accessit . . . commentarius Antonii Pini Portodemaei in tertium. . . . Eiusdem Quintiliani Declamationes, quibus addimus Persivaldi Belingenii . . . in primam et secundam annotationes.* Venetiis.

1567 Toscanella, Orazio, *Quadrivio, il quale contiene un trattato della strada che si ha da tenere in scrivere istoria.* Venetia.

1567 Toscanella, Orazio, *Rodolfo Agricola Frisio della inventione dialettica; tradotta . . . con alcune annotationi.* Venetia.

1568 Riccoboni (Riccobono), Antonio, *De historia commentarius.* Venetiis.

1568 Toscanella, Orazio, *Libro primo degli artifici osservati . . . sopra Cicerone.* . . . Venezia. (Also with title *Artifici oratori e poetici osservati.* . . . Venezia, 1594.)

1568 Toscanella, Orazio, *Il dialogo della partitione oratoria di M. T. Cicerone . . . tirato in tavole.* Vinegia.

1569 Piccolomini, Alessandro, *Piena et larga parafrase nel secondo libro della Retorica d'Aristotile a Theodette.* Venetia.

1570 Caro, Annibale, *La Rettorica d'Aristotile fatta in lingua toscana.* Venezia. (Reprinted later, 1732.)

1570 Castelvetro, Lodovico, *Poetica d'Aristotele vulgarizzata et sposta.* Vienna. (Also Basileae, 1576, 1578, 1582; Milano, 1827. Cf. also *Opere varie critiche.* Berna, 1727. Cf. also Torquato Tasso, *Estratti della Poetica del Castelvetro*, with Tasso's *Comments* on the Vienna, 1570, edition, to be found in T. Tasso, *Le prose diverse*, ed. Cesare Guasti, I, 275–295, Firenze, 1875.)

1570? Castravilla, Ridolfo (probable pseudonym for Lionardo Salviati), *Discorso.* (The *Discorso* of Castravilla was, according to its modern editor, Mario Rossi, *I discorsi di Ridolfo Castravilla contro Dante e di Filippo Sassetti in difesa di Dante*, Città di Castello, 1897, pp. 9–10, written and circulated soon after 1570, but not printed until the seventeenth century, when it appeared with the *Annotazioni . . . di Bellisario Bulgarini*,

Siena, 1608. Alessandro Carriero cites the *Discorso* in his *Apologia*, 1583, showing that it circulated before publication.)

1570 Tomitano, Bernardino, *Annotationi nel libro della Poetica d'Aristotele*. Siena.

1570 Varchi, Benedetto, *L'Hercolano dialogo . . . nel qual si ragiona generalmente delle lingue, e in particulare della toscana e della fiorentina* (in praise of Dante at expense of Homer). Fiorenza. Also Venetia, 1570.

1571 Piccolomini, Alessandro, *I tre libri della Rettorica di Aristotele a Theodette tradotti in lingua volgare*. Venetia.

1572 De' Conti, Antonio Maria, *M. A. Majoragii in tres Aristotelis libros de Arte Rhetorica, quos ipse latinas fecit explanationes*. Venetiis.

1572 Pagano, Pietro, *Dionysii Longini* [*Liber*] *De Sublimi Dicendi Genere latinitate donatus*. Venetiis.

1572 Piccolomini, Alessandro, *Il libro della Poetica d'Aristotele, tradotto di Greca lingua in volgare . . . con una sua epistola ai lettori del modo del tradurre con la traduttione del medesimo libro, in lingua volgare*. Siena. Also Venezia, 1575.

1572 Piccolomini, Alessandro, *Annotationi . . . nel libro della Poetica di Aristotele*. Siena. Also 1575; Vinegia, 1575.

1572 Piccolomini, Alessandro, *Piena . . . parafrase . . . nel terzo libro della Retorica d'Aristotile*. Venetia.

1573 Mazzoni, Jacopo, *Discorso . . . in difesa della Commedia del divino poeta Dante*. Cesena. Also 1587.

1573– Several writers, *Annotationi et discorsi sopra alcuni luoghi del*
74 *Decameron, di M. Giovanni Boccaccio; fatte dalli molto magnifici sig. deputati*. . . . Fiorenza.

1574 De Nores, Giason, *Breve trattato dell'oratore*. Padova.

1575 Piccolomini, Alessandro, *Annotationi . . . nel libro della Poetica d'Aristotele: con la traduttione del medesimo libro, in lingua volgare*. Venetia.

1575 Piccolomini, Alessandro, *Artis rhetoricae praecepta*. Venetia?

1575 Speroni, Sperone, *Apologia di Dante*. (Written about this date. Cf. *Opere tratte da Mss. originali*. Venezia, 1740.)

1575 Verdizzoti, Giovanni Maria, *Genius: de furore poetico*. Venetia?

1576 Baldini, Bernardino, *Ars Poetica Aristotelis versibus exposita*. Milano. Also 1578.

1576 Foglietta, Uberto, *De ratione scribendae historiae*. Basileae.

1576 Gambara, Lorenzo, *De perfecta poeseos ratione*. Roma.

1576   Manuzio, Paolo Aldo, *In Q. Horatii Flacci . . . librum de Arte Poetica . . . commentarius.* Venetiis.

1576   Viperani (or Viperano), Gianantonio, *De scribenda historia liber.* Basileae.

1576   Viperani (or Viperano), Gianantonio, *De scribendis illustrium vitis.* Basileae.

1577   Alighieri, Dante, and Corbinelli, Jacopo, Dante's *De vulgari eloquentia* (first Latin text edition). Paris.

1578   De Nores, Giason, *Introduttione ridotta poi in alcune tavole sopra i tre libri della Rhetorica d'Aristotile.* Venetia.

1578   Pino da Cagli, Bernardo, *Discorso intorno al componimento della comedia de' nostri tempi.* Venetia.

1579   Riccoboni (or Riccobono), Antonio, *Aristotelis Ars Rhetorica . . . latine conversa . . . Aristotelis Ars Poetica ab eodem in latinam linguam versa; cum eiusdem de Re Comica disputatione.* Venetiis. Also Venetia, 1584; Padova, 1587, etc.

1579   Viperani (or Viperano), Gianantonio, *De poetica libri tres.* Antwerp. Also Antwerp, 1558. (See above, 1558.)

1580   Caburacci, Francesco, *Trattato . . . con un breve discorso in difesa dell'Orlando Furioso. . . .* Bologna.

1580   Gilio da Fabriano, Giovanni Andrea, *La topica poetica.* Vinegia.

1581   Catena, Girolamo, *Discorso . . . sopra la traduttione.* Venetia.

1581   De Nores, Giason, *Della rhetorica.* Venezia. Also Venezia, 1584.

1581   Frachetta, A. (or Girolamo?), *Dialogo del furor poetico.* Padova.

1581   Ruscelli, Girolamo, *De' commentarii della lingua italiana.* Venetia.

1581   Segni, Agnolo, *Ragionamento sopra le cose pertinenti alla poetica.* Firenze.

1581   Viperani (or Viperano), Gianantonio, *De componenda oratione.* Antverpiae.

1582   Carriero, Alessandro, *Breve ed ingegnoso discorso contra l'opera di Dante.* Padova.

1582   Lombardelli, Orazio, *Giudizio sopra il Goffredo di Torquato Tasso.* Firenze.

1582   Muzio, Girolamo, *Battaglie in difesa dell'italica lingua.* Vinegia.

1583   Bulgarini, Bellisario, *Alcune considerazioni sopra'l discorso di M. Giacopo Mazzoni, fatto in difesa della Commedia di Dante.* Siena.

1583   Carriero, Alessandro, *Apologia contra le imputationi del Sig. Bellisario Bulgarini: Palinodia del medesimo Carriero, nella quale si dimostra l'eccellenza del poema di Dante.* Padova. Also 1584?

1583   Giraldi Cinthio, Giambattista, Prologues of *Attila* and *Arrenopia* (In *Le Tragedie*, Venezia, 1583).

1583   Pellegrino, Camillo, *Il caraffa overo dell'epica poesia dialogo* (Tasso vs. Ariosto). Firenze? (Also Firenze, 1585, in *Parte delle Rime di D. B.* [*Benedetto*] *dell' Uva.*)

1583   Pellegrino, Camillo, *Del concetto poetico.* Firenze? (Cf. pp. 325–359 of Angelo Borzelli, *Il Cavaliere Giambattista Marini*, Napoli, 1898.)

1583   Bernardo Segni, *La Politica, la Rettorica, la Poetica ed i libri dell' Anima* [*di Aristotele*], *tradotti.* Firenze.

1583   Zoppio, Girolamo, *Ragionamenti in difesa di Dante e del Petrarca.* Bologna.

1584   Accademici della Crusca, *Difesa dell' Orlando Furioso dell'Ariosto contra'l Dialogo dell'Epica Poesia di Camillo Pellegrino.* Firenze.

1584   Parthenio, Bernardino, *Bernardini Parthenii Spilimbergii in Q. Horatii Flacci Carmina atque Epodes commentarii quibus poetae artificium & via ad imitationem atque ad poetice scriben dum aperitur.* Venetiis.

1584   Riccoboni (or Riccobono), Antonio, *Liber de poetica . . . latine conversa et clarissimis partitionibus ac notationibus ad oram libri positis illustrata. Poetica Aristotelis per paraphrasis explicans et nonnullus L. Castelvetri captiones refellens.* Venetiis. Also Vicenza, 1585, with additions? Also Patavii, 1587. (See above, 1579, below, 1585.)

1584   Salviati, Lionardo, *Degli avvertimenti della lingua sopra'l Decamerone. Volume primo. . . . Ne' quali si discorre partitamente dell'opere, e del pregio di forse cento prosatori . . . e si ragiona dello stile.* Venezia.

1584   Salviati, Lionardo, *Il Lasca, dialogo d'Ormannozzo Rigogoli . . . nel quale si mostra che non importa che la storia sia vera, e quistionasi per incidenza alcuna cosa contra la poesia.* Firenze.

1584   Salviati, Lionardo, *Degli accademici della Crusca difesa dell'Orlando Furioso dell'Ariosto Contra'l Dialogo dell'Epica Poesia di Camillo Pellegrino.* Firenze. Also Ferrara, 1585.

1584   Vettori, Piero (Petrus Victorinus), and others, *Aristotelis Artis Rhetorica libri III. Rhetorices ad Alexandrum liber I. De Arte Poetica liber I. Addita in fine varia locorum lectio, partim* e *probatioribus editionibus; partim e Petri Victorii commentariis et aliorum doctorum virorum observationibus. Francofurdi.*

1585   Ariosto, Orazio, *Difese dell'Orlando Furioso.* Ferrara.

1585   Bruno, Giordano, *Degli eroici furori; al molto illustre ed excellente cavaliere Signor Filippo Sidneo.* (Sir Philip Sidney.) London.

1585   Bulgarini, Bellisario, *Riposte . . . ai ragionamenti del Sig. Ieronimo Zoppio intorno alla Commedia di Dante.* Siena.

1585   Bulgarini, Bellisario, *Repliche alle risposte di Capponi sopra le . . . sue considerazioni intorno al discorso di M. G. Mazzoni composto in difesa della Commedia di Dante.* Siena?

1585   De' Rossi, Bastiano, *Lettera a Flamminio Mannelli nella quale si ragiona . . . del dialogo dell'Epica di M. Camillo Pellegrino.* Firenze.

1585   Frachetta, Girolamo, *La spositione . . . sopra la canzone di Guido Cavalcanti.* Venetia.

1585   Mureto, Antonio, *Aristotelis Rhetoricorum, libri duo, M. A. interprete.* Romae.

1585   Patrici (or Patrizzi), Francesco, *Parere in difesa di Lodovico Ariosto.* Ferrara.

1585   Riccoboni (or Riccobono), Antonio, *Poetica Poeticam Aristotelis per paraphrasim explicans et nonnullas Ludovici Castelvetrii captiones refellens; eiusdem A. Riccoboni ex Aristotele Ars Comica.* Vicenza.

1585   Salviati, Lionardo (L'Infarinato primo), *Dello Infarinato Accademico della Crusca. Risposta all'Apologia di Torquato Tasso intorno all'Orlando Furioso, e alla Gerusalemme Liberata.* Firenze.

1585   Tasso, Torquato, *Risposta alla lettera di Bastiano Rossi dell'Academia della Crusca.* Ferrara.

1585   Zoppio, Girolamo, *Risposta alle oppositioni sanesi fatte a' suoi ragionamenti in difesa di Dante.* Fermo.

1586   Bulgarini, Bellisario, *Risposte a' ragionamenti del Sig. Ieronimo Zoppio intorno alla Commedia di Dante. . . . Replica alla risposta del medesimo Zoppio intitolata: Alle opposizioni sanesi.* Siena.

1586   Correa, Tommaso, *De antiquitate et dignitate poesis et poetarum differentia.* Romae.

1586   Gentili, Scipio, *Annotationi sopra la Gerusalemme Liberata di Torquato Tasso.* Leida.

1586   Lombardelli, Orazio, *Discorso intorno ai contrasti, che si fanno* sopra la Gerusalemme Liberata. Ferrara. Also Mantova, 1586, Basilea, 1586.

1586 Ottonelli, Giulio, *Discorso . . . con le difese della Gerusalemme Liberata.* Ferrara. Also Terrasca, 1586.

1586 Pariguolo, Lorenzo, *Questioni della lingua. . . . Volume secondo.* Firenze.

1586 Patrici (or Patrizzi), Francesco, *Della poetica: La deca istoriale; la deca disputatata; il Trimerone.* Ferrara.

1586 Patrizio (or Patrizzi), Francesco, *Il Trimerone risposta a Torquato Tasso.* Ferrara.

1586 Pellegrino, Camillo, *Replica alla risposta degli Academici della Crusca, fatta contra il Dialogo dell'Epica Poesia come e' dicono dell'Orlando Furioso.* Mantova. (Also, with an index, Mantova, 1587. An edition, Vico Equense, 1585, is also noted.)

1586 Salviati, Lionardo, *Parafrasi e commenti della Poetica d'Aristotele. Degli interpreti di questo libro della Poetica.* (MS). Firenze.

1586 Salviati, Lionardo, *Considerazioni di Carlo Fioretti da Vernio intorno a un discorso di M. Giulio da Fano sopra ad alcune dispute dietro alla Gierusalemme Liberata.* Firenze.

1586 Salviati, Lionardo, *Avvertimenti della lingua. . . . Volume secondo.* Firenze.

1586 Sardi, Alessandro, *Discorso della poesia di Dante. . . .* Venetia.

1586 Tasso, Torquato, *Apologia in difesa della sua Gerusalemme Liberata.* Ferrara.

1586 Tasso, Torquato, *Risposta al discorso di O. Lombardelli.* Ferrara.

1587 Correa, Tommaso, *Explanationes in librum Q. Horatii Flacci de Arte Poetica.* Roma.

1587 Dal Corno, Tuccio, *Della difesa della Comedia di Dante.* Cesena.

1587 Degli Oddi, Niccolò, *Dialogo in difesa di Camillo Pellegrino contra gli Academici della Crusca.* Venezia.

1587 Delminio, Giulio Camillo, *Pro suo de eloquentia ad Gallos oratio.* Venetiis.

1587 De Nores, Giason, *Discorso intorno a que' principii che la comedia, la tragedia, e il poema heroico ricevano dalla philosophia morale e civile et da governatori delle repubbliche.* Padova. Also in *Opere*, Verona, 1727.

1587 Fabrini da Fighine, Giovanni, *Orazio. Arte Poetica* (blank-verse Italian version with notes, in G. F. da F.'s *Opere*). Venezia.

1587–　Mazzoni, Jacopo, *Della difesa della Commedia di Dante, distinta*
88　　　*in sette libri, nelle quali si tratta pienamente dell'arte poetica.*
　　　　Parte prima. Parte seconda posthuma. Cesena.

1587　　Talentoni, Giovanni, *Lezione . . . del modo di cominciare e*
　　　　narrare e conchiudere in qual si voglia poema. Fiorenza.

1587　　Tasso, Torquato, *Discorso dell'arte poetica, ed in particolare del*
　　　　poema eroico (written c. 1564). Venezia.

1587　　Tasso, Torquato, *Delle differenze poetiche, per riposta al signore*
　　　　Orazio Ariosto. Verona.

1587　　Zoppio, Girolamo, *Particelle poetiche sopra Dante.* Bologna.

1588　　Ceruto (Cerutus), Federico, *De Re Poetica libellus incerti auctoris,*
　　　　Verona.

1588　　Ceruto (Cerutus), Federico, *Paraphrasis in Quinti Horatii Flacci*
　　　　librum de Arte Poetica. Verona.

1588　　De Nores, Giason, *Poetica nella qual si tratta secondo l'opinione*
　　　　d'Aristotele della tragedia, del poema heroico e della comedia.
　　　　Padova.

1588　　Fabrini da Fighine, Giovanni, *Teorica de la lingua.* Venetia.

1588　　Guarini, Giambattista (Il Verrato primo), *Difesa di quanto ha*
　　　　scritto Giasone Denores contra le tragicommedie e le pastorali
　　　　in su discorso di poesie. Ferrara.

1588　　Guastavini, Giulio, *Risposta all'Infarinato . . . intorno alla*
　　　　Gerusalemme. . . . Bergamo. Also Pavia, 1592.

1588　　Riccoboni (or Riccobono), Antonio, *Aristotelis Artis Rhetoricae*
　　　　libri tres . . . latine conversi (with sundry commentaries).
　　　　Francofurdi. Also Hanoviae.

1588　　Salviati, Lionardo (L'Infarinato secondo). *Risposta al libro*
　　　　intitolato Replica di Camillo Pellegrino. . . . Con molte . . .
　　　　quistioni di poesia . . . e con la tavola copiosissima. Firenze.

1589　　Belprato, Vincenzo (attributed to), *La Veronica, o del sonetto.*
　　　　Genova. (See below, Toralto, 1589.)

1589　　Malatesta, Giuseppe, *Della nuova poesia overo delle difese del*
　　　　Furioso. Verona. Also 1590.

1589　　Porta, Malatesta, *Il Rossi, overo del parere sopra alcune objet-*
　　　　tioni fatte dall'Infarinato . . . intorno alla Gierusalemme
　　　　Liberata. Rimini.

1589　　Rossi, Niccolò, *Discorso intorno alla comedia.* Vicenza.

1589　　Spontane, Ciro, *Il Bottrigaro, overo del nuovo verso enneasillabo.*
　　　　Verona. (Or is it endecasillabo?)

1589　　Toralto da Arragona, Vincenzo, *La Veronica, overo del sonetto*
　　　　dialogo. Genova. (According to Walter L. Bullock, this work

by Vincenzo Toralto, of which there is a copy in the Plimpton
Collection at Wellesley College, was ascribed by Nicola Fran-
cesco Haym, *Biblioteca Italiana*, Milano, 1803, IV, 45, to one
Vincenzo Belprato.)

1589   Zoppio, Girolamo, *La poetica sopra Dante.*   Bologna.

1590   Delminio, Giulio Camillo, *In rhetoricen isagoge.*   Maceratae.

1590   De Nores, Giason, *Apologia contro l'auttor del Verato di Giason
de Nores di quanto ha egli detto in suo discorso delle tragicomedie, & delle pastorali.*   Padova.

1590   Pescetti, Orlando, *Del Primo Infarinato.* . . . *Difesa contro alla
Sig. G. Guastavini.*   Verona.

1590   Rossi, Niccolò, *Discorsi intorno alla tragedia.*   Vicenza.

1590   Summo, Faustino, *Due discorsi intorno al contrasto tra il Signor
Speron Speroni, ed il giudizio stampato contra la sua tragedia
di Canace e di Macareo; et l'altro della nobilità.*   Padova.

1590   Varchi, Benedetto, *Della poetica* (in *Lezzioni, lette nell'Accademia Fiorentina sopra diverse materie, poetiche e filosofiche*).
Firenze.

1590   Zinano, Gabriele, *Discorso della tragedia.*   Reggio.

1590   Zinano, Gabriele, *Il sogno, overo della poesia.*   Reggio.

1590   Zinano, Gabriele, *Sommarii di varie rettoriche.* . . .   Reggio.

1590   Zucchi, Bartolomeo, *L'Idea del segretario dal Signore Bartolomeo
Zucchi* . . . *rappresentata in un trattato dell'imitatione, e
nelle lettere d'eccellentissimi scrittori.*   Venetia, 1590.   Also
Venetia, 1595, 1606, 1614.

1591   Correa, Tommaso, *De eloquentia libri quinque.*   Bononiae.

1591   Cortese, Giulio-Cesare, *Avvertimenti nel poetare.*   Napoli.

1591   Fracastoro, Girolamo, *Operum pars prior et pars posterior.*   Lugdunum.   Also Genevae, 1621, 1627.

1591   Riccoboni (or Riccobono), Antonio, *Compendium Artis Poeticae
Aristotelis ad usum conficiendorum poematum* . . . *ordinatum.*
Padova.

1592   Ingegneri, Angelo, *Della poesia rappresentativa et del modo di
rappresentare le favole sceniche.*   Firenze.   Also Ferrara, 1598.

1592   Michele, Agostino, *Discorso in cui si dimostra come si possono
scrivere le commedie e le tragedie in prosa.*   Firenze?

1592   Riccoboni (or Riccobono), Antonio, *Praecepta Aristotelis cum
praecepta Horatii collata.*   Padova.

1593   Guarini, Giambattista (Il Verrato secondo), *Replica dell'Altizzato Academico Ferrarese in difesa del Pastor Fido.* Firenze.

1594   Beni, Paolo, *In Timoeum Platonis, sive in naturalem atque divinam Platonis et Aristotelis philosophiam decades tres, cum disputatione de affectibus movendis ab oratore.* Roma. Also Roma, 1650.

1594   Delminio, Giulio Camillo, *Le idee overo forme della oratione da Hermogene considerate et ridotte in questa lingua.* Udine.

1594   Guarini, Giambattista, *Il segretario.* Venetia.

1594   Tasso, Torquato, *Discorso del poema eroico.* Napoli (One of Tasso's *Discorsi dell'arte poetica.* Cf. *Poetica,* in *Opere,* Vol. V, Venezia, Monti, 1735; also Vol. III of *Opere di Torquato Tasso,* 5 vols., Milano, 1823–25, and *Discorsi delle differenze poetiche,* Vol. V. Cf. also Rudolph Altrocchi, " Tasso's Holograph Annotations to Horace's Ars Poetica," *Publications of the Modern Language Association of America,* 43 (1928), 931–953.)

1595   Possevini (Antonio?), *Tractatio de poesi et pictura ethica, humana et fabulosa.* Lugduni.

1596   Borghesi, Diomede, *Oratione intorno a gli onori et a' pregi della poesia e della eloquenza.* Siena.

1596   Malatesta, Giuseppe, *Della poesia romanzesca. . . . Ragionamento secondo e terzo.* Roma.

1596   Speroni, Sperone, *Dialogo primo sopra Virgilio: Dialogo secondo sopra Virgilio,* in *Dialoghi del Signor Sperone Speroni.* Venezia.

1597   Buonamici, Francesco, *Discorsi poetici nella Accademia Fiorentina in difesa di Aristotile.* Firenze.

1597   Giacomini Tebalducci Malespini, Lorenzo, *Orazioni e discorsi* (pp. 29–52, *De la purgatione de la tragedia;* pp. 53–73, *Del furor poetico*). Fiorenza.

1597   Speroni, Sperone, *La Canace, tragedia . . . alla quale sono aggiunte . . . alcune lettioni in difesa della tragedia.* Venetia.

1598   Lombardelli, Orazio, *Le fonti toscani.* Firenze.

1599   Feronio, Silvio, *Il chiariti, trattandosi de' fonti toscani di Orazio Lombardelli.* Lucca.

1600   Beni, Paolo, *Risposta alle considerationi e ai dubbi del . . . Signore Malacreta . . . sopra il Pastor Fido.* Padova.

1600   Beni, Paolo, *Discorso, nel quale si dichiarano e stabiliscono molte cose pertinenti alla Risposta. . . .* Venetia.

1600   Beni, Paolo, *Disputatio in qua ostenditur praestare comoediam atque tragoediam metrorum vinculis solvere.* Venetiis.

1600   Malacreta, Giovanni Pietro, *Considerazioni sopra il Pastor Fido. . . .* Vicenza.

1600   Summo, Faustino, *Discorsi poetici . . . ne' quali si discorrono le più principali questioni di poesia, e si dichiarano molti luoghi dubi e difficili intorno all'arte di poetare; secondo la mente di Aristotele, di Platone, e di altri buoni autori.* Padova.

1601   Brandi, Giovanni Bernardo, *Trattato dell'arte poetica* (in his *Rosario di Maria Vergine*). Roma.

1601   Pescetti, Orlando, *Difesa del Pastor Fido tragicommedia pastorale . . . con una breve risoluzione de' dubbi del . . . Signore Paolo Beni.* Verona.

1601   Savio, Giovanni, *Apologia in difesa del Pastor Fido.* Venetia.

1601   Summo, Faustino, *Due discorsi; . . . L'uno contra le tragicomedie e moderni pastorali; l'altro particolarmente contra il Pastor Fido. . . . Et insieme una risposta . . . in difesa del metro nelle poesie e nei poemi contra il parere del Rev. Signore Paolo Beni.* Vicenza.

1603   Guarini, Giambattista, *Compendio della poesia tragicomica, tratto dai due Verati.* Venetia.

1603   Segni, Piero, *Demetrio Falereo. Della locuzione, volgarizzato . . . con postille al testo ed esempli toscani conformati ai greci.* Firenze.

1604   Porta, Malatesta, *Il beffa, ovvero della favola dell'Eneide . . . con una difesa della morte di Solimano nella Gerusalemme Liberata recata à vitio dell'arte in quel poema.* Rimini?

1607   Beni, Paolo, *Comparatione di Homero, Virgilio e Torquato, e chi di loro si debba la palma nell'heroico poema.* Padova. Also 1616.

1608   Bulgarini, Bellisario, *Annotazioni.* Siena.

1608   Heredia, Luigi, *Apologia nella quale si difendono Teocrito e i Dorici dalle accuse di Battista Guarini e per incidenza si mette in disputa il suo Pastor Fido.* Palermo e Vicenza.

1609   Tassoni, Alessandro, *Considerazioni.* Modena.

1612   Beni, Paolo, *L'Anti-Crusca, ovvero il Paragone della italiana lingua.* Padova.

1612   Boccalini, Traiano, *De' Ragguagli di Parnaso.* Venetia. Also Venetia, 1617, 1618, 1637, 1644, etc. (Cf. Antonio Belloni, *Traiano Boccalini*, Torino, 1931; Amedeo Rinaldi, *I Rag-*

guagli di Parnaso, Napoli, 1932; *idem, Traiano Boccalini e la
sua critica letteraria*, Venezia, 1933.)

1612   Tassoni, Alessandro, *Cose poetiche, istoriche e varie*, Book IX of
his *Pensieri diversi; Poeti antichi e filosofi moderni*, Book X of
his *Pensieri diversi*. (There is an indication that part at least
of the *Pensieri* appeared in the author's *Ingegni antichi e moderni questioni*, 1601, also 1646.)   Modena.

1613   Beni, Paolo, *In Aristotelis Poeticam commentarii; . . . adjecta
est Platonis poetica ex ejus dialogis collecta*. Padova. (*Platonis
Poetica* also Venezia, 1622.)

1613   Da Monte Melone, Chiodino, *Speculum Poeticae Aristotelis* (in
Rhetorica). Venetiis.

1613   Pescetti, Orlando, *Risposta all'Anticrusca di Paolo Beni*. Verona.

1615   Fontana, Publio, *Del proprio ed ultimo fine del poeta*. Bergamo.

1616   Beni, Paolo, *Il Goffredo, ovvero Gerusalemme Liberata del Tasso,
col commento di Paolo Beni*. Padova.

1616   Marta, Orazio, *Spozitione della Poetica d'Aristotile* (in *Rime e
prose*). Napoli.

1616   Marta, Orazio, *Paralello tra Petrarca e Monsignore Giovanni della
Casa* (in *Rime e prose*). Napoli.

1616   Quattromani, Sertorio, *Rime di Monsignore Giovanni della Casa*.
Napoli.

1618   Basile, Giambattista, *Osservationi intorno alle rime del Bembo,
e del Casa, con la tavola delle desinenze delle rime, et con la
varietà de' testi nelle rime del Bembo*. Napoli.

1618   Pellegrino, Camillo, *Discorso della poetica*. Venezia.

1620   Fioretti, Benedetto (Udeno Nisieli), *Proginnasii poetici, volume
primo* (the second volume appeared in 1639). Firenze.

1621   Bellunese, Giovanni Colle, *Ragionamenti poetici sopra la Poetica
d'Aristotile*. Venezia.

1621   Galuzzi, Tarquinio, *T. G. Sabini e societate Jesu Virgilianae
vindicationes, et commentarii tres de tragoedia, comoedia,
elegia*. Roma.

1621   Galuzzi, Tarquinio, *Rinovazione dell'antica tragedia e difesa
del Crispo*. Roma.

1623   Marini, Giambattista, *L'Adone*, with *Préface* by Jean Chapelain.
Paris.

1626   Galli, V. (Vincenzo or Vittorio?), *De lyricis poematis syntagma*.
Mediolanum.

1634   Villani, Niccolò, *Ragionamento sopra la poesia giocosa de' Greci, de' Latini, e de' Toscani.* Venetia.

Also of importance because composed in this period, though published later, are:

1500–   Various *Correspondences.*
1600

1716–   Bonciani, Francesco, *Lezione sopra il comporre delle novelle* (in
45   *Prose fiorentine raccolte,* III, i, 74—). Firenze.

1738   Adriani, Marcello (1533–1604), *Demetrio Falereo, Della locuzione, tr. dal greco in toscano. . . . Dato la prima volta alla luce.* Firenze.

1740   Speroni, Sperone, *Opere* (contains the *Dialogo dell' istoria* and the *Risposta di Felice Paciotto all'autore del giudicio della tragedia di Canace e di Macareo,* perhaps composed in 1581, besides other material on the drama, etc.). Venezia.

1790   Barbieri, Giammaria (1519–74), *Dell'origine della poesia rimata.* Modena.

1793   Galilei, Galileo (1564–1642), *Considerazioni al Tasso di Galileo Galilei* (edited from the MS of Pietro Antonio Serassi) *e discorso di Giuseppe Iseo sopra il poema di M. Torquato Tasso, per dimostrazione di alcuni luoghi in diversi autori di lui felicemente emulati.* Roma. (Also Venezia.)

1841   Varchi, Benedetto, *Lezioni sul Dante e prose varie . . . la maggior parte inedite* (ed. Giuseppe Aiazzi and Lelio Arbib). Firenze.

1858–   Varchi, Benedetto (1503–1565), *Opere . . . ora per la prima
59   volta raccolte, con un discorso di A. Racheli intorno alla filologia del secolo XVI alla vita e agli scritti dell' autore,* 2 vols. Trieste.

1897   Salviati, Lionardo, and Varchi, Benedetto, *Discorso di M. Ridolfo Castravilla nel quale si mostra l'imperfettione della " Commedia " di Dante contro al " Dialogo delle Lingue " del Varchi* in *I discorsi contro Dante* (edited by Mario Rossi). Città di Castello.

1897   Sassetti, Filippo, *Discorso in difesa di Dante. Discorso contra Ariosto. Esposizione della poetica* (edited by Mario Rossi. Cf. 1570, this list, under " Castravilla." Cf. also Rossi's *I discorsi contro Dante.* Città di Castello.)

Mention should also be made of the aesthetic treatises of Leone Battista Alberti (1404–1472). *Among the editions are:*
        De re aedificatoria libri decem. Parisiis, 1512; Argentorati, 1541.

1547　　Domenichi, Lodovico, *La Pittura di Leonbattista Alberti tradotta.* Vinegia.

1565　　Bartoli, Cosimo, *L'Architettura di Leonbattista Alberti tradotta in lingua fiorentina . . . con la aggiunta di disegni.* Venetia.

REFERENCES FOR FURTHER STUDY OF ITALIAN CRITICAL WORKS

This list employs Lane Cooper and Alfred Gudeman *A Bibliography of the Poetics of Aristotle* (New Haven, 1928) and numerous other sources to supplement extensively the two lists of critical works published in Italy during the sixteenth century compiled by Professor Ralph Coplestone Williams, *Modern Language Notes*, 35 (1920), 506–507, and by Professor Walter L. Bullock, *ibid.*, 41 (1926), 254–263. It has been possible thus to make several corrections to these lists and additions of missing first names, dates, and places of publication. A very considerable number of omitted titles of Italian and Latin treatises have also been supplied. Other comments have been included besides those repeated or paraphrased from Williams or Bullock. It has also seemed well, indeed very important, to furnish the following bibliographical data about material related to the Italian critical treatises and to the great influence exercised by these in France and in Europe generally during and after the Renaissance.

OLDER WORKS

Among older works containing lists of or comments upon the works of the Renaissance Italian critics one may name: Giovanni Maria Crescimbeni, *La Bellezza della volgar poesia* (Roma, 1700); *idem, Istoria della volgar poesia,* 6 vols. (Roma, 1698); Giovanni Vincenzo Gravina, *Della ragione poetica, libri due e della tragedia, libro uno* (Roma, 1704); Lodovico Antonio Muratori, *Della perfetta poesia spiegata e demostrata,* 2 vols. (Modena, 1706); Francesco Severio Quadrio, *Della storia e della ragione d'ogni poesia,* 4 vols. (Bologna, 1739–52); Girolamo Tiraboschi, *Storia della letteratura italiana,* 10 vols. (Modena, 1772–82); Christian Friedrich von Blankenburg, *Literarische Zusätze zu Johann Georg Sulzers allgemeiner Theorie der schönen Künste,* 3 vols. (Leipzig, 1796–98); Johann Georg Sulzer, *Allgemeine Theorie der schönen Künste,* 2 vols. (Leipzig, 1771–74).

MODERN WORKS

For modern works containing material on or relating to certain of the treatises named in the present list consult: Karl Vossler, *Poetische Theorien in der italienischen Früh-Renaissance* (Berlin, 1900); Joel Elias Spingarn, *A History of the Literary Criticism in the Renaissance,* Fifth edition (New York, 1925); *idem, La critica letteraria nel Rinascimento. Saggio sulle origini dello spirito classico nella letteratura moderna. Traduzione italiana del Dr. Antonio Fusco con correzioni e aggiunte dell'autore e prefazione di Benedetto Croce* (Bari, 1905); Orazio Bacci, *La critica let-*

teraria, Vol. I, *Dal antichità classica al Rinascimento*, in the series Storia dei Generi Letterarii Italiani (Milano, 1910); Ciro Trabalza, *La critica letteraria*, Vol. II, *Secoli XV–XVI–XVII*, same series (Milano, 1915); Aldo Andreoli, *Antologia storica della critica letteraria italiana* (Milano, 1926); L. Ceci, *Un' occhiata allo svolgimento storico della critica letteraria e politica del seicento* (Firenze, 1878); George Saintsbury, *A History of Criticism and Literary Taste in Europe from the Earliest Texts to the Present Day*, Vol. I, *Classical and Medieval Criticism*, Vol. II, *From the Renaissance to the Decline of Eighteenth Century Orthodoxy*, Vol. III, *Modern Criticism* (Edinburgh and London, 1908–17); *idem, Loci Critici* (Boston and London, 1903); Karl Borinski, *Die Antike in Poetik und Kunsttheorie vom Ausgang des klassischen Altertums bis auf Goethe und Wilhelm von Humboldt*, 2 vols. (Leipzig, 1914–23); Ippolito Gaetano Isola, *La critica del Rinascimento*, 2 vols. (Livorno, 1907); Francesco Foffano, " Saggio sulla critica letteraria del secolo decimosettimo," *Ricerche Letterarie*, pp. 135–312 (Livorno, 1897), also *Giornale Storico*, 31 (1898), 369–383; Giambattista Marchesi, " I ' Ragguagli di Parnaso ' e la critica letteraria nel secolo XVII," *Giornale storico*, 27 (1896), 78–93; Hugh Quigley, *Italy and the Rise of a New School of Criticism in the 18th Century (with Special Reference to the Work of Pietro Calepio* (Perth, 1921); James Harry Smith and Edd Winfield Parks, *The Great Critics, an Anthology of Literary Criticism* (New York, 1932); Charles Mills Gayley and Fred Newton Scott, *An Introduction to the Methods and Materials of Literary Criticism* (Boston, 1899); Charles Mills Gayley and Benjamin Putnam Kurtz, *Methods and Materials of Literary Criticism, Lyric, Epic and Allied Forms of Poetry* (Boston, 1920); Lane Cooper, *The Poetics of Aristotle, Its Meaning and Influence,* in the series Our Debt to Greece and Rome (New York, 1927); Remigio Sabbadini, *Storia del Ciceronianismo e di Altre Questioni Letterarie nell'Età della Rinascenza* (Torino, 1885); Izora Scott, *Controversies over the Imitation of Cicero as a Model for Style, and Some Phases of Their Influence on the Schools of the Renaissance* (New York, 1916); Gaetano Gustavo Curcio, *Q. Orazio Flacco, studiato in Italia dal secolo XIII al XVIII* (Catania, 1913).

For valuable general bibliography, supplementary to the present one, see: Guido Mazzoni, *Avviamento allo studio critico delle lettere italiane* (Firenze, 1925); Orazio Bacci, *Indagini e problemi di storia letteraria italiana con notizie e norme bibliografiche* (Livorno, 1910); Ferdinando Neri, *Gli studi Franco-Italiani nel primo quarto del secolo XX* (Roma, 1928); Vincenzo Vivaldi, *Storia delle controversie linguistiche in Italia,* 2d ed., 3 vols. (Catanzaro, 1925); Thérèse Labande-Jeanroy, *La Question de la langue en Italie* (Strasbourg, 1925). See also sundry notes of Chapter XVI in the present work, Vol. I, pp. 963–968.

THE ITALIAN EPIC AND ITS INFLUENCE

For the epic see: David Samuel Margoliouth, *The Homer of Aristotle* (Oxford, 1923); Irene Tanner Myers, *A Study in Epic Development*

(New York, 1901); Georg August Finsler, *Homer in der Neuzeit, von Dante bis Goethe. Italien, Frankreich, England, Deutschland* (Leipzig and Berlin, 1912); Antonio Belloni, *Il poema epico e mitologico*, in the series Storia dei Generi Letterarii Italiani (Milano, 1908); Francesco Foffano, *Il poema cavalleresco*, same series (Milano, 1904); Ralph Coplestone Williams, *The Theory of the Heroic Epic in Italian Criticism of the Sixteenth Century* (Baltimore, 1921); *idem*, " The Purpose of Poetry and Particularly of the Epic, as Discussed by Critical Writers of the Sixteenth Century in Italy," *Romanic Review*, 12 (1921), 1–20; *idem, The " Merveilleux " in the Epic* (Paris, 1925); *idem,* "Two Studies in Epic Theory: Verisimilitude in the Epic, Plagiarism by Scudéry of Tasso's Epic Theory," *Modern Philology*, 22 (1924–25), 133–158; Julien Duchesne, *Histoire des poèmes épiques français du XVIIᵉ siècle* (Paris, 1870); P. V. Delaporte, *Du merveilleux dans la littérature française sous le règne de Louis XIV* (Paris, 1891); Raymond Macdonald Alden, " The Doctrine of Verisimilitude in French and English Criticism of the Seventeenth Century," *Matzke Memorial Volume*, Leland Stanford Junior University Publications (1911). Consult the last work named also for drama.

THE ITALIAN DRAMA AND ITS INFLUENCE

For the drama see: Barrett H. Clark, *European Theories of the Drama* (Cincinnati, 1918); Joseph Ebner, *Beitrag zu einer Geschichte der dramatischen Einheiten in Italien* (Erlangen, 1898); Wilhelm Cloetta, *Beiträge zur Literaturgeschichte des Mittelalters und der Renaissance*, Vol. I, *Komödie und Tragödie im Mittelalter*, Vol. II, *Die Anfänge der Renaissance Tragödie* (Halle, 1890–92); Max J. Wolff, " Die Theorie der italienischen Tragödie im 16. Jahrhundert," *Archiv für das Studium der neueren Sprachen und Literaturen*, Band 128, Neue Serie, Band 28 (Braunschweig, 1912); Emilio Bertana, *La tragedia*, in the series Storia dei Generi Letterarii Italiani (Milano, 1905); Ferdinando Neri, *La tragedia italiana del Cinquecento* (Firenze, 1904); Michele Biancale, *La tragedia italiana nel Cinquecento* (Roma, 1901); Spencer J. Kennard, *The Italian Theatre*, 2 vols. (New York, 1932); Ireneo Sanesi, *La commedia*, in the series Storia dei Generi Letterarii Italiani (Milano, 1911); Ignazio Ciampi, *La commedia italiana* (Roma, 1880); Giovanni Battista Pellizzaro, *La commedia del secolo XVI e la novellistica anteriore e contemporanea in Italia* (Vicenza, 1901); Luigi Tonelli, *Il teatro italiano dalle origini ai giorni nostri* (Milano, 1924); P. Bettoli, *Storia del teatro dramatico italiano dalla fine del secolo XV alla fine del secolo XIX* (Bergamo, 1901); Ernst Dannheiser, " Zur Geschichte der Einheiten in Frankreich," *Zeitschrift für französiche Sprache und Literatur*, 14 (1892), 1–76; Heinrich Breitinger, *Les Unités d'Aristote avant le Cid de Corneille. Étude de littérature comparée* (Geneva, 1895); *idem*, " Zur Geschichte der pseudo-Aristotelischen Ortseinheit," *Archiv für das Studium der neueren Sprachen und Literaturen*, 63 (1880), 127–128; Antoine Benoist, " Les Théories dramatiques avant les Discours de Corneille," *Annales de la faculté des lettres de Bor-*

deaux, IIe Série, 8 (1891); Émile Faguet, *La Tragédie française au seizième siècle (1550–1600),* (Paris, 1894); Gustave Lanson, *Esquisse d'une histoire de la tragédie française* (Paris, 1927); Henri Chamard, *La Tragédie de la Renaissance* (Paris, 1930); Modesto Amato, *La Comédie italienne dans le théâtre de Pierre Larivey — Résumé de l'état des influences dramatiques italiennes en France au XVIe siècle et au début du XVIIe* (Girgenti, 1900); Henry Carrington Lancaster, " A Neglected Passage on the Three Unities in the French Classic Drama," *Publications of the Modern Language Association of America,* 23 (1908), 307–315; *idem, The French Tragi-Comedy, Its Origin and Development from 1552 to 1628* (Baltimore, 1907); *idem, A History of French Dramatic Literature in the Seventeenth Century, Part I: The Pre-Classical Period, 1610–1634,* 2 vols. (Baltimore, 1929); Eugène Rigal, *Alexandre Hardy et le théâtre français à la fin du 16e et au commencement du 17e siècle* (Paris, 1889); Eleanor Jourdain, *An Introduction to the French Classical Drama* (Oxford, 1912); Johannes Boehm, *Die dramatischen Theorien Pierre Corneilles, ein Beitrag zur Geschichte und Kritik des französischen Dramas* (Berlin, 1901); Jules Lemaître, *Corneille et la Poétique d'Aristote* (Paris, 1888); Colbert Searles, " Corneille and the Italian Doctrinaires," *Modern Philology,* 13 (1915), 169–179; *idem,* " Italian Influences as Seen in the Sentiments of the French Academy on the Cid," *Romanic Review,* 3 (1912), 363–390; *idem,* " L'Académie française et le Cid," *Revue d'histoire littéraire de la France,* 21 (1914), 331–374; Henri Hauvette, *Un Précurseur italien de Corneille: Girolamo Bartolommei* (Grenoble, 1897); Georges Collas, *Un Poète Protecteur des lettres au XVIIe siècle, Jean Chapelain (1595–1674), Étude historique et littéraire d'après des documents inédits* (Paris, 1911); Charles Arnaud, *Étude sur la vie et les œuvres de l'Abbé d'Aubignac et sur les théories dramatiques au XVIIe siècle* (Paris, 1887); Pierre Robert, *La Poétique de Racine, étude sur le système dramatique de Racine et la constitution de la tragédie française* (Paris, 1890); Antoine Benoist, " Le Système dramatique de Racine," *Annales de la faculté des lettres de Bordeaux,* IIe Série, 8 (1890), 333–362; Donald Clive Stuart, *The Development of Dramatic Art* (New York and London, 1928).

PASTORAL AND SATIRE; FRENCH INFLUENCES: AESTHETICS

For pastoral and satiric poetry and for material on Italian influences or aesthetics, see: Jules de Marsan, *La Pastorale dramatique en France à la fin du XVIe et au commencement du XVIIe siècle* (Paris, 1905); Walter W. Gray, *Pastoral Poetry and Pastoral Drama* (London, 1906); Enrico Carrara, *La Poesia pastorale,* in the series Storia dei Generi Letterarii Italiani (Milano, 1909); Vittorio Cian, *La satira,* same series (Milano, 1923); Edme Jacques Benoît Rathéry, *L'Influence de l'Italie sur les lettres françaises depuis le XIIIe siècle jusqu'au règne de Louis XIV* (Paris, 1853); C. H. Conrad Wright, *French Classicism* (Cambridge, Massachusetts, 1920); René Bray, *La Formation de la doctrine classique en France* (Paris, 1931); Alfredo Rolla, *Storia delle idee estetiche in Italia* (Torino and Roma, 1905); Alberto Mocchino, *Il gusto letterario e le teorie estetiche in Italia* (Milano, 1924).

For studies of individual critics of the Italian Renaissance the following, among others, should be of use: Vincenzo Cicchitelli, *Sulle opere poetiche di Marco Girolamo Vida* (Napoli, 1904); Jules Le Fèvre-Deumier, " Étude " on Marco Girolamo Vida, bishop of Alba, *Études biographiques et littéraires sur quelques célébrités étrangères,* including also an " Étude " on the Cavaliere Giambattista Marini (1569–1625), (Paris, 1854); Bernardo Morsolin, *Giangiorgio Trissino, o monografia di un letterato nel secolo XVI* (Vicenza, 1878, and Firenze, 1894); E. Preston Dargan, "Trissino, a Possible Source for the Pléiade," *Modern Philology,* 13 (1915–16), 685–688; Paul Henri Michel, *Un Idéal humain au XVe siècle: La Pensée de L. B. Alberti (1404–1472),* (Paris, 1930); Luigi Gaudenzio, *Leone Battista Alberti (1404–1472),* in the series Scrittori Italiani con Notizie Storiche e Analisi Estetiche (Torino, 1932); Hubert Janitschek, *Leone Battista Alberti's kleinere kunsttheoretische Schriften. Im Originaltext herausgegeben, erläutert, mit einer Einleitung und Excursen versehen* (Wien, 1877); Willi Flemming, *Die Begründung der modernen Ästhetik und Kunstwissenschaft durch Leon Battista Alberti. Eine kritische Darstellung als Beitrag zur Grundlegung der Kunstwissenschaft* (Leipzig and Berlin, 1916); Giuseppe de Robertis, *Sperone Speroni degli Alvarotti (1500–1588). Dialogo delle lingue e dialogo della rettorica, con introduzione* (Lanciano, 1912); Ruth Kelso, *Girolamo Fracastoro. Naugerius; sive De Poetica Dialogus; with an English Translation . . . and an Introduction by Murray W. Bundy* (Urbana, Illinois, 1924); Henry Buckley Charlton, *Castelvetro's Theory of Poetry* (Manchester, England, 1913); Giuseppe Cavazzuti, *Lodovico Castelvetro* (Modena, 1903); A. Plouchar, *Della vita e delle opere di Lodovico Castelvetro* (Conegliano, 1878); Antonio Fusco, *La poetica di Lodovico Castelvetro* (Napoli, 1904); Frederick Morgan Padelford, *Select Translations from Scaliger's Poetics,* Yale Studies in English (New York, 1905); Eduard Brinkschulte, *Julius Caesar Scaligers kunsttheoretische Anschauungen* (Bonn, 1913); Eugène Lintilhac, *De J. C. Scaligeri poetice* (Paris, 1887); *idem,* " Un coup d'état dans la république des lettres; J. C. Scaliger, Fondateur du classicisme, cent ans avant Boileau," *Nouvelle revue,* 64 (1890); 333–347, 528–548; Camillo Guerrieri Crocetti, *G. B. Giraldi ed il pensiero critico del secolo XVI* (Milano, 1932); Louis Berthé de Besaucèle, *G. B. Giraldi (1504–1573); Étude sur l'évolution des théories littéraires en Italie au XVIe siècle, suivie d'une notice sur Gabriel Chappuys, traducteur français de Giraldi* (Paris, 1920); F. Beneducci, *Il Giraldi e l'epica nel cinquecento* (Bra, 1896); Karl Wotke, *Lilius Gregorius Gyraldus, De poetis nostrorum temporum.* Herausgegeben . . . , in *Lateinischen Litteraturdenkmäler des XV. und XVI. Jahrhunderts* (Berlin, 1894); Antonio Virgili, *Francesco Berni*

(Firenze, 1881); F. E. Budd, "A Minor Italian Critic of the Sixteenth Century; Jason Denores," *Modern Language Review*, 22 (1927), 421–434; Ernest Grillo, *Torquato Tasso, Aminta, a Pastoral Drama, Edited with an Essay on Renaissance Pastoral Drama and a Prose Translation* (London and Toronto, 1924); Angelo Solerti, *Torquato Tasso, I discorsi dell' Arte Poetica, Il Padre di Famiglia, e L'Aminta, annotati* (Torino, 1901); Giuseppe Jacopo Ferrazzi, *Torquato Tasso. Studi biografici-critici-bibliografici* (Bassano, 1880); Vittorio Rossi, *Battista Guarini ed il Pastor Fido. Studio biografico-critico* (Torino, 1886); Giovanni Mestica, *Trajano Boccalini e la letteratura critica e politica del seicento* (Firenze, 1878); Francesco Foffano, "Pro e contro il ' Furioso.' Saggio su la critica letteraria nel secolo decimosettimo," *Ricerche letterarie* (Livorno, 1897); Edmund G. Gardner, *The King of Court Poets. Ariosto* (New York, 1906); Joseph Shield Nicholson, *Life and Genius of Ariosto* (London, 1914); Angelo Borzelli, *Il Cavaliere Giambattista Marini, 1569–1625,* (Napoli, 1898); Enrico Mestica, *Scritti di critica letteraria di Galileo Galilei, raccolti ed annotati* (Torino, 1880). For other necessary references on single critics, not repeated here, consult also the comments added to certain titles in the preceding List D.

EUROPEAN INFLUENCE OF ITALIAN CRITICISM, DIRECTLY AND THROUGH FRENCH

For further details about the Italian critical treatises of the Renaissance and for their influence during the sixteenth and seventeenth centuries and after, outside Italy and France, consult: Marcelino Menendez y Pelayo, *Historia de las ideas esteticas en España*, 8 vols. (Madrid, 1883–91), Vol. I, *Hasta fines del Siglo XV*, Vols. II–III, *Siglos XVI y XVII*, Vols. IV–V, *Siglo XVIII*, Vols. VI–VIII, *Siglo XIX*, also revised edition (Madrid, 1928—); Joseph Ebner, *Zur Geschichte des klassischen Dramas in Spanien mit besonderer Berücksichtigung der dramatischen Einheiten* (Passau, 1908); F. Fernández y Gonzales, *Historia de la critica literaria en España* (Madrid, 1870); Karl Borinski, *Die Poetik der Renaissance und der Anfang der literarischen Kritik in Deutschland* (Berlin, 1886); Joseph E. Gillet, "The Vogue of Literary Theories in Germany from 1500 to 1730," *Modern Philology*, 14 (1916–17), 341–356; Émile Grucher, *Histoire des doctrines littéraires et esthétiques en Allemagne* (Paris, 1883); Donald L. Clark, *Rhetoric and Poetic in the [English] Renaissance* (New York, 1922); Richard Pape Cowl, *The Theory of Poetry in England; Its Development in Doctrines and Ideas from the 16th Century to the 19th Century* (London, 1914); George Saintsbury, *A History of English Criticism* (New York, 1911); Lewis D. Einstein, *The Italian Renaissance in England* (New York, 1903); Joel Elias Spingarn, *A History of the Literary Criticism in the Renaissance* (New York, 1925); Felix Emmanuel Schelling, *Poetic and Verse Criticism of the Reign of Elizabeth* (Philadelphia, 1891); Guy Andrew Thompson, *Elizabethan Criticism of Poetry* (Menasha, Wisconsin,

1914); Harold S. Symmes, *Les Débuts de la critique dramatique en Angleterre jusqu'à la mort de Shakspeare* (Paris, 1903); David Klein, *Literary Criticism from the Elizabethan Dramatists; Repertory and Synthesis* (New York, 1910); Louis Sigmund Friedland, " Dramatic Unities in England," *Journal of English and Germanic Philology*, 10 (1911), 56–89, 280–299, 453–467; James Edward Routh, " The Classical Rule of Law in English Criticism of the 16th and 17th Centuries," *ibid.*, 12 (1913), 612–630; *idem, The Rise of Classical English Criticism; a History of the Canons of English Taste and Rhetorical Doctrine, from the Beginning of English Criticism to the Death of Dryden* (New Orleans, 1915); Laura Johnson Wylie, *Studies in the Evolution of English Criticism* [*after Dryden*], (Boston, 1894); Paul Hamelius, *Die Kritik in der englischen Literatur des 17. und 18. Jahrhunderts* (Bruxelles and Leipzig, 1897); George Morey Miller, *The Historical Point of View in English Literary Criticism from 1570 to 1770* (Heidelberg, 1913); F. Gregory Smith, *Elizabethan Critical Essays*, 2 vols. (Oxford, 1904); Ernest Rhys, *Literary Pamphlets, Chiefly Relating to Poetry, from Sydney to Byron* (London, 1897); Marvin Theodore Herrick, *The History of Aristotle's Poetics in England* (New Haven and London, 1930); Alfred Rosenberg, *Longinus in England, bis zum Ende des 18. Jahrhunderts* (Berlin, 1917); James Edward Routh, " The Purpose of Art as Conceived in English Literary Criticism of the Sixteenth and Seventeenth Centuries," *Englische Studien*, 48 (1904–5), 124–144; Sir Sidney Lee, *The French Renaissance in England; an Account of the Literary Relations of England and France in the Sixteenth Century* (Oxford, 1910); Alfred Horatio Upham, *French Influence in English Literature from the Accession of Elizabeth to the Restoration* (New York, 1908); L. Charlanne, *L'Influence française en Angleterre au XVIIe siècle; le théâtre et la critique, étude sur les relations littéraries surtout dans la seconde moitié du XVIIe siècle* (Paris, 1906); Raymond Macdonald Alden, " The Doctrine of Verisimilitude in French and English Criticism of the Seventeenth Century," *Matzke Memorial Volume*, Leland Stanford Junior University Publications (1911); Alexander Frederick Bruce Clark, *Boileau and the French Classical Critics in England (1660–1830)*, (Paris, 1925).

PART IV
GENRES OF VERSE

GENRES OF VERSE

ANTHOLOGY A
MIDDLE FRENCH GENRES OF VERSE

THE poems selected are intended primarily to provide the essentials to illustrate the various significant aspects in the development of the Middle French poetic genres during the important formative period (1328–1539) which produced them and the Arts de Seconde Rhétorique, theoretical treatises dealing with their structure. A secondary aim, which strict limitations of space make it impossible completely to fulfill, is to present examples of the way in which each of the outstanding poets used the several genres most popular in the years of his activity.

Examples are offered of all the main forms of verse used in the period under discussion. Of the genres of greater importance, especially the ballade and the rondeau, enough examples are given to show shifts of formal structure and variety of subject-matter during the time of their popularity. This seemed more important than the full representation of the poetic achievements of any single writer, interesting and valuable as that might be. As regards the contemporary Arts de Seconde Rhétorique, the modicum of exemplary poems it has been possible to include should be deemed sufficient. The Arts de Seconde Rhétorique could hardly be understood without oft-repeated comparison with the contemporary poetry. This anthology is intended to make such comparative study so readily feasible that the reader will be led to refer constantly from the text to the poems.

The authors whose poems are quoted are here listed chronologically according to dates of birth:

Jehannot de Lescurel (1290?–1360?)
Guillaume de Machaut (1290?–1377)
Jean Froissart (1337–1410?)
Eustache Deschamps (1340–1410)

59

Christine de Pisan (1364–1430)
Alain Chartier (1385–1440?)
Charles d'Orléans (1391–1465)
Olivier Basselin (1400?–50?)
Georges Chastellain (1405–75)
Arnould Gréban (1425?–80?)
François Villon (1431–63)
Jean Molinet (1435–1507)
Jean Marot (1463–1527)
Octovien de Saint-Gelays (1466–1502)
André de la Vigne (1470–1515)
Guillaume Cretin (1472–1525)
Jean Le Maire de Belges (1473–1525)
Jean Bouchet (1476–1557?)
Mellin de Saint-Gelays (1490–1588)
Marguerite de Navarre (1492–1549)
Antoine Héroët (1492–1568)
Roger de Collerye (1494–1538)
François de Valois, roi de France (1494–1547)
Clément Marot (1496–1544)
Vincent Voiture (1598–1648)

Page references to all types of poems may be found in the Index under the names of genres and subgenres and also under the names of authors.

The genres and subgenres appear in the following order in the anthology:

Ballade without envoi
Ballade layée
Ballade with envoi
Ballade double
Chant royal
Amoureuse
Serventois
Pastourelle
Triolet or rondeau simple
Rondeau
Rondeau double
Rondeau redoublé
Virelai triple
Virelai double
Virelai simple or bergerette
Virelai (villanelle type)
Chanson (including a vau-de-vire)
Longer poems in lyrical strophes (including a dit and a complainte)
Épître
Fatras double
Pastoral verse (neither pastourelle nor églogue)
Églogue
Dramatic verse
Longer poems in couplets
Poetic prose

English titles have been given to the poems by the author of this work. They are added for the sake of appearance as well as to facilitate comparison of one poem with another. Cross-references in the notes provide further help in such comparative study.

THE POEMS

Ballades without envoi:

THE NOBLE LADY [1]

By JEHANNOT DE LESCUREL

Amours, aus vrais cuers commune,
M'a a amer adonné,
Noble dame, en qui Fortune,
Nature et Grace ont ouvré
Si qu'en bonté n'en biauté,
Je croi, n'a point de pareille:
Qui la voit s'en esmerveille.

Fran cuer ha, dous, sanz rancune,
S'a le cors si bien fourmé,
Quer je n'en sai u monde une
Tant belle a ma voulenté;
S'a regart enamouré,
Face a point blanche et vermeille:
Qui la voit s'en esmerveille.

Pour ce qu'aim si haut aucune,
(la) gent m'ont nice clamé;
Mal font, quer Amours chascune
Personne esprent a son gré.
Ce m'a fait ainsi osé;
Par quoi, s'en m'en desconseille,
Qui la voit s'en esmerveille.

THE LOYAL LOVER [2]

By JEHANNOT DE LESCUREL

Belle, com loiaus amans
Vostres sui: car soiez moie.
Je vous servirai touz tans
N'autre amer je ne voudroie
Ne ne puis; se je povoie,
N'i voudroie estre entendans.

[1] An early fourteenth-century ballade without envoi and having the uniform strophe structure and the single refrain of the fully evolved type. Lescurel treats the emotion of love as a thirteenth-century trouvère or a twelfth-century troubadour might have done. The rime scheme employed in the ballade is ababbcC ababbcC ababbcC.

[2] The triple refrain should be observed. The rime scheme is ababbabBAB ababbabBAB ababbabBAB.

Ballades without envoi:

> Et pour ce, se Dex me voie!
> Dame, bon gré vous saroie,
> Se vostre bouche rians
> Daignoit toucher à la moie.

> Li dons est nobles et grans;
> Car, se par vou gré l'avoie,
> Je seroie connoisanz
> Que de vous amez seroie,
> Et mieus vous en ameroie.
> Pour ce, biaus cuers dous et frans,
> Par si qu'aviser m'en doie,
> Dame, bon gré vous saroie,
> Se vostre bouche rians
> Daignoit toucher à la moie.

> Vostre vis est si plaisans
> Que ja ne me soleroie
> D'estre a vo plaisir baissans,
> S'amez de vous me sentoie;
> A mieus souhaidier faudroie.
> Pour ce que soie sentans
> Quelle est d'amer la grant joie,
> Dame, bon gré vous saroie,
> Se vostre bouche rians
> Daignoit toucher à la moie.

FULFILMENT [1]

By Jehannot de Lescurel

> Amours, cent mille merciz
> De l'oneur que par vous ai:
> Quar j'aim et sui vrais amis,
> Et sui amé, bien le sai,
> De belle et bonne au cuer vrai
> Et telle, qu'a droit jugier,
> Je ne puis mieux souhaidier.

[1] Charles d'Orléans' picturesque use of allegorical abstractions in his ballades, rondeaux, and chants royaux is here foreshadowed by an earlier poet, Lescurel, who uses his fanciful figments as successfully as his princely successor or their common predecessor in the poetical employment of allegory, the thirteenth-century poet, Guillaume de Lorris, author of *Le Roman de la rose*, Part I.

Jalousie et Fol Avis
Firent que me courrousai
A elle, par quoi eschis
Fui d'elle et en tel esmai
Que de duel mourir cuidai;
Amours m'a fait apaisier:
Je ne puis mieux souhaidier.

Trés noble dame gentis,
Vers vous plus ne mesprendrai,
Ains vous servirai touz dis,
Et pour vostre amour serai
Gais, et les biens celerai
Qui me font eslëessier:
Je ne puis mieux souhaidier.

THE PRAISE OF LADIES [1]

By GUILLAUME DE MACHAUT

En haut penser, plein d'amoureus desir,
M'a bonne Amour embatu sans retraire;
Si l'en merci, quant daingnié souvenir
Li ha de moy; mais trop me fait de haire
Pour ce sans plus qu'un regart recueilli,
Et si ne sçay s'au donner s'assenti;
Mais mon cuer prist par ses yex doucement
Celle que j'aim de cuer entierement.

Ne la bele que j'aim tant et desir
Ne scet quant prist mon cuer par son viaire,
Ne ne sara par moy; j'aim mieus morir.
Car il n'est riens qui tant me puist detraire
Com le refus dou haut don de merci;
Car se je l'ay, si vair oueil ont trahi
Moy et mon cuer, par le consentement
Celle que j'aim de cuer entierement.

Si qu'il n'est riens, qui me puist resjoïr,
Fors que j'espoir qu'elle est si debonnaire
Que bien porray par loyaument servir,
Sans etre amés, son bon samblant attraire,

---

[1] Machaut, the most highly esteemed musician and the most fashionable poet of his time, like his predecessor, Lescurel, also writes chivalric lyrics of love. Such was this poet's reputation that contemporaries overpraise him as " le grant rhetoricque de novelle fourme qui commença toutes tailles novelles." Cer-

Ballades without envoi:

> Qu'apeler puis ami et anemi;
> Car il me fait plourer de cuer joly,
> Dueil en joie me fait, joie en tourment
> Celle que j'aim de cuer entierement.

THE ANCIENT GREAT [1]

By JEAN FROISSART

Ne quier veoir Medée ne Jason,
Ne trop avant lire ens ou mapemonde,
Ne la musique Orpheüs ne le son,
Ne Herculès, qui cercha tout le monde,
Ne Lucresse, qui tant fu bonne et monde,
Ne Penelope aussi, car, par saint Jame,
Je voi assés, puis que je voi ma dame.

Ne quier veoir Virgile ne Caton,
Ne par quel art orent si grant faconde,
Ne Leander, qui tout sans naviron
Nooit en mer, qui rade est et parfonde,
Tout pour l'amour de sa dame la blonde,
Ne nuls rubis, saphir, perle ne jame:
Je voi assés, puis que je voi ma dame.

Ne quier veoir le cheval Pegason,
Qui plus tost court en l'air ne vole aronde,
Ne l'image que fist Pygmalion,
Qui n'ot pareil premiere ne seconde,
Ne Oleüs, qui en mer boute l'onde;
S'on vœt sçavoir pour quoi? Pource, par m'ame:
Je voi assés puisque je voi ma dame.

---

tain of his lyrics of love embodied in his romance in prose *Le Voir-Dit* (Récit véridique), were inspired, some say, by Péronnelle d'Unchair, dame d'Armentières, others by the Princess Agnès de Navarre (afterwards Comtesse Gaston de Foix).

[1] Froissart, the celebrated chronicler of the Hundred Years' War, whose pageantry he presents in a brilliant prose tapestry of glowing color, was also a master of the courtly lyric. This aristocratic poet could compose a ballade, for example, *The Ancient Great*, replete with fanciful and inaccurate but evocative classical allusion. Nor is this ballade with classical allusion a solitary example in the poet's work.

ABOVE ALL FLOWERS I LOVE THE MARGUERITE![1]

By Jean Froissart

Sus toutes flours tient on la rose à belle,
Et, en après, je croi, la violette.
La flour de lys est belle, et la perselle;
La flour de glay est plaisans et parfette;
Et le pluisour aiment moult l'anquelie;
Le pyonier, le muget, la soussie,
Cascune flour a par li sa merite.
Mès je vous di, tant que pour ma partie:
Sus toutes flours j'aimme la Margherite.

Car en tous temps, plueve, gresille ou gelle,
Soit la saisons ou frece, ou laide, ou nette,
Ceste flour est gracieuse et nouvelle,
Douce et plaisans, blancete et vermillette;
Close est à point, ouverte et espanie;
Jà n'i sera morte ne apalie.
Toute bonté est dedens li escripte,
Et pour un tant, quant bien g'i estudie:
Sus toutes flours j'aimme la Margherite.

Mès trop grant duel me croist et renouvelle
Quant me souvient de la douce flourette;
Car enclose est dedens une tourelle,
S'a une haie au dedens de li fette
Qui nuit et jour m'empeche et contrarie;
Mès s'Amours vœlt estre de mon aye
Jà pour creniel, pour tour ne pour garite
Je na lairai qu'à occoision ne die:
Sus toutes flours j'aimme la Margherite.

or

(*according to an alternative third strophe*)

Et le douc temps ore se renouvelle,
Et esclarcist ceste douce flourette;
Et si voi ci seöir dessus l'asprelle
Deus cœurs navrés d'une plaisant sujette,
A qui le dieu d'amours soit en aïe.

---

[1] A chivalric ballade remarkable for its alternative third strophe, adapting the poem to two different occasions. The strophes are of nine lines in ten-syllable verse, riming ababccdcd. Froissart's ballades, like Lescurel's and Machaut's, have no envoi. The refrain is identical in the three strophes.

Ballades without envoi:

> Avec euls est Plaisance et Courtoisie,
> Et Douls Regars, qui petit les respite.
> Dont c'est raison qu'au chapel faire die:
> " Sus toutes flours j'aime la margherite."

LAMENT FOR GUILLAUME DE MACHAUT [1]

By Eustache Deschamps

> Armes, amours, dames, chevalerie,
> Clers, musicans, faititres en françois,
> Tous sophistes, toute poëterie,
> Tous ceuls qui ont melodïeuse voix,
> Ceuls qui chantent en orgue aucune fois
> Et qui ont chier le doulz art de musique,
> Demenez dueil, plourez, car c'est bien drois,
> La mort Machaut, le noble rethorique.

> Onques d'amours ne parla en folie,
> Ains a esté en tous ses dix courtois,
> Aussi a moult pleü sa chanterie
> Aux grans seigneurs, a dames, a bourgois.
> He! Orpheüs, assez lamenter dois
> Et regreter d'un regart autentique,
> Arethusa et Alpheüs, tous trois,
> La mort Machaut, le noble rethorique.

> Prïez pour lui si que nul ne l'oublie:
> Ce vous requiert le bailli de Valoys,
> Car il n'en est au jour d'ui nul en vie
> Tel comme il fut, ne ne sera des mois.
> Complains sera de princes et de roys
> Jusqu'a long temps pour sa bonne pratique;
> Vestez vous noir, plourez tous, Champenois,
> La mort Machaut, le noble rethorique.

---

[1] Deschamps, the younger contemporary of Jean Froissart, here worthily mourns their common master, " le noble rethorique," preëminent in the practice of the fourteenth-century fixed forms, with a ballade, which has, therefore, an interest for literary history, apart from its intrinsic merit, as an open avowal of discipleship and an acknowledgment of indebtedness.

THE PERFECT LOVER [1]

By Christine de Pisan

Tant me prie trés doucement
Cellui qui moult bien le scet faire,
Tant a plaisant contenement,
Tant a beau corps et doulz viaire,
Tant est courtois et debonaire,
Tant de grans biens oy de lui dire
Qu'a peine le puis escondire.

Il me dit si courtoisement,
En grant doubtance de meffaire,
Comment il m'aime loyaument,
Et de dire ne se peut taire,
Que neant seroit du retraire;
Et puis si doulcement souspire
Qu'a peine le puis escondire.

Si suis en moult grant pensement
Que je feray de cest affaire;
Car son plaisant gouvernement,
Vueille ou non, Amours me fait plaire,
Et si ne vueil mie attraire;
Mais mon cuer vers lui si fort tire
Qu'a peine le puis escondire.

IN PRAISE OF PATIENCE [2]

By Christine de Pisan

Qui vivement veult bien considerer
Ce monde cy ou il n'a joye entiere,
Et les meschiefs qu'il fault y endurer,
Et comment mort vient qui tout met en biere,
Qui bien penser veult sus cette matiere,
Il trouvera, s'il a quelque grevance
Que sur toute reconfortant maniere,
C'est souvrain bien que prendre en pascïence.

[1] A charming ballade in the style without envoi in which Machaut wrote. Christine de Pisan's best short poems were inspired by a romance which culminated in her marriage with Estienne du Castel. Other love poems were "poésies de commande."

[2] *En la sua voluntade e nostra pace*, "In His will is our peace," said a greater poet, Christine's predecessor, Dante Alighieri, in oft-quoted lines of *Divina Commedia*. In some of her other works the Italian-born poetess shows familiarity with Dante's poem.

Ballades without envoi:

Puis qu'ainsi est qu'on n'y puet demorer,
Pourquoy a l'en ceste vie si chiere?
Et une autre convient assavourer,
Qui aux pecheurs ne sera pas legiere.
Si vault trop mieulx confessïon plainiere
Faire en ce monde, et vraye penitence;
Et qui ara la penance trop fiere,
C'est souvrain bien que prendre en pascïence.

Chascun vray cuer se doit enamourer
De la vraye celestïel lumiere
Et du seul Dieu que l'en doit aourer.
C'est nostre fin et joye derreniere;
Qui sages est, autre solas ne quiere,
Tout autre bien si n'est fors que nuisance,
Et se le monde empesche ou trouble arriere,
C'est souvrain bien que prendre en pascïence.

THE MESSAGE [1]

By CHARLES D'ORLÉANS

Jeune, gente, plaisant et debonnaire,
Par ung priër qui vault commandement
Chargié m'avez d'une ballade faire;
Si l'ay faicte de cueur joyeusement:
Or la vueilliez recevoir doulcement.
Vous y verrez, s'il vous plaist à la lire,
Le mal que j'ay, combien que vrayement
J'aymasse mieulx de bouche le vous dire.

Vostre doulceur m'a sceu si bien atraire
Que tout vostre je suis entierement,
Trés desirant de vous servir et plaire,
Mais je seuffre maint doloreux tourment,
Quant a mon gré je ne vous voy souvent,
Et me desplaist quant me fault vous escrire,
Car se faire se povoit autrement,
J'aymasse mieux de bouche le vous dire.

---

[1] D'Orléans was the last and greatest of the aristocratic trouvères who embroidered upon the theme of love. His use of allegorical entities, Dangier and other fanciful abstractions, is surprisingly skilful and poetic. Compare the poem above with the ballade by Lescurel in this same subgenre group of poems.

C'est par Dangier, mon cruel adversaire,
Qui m'a tenu en ses mains longuement;
En tous mes faiz je le treuve contraire,
Et plus se rit, quant plus me voit dolent;
Se vouloye raconter plainement
En cest escript mon ennuyeux martire,
Trop long seroit; pour ce certainement
J'aymasse mieulx de bouche le vous dire.

THE JOY OF SPRING [1]

By CHARLES D'ORLÉANS

Bien montrez, printemps gracïeux,
De quel mestier savez servir,
Car yver fait cueurs ennuieux,
Et vous les faictes resjouïr;
Si tost, comme il vous voit venir,
Lui et sa meschant retenue
Sont contrains et prestz de fuïr,
A vostre joyeuse venue.

Yver fait champs et arbres vieulx,
Leurs barbes de neige blanchir,
Et est si froit, ort et pluieux,
Qu'emprés le feu couvient croupir.
On ne peut hors des huis yssir,
Comme un oisel qui est en mue;
Mais vous faittes tout rajeunir,
A vostre joyeuse venue.

Yver fait le souleil, es cieulx,
Du mantel des nues couvrir;
Or maintenant, loué soit Dieux,
Vous estes venu esclersir
Toutes choses et embellir;
Yver a sa peine perdue,
Car l'an nouvel l'a fait bannir,
A vostre joyeuse venue.

---

[1] The gracious abandon of this little hymn to spring, in the form of a ballade without envoi, is noteworthy. Compare the same poet's well-known rondeau on this theme beginning " Le tems a laissié son manteau."

Ballades without envoi:

THE GALLANT LOVER [1]

By Octovien de Saint-Gelays

On m'a donné le bruit et renommée
D'avoir esté grandement amoureux,
Le temps passé, d'une qu'on m'a nommée.
On n'en sçait rien; ils jugent tout par eux:
Qu'ils sçachent donc que point ne suis de ceux
Lesquels, aimant, ne sont aimés de dame:
S'el ne me veut, aussi je ne la veux;
Ce m'est tout un: monsieur vaut bien madame.

Je ne veux pas que de moy soit blasmée:
Mais la veux bien honorer en tous lieux.
Gracieuse est, et en beauté famée,
Et le maintien très-frisque et fort joyeux:
Mais s'elle croit que sois si glorieux
Que tant je l'aime, nenny, j'en aurois blasme;
Car qui ne m'aime, comme je fais, ou mieux,
Ce m'est tout un: monsieur vaut bien madame.

Si autrefois devant moy s'est pasmée,
En me riant de ses attrayans yeux;
Et si d'un autre elle estoit embasmée,
Comme on m'a dit, dont j'en suis ennuyeux:
Puisqu'elle dit qu'elle trouveroit mieux
Ailleurs que moy: or, le prenne; par m'ame!
J'en suis content, sans en estre envieux;
Ce m'est tout un: monsieur vaut bien madame.

THE SUN AT DAWN [2]

By François de Valois

Etant seulet, auprès d'une fenestre,
Par un matin, comme le jour poignoit,
Je regardai l'aurore à main senestre,
Qui à Phœbus le chemin enseignoit,

[1] A noble descendent of the Lusignan family, bishop of Angoulême at twenty-seven, the father of the better-known Mellin de Saint-Gelays composed courtly lyrics and made learned translations from the classics which foreshadow the coming Renaissance. This ballade is neither courtly nor ecclesiastical, but it is amusing and simple in style, though a product of the period of Rhétoriqueur verbosity.

[2] It has been suggested that Mellin de Saint-Gelays composed his master's poems, but it seems not impossible that François I, king of France, the patron

Et d'autre part, ma mie qui peignoit
Son chef doré; et vis ses luisans yeux,
Dont me jetta un trait si gracieux,
Qu'à haute voix je fus contraint de dire:
Dieux immortels, entrez dedans vos cieux;
Car la beauté de ceste vous empire.

Comme Phœbé, quand ce bas lieu terrestre,
Par sa clarté, de nuit illuminoit,
Toute lueur demeuroit en sequestre:
Car sa splendeur toutes autres minoit.
Ainsi ma dame en son regard tenoit
Tout obscurci le soleil radieux,
Dont de dépit, lui triste et soucieux,
Sur les humains lors ne daigna plus luire;
Par quoi, lui dis: Vous faites pour le mieux;
Car la beauté de ceste vous empire.

O que de joie en mon cœur sentis naistre,
Quand j'appercus que Phœbus retournoit!
Car je craignois qu'amoureux voulust estre
Du doux objet qui mon cœur détenoit.
Avois-je tort? Non: car, s'il y venoit
Quelque mortel, j'en serois soucieux.
Devois-je pas doncques craindre les dieux,
Et despriser, pour fuir un tel martire,
En leur criant: retournez dans vos cieux;
Car la beauté de ceste vous empire.

Ballades layées: [1]

FOR LOVE I DIE

By Jehannot de Lescurel

Amour, voules-vous acorder
Que je muire pour bien amer?
Vo vouloir m'esteut agreer;
Mourir ne puis plus doucement;
Vraiement,
Amours, faciez voustre talent.

---

of arts and letters, and the brother of the poetess, Queen Marguerite de Navarre, might have possessed poetic competence for a chivalric ballade such as this. However, whatever the attribution of authorship, to the king or to his almoner and librarian, the poem shows that the fashion of writing ballades without (as well as with) envoi continued into Renaissance times.

[1] A ballade layée differs from a simple ballade in that its pattern includes lines of different syllabic length, regularly disposed according to a pattern identical from strophe to strophe.

Ballades layées:

> Trop de mauls m'esteut endurer
> Pour celi que j'aim sanz fausser,
> N'est pas par li, au voir parler,
> Ains est par mauparliere gent.
>   Loiaument,
> Amours, faciez voustre talent.
>
> Dous amis, plus ne puis durer
> Quant ne puis ne n'os regarder
> Vostre dous vis, riant et cler,
> Mort, alegez mon grief torment;
>   Ou, briefment,
> Amours, faciez voustre talent.

THE POET'S TOOLS [1]

By GUILLAUME DE MACHAUT

> Je, Nature, par qui tout est fourmé
> Quanqu'a ça jus et seur terre et en mer,
> Vien ci a toy, Guillaume, qui fourmé
> T'ay a part, pour faire par toy fourmer
> Nouviaus dis amoureus plaisans.
> Pour ce te bail ci trois de mes enfans
>   Qui t'en donront la pratique,
> Et, se tu n'ies d'euls trois bien congnoissans,
> Nommé sont Scens, Retorique et Musique.
>
> Par Scens aras ton engin enfourmé
> De tout ce que tu vorras confourmer;
> Retorique n'ara riens enfermé
> Que ne t'envoit en metre et en rimer;
>   Et Musique te donra chans,
> Tant que vorras, divers et deduisans.

[1] A ballade layée taken from the Prologue (1370?) of *Le Dit du vergier*. It is a good example of the prosy allegorizing that invades the lyric forms during the fourteenth and fifteenth centuries. The three strophes are in ten-syllable verse, save the fifth and seventh lines, which are eight-syllable. There are nine lines to the strophe. The envoi is wanting. Note that the refrain is varied from strophe to strophe. The definitions suggested for the gifts of Nature, Scens, Retorique, and Musique are interesting. Scens is natural inspiration. Rhetoric and Music are the two harmonious arts of expression which may be taught. The ideas of this ballade should be compared with what Machaut's pupil, Eustache Deschamps, has to say of inspiration in its relation to art and of poetry in its relation to music in *L'Art de dictier* (1392). This ballade has interest for literary history because of its idea content, not for its intrinsic merit as poetry.

Einsi ti fait seront frique,
N'a ce faire ne pues estre faillans,
Car tu as Scens, Retorique et Musique.

Ti fait seront plus qu'autre renommé,
Qu'il n'i ara riens qui face a blasmer,
Et si seront de toutes gens amé,
Soutis, loyaus, jolis et sans amer.
    Pour ce vueil que soies engrans
D'en faire assez, petis, moiens et grans.
    Or fay tost, si t'i aplique!
Tu ne m'en dois pas estre refusans,
Qui te bail Scens, Retorique et Musique.

THE SUBJECTS OF POETRY [1]

By GUILLAUME DE MACHAUT

Je sui Amours qui maint cuer esbaudi
Et fai mener douce et joieuse vie.
Si ay oÿ, Guillaume, je te di,
Que Nature, qui tout fait par maistrie,
    T'a dit qu'a part t'a volu faire
Pour faire dis nouviaus de mon affaire.
Pour ce t'ameinne ici en pourvëance,
Pour toy donner matere a ce parfaire,
Mes trois enfans en douce contenance:
C'est Dous Penser, Plaisance et Esperance.

Seur Dous Penser tout premiers t'estudi:
C'est li premiers qui mes biens signefie.
A Plaisance t'estude n'escondi,
Car c'est celle qui plus les multiplie;
    Et Esperance fait atraire
Joie en mes gens et mon service plaire.
Or pues tu ci prendre grande sustance
Dont tu porras figurer et retraire
Moult de biaus dis, et par mainte ordenance,
Seur Dous Penser, Plaisance et Esperance.

[1] Another ballade layée, from the Prologue (1370?) of *Le Dit du vergier*, which completes the idea of the first ballade. The poet, inspired by Scens and instructed in Retorique and Musique, will compose poems about Dous Penser, Plaisance, and Esperance. There are three strophes of ten lines, of ten syllables, except the fifth, which is of eight syllables, riming ababccdcdd. Machaut does not use the envoi in the ballade form. The refrain is varied, though this is not an invariable practice with Machaut.

Ballades layées:

Mais Garde bien, sur tout ne t'enhardi
A faire chose ou il ait villenie,
N'aucunement des dames ne mesdi;
Mais en tous cas les loe et magnefie.
  Saches, se tu fais le contraire,
Je te feray tres cruelment detraire.
Mais en honneur fay tout et si t'avance:
Aide as assez, matere et exemplaire.
Il ne te faut qu'avoir perseverance
En Dous Penser, Plaisance et Esperance.

HE SEES ENOUGH SINCE HE HIS LADY SEES [1]

By GUILLAUME DE MACHAUT

Ne quier veoir la biauté d'Absalon
Ne d'Ulixès le sens et la faconde,
Ne esprouver la force de Sanson,
Ne regarder que Dalida le tonde,
  Ne cure n'ay par nul tour
Des yeux Argus, ne de joie gringnour,
Car pour plaisance et sans aÿde d'ame
Je voy assez, puis que je voy ma dame.

De l'ymage que fist Pymalion
Elle n'avoit pareille ne seconde;
Mais la belle qui m'a en sa prison
Cent mille fois est plus belle et plus monde:
  C'est uns drois fluns de douçour
Qui puet et scet garir toute dolour;
Dont cilz a tort que de dire me blame:
Je voy assez, puis que je voy ma dame.

Si ne me chant dou sens de Salemon,
Ne que Phebus en termine ou responde,
Ne que Venus s'en mesle ne Mennon
Que Jupiter fist muer en aronde,
  Car je di, quant je l'aour,
Aim et desir, ser et crieng et honnour,
Et que s'amour seur toute rien m'enflame,
Je voy assez, puis que je voy ma dame.

[1] Machaut's parade of somewhat inexact classical erudition suggests vaguely the influence of the Pre-Renaissance of Charles V. Compare ballades by Jean Froissart and Christine de Pisan in the subgenre groups preceding and succeeding this, and also the ballade by Froissart in this group.

TO A LOVED LADY NOW MARRIED

By Guillaume de Machaut

Dame, vous aim de fin loyal corage,
Vous ay amé et ameray toudis.
Se vous avez pris autre en mariage,
Doy je pour ce de vous estre ensus mis
Et de tous poins en oubli?
Certes nennil; car puis que j'ai en mi
Cuer si loyal qu'il ne saroit meffaire,
Vous ne devez vo cuer de moy retraire.

Ains me devez tenir en vo servage
Comme vo serf qu'avez pris et acquis,
Qui ne vous quiert villenie n'outrage;
Et vous devez amer, j'en suis tous fis,
    Vo mari com vo mari
Et vostre ami com vostre dous ami.
Et quant tout ce poez par honneur faire,
Vous ne devez vo cuer de mi retraire.

Et s'il avient que cuer aiez volage,
Onques amans ne fu si fort trahis
Com je saray. Mais vous estes si sage,
Et s'est vos cuers si gentieument norris
    Qu'il ne deingneroit einsi
Moy decevoir pour amer. Et se di:
Puisque seur tout aim vos dous viaire,
Vous ne devez vo cuer de moy retraire.

POLIXENA [1]

By Jean Froissart

Je puis moult bien ma dame comparer
A la fille dou noble roy Priant;
Pluisors en ot, mais ceste vœil nommer:
Polixena la belle et la riant,
    En qui de tous biens ot tant
Que de bonté et de beauté fu plainne.
Tout ensi est ma dame souverainne,
Car les grans biens que je perçoi en li
M'ont plusours fois en pensant resjoï.

[1] Froissart's ballade layée, *Polixena*, is one of a number of his poems that might be quoted in which classical references abound. Such little poems as this one are doubtless not deathless masterpieces, but they are certainly pleasant little works, worth a passing glance, with as much content as many a minor Renaissance sonnet or chanson of similar general idea and sentiment.

Ballades layées:

Jonete estoit Polixena, c'est cler,
Quant Acillès l'ama en regardant;
Ensi amours m'ont pris par regarder
De ma dame son gracieus samblant,
    Simple jone et attraiant.
Or sçai assés que j'en aurai grant painne,
Mès j'ai espoir qu'elle en sera certainne
En aucun temps, et cil souvenir ci
M'ont pluisours fois en pensant resjoï.

Chiere dame, voiilliés considerer
Que vostres sui et serai mon vivant.
Or ai volu vostre corps figurer
A la fille dou noble roy Priant;
    C'est tout en vous honnourant,
Mès à la fin que me soyés humainne,
Polixena vostre nom me ramainne
Dedans le vostre en .v. lettres et qui
M'ont pluisours fois en pensant resjoï.

LAMENT FOR BERTRAN DU GUESCLIN [1]

By Eustache Deschamps

Estoc d'oneur et arbres de vaillance,
Cuer de lyon esprins de hardement,
La flour des preux et la gloire de France,
Victorieux et hardi combatant,
Saige en vos fais et bien entreprenant,
    Souverain homme de guerre,
Vainqueur de gens et conquereur de terre,
Le plus vaillant qui onques fust en vie,
Chascun pour vous doit noir vestir et querre:
Plourez, plourez flour de chevalerie.

O Bretaingne, ploure ton esperance,
Normandie, fay son entierement,
Guyenne aussi, et Auvergne or t'avence,
Et Languedoc, quier lui son mouvement.
Picardie, Champaigne et Occident
    Doivent pour plourer acquerre
Tragediens, Arethusa requerre
Qui en eaue fut par plour convertie,
Afin qu'a touz de sa mort les cuers serre:
Plourez, plourez flour de chevalerie.

[1] See p. 435, note 1.

Hé! gens d'armes, aiez en remembrance
Vostre pere, vous estiez si enfant;
Le bon Bertran, qui tant ot de puissance,
Qui vous amoit si amoureusement;
Guesclin crioit; priez devotement
   Qu'il puist paradis conquerre;
Qui dueil n'en fait et qui ne prie il erre,
Car du monde est la lumiere faillie:
De tout honeur estoit la droicte serre:
Plourez, plourez flour de chevalerie.

IN THE GRACIOUS MONTH OF MAY [1]

By Christine de Pisan

Or est venu le trés gracieux moys
De May le gay, ou tant a de doulçours,
Que ces vergiers, ces buissons et ces bois,
Sont tout chargiez de verdure et de flours,
   Et toute riens se resjoye.
Parmi ces champs tout flourist et verdoye,
Ne il n'est riens qui n'entroublie esmay,
Pour la doulçour du jolis moys de May.

Ces oisillons vont chantant par degois,
Tout s'esjoïst partout de commun cours,
Fors moy, helas! qui sueffre trop d'anois,
Pour ce que longs je suis de mes amours;
   Ne je ne pourroye avoir joye,
Et plus est gay le temps et plus m'anoye.
Mais mieulx cognois adès s'oncques amay,
Pour la doulçour du jolis moys de May.

Dont regreter en plourant maintes fois
Me fault cellui, dont je n'ay nul secours;
Et les griefs maulx d'amours plus fort cognois,
Les pointures, les assaulx et les tours,
   En ce doulz temps, que je n'avoye
Oncques mais fait; car toute me desvoye
Le grant desir qu'adès trop plus ferme ay,
Pour la doulçour du jolis moys de May.

[1] Observe the pleasing description of the natural background of May. Compare with the opening lines of the Provençal poems of the canso type.

Ballades with envoi:

LOVE IN MAY [1]

By Eustache Deschamps

Le droit jour d'une Penthecouste,
En ce gracieux moys de May,
Celle ou j'ay m'esperance toute
En un jolis vergier trouvay
Cueillant roses, puis lui priay:
Baisiez moy. Si dit: Voulentiers.
Aise fu; adonc la baisay
Par amours, entre les rosiers.

Adonc n'ot ne paour ne doubte,
Mais de s'amour me confortay;
Espoir fu des lors de ma route,
Ains meilleur jardin ne trouvay.
De la me vient le bien que j'ay,
L'octroy et li doulx desiriers
Que j'oy, comme je l'acolay,
Par amours, entre les rosiers.

Cilz doulx baisier oste et reboute
Plus de griefz que dire ne say
De moy; adoucie est trestoute
Ma douleur; en joye vivray.
Le jour et l'eure benistray
Dont me vint li tresdoulx baisiers,
Quant ma dame lors encontray
Par amours, entre les rosiers.

Prince, ma dame a point trouvay
Ce jour, et bien m'estoit mestiers;
De bonne heure la saluay,
Par amours, entre les rosiers.

[1] Note the addition of the envoi (with the adapted invocation of the Prince of the Puy) by Deschamps. In this poem Deschamps develops the familiar chivalric love motif, not without charm, but he enlarges elsewhere the scope of the ballade to include comments on contemporary events and moral lectures. Any thought that ran through his mind might take the form of a rondeau, a ballade, or a chant royal. In his hands these forms were not, then, necessarily lyric in content.

THEN BE NOT COY, BUT USE YOUR TIME [1]
By Eustache Deschamps

Or, n'est-il fleur, odour ne violette,
Arbre, esglantier, tant ait douçour en lui,
Beauté, bonté, ne chose tant parfaicte,
Homme, femme, tant soit blanc ne poli,
Crespé ne blont, fort, appert ne joli,
Saige ne foul, que Nature ait formé,
Qui à son temps ne soit viel et usé,
Et que la mort à sa fin ne le chace,
Et, se viel est, qu'il ne soit diffamé:
Viellesce est fin, et jeunesce est en grace.

La fleur en may et son odeur délecte
Aux odorans, non pas jour et demi;
En un moment vient li vens qui la guette;
Cheoir la fait ou la couppe par mi:
Arbres et gens passent leur temps ainsi;
Riens estable n'a Nature ordonné;
Tout doit mourir ce qui a esté né.
Un povre acès de fièvre l'omme efface,
Ou aage viel, qui est déterminé:
Viellesce est fin, et jeunesce est en grace.

Pour quoy fait donc dame, ne pucelette,
Si grant dangier de s'amour à ami,
Qui séchera, soubz le pié com l'erbette?
C'est grant folour; que n'avons-nous mercy
L'un de l'autre? Quant tout sera pourry,
Ceulx qui n'aiment, et ceulx qui ont amé,
Ly refusant seront chétif clamé,
Et li donnant aront vermeille face,
Et si seront au monde renommé:
Viellesce est fin, et jeunesce est en grace.

Prince, chascun doit en son josne aé
Prandre le temps qui lui est destiné;
En l'aage viel tout le contraire face;
Ainsis ara les deux temps en chierté.
Ne face nul de s'amour grant fierté:
Viellesce est fin, et jeunesce est en grace.

[1] Deschamps here sounds a note, that of Horace's " Carpe diem," very popular with the poets of the Pléiade. Compare certain sonnets and odes of Ronsard or of his contemporaries.

Ballades with envoi:

ROYAL CHILDREN [1]
By Eustache Deschamps

En dimenche, le tiers jour de decembre,
L'an mil CCC avec soixante et huit,
Fut a Saint Pol nez dedens une chambre
Charles li roys, trois heures puis minuit,
Filz de Charles cinquiesme de ce nom,
Roy des François, de Jehane de Bourbon,
Roine a ce temps couronnee de France,
Le premier jour de l'advent qui fut bon:
Par ce sçara chascun ceste naissance.

Ou signe estoit, si comme je me membre,
De la vierge la lune en celle nuit,
En la face seconde; et si remembre
Qu'au sixte jour du dit mois fut conduit
Et baptizié a Saint Pol, ce scet on,
Ou il avoit maint prince et maint baron,
Montmorancy, Dampmartin sanz doubtance:
Tous deux Charles leverent, l'enfançon;
Par ce sçara chascun ceste naissance.

Trois ans aprés, quant li mois de mars entre,
En tiers jour, sabmedi, saichent tuit,
L'an mil CCC LX et onze, entendre
Puet un chascun la naissance et le bruit
De Löys né, frere du roy Charlon,
Aprés minuit trois heures environ;
La lune estoit a neuf jours de croissance;
Marraine fut madame d'Alençon:
Par ce sçara chascun ceste naissance.

[1] As virtual poet laureate of the contemporary court, Deschamps had occasion to write much official poetry. In it he showed himself as patriotic and as royalistic as François de Malherbe in the seventeenth century. Sometimes his vision seems prophetic, as in the later lines hailing the birth of the son of the unfortunate Charles VI:

> " Doulce France, pran en toy reconfort,
> Resveille toy, soie de joie playne,
> Car cilz est né qui doit par son effort
> Toy restorer: c'est le roi Charlemaigne:
> Charles a nom qui de jour en jour maine
> Ses acts pour toy: ton fils doit recouvrer
> Ce qu'as perdu."

Charles VII achieved this vision with Saint Joan's aid.

Princes, parrains fu Bertran, li prodom,
Connestables, qui tant ot de renom,
De vostre frere; aiez en souvenance:
A Saint Poul fut nez en vostre maison
Et baptisiez fut par Jehan de Craon:
Par ce sçara chascun ceste naissance.

OLD AGE [1]

By Eustache Deschamps

Je deviens courbes et bossus,
J'oy tresdur, ma vie decline,
Je pers mes cheveulx par dessus,
Je flue en chascune narine,
J'ay grant doleur en la poitrine,
Mes membres sens ja tous trembler,
Je suis treshastis a parler,
Impaciens, Desdaing me mort,
Sanz conduit ne sçay mès aler:
Ce sont les signes de la mort.

Couvoiteus suis, blans et chanus,
Eschars, courroceux; j'adevine
Ce qui n'est pas, et loe plus
Le temps passé que la dotrine
Du temps present; mon corps se mine;
Je voy envix rire et jouer,
J'ay grant plaisir a grumeler
Car le temps passé me remort;
Tousjours vueil jeunesce blamer:
Ce sont les signes de la mort.

Mes dens sont longs, foibles, agus,
Jaunes, flairans comme santine;
Tous mes corps est frois devenus,
Maigres et secs; par medecine
Vivre me fault; char ne cuisine
Ne puis qu'a grant paine avaler;

---

[1] A ballade illustrating the realism which this writer introduced into the form. The detail with which the poet mourns the approach of old age offers parallels with the poetic work of François Villon, who in his *Ballade des Pendus* meditates on death with equal realism, more poignancy, and greater genius. This ballade is in ten-line strophes of eight-syllable verse, riming ababbccdcd, with six-line envoi.

Ballades with envoi:

> Des jeusnes me fault baler,
> Mes corps toudis sommeille ou dort,
> Et ne vueil que boire et humer:
> Ce sont les signes de la mort.
>
> Prince, encor vueil cy adjouster
> Soixante ans, pour mieulx confermer
> Ma viellesce qui me nuit fort,
> Quant ceuls qui me doivent amer
> Me souhaident ja oultre mer:
> Ce sont les signes de la mort.

ADVICE ON MARRIAGE [1]

By Eustache Deschamps

> A l'uis! — Qui est? — Amis. — Que veuls? —
> Conseil. — De quoy! — De mariage;
> Marier veuil. — Pourquoy te deuls?
> Pour ce que n'ay femme en mesnage
> Qui gouvernast et qui fust sage,
> Bonne, belle et humble tenue,
> Riche, jeune et de haut parage. —
> Tu es fouls: pran une massue.
>
> Advise se souffrir t'en peus:
> Femme est de merveilleux courage.
> Quant tu vouldras avoir des eufs,
> Tu auras porée ou frommaige;
> Tu es frans, tu prendras servaige:
> Homs qui se marie se tue;
> Advise bien. — Si le feray-je. —
> Tu es fouls: pran une massue.
>
> Femme n'aras pas à ton eulx,
> Mais diverse et de dur langaige;
> Adonc te croistera tes deuls,
> Souffrir ne pourras son oultraige.

---

[1] Deschamps could be very sardonic in his treatment of women. Christine de Pisan would not have approved the attitude of this ballade. Compare the " Question des Dames," *circa* 1400, with that of *circa* 1550. The poets and prose writers of both periods exploited their views on this problem in every imaginable literary genre. This is one of Deschamps' least extended developments on a question which his unhappy marriage to a shrew had made of vital moment to him.

Va vivre avant en un boscaige,
Que marier com beste mue. —
Non: avoir vueil le doulz ymaige. —
Tu es fouls: pran une massue.

Filz, tu feras foleur et raige
De marier. Aime en vo rue
Franchement. — D'avoir femme enrraige. —
Tu es fouls: pran une massue.

THE BELLING OF THE CAT [1]

By Eustache Deschamps

Je treuve qu'entre les souris
Ot un merveilleux parlement
Contre les chas leurs ennemis,
A veoir maniére comment
Elles vesquissent seurement
Sanz demourer en tel debat;
L'une dist lors en arguant:
Qui pendra la sonnette au chat?

Cilz consaulz fut conclus et prins;
Lors se partent communement.
Une souris du plat païs
Les encontre et va demandant
Qu'om a fait; lors vont respondant
Que leur ennemi seront mat:
Sonnette aront ou col pendant.
Qui pendra la sonnette au chat?

" C'est le plus fort," dist un rat gris.
Elle demande saigement
Par qui sera cilz fais fournis.
Lors s'en va chascune escusant;
Il n'i ot point d'executant,
S'en va leur besongne de plat.
Bien fut dit, mais au demourant,
Qui pendra la sonnette au chat?

Prince, on conseille bien souvent,
Mais on puet dire, com le rat,
Du conseil qui sa fin ne prant:
Qui pendra la sonnette au chat?

[1] A ballade illustrating the introduction into the form of narrative and dialogue. As a fabulist Deschamps is a precursor of Jean de La Fontaine.

Ballades with envoi:

THE WAYS OF THE WORLD [1]

By Eustache Deschamps

Je doubte trop qu'il ne vengne chier temps
Et qu'il ne soit une mauvaise annee,
Quant amasser voy grain a pluseurs gens
Et mettre a part; faillir voy la donnee,
L'air corrompu, terre mal ordonnee,
Mauvais labour et semence pourrie,
Foibles chevaulx, dont le labour detrie,
Contre le quel le riche dit: " Eschac! "
Par ce convient que le peuple mendie,
Car nulz ne tent fors qu'a emplir son sac.

Particulier est chascun en son sens
Et convoiteus, vie et desordonee,
Tout est ravi par force des puissans,
Au bien commun n'est creature nee.
Est la terre des hommes gouvernee
Selon raison? non pas: Loy est perie,
Verité fault, regner voy Menterie,
Et les plus grans se noient en ce lac;
Par convoiter est la terre perie,
Car nulz ne tent fors qu'a emplir son sac.

Si foult de faim perir les innocens
Dont les grans loups font chacun jour ventree,
Qui amassent a miliers et a cens
Les faulx tresors; c'est le grain, c'est la blee,
Le sang, les os, qui ont la terre aree
Des povres gens, dont leur esperit crie
Vengence a Dieu, vé a la seignourie,
Aux conseilliers et aux menants ce bac
Et a tous ceuls qui tiennent leur partie,
Car nulz ne tent fors qu'a emplir son sac.

Princes, le temps est brief de ceste vie,
Aussi tost muert homs qu'on puet dire " Clac."
Que deviendra la povre ame esbahie?
Car nulz ne tent fors qu'a emplir son sac.

[1] A ballade showing the poet as a satirist contemplating the abuses of his time (like Joachim du Bellay later at Rome) and using this form as the medium for the expression of his bitter feelings. The ballade is regular, ten-line and ten-syllable, riming ababbccdcd, with four-line envoi.

THE BLACK PLAGUE [1]

By Eustache Deschamps

L'air corrompu, la terre venimeuse,
Les corps infects en cymetiere, et mors
En my les champs, en guerre dolereuse,
Chambres coyes ou est li amas ors
D'infections, de puours de dehors
Qu'om fait aux champs, es villes, es chasteaux
D'ordures grans, de fians par monceaulz,
D'immondices qu'om art, dont c'est folie,
Du mauvais air corrompu, de pourceaulx,
Font en mains lieux causer l'epidemie.

La bouche avoir gloute, vie oultrageuse,
Boire et mangier sanz appetit du corps,
Longue seoir a table est perilleuse
Chose, et de mès pluseurs faire rappors,
Et trop salé cerf, vaches, buefs et pors,
Tanche, anguille, congre, tous bestiaulx,
Poissons de mer, lestages, fruiz, poreaulx,
Oingnons et aulx, gros vin trouble en sa lie,
Dur pain mangier et sanz levain gasteaux,
Font en mains lieux causer l'epidemie.

Vivre d'eaues de terre marcageuse,
Estre au gros air quant li broullas est fors,
Trop main lever, vie luxurieuse,
Sanz mouvement soy courcier est la mors;
Trop chaut, trop froit quant sont ouvers les pors,
Estuves, baings frequenter entre ceaulx
Qui sont infects gens, pourris et meseaulx,
Gendrent a maint semblable maladie,
Et telz choses en est ces cas principaulx
Font en mains lieux causer l'epidemie.

Prince, bon fait ces cas especiaulx
Pour sa santé, et outrageux travaulx
Fuir du tout ou du moins en partie;
Que l'en s'espurge, et qu'om se tiengne chaux,
Car non garder son corps par telz deffaulx
Font en mains lieux causer l'epidemie.

[1] A ballade on the plague showing another of the realistic ways in which Deschamps used the form. For him the ballade has all the functions of the Provençal and Old French *chanson* and *sirventes*. It also serves as a pulpit for comments on current events and moralizings. In form this is a proper ten-line, ten-syllable ballade. The six-line envoi breaks the perfect symmetry of multiples of five recommended by some theorists.

Ballades with envoi:

LOVE'S CONSENT [1]

By CHRISTINE DE PISAN

Tant avez fait par vostre grant doulçour,
Très doulz amy, que vous m'avez conquise;
Plus n'y convient complainte, ne clamour;
Jà n'y aura par moy defense mise.
Amours le veult par sa doulce maistrise,
Et moy aussi le vueil: car, se m'ait Dieux,
Au fort c'estoit foleur, quant je m'avise
De refuser ami si gracieux.

Et j'ay espoir qu'il a tant de valour
En vous, que bien sera m'amour assise;
Quant de beauté, de grâce et toute honnour,
Il y a tant, que c'est droit qu'il souffise,
Si est bien droit que sur tous vous eslise,
Car vous estes bien digne d'avoir mieux;
Si ay eu tort, quant tant m'avez requise,
De refuser ami si gracieux.

Si vous retien, et vous donne m'amour,
Mon fin cuer doulz, et vous pri que faintise
Ne treuve en vous, ne nul autre faulz tour,
Car toute m'a entièrement acquise
Vo doulz maingtieng, vo manière rassise,
Et voz très doulz et amoureux beaulx yeux;
Si auroye grant tort, en toute guise,
De refuser ami si gracieux.

Mon doulx ami, que j'aim sur tous et prise,
J'oy tant de bien de vous dire, en tous lieux,
Que par Raison devroye estre reprise
De refuser ami si gracieux.

---

[1] A ballade with the envoi, which was introduced into this fixed form in the time of Deschamps. Other examples of Christine's ballades follow the mode without envoi current in the time of Machaut.

LOVE IN OLDEN DAYS [1]

By CHRISTINE DE PISAN

Jadis par amours amoient
Et les dieux et les deesses,
Ce dit Ovide, et avoient
Pour amours maintes destresses;
Foi, loiaulté et promesses
Tenoient sanz decepvoir,
Se les fables dient voir.

Et du ciel jus descendoient,
Non obstant leurs grans hauteces,
Et a estre amez queroient
Les haulz dieux pleins de nobleces;
Pour amours leurs grans richeces
Mettoient en nonchaloir,
Se les fables dient voir.

Lors si trés contrains estoient,
Nymphes et enchanteresses,
Et les dieux qui lors regnoient,
Satirielz et maistresses,
D'amours, qu'a trop grans largeces
Mettoient corps et avoir,
Se les fables dient voir.

Pour ce, princes et princepces
Doivent amer et savoir
D'amours toutes les adresces,
Se les fables dient voir.

HERO AND LEANDER [2]

By CHRISTINE DE PISAN

Quant Lehander passoit la mer salée,
Non pas en nef, ne en batel a nage,
Mais tout a nou, par nuit, en recellée,
Entreprenoit le perilleux passage

[1] Christine de Pisan was a cultivated woman of extensive learning. The classical allusions of some of her ballades reveal her predilections. Compare the ballades of Machaut and Froissart in the two earlier subgenre groups.

[2] Observe the graceful use by Christine of the classical legend of Hero and Leander and remember that this is a ballade and not a sonnet, Middle French and not Renaissance. Like Ronsard, Christine attains sometimes to simplicity and hence heightened charm in the poetical use of her varied erudition.

Ballades with envoi:

Pour la belle Hero au cler visage,
Qui demouroit ou chastel d'Abidonne,
De l'autre part, assez près du rivage;
Voyez comment amours amans ordonne!

Ce bras de mer, que l'en clamoit Hellée,
Passoit souvent le ber de hault parage
Pour sa dame veoir, et que cellée
Fust celle amour ou son cuer fu en gage.
Mais Fortune qui a fait maint oultrage,
Et a mains bons assez de meschiefs donne,
Fist en la mer trop tempesteux orage.
Voyez comment amours amans ordonne!

En celle mer, qui fu parfonde et lée,
Fu Lehander peri, ce fu domage;
Dont la belle fu si fort adoulée
Qu'en mer sailli sanz querir avantage.
Ainsi pery furent d'un seul courage.
Mirez vous cy, sanz que je plus sermone,
Tous amoureux pris d'amoureuse rage.
Voyez comment amours amans ordonne!

Mais je me doubt que perdu soit l'usage
D'ainsi amer a trestoute personne;
Mais grant amour fait un fol du plus sage.
Voyez comment amours amans ordonne!

THE PERFECT HUSBAND [1]

By CHRISTINE DE PISAN

Dieux! on se plaint trop durement
De ces marys, trop oy mesdire
D'eux, et qu'ilz sont communement
Jaloux, rechignez et pleins d'yre.
Mais ce ne puis je mie dire,
Car j'ay mary tout a mon vueil,
Bel et bon, et, sanz moy desdire,
Il veult trestout quanque je vueil.

[1] Christine's verses inspired by her marriage are sometimes of an exquisite sensibility. Her vocabulary and phrasing in these poems are surprisingly modern, her form of expression melodious and limpid. Her ballades especially, in this period, reflect the sentiments of a delicate and highly endowed lady and run the gamut from joyous contentment to melancholy and despair.

Il ne veult fors esbatement
Et me tance quant je souspire,
Et bien lui plaist, s'il ne me ment,
Qu'ami aye pour moy deduire,
S'aultre que lui je vueil eslire;
De riens que je face il n'a dueil,
Tout lui plaist, sanz moy contredire,
Il veult trestout quanque je vueil.

Si doy bien vivre liement;
Car tel mary me doit souffire
Qui en tout mon gouvernement
Nulle riens ne treuve a redire,
Et quant vers mon ami me tire
Et je lui monstre bel accueil,
Mon mary s'en rit, le doulz sire,
Il veult trestout quanque je vueil.

Dieu le me sauve, s'il n'empire,
Ce mary: il n'a nul pareil,
Car chanter, dancier vueil' ou rire,
Il veult trestout quanque je vueil.

LAMENT [1]

By Christine de Pisan

Hé! Dieux, quel dueil, quel rage, quel meschief,
Quel desconfort, quel dolente aventure,
Pour moy, helas, qui torment ay si grief,
Qu'onques plus grant ne souffri creature!
L'eure maudi que ma vie tant dure,
Car d'autre riens nulle je n'ay envie
Fors de morir; de plus vivre n'ay cure,
Quant cil est mort qui me tenoit en vie.

O dure mort, or as tu trait a chief
Touz mes bons jours, ce m'est chose molt dure,
Quant m'as osté cil qui estoit le chief
De tous mes biens et de ma nourriture,
Dont si au bas m'as mis, je le te jure,
Que j'ay desir que du corps soit ravie
Ma doulante lasse ame trop obscure,
Quant cil est mort qui me tenoit en vie.

[1] A regular ballade that is a better lament for a loved one untimely dead, than the often quoted *Seulete suis*, which wearies a little with its endless repetition, despite its tragic and moving sincerity. This ballade is simple, sincere, and effective.

Ballades with envoi:

Et se mes las dolens jours fussent brief,
Au moins cessast la delour que j'endure;
Mais non seront, ains toudis de rechief
Vivray en dueil sanz fin et sanz mesure,
En plains, en plours, en amere pointure.
De touz assaulz dolens seray servie.
D'ainsi mon temps user c'est bien droitture,
Quant cil est mort qui me tenoit en vie.

Princes, voiez la trés crueuse injure
Que mort me fait, dont fault que je devie;
Car choite suis en grant mesaventure,
Quant cil est mort qui me tenoit en vie.

SOLITUDE

By Christine de Pisan

Seulete sui et seulete vueil estre,
Seulete m'a mon douz ami laissiee;
Seulete sui, sans compaignon ne maistre,
Seulete sui, dolente et courrouciee,
Seulete sui, en langueur mesaisiee
Seulete sui, plus que nulle esgaree,
Seulete sui, sanz ami demouree.

Seulete sui a uis ou a fenestre,
Seulete sui en un anglet muciee,
Seulete sui pour moi de pleurs repaistre,
Seulete sui, dolente ou apaisiee;
Seulete sui, riens n'est qui tant messiee;
Seulete sui, en ma chambre enseree,
Seulete sui, sanz ami demouree.

Seulete sui partout et en tout estre;
Seulete sui, ou je voise ou je siee;
Seulete sui plus qu'aultres riens terrestre,
Seulete sui, de chascun delaissiee,
Seulete sui, durement abaissiee,
Seulete sui, souvent tout esplouree,
Seulete sui, sanz ami demouree.

Prince, or est ma douleur commenciee:
Seulete sui, de tout dueil menaciee,
Seulete sui, plus teinte que moree:
Seulete sui, sanz ami demouree.

FORTUNE IS FICKLE [1]

By Alain Chartier

O folz des folz, et les folz mortelz hommes,
Qui vous fiez tant és biens de fortune!
En celle terre, és pays où nous sommes,
Y avez vous de chose propre aucune?
Vous n'y avez chose vostre nes-une
Fors les beaulx dons de grace et de nature.
Se Fortune donc, par case d'adventure,
Vous toult les biens que vostres vous tenez,
Tort ne vous fait, ainçois vous fait droicture,
Car vous n'aviez riens quand vous fustes nez.

Ne laissez plus le dormir à grans sommes
En vostre lict, par nuit obscure et brune,
Pour acquester richesses a grans sommes,
Ne convoitez choses dessoubs la lune,
Ne de Paris jusques à Pampelune,
Fors ce qui fault, sans plus, à creature
Pour recouvrer sa simple nourriture;
Suffise vous d'estre bien renommez,
Et d'emporter bon loz en sepulture:
Car vous n'aviez riens quand vous fustes nez.

Les joyeulx fruicts des arbres, et les pommes,
Au temps que fut toute chose commune,
Le beau miel, les glandes et les gommes
Souffisoient bien à chascun et chascune,
Et pour ce fut sans noise et sans rancune.
Soyez contens des chaulx et des froidures,
Et me prenez Fortune doulce et seure,
Pour vos pertes, griesve dueil n'en menez,
Fors à raison, à point, et à mesure,
Car vous n'aviez riens quand vous fustes nez.

Se fortune vous fait aucune injure,
C'est de son droit, jà ne l'en reprenez,
Et perdissiez jusques a la vesture:
Car vous n'aviez riens quand vous fustes nez.

[1] A meditation on the changeableness of Fortune in ballade form, which is an excellent example of fifteenth-century didacticism in a lyrical form of verse. Such anti-lyrical but oratorical specimens abound in the poetry of this time.

Ballades with envoi:

A NOBLE'S OBLIGATION [1]

By Alain Chartier

Dieu tout puissant, de qui noblesse vient
Et dont descent toute perfectïon,
A tout crée, tout nourrist, tout soustient
Par sa haulte digne provisïon;
Mais, pour tenir la terre en unïon,
A ordonné chascun en son office,
Ly ung seigneur, l'autre en subjectïon,
Pour foy garder et pour vivre en justice.

Et qui de Dieu le plus hault honneur tient
Par seigneurie ou dominatïon,
Plus est tenu et plus luy appartient
D'avoir en luy entiere affectïon,
Crainte et honneur, bonne devocïon,
Et vergoigne de meffait et de vice,
Et faire tout a bonne ententïon,
Pour foy garder et pour vivre en justice.

Cil est nobles et pour tel se maintient,
Sans vanterie et sans decepcïon,
Qui envers Dieu obëissant se tient
Et fait droit de sa professïon.
Qui quiert noblesse en autre opinïon,
Fait a Dieu tort et au sang prejudice;
Car Dieu forma noble condïtïon,
Pour foy garder et pour vivre en justice.

Povre et riche meurt en corruptïon,
Noble et commun doivent a Dieu service;
Mais les nobles ont exaltatïon
Pour foy garder et pour vivre en justice.

---

[1] From the standpoint of idea, at any rate, a noble expression of the doctrine of "Noblesse oblige," in ballade form, which shows the political and patriotic mettle of the poet Alain Chartier, also the liberal thinker and distinguished prose writer of the *Quadrilogue invectif*. This poem is from *Le Breviaire des nobles*. The author shows himself here, as in the preceding ballade, an orator rather than a poet. His eloquence was widely imitated by the unlyrical Grands Rhétoriqueurs, who admired their master's oratorical rhetoric and Latin erudition very greatly.

THE BOND OF LOVE
By Charles d'Orléans

Belle, bien avez souvenance,
Comme certainement je croy,
De la tresplaisant aliance
Qu'Amour fist entre vous et moy;
Son secretaire, Bonne Foy,
Escript la lectre du traictié,
Et puis la seella Loyauté,
Qui la chose tesmoingnera,
Quant temps et besoing en sera.

Joyeux Desir fut en presence,
Qui alors ne se tint pas coy,
Mais mist le fait en ordonnance
De par Amour, le puissant roy;
Et, selon l'amoureuse loy,
De noz deux vouloirs, pour seurté,
Fist une seule voulenté;
Bien m'en souvient et souvendra
Quant temps et besoing en sera.

Mon cuer n'a en nullui fiance
De garder le lectre qu'en soy;
Et certes ce n'est grant plaisance,
Quant si tresloyal je le voy,
Et lui conseille, comme doy,
De tousjours haïr Faulseté;
Car quiconque l'a en chierté,
Amour chastiër l'en fera,
Quant temps et besoing en sera.

Pensez en ce que j'ay compté,
Ma Dame, car en vérité
Mon cueur de foy vous requerra,
Quant temps et besoing en sera.

WINDOWS
By Charles d'Orléans

Se dieu plaist, briefvement l'année
De ma tristesse passera,
Belle tres loyaulment amée,
Et le beau temps se monstrera.

Ballades with envoi:

> Mais sçavez vous quant ce sera?
> Quant le doulx soleil gracieulx
> De vostre beaulté entrera
> Par les fenestres de mes yeulx.
>
> Lors la chambre de ma pensée
> De grant plaisance reluyra,
> Et sera de joye parée,
> Adonc mon cueur s'esveillera
> Qui en dueil dormy longtemps a
> Plus ne dormira se m'aist dieux;
> Quant ceste clerté le verra
> Par les fenestres de mes yeulx.
>
> Helas! Quant viendra la journée
> Qu'ainsi advenir me pourra?
> Ma maistresse tres desirée,
> Pensez vous que brief adviendra?
> Car mon cueur tousjours languira
> En ennuy sans point avoir mieulx,
> Juc a tant que soleil verra
> Par les fenestres de mes yeulx.
>
> De reconfort mon cueur aura
> Autant que nul dessoubz les cieulx;
> Belle, quant vous regardera
> Par les fenestres de mes yeulx.

LAMENT FOR HIS WIFE [1]

By Charles d'Orléans

> Las! Mort qui t'a fait si hardie
> De prendre la noble Princesse
> Qui estoit mon confort, ma vie,
> Mon bien, mon plaisir, ma richesse!

[1] A ballade which should be read with Christine de Pisan's ballade beginning " Hé! Dieux, quel rage, quel meschief," and with Eustache Deschamps' ballade commencing " Estoc d'oneur et arbres de vaillance." All three should be compared in form and content with the Provençal laments (*planh*) of Gaucelm Faidit and Bertran de Born. The Duke of Orléans was thrice married, first to a first cousin, the Princess Isabelle de France, widow of King Richard II of England; then to the Lady Bonne d'Armagnac, " La gracieuse, bonne et belle "; and, finally, to his more distant cousin of the House of Burgundy, Marie de Clèves.

Puis que tu as prins ma maistresse,
Prens moy aussi son serviteur,
Car j'ayme mieulx prouchainement
Mourir que languir en tourment,
En paine, soussi et doleur.

Las! de tous biens estoit garnie
Et en droicte fleur de jeunesse!
Je prie à Dieu qu'il te maudie,
Faulse Mort, plaine de rudesse!
Se prise l'eusses en vieillesse,
Ce ne fust pas si grant rigueur;
Mais prise l'as hastivement
Et m'as laissié piteusement
En paine, soussi et doleur.

Las! Je suis seul sans compagnie!
Adieu ma Dame, ma liesse!
Or est nostre amour departie,
Non pour tant, je vous fais promesse
Que de prieres, à largesse,
Morte vous serviray de cueur,
Sans oublier aucunement;
Et vous regretteray souvent
En paine, soussi et doleur.

Dieu, sur tout souverain Seigneur,
Ordonnez par grace et doulceur,
De l'ame d'elle, tellement
Qu'elle ne soit pas longuement
En paine, soussi et doleur.

SADNESS

By Charles d'Orléans

En la forest d'ennuyeuse tristesse
Un jour m'avint qu'a part moy cheminoye;
S'i rencontray l'amoureuse deesse,
Qui m'appella, demandant ou j'aloye.
Je respondy que par fortune estoye
Mis en exil en ce bois, long temps a,
Et qu'a bon droit appeller me povoye
L'omme esgaré qui ne scet ou il va.

Ballades with envoi:

En souriant par sa tres grant humblesse
Me respondit: " Amy, se je scavoye
Pourquoy tu es mis en ceste destresse,
A mon povoir voulentiers t'ayderoye,
Car ja, pieça, je mis ton cueur en voye
De tout plaisir, ne sçay qui l'en osta.
Or me desplaist qu'a present je te voye
L'omme esgaré qui ne scet ou il va."

Helas! dis-je, souveraine princesse,
Mon fait sçavez: pourquoy le vous diroye?
C'est par la mort, qui fait a tous rudesse,
Qui m'a tollu celle que tant amoye,
En qui estoit tout l'espoir que j'avoye,
Qui me guidoit, si bien m'accompaigna
En son vivant que point ne me trouvoye
L'omme esgaré qui ne scet ou il va.

Aveugle suy, ne sçay ou aler doye:
De mon baston, affin que ne fourvoye,
Je vois tastant mon chemin ça et la.
C'est grant pitié qu'il convient que je soye
L'omme esgaré qui ne scet ou il va.

LONGING FOR HOME [1]

By Charles d'Orléans

En regardant vers le païs de France,
Ung jour m'avint, à Dovre sur la mer,
Qu'il me souvint de la doulce plaisance
Que je souloye ou dit païs trouver.
Si commençay de cueur à souspirer,
Combien certes que grant bien me faisoit
De veoir France, que mon cueur amer doit.

Je m'avisay que c'estoit non sçavance
De tels soupirs dedens mon cueur garder,
Veu que je voy que la voye commence
De bonne paix, qui tous biens peut donner.
Pour ce, tournay en confort mon penser:

[1] A ballade of seven-line strophes, which may be compared with some of the sonnets in Joachim du Bellay's *Regrets*, for example, " Heureux qui comme Ulysse a fait un beau voyage." The prisoner in England and the pensioner of a haughty prelate in Rome seem animated by very similar sentiments in their two versions of " Home, Sweet Home."

Mais non pourtant mon cueur ne se lassoit
De veoir France, que mon cueur amer doit.

Alors, chargeay 'en la nef d'esperance
Tous mes souhaitz, en les priant d'aler
Oultre la mer, sans faire demourance,
Et à France de me recommander.
Or, nous doint Dieu bonne paix sans tarder!
Adonc auray loisir, mais qu'ainsi soit,
De veoir France, que mon cueur amer doit.

Paix est tresor qu'on ne peut trop louer,
Je hé guerre, point ne la doit priser;
Destourbé m'a longtemps, soit tort ou droit,
De veoir France, que mon cueur amer doit.

WHERE ARE THE SNOWS OF YESTERYEAR? [1]

By FRANÇOIS VILLON

Dictes moy où, n'en quel pays,
Est Flora, la belle Rommaine;
Archipiada, ne Thaïs,
Qui fut sa cousine germaine;
Echo, parlant quand bruyt on maine
Dessus riviere ou sus estan,
Qui beaulté ot trop plus qu'humaine?
Mais où sont les neiges d'antan!

Où est la tres sage Helloïs,
Pour qui fut chastré et puis moyne
Pierre Esbaillart à Saint-Denis?
Pour son amour ot cest essoyne.
Semblablement, où est la royne
Qui commanda que Buridan
Fust gecté en ung sac en Saine?
Mais où sont les neiges d'antan!

---

[1] In this celebrated ballade by François Villon the " Ubi sunt " motif (used by Eustache Deschamps, among other poets, in a chant royal here quoted under that group) is transformed, by the genius of the poet for simplicity and natural-ness in the midst of technical difficulty, into something deeply moving. The form is the same as in other ballades by lesser poets, but the animating spirit is on a different aesthetic level. Villon's use of the refrain is especially haunting. His use of the ballade as an artistic whole, bound together into indissoluble union by a refrain, which is at once its keynote and a stroke of pure genius, shows the great possibilities of the form.

Ballades with envoi:

> La royne Blanche comme lis,
> Qui chantoit à voix de seraine;
> Berte au grant pié, Bietris, Allis;
> Haremburgis qui tint le Maine,
> Et Jehanne, la bonne Lorraine,
> Qu'Englois brulerent à Rouan;
> Où sont elles, Vierge souveraine?
> Mais où sont les neiges d'antan!
>
> Prince, n'enquerez de sepmaine
> Où elles sont, ne de cest an,
> Que ce reffrain ne vous remaine:
> Mais où sont les neiges d'antan!

THE POET'S MOTHER PRAYS TO OUR LADY[1]

By François Villon

> Dame des cieulx, regente terrienne,
> Emperiere des infernaux paluz,
> Recevez moy, vostre humble chrestienne,
> Que comprinse soye entre vos esleuz,
> Ce non obstant qu'oncques rien ne valuz.
> Les biens de vous, ma dame et ma maistresse,
> Sont trop plus grans que je ne suis pecheresse,
> Sans lesquelz biens ame ne peut merir
> N'avoir les cieulx, je n'en suis jungleresse.
> En ceste foi je vueil vivre et mourir.
>
> A vostre Filz dictes que je suis sienne;
> De luy soyent mes pechiez aboluz:
> Pardonne moy comme a l'Egipcienne,
> Ou comme il feist au clerc Théophilus,
> Lequel par vous fut quitte et absoluz,
> Combien qu'il eust au deable fait promesse.
> Preservez moy, que ne face jamais ce,
> Vierge portant, sans rompure encourir
> Le sacrement qu'on celebre à la messe.
> En ceste foy je vueil vivre et mourir.

[1] Another ballade by the great master of the genre well illustrates the ease and power with which he moved in the limitations of the form. The seven-line envoi becomes a touching prayer to the Blessèd Virgin, instead of the conventional invocation of the " Prince du Puy." The first letters of the first six of its seven lines spell V I L L O N.

Femme je suis povrette et ancienne,
Qui riens ne sçay; oncques lettre ne leuz;
Au moustier voy dont suis paroissienne
Paradis paint, où sont harpes et luz,
Et ung enfer où dampnez sont boulluz:
L'ung me fait paour, l'autre joye et liesse.
La joye avoir me fay, haulte Deesse,
A qui pecheurs doivent tous recourir,
Comblez de foy, sans fainte ne paresse.
En ceste foy je vueil vivre et mourir.

Vous portastes, digne Vierge, princesse,
Iesus regnant, qui n'a ne fin ne cesse.
Le Tout-Puissant, prenant nostre foiblesse,
Laissa les cieulx et nous vint secourir,
Offrit à mort sa tres chiere jeunesse.
Nostre Seigneur tel est, tel le confesse,
En ceste foy je vueil vivre et mourir.

EPITAPH FOR MEN ABOUT TO BE HANGED [1]

By François Villon

Freres humains, qui après nous vivez,
N'ayez les cuers contre nous endurcis,
Car, se pitié de nous povres avez,
Dieu en aura plus tost de vous mercis.
Vous nous voiez cy attachez cinq, six,
Quant de la chair, que trop avons nourrie,
Elle est pieça devorée et pourrie,
Et nous, les os, devenons cendre et pouldre.
De nostre mal personne ne s'en rie,
Mais priez Dieu que tous nous vueille absouldre!

Se freres vous clamons, pas n'en devez
Avor desdaing, quoy que fusmes occis
Par justice. Toutesfois, vous sçavez
Que tous hommes n'ont pas bon sens assis;
Excusez nous — puis que sommes transsis —
Envers le filz de la Vierge Marie,
Que sa grace ne soit pour nous tarie,
Nous preservant de l'infernale fouldre.
Nous sommes mors, ame ne nous harie;
Mais priez Dieu que tous nous vueille absouldre!

[1] In a justly famous ballade, or epitaph, Villon transmutes the realism already noted in Eustache Deschamps' ballades on old age and on the plague by emotional sincerity and vivid sensuous imagery. The refrain is ringing and the envoi prayer deeply impressive.

Ballades with envoi:

La pluye nous a buez et lavez,
Et le soleil desechez et noircis;
Pies, corbeaulx, nous ont les yeux cavez,
Et arraché la barbe et les sourcilz.
Jamais, nul temps, nous ne sommes assis;
Puis ça, puis là, comme le vent varie,
A son plaisir sans cesser nous charie,
Plus becquetez d'oiseaulx que dez à couldre.
Ne soiez donc de nostre confrairie,
Mais priez Dieu que tous nous vueille absouldre!

Prince Jhesus, qui sur tous a maistrie,
Garde qu'Enfer n'ait de nous seigneurie:
A luy n'ayons que faire ne que souldre.
Hommes, icy n'a point de mocquerie,
Mais priez Dieu que tous nous vueille absouldre!

THE MIRROR OF HUMILITY [1]

By Georges Chastellain

Homme mortel créé de terre et fait,
Du Créateur formé à la senblance,
Las! recongnois le bien que Dieu t'a fait
Puisque tu es homme privé d'enfance;
Remembre-toy et ayes souvenance,
Cœur dur, ingrat, rempli de vanitée,
Du hault degré et de la dignité
Où Dieu t'a mis indigne créature,
Tant riche et noble esleu en prélature,
Dont tu rendras compte estroit quoy qu'il tarde.
Mais sçais-tu quant? demain par aventure
Ou aujourd'huy.   Pour tant donne-toy garde.

Puis qu'une fois tu as esté deffait
Et mis au bas par désobéissance
Et que depuis ton facteur t'a refait
Et remys sus par vraye obéissance,
Ne renchies pas par orgueil, n'arrogance,
Mais montre toi miroer d'humilité;

[1] The "graveyard school" of French poetry in the fifteenth century is well illustrated by this typical example from "le grand Georges," the inheritor of the oratorical tradition of Alain Chartier, earlier eloquent and erudite moralizer in verse.

Car tu sçais bien que ta fragilité
N'est que viande à vers et pourriture
Et devendra en la fin pourriture,
Quoy qu'à présent santé te contregarde.
Mais sçais-tu quant? demain par aventure
Ou aujourd'huy.   Pour tant donne-toy garde.

Cuides-tu estre aultre homme ou plus parfait
Que les majeurs de devant ta naissance
Qui tant furent glorieux en leur fait
Que Dieu et monde en ont la congnoissance?
Hélas! nenni, car pour quelque puissance
Que tu ayes, gloire ou prospérité,
Comme eulx mourras, povre ou riche hérité,
Misérable homme et de fresle nature,
Et seras mis un jour en sépulture,
Ne tu n'as force ou povoir qui t'en garde.
Mais sçais-tu quant? demain par aventure
Ou aujourd'huy.   Pour tant donne-toy garde.

Homme, arme toy contre l'heure future
Forte et dure, car mort de la pointure
Te picquera de sa mortelle darde;
Mais sçais-tu quant? demain par aventure
Ou aujourd'huy.   Pour tant donne-toy garde.

HE DOES ENOUGH WHO HIS SALVATION WINS[1]

By Jean Molinet

Des Mirmidons la hardiesse emprendre,
Pour envayr le tres puissant Athlas,
De Medea les cateles aprendre,
Pour impugner les ars dame Palas,
Faire trambler du monde la machine,
Fourdroier Mars, qui contre nous machine,
Fonder chasteaux sus le mont Pernasus,
Voler en air ainsi que Pegasus,
Endormir gens au flagol de Mercure
N'est-il besoing pour parvenir lassus:
Il fait assez qui son salut procure.

[1] An interesting and pretentious "Grand Rhétoriqueur" ballade which, by its enumeration of exotic names, suggests Leconte de Lisle, and by the elusive and not wholly unmusical meanings, Arthur Rimbaud and Mallarmé, the whole with a liberal dash of Hugo's swelling rhetoric to bind the mixture.

Ballades with envoi:

Homme mortel vueillant a salut tendre
Vers Agloras ne doit jetter ses las;
A Dyana la vierge doit entendre,
Sans embrachier de Venus les solas;
Pas ne s'endorme a la harpe orpheyne,
Ne par Bachus ait sompne morpheyne,
Que pris ne soit es las de Vulcanus;
Car Cherberon, aux gros cheveux canus,
L'engloutiroit en sa prison obscure,
Dont, qui se sent en ses las detenus,
Il fait assez qui son salut procure.

Prometheus nous a formé de cendre:
Craindre devons d'Atropos le dur pas.
Quant Jupiter des cieulx vouldra descendre,
Pour nous jugier Pluto n'y fauldra pas.
Ains que Triton voit sonnant la buisine,
Prions Argus qu'il nous garde et consigne,
Sans arriver a l'ostel Tantalus;
Passons la mer avecques Dedalus;
Et se Appollo nostre ame ne nous cure,
Pour resister aux infernaulx palus
Il fait assez qui son salut procure.

Prince du puy, le grant dieu Saturnus,
Demogorgon, Pheton, Phebé, Phebus
Ne demandent grant labour ne grant cure,
Mais que le corps soit bien entretenus.
Il fait assez qui son salut procure.

THE QUEEN OF HEAVEN [1]

By Jean Marot

Devant que la cause premiere
Fist la terre & la mer jadis,
Devant que Dieu crea lumiere,
Ne qu'il formast ses Benedicts,
Devant ce temps que je vous dis,
Sentence estoit desja donnée,

[1] One of numerous ballades of the period showing the form pressed into the service of religious dogma. The poetical Puys, or academies, in the provinces, were often religious confraternities as well, a good example being the Puy at Rouen, over which the theorist of verse, Pierre Fabri, at one time presided. Jean Marot was his contemporary, though not his fellow-townsman.

Que je seroye en Paradis
Sur tous les angels couronnée.

Maintenant je suis Tresoriere
Des hautz biens de gloire assouvis;
Maintenant je suis emperiere
Triumphante en royal devis;
Maintenant les benoitz ravis
Me disent fleur sans courroux née.
Vous estes selon nostre advis,
Sur tous les angels couronnée.

Après que boys, prez & rivieres
Seront de leurs estres bannys;
Après que par loy droicturiere
Humains seront par mort finis,
Des haults trones d'honneur garnys
Comme Royne, preordonée
Vivray par siecles infinis
Sur tous les angels couronnée.

Prince en ce jour dire je puys,
Puisque telle gloire m'est donnée.
J'ay esté, je serai & suys
Sur tous les angels couronnée.

THE SNARES OF LOVE [1]

By Jean Bouchet

Tout homme, qui bien se gouverne
Entre les mondains sagement,
Pres folles femmes ne se yverne,
Mais fuyt d'amours l'embrasement;
Amour est ung feu vehement
Dont viennent les grandes chaleurs
Qui font a tout entendement,
Pour ung plaisir mille douleurs.

Sanson y lessa sa lanterne,
David en plora longuement,
La teste y pardit Olopherne,
Troye en perist piteusement,

---

[1] Bouchet continues the moralizing ballade, exemplified earlier by Eustache
Deschamps and Georges Chastellain.

Ballades with envoi:

Philix pour aymer follement
Se pendi apres cris & pleurs,
Tarquin en eust pour paiement,
Pour ung plaisir mille douleurs.

Salomon, la clere luserne,
En mescongneust Dieu faulcement,
Et Vergille au vent de galerne
Fut tout ung jour publiquement;
Aristote facillement
S'en lessa brider; quelz erreurs
Tous en eurent certainnement,
Pour ung plaisir mille douleurs.

Prince, vous voyez clerement
D'amours les petites valleurs,
Et qu'on y a finablement,
Pour ung plaisir mille douleurs.

SING WE ALL NOWELL! [1]

By CLÉMENT MAROT

Or est Noël venu son petit trac,
Sus donc aux champs, bergieres de respec;
Prenons chascun panetiere et bissac,
Fluste, flageol, cornemuse et rebec,
Ores n'est pas temps de clore le bec,
Chantons, saultons, et dansons ric à ric:
Puis allons veoir l'Enfant au povre nic,
Tant exalté d'Helie, aussi d'Enoc,
Et adoré de maint grand roy et duc;
S'on nous dit nac, il faudra dire noc.
Chantons Noël, tant au soir qu'au desjuc.

Colin Georget, et toy Margot du Clac,
Escoute un peu et ne dors plus illec:
N'a pas longtemps, sommeillant près d'un lac,
Me fut advis qu'en ce grand chemin sec
Un jeune enfant se combatoit avec
Un grand serpent et dangereux aspic:

[1] This "Grand Rhétoriqueur" ballade, with its curious rimes all ending in *c* and its touch of the popular Noël tone, shows the style of the early Marot, hesitating between the verbal tricks popular with his most esteemed elder contemporaries and the drive toward the clarity, simplicity, and natural ease which were the essence of his talent.

Mais l'enfanteau, en moins de dire pic,
D'une grand croix luy donna si grand choc
Qu'il l'abbatit et luy cassa le suc;
Garde n'avoit de dire en ce defroc
Chantons Noël tant au soir qu'au desjuc.

Quand je l'ouy frapper, et tic et tac,
Et luy donner si merveilleux eschec,
L'ange me dit d'un joyeux estomac:
Chante Noël, en françois ou en grec,
Et de chagrin ne donne plus un zec,
Car le serpent a esté prins au bric.
Lors m'esveillay, et comme fantastic
Tous mes troupeaux je laissay près un roc,
Si m'en allay plus fier qu'un archiduc
En Bethleem: Robin, Gauthier et Roch,
Chantons Noël tant au soir qu'au desjuc.

Prince devot, souverain catholic,
Sa maison n'est de pierre ne de bric,
Car tous les vents y soufflent à grand floc;
Et qu'aussi soit, demandez à sainct Luc.
Sus donc avant, pendons soucy au croc,
Chantons Noël tant au soir qu'an desjuc.

THE HYPOCRITICAL FRIAR [1]

By Clément Marot

Pour courir en poste à la ville
Vingt foys, cent foys, ne sçay combien;
Pour faire quelque chose vile,
Frere Lubin le fera bien;
Mais d'avoir honneste entretien,
Ou mener vie salutaire,
C'est à faire à un bon chrestien,
Frere Lubin ne le peult faire.

Pour mettre (comme un homme habile)
Le bien d'autruy avec le sien,
Et vous laisser sans croix ne pile,
Frere Lubin le fera bien:
On a beau dire je le tien,

[1] A ballade showing Marot as the continuator of Deschamps, who used the form in the spirit of social criticism and satire as well as in the spirit of lyricism. Note the double refrain, within and at the end of strophes and envoi. This is an interesting variation from the usual single or double refrain.

Ballades with envoi:

> Et le presser de satisfaire,
> Jamais ne vous en rendra rien,
> Frere Lubin ne le peult faire.
>
> Pour desbaucher par un doulx stile
> Quelque fille de bon maintien,
> Point ne fault de vieille subtile,
> Frere Lubin le fera bien.
> Il presche en theologien,
> Mais pour boire de belle eau claire,
> Faictes la boire a vostre chien,
> Frere Lubin ne le peult faire.
>
> Pour faire plus tost mal que bien,
> Frere Lubin le fera bien;
> Et si c'est quelque bon affaire,
> Frere Lubin ne le peult faire.

OF A VERY BEAUTIFUL LADY[1]

By CLÉMENT MAROT

> Amour, me voyant sans tristesse
> Et de le servir desgouté,
> M'a dit que fisse une maistresse,
> Et qu'il seroit de mon costé.
> Après l'avoir bien escouté,
> J'en ai faict une à ma plaisance
> Et ne me suis point mescompté:
> C'est bien la plus belle de France.
>
> Elle a un œil riant, qui blesse
> Mon cœur tout plein de loyaulté
> Et parmi sa haulte noblesse
> Mesle une douce privaulté
> Quand mal seroit si cruauté
> Faisoit en elle demourance;
> Car, quant à parler de beauté,
> C'est bien la plus belle de France.
>
> De fuyr son amour qui m'opresse
> Je n'ay pouvoir ni voulenté

---

[1] The youthful Marot was also capable of composing, in ballade form, a love lyric in the tradition of Charles d'Orléans.

Arresté suis en cette presse
Comme l'arbre en terre planté.
S'ébahyt-on si j'ay planté
De peine, tourment et souffrance?
Pour moins on est bien tourmenté:
C'est bien la plus belle de France.

Prince d'amours, par ta bonté
Si d'elle j'avois jouyssance,
Onc homme ne fut mieulx monté:
C'est bien la plus belle de France.

A SONG OF MAY AND OF VIRTUE [1]

By Clément Marot

Voulontiers en ce moys icy
La terre mue, et renouvelle:
Maintz amoureux en font ainsi,
Subjectz à faire amour nouvelle
Par legiereté de cervelle,
Ou pour estre ailleurs plus contens:
Ma façon d'aymer n'est pas telle,
Mes amours durent en tout temps.

N'y a si belle dame aussi,
De qui la beaulté ne chancelle:
Par temps, maladie, ou soucy
Laydeur les tire en sa nasselle
Mais rien ne peut enlaydir celle
Que servir sans fin je prétends:
Et pource qu'elle est tousjours belle,
Mes amours durent en tout temps.

Celle dont je di tout cecy,
C'est Vertu la nymphe éternelle,
Qui au mont d'honneur éclaircy
Tous les vrays amoureux appelle:
Venez amans, venez (dit elle),
Venez à moi, je vous attens:
Venez (ce dit la jouvencelle),
Mes amours durent en tout temps.

---

[1] A ballade, Middle French in form, which in thought suggests analogies with some of the Italian sonnets. The Middle French ballade form was used then, as well as the Renaissance dizain and sonnet, in celebrating Virtue, the Ideal, under the symbol of the Lady.

Prince, fais amye immortelle,
Et à la bien aimer entens:
Lors pourras dire, sans cautelle,
Mes amours durent en tout temps.

Ballade double:

THE BATTLE OF CARAVAGGIO [1]

By Jean le Maire de Belges

Or est Priam bien vengé d'Antenor,
Qui le trahit, et mit son regne en proye,
Soit publié, et à cry, et à cor
Ce nouveau bruit, et que chacun le croye.
Nous louons Dieu trestous à jointes mains,
Quand vous tant fiers, les plus fiers des humains,
Plus cauteleux que le larron Cacus,
Ja allez voir dessouz terre Eacus,
Non par barat, qui tant vous deshonnore:
Mais par effort de lances et d'escuz,
Cent ans accreu tout se paye en une heure.

Cent ans accreu tout se paye en une heure.
Il est escrit par un noble chapitre:
Qui feu nourrit pour mettre en autruy feure,
Finer par feu doit tel pervers ministre.
De trahison tous enfans de traître
Sont entachez, soit en taille, ou en fonte,
Tel fut Enee, et Antenor en conte.
Telz estes vous leurs successeurs encor:
Mais le bon droit la malice surmonte.
Or est Priam bien vengé d'Antenor.

Or est Priam bien vengé d'Antenor
Et maintenant on void reflourir Troye
Par Francion, or Francus filz d'Hector,
A qui tousjours Mars victoire ottroye.
Si d'Eneas jadis hoirs les Romains,
Par les François vindrent du plus au moins,
Semblablement par ceux mesmes vaincus,
Ia estes vous infames, et cocus.

[1] This was a battle in which Duke Francesco Sforza of Milan conquered the Venetians, on September 14, 1498. The elaborate structure of Le Maire's ballade double should be noted: Strophe I, Strophe II, with double refrain, alternating, and envoi.

Filz d'Antenor, n'est nul qui vous sequeure.
Laissez vous ha le bon patron Marcus:
Cent ans accreu tout se paye en une heure.

Cent ans accreu tout se paye en une heure:
Car celuy seul, qui tonne, et qui esclistre,
Tel fruit cueille, ou qu'on le plante et labeur.
Venitiens, notez bien ceste epistre:
Vous n'estimez, Pape, croce, ne mitre,
Empereur, Roy, Prince, Duc, Marquis, Conte,
Mais maintenant la main de Dieu vous dompte:
La main de Dieu sont les Roys, sachez or,
Qui ne les craint, sa ruïne est bien prompte:
Or est Priam bien vengé d'Antenor.

Or est Priam bien vengé d'Antenor:
Ce qui nous tourne à plaisir et à joye:
Dont si par vous est gardé grand tresor,
Chacun vainqueur en aura sa Montjoye.
Bien devez donc avoir des soucis maints:
Car il vous reste Espaignols, et Germains
Apres les Francs, qui vous ont mis sur cul.
Tous les grans Dieux Juppiter, et Bacchus
N'y peuvent rien, vostre ruïne et meure.
Tasté vous ha le filz l'Hector Francus:
Cent ans accreu tout se paye en une heure.

Cent ans accreu tout se paye en une heure:
Experience ha fait ces beaux mots tistre.
Si devez vous tenir pour chose seure,
Que de ce bien une Dame ha le tiltre:
Par Marguerite Auguste noble arbitre,
La paix des Roys faite ainsi qu'on raconte.
Peuple sans chef, qui aux Princes raconte,
Est mis au joug, comme on fait bœuf, ou tor:
Ce seul moyen met votre gloire à honte:
Or est Priam bien vengé d'Antenor.

L'envoi

Turcz, ayez peur des grans aigles becus:
Les Dieux d'Enfer Proserpine et Orcus
Apres ceux cy, vous reclament au leurre.
Ne soyez plus fors tumbeaux et sarcus,
Cent ans accreu tout se paye en une heure.
Le grand deluge ou le feu de Phethonte,
N'est rien qu'un baing, refrigere ou essor,
Au prys du mal qui vous vient et affronte:
Or est Priam bien vengé d'Antenor.

Chants royaux:

WHERE ARE THE GREAT OF OLDEN TIME? [1]

By EUSTACHE DESCHAMPS

Force de corps, qu'est devenu Sanson?
Ou est Auglas, le bon praticien?
Ou est le corps du sage Salemon
Ne d'Ypocras, le bon phisicien?
Ou est Platon, le grant naturien,
Ne Orpheus o sa doulce musique?
Tholomeus o son arismetique,
Ne Dedalus qui fist le bel ouvrage?
Ilz sont tous mors, si fu leur mort inique;
Tuit y mourront, et li fol et li saige.

Qu'est devenus Denys, le roy felon?
Alixandre, Salhadin, roy paien,
Albumasar? Mort sont, fors que leur nom.
Mathussalé, qui tant fu ancien,
Virgille aussi, grant astronomien,
Julles Cesar et sa guerre punique,
Auffricanus Scipio, qui Auffrique
Pour les Rommains conquist par son bernage?
Redigez sont ceulz en cendre publique;
Tuit u mourront, et li fol et li saige.

Ou est Artus, Godeffroy de Buillon,
Judith, Hester, Penelope, Arrien,
Semiramis, le poissant roy Charlon,
George, Denys, Christofle, Julien,
Pierres et Pols, maint autre cretien,
Et les martires? La mort à tous s'applique;
Nulz advocas pour quelconque replique
Ne seet plaidier sans passer ce passage,
Ne chevalier tant ait ermine frique;
Tuit y mourront, et li fol et li saige.

Puisqu'ainsi est, et que n'y avison?
Laisse chascun le mal, face le bien.
A ces princes cy dessus nous miron
Et aux autres qui n'emporteront rien
A leurs trepas fors leurs bien fais, retien,
Pour l'ame d'eulz, leur renom authentique

---

[1] This chant royal offers an early French example of the medieval Latin *Ubi sunt* motif, later used with much more poetical effect by François Villon.

N'est qu'a leurs hoirs d'exemple une partie,
D'eulz ressembler en sens, en vasselage;
Ce monde est vain, decourant, erratique;
Tuit y mourront, et li fol et li saige.

Mais j'en voy pou qui en deviengne bon
Et qui n'ait chier l'autrui avec le sien;
De convoitise ont banniere et panon
Maint gouverneur de peuple terrien;
Las, homs mortelz, de tel vice te abstien,
En gouvernant par le droit polletique;
Ce que Dieu dit regarde en Levitique,
Si ne feras jamais pechié n'oultrage.
Preste est la mort pour toy bailler la brique;
Tuit y mourront, et li fol et li saige.

Princes mondains, citez, terres, donjon,
Biauté de corps, force, sens, riche don,
Joliveté, ne vostre hault parage,
Ne vous vauldront que mort de son baston
Ne vous fiere soit a bas ou hault ton;
Tuit y mourront, et li fol et li saige.

A PRAYER FOR PEACE [1]

By CHARLES D'ORLÉANS

Priez pour paix, doulce vierge Marie,
Royne des cieux et du monde maistresse:
Faictes prier, par vostre courtoisie,
Saints et saintes, et prenez vostre adresse
Vers vostre filz, requérant sa haultesse
Qu'il lui plaise son peuple regarder
Que de son sang a voulu racheter,
En desboutant guerre qui tout desvoye.
De prières ne vous veuillez lasser:
Priez pour paix, le vray trésor de joye.

Priez, prélats et gens de sainte vie,
Religieux, ne dormez en peresse;
Priez, maistres et tous suivans clergie,
Car par guerre fault que l'estude cesse.

[1] A chant royal, with a noble appeal for peace which shows the royal poet as not so insensible to the evils of his time as he is sometimes represented by critics. The ballade and the chant royal absorb the functions of both the Provençal *canso* and the Provençal *sirventes.* Note in the envoi to this chant royal the effective transfer of the invocation from the Prince of the Puy to God the Father.

Chants royaux:

Moustiers destruis sont, sans qu'on les redresse,
Le service de Dieu vous fault laissier
Quant ne povez en repos demourer.
Priez si fort que briefment Dieu vous oye;
L'Eglise voult à ce vous ordonner:
Priez pour paix, le vray trésor de joye.

Priez, princes qui avez seigneurie,
Rois, ducs, contes, barons plains de noblesse,
Gentilz-hommes avec chevalerie;
Car meschans gens surmontent Gentillesse,
En leur mains ont toute vostre richesse.
Débatz les font en hault estat monter;
Vous le povez chascun jour veoir au cler,
Et sont riches de voz biens et monnoye,
Dont vous deussiez le peuple supporter.
Priez pour paix, le vray trésor de joye.

Priez, peuple qui souffrez tirannie:
Car vos seigneurs sont en telle foiblesse
Qu'ilz ne pevent vous garder par mestrie,
Ne vous aidier en vostre grant destresse.
Loyaulx marchans, la selle si vous blesse,
Fort sur le dos chascun vous vient presser
Et ne povez marchandise mener:
Car vous n'avez seur passage ne voye
Et maint péril vous convient-il passer.
Priez pour paix, le vray trésor de joye.

Priez, galans, joyeulx en compagnie,
Qui despendre desirez à largesse;
Guerre vous tient la bourse desgarnie.
Priez, amans qui voulez en liesse
Servir amours; car guerre par rudesse
Vous destourbe de voz dames hanter,
Qui maintes foiz fait leurs vouloirs tourner:
Et qant tenez le bout de la courroye
Ung estrangier si le vous vient oster.
Priez pour paix, le vray trésor de joye.

Dieu tout puissant nous vueille conforter
Toutes choses en terre, ciel et mer!
Priez vers lui que brief en tout pourvoye,
En lui seul est de tous maulx amender:
Priez pour paix, le vray trésor de joye.

TO THE HARMONIOUS HARP [1]

By Jean Molinet

Quant Terpendreus sa harpe prepara
De sept cordons, selon les sept planettes,
A Jupiter Ypaté compara,
Sol a Mesé, et fist par ses sonnettes
Paripaté ressembler Saturnus,
Licanos Mars, Paramesé Venus,
Neté Luna, Paraneté Mercure;
Et quant ses sept cordons sur son arcure,
Concave a point, saudée et bien vernie,
Furent assiz, il eut par art et cure
Harpe rendant souveraine armonie.

Ceste harpe, qui si belle forme a,
Puis figurer par vives raisons nettes
A Marie vierge, que Dieu forma
Du tronq Jessé et de ses rachinettes.
La seche anne, dont on faisoit refus,
Porta le bois royal et le bel fus
Dont ceste harpe eut humaine facture.
Prudence, Force, Attrempance, Droiture,
Foy, Esperance et Charité unie
Sept cordes sont qui le font sans fracture
Harpe rendant souveraine armonie.

Au temple fut presentée et sonna
Si hault que Dieu oy ses chansonnettes;
Riche salut Gabriel lui donna,
Et lui dist: " Vierge, entens mes chans honnestes:
Le filz de Dieu conceveras, Jhesus."
Sur ce teneur respondy au dessus
" Je ne congnoy virile creature;
Neantmoins selon ta parolle ou lecture
Il me soit fait." Lors fut elle garnie
De art de musique, et fut par conjecture
Harpe rendant souveraine armonie.

[1] A chant royal composed for the poetical competition of the Puy d'Amiens in 1470. It did not win the prize. The refrain was proposed to all the contestants by the Prince of the Puy. Molinet is a virtuoso of bad taste. He strives for verbal novelty — ever a peril to the artist. The piece is solemn in tone, but it is impossible to take it in entire seriousness. Molinet has, however, a feeling for the music of words, a feeling which is romantic and which leads him into absurdities, but he exhibits nevertheless a real verbal power.

Car a ce mot déité s'accorda
Au gendre humain marchant sus espinettes;
Si doulx accort sa corde recorda
Qu'elle endormi serpenteaux et raynettes;
Si trés doulx mos sont de sa bouche issus
Que les haulz cieulz de Dieu fais et tissus,
Jadis fermez, lui ont fait ouverture
Et ont brisié infernale closture,
Pour retenir humaine progenie:
Se dy qu'elle est plus que dessus nature
Harpe rendant souveraine armonie.

Pan oncques mieulx ne baritonisa
Dyapason au son de ses musettes,
Pictagoras oncques ne organisa
Dyapenté de si douces busettes;
Par sept accors, qui sont les sept vertus,
Sept planetes, dont .vij. cieulx sont vestus,
A surmonté sans villaine morsure;
Devant son filz, qui endura mort sure,
Est assumptée, et en gloire infinie
Resonne, et est, par compas et mesure,
Harpe rendant souveraine armonie.

Prince du puy, qui chantez d'aventure,
Donnez accort, plain chant et floriture
A l'humble fleur des vierges espanie,
Et vous orrez en la glore future
Harpe rendant souveraine armonie.

Amoureuse:

THE LOVER AND THE LOVED [1]

By JEAN FROISSART

Très gaie vie est d'amie et d'amant,
Qui justement le scet considerer,
Car li parler, li signe, li semblant,
Les douls regars, li venir, li aler,
Li vrai complaint, li maintien gai et gent,
Li bel proyer et li detriement

[1] The amoureuse is a variant of the chant royal form, devoted to profane love. This example has an envoi, but no refrain. There were also sottes amoureuses, poems identical in structure but in content mere parodies on the passion of love.

Sont ordonné pour tous cœrs esjoïr.
Dont, quant l'estat amoureus je remir,
Je di que c'est la plus très gaie vie
Que bons cœrs puist prendre ne poursievir,
S'est eureus qui jones s'i otrie.

Car d'amours sont li fait si souffisant
Qu'on ne les pœt prisier ne exposer;
C'est en aler, en penser, en priant,
Qu'on voit coulour pallir, taindre et muer,
Simple estre amant et amée ensement.
Par douls complains couvient l'amant souvent
Très humlement envers sa dame offrir
Corps, cœr, penser, foi, entente et desir,
Et s'a tousjours esperance si lie;
Se de merci ne devoit ja goïr,
Se tient il bien sa painne à emploïe.

Et lors qu'amans a le cœr si engrant
De ses secrés humblement recorder,
Uns vrais desire le mœt. Là aimme tant,
De si fin cœr et de si vrai penser,
Que, quant il vœlt parler très sentamment,
Plaisance si habondement l'esprent
Que il ne pœt parler ne bouche ouvrir;
Là le couvient palir, taindre et fremir,
Vivre en cremour, moustrer chere assouplie,
Taire et servir, nuit et jour obeïr:
Tels sont les fais d'amant envers amie.

En cel estat amoureus et plaisant
Vodroit amans tous temps sa vie user,
Et s'aucuns fais entreprent d'abundant,
Foïble li sont et legier à porter,
Car li espoir de merci qu'il atent
Li donnent foi, vigour et sentement
De ses grieftés legierement souffrir,
Car vis li est que, s'il pooit venir
Au noble don que dame a en baillie,
Il ne poroit pour servir desservir
Les biens qu'auroit receü ceste fie.

Dame qui j'ainc, où tant bien sont manant,
Faitte pour tous amans enamourer,
Vœilliés en vous mettre pité, car quant
Pryer vous vœil, si crienc le refuser

Que pooir n'ai, avis ne hardement
De vous proyer si très parfettement
Que bien en ai l'entente et le desir,
Et se bien sçai comment puisse avenir
A la merci de vous, dame agensie,
Se par pité n'en laissiés couvenir
Amours, ma dame, à qui mon cœr s'afie.

Princes, espoir me donne souvenir;
Quoique ma dame ait refus sans partir,
Encor sera ma proyere exaucie:
C'est le confort qui me fait gai tenir
Et qui le plus me pœt donner aïe.

Serventois:

TO MARY, HEAVEN'S QUEEN [1]

By Jean Froissart

Pour grasce aquerre, honnour, louenge et pris
Doient tout cœr servir devotement
La Viergne en qui dignement fu compris
Li fis de Dieu, par le promouvement
De la très sainte et pure deïté.
Et ce fu très divinement ouvré,
Car, sans avoir en lui corruption
Ne sentement de generation,
Conçut le fil de Dieu, ne fois l'afie,
Qui pour nous prist l'aministration
D'umanité, car, sanc, substance et vie.

Se doit amans qui d'amer est espris
Loër ceste œvre et la Viergne humlement,
Et croire aussi que li Sains Esperis
Enama plus la Viergne entirement,
Pour sa parfette et grande humilité,
Qu'il ne fesist pour sa virginité,
Car Dieu servoit de vraie entention;
Vie tenoit de contemplation,
Tous temps estoit humble, devote et lie,
S'en a es ciels tele perfection
Que elle en est reïne inthronisie.

---

[1] The serventois, in the later fourteenth and the fifteenth centuries, became a poem of the chant royal type, in content a celebration of the Blessèd Virgin. This example has an envoi, but no refrain. The earlier Provençal and Old French sirventes, or serventois, was a song of warfare and politics.

Or doit amans mettre entente et avis
A vous servir, Viergne, parfettement,
Et croire aussi qu'ens es sains paradis
Fustes de Dieu exaucie ensement
Qu'ens au Liban sont li cedre eslevé,
Ou que la palme en Cadès prent sousté,
Ou que la rose a sa plantation
En Jherico; car par election
Fustes ensi es sains ciels exaucie,
Et Sapience en fait bien mention,
Qui ces parlers approeve et segnefie.

S'est pour tous cœrs amoureus grans pourfis
De vous servir, Viergne, et sçavoir comment,
Puis que vos fils en la croix fu transis
Et es sains ciels montés divinement,
Regnastes vous ça jus en pureté,
Et puis vous fu par l'angele revelé
Que vos douls fils, peres d'une union,
Avoit jà fait vo preparation
Ens es sains ciels où estiés dediie,
Car poestés, virtus et treble nom
Desiroient lassus vo compagnie.

Noble et plaisans en qui j'ai mon cœr mis,
Viergne royal, jai bien ce sentement
Que quant vos corps fu es sains ciels ravis,
Li douse apostle y furent proprement;
Par le plaisir de la divinité,
D'une nuée y furent aporté
Et furent tout à vostre assumption,
Et o vo fil par consolation
Fustes es ciels solennelment ravie.
Cils vous donna la coronation,
Qui vous assist à sa destre partie.

Princes, la Viergne est là d'entention,
Regnans es ciels en domination.
Or li prions qu'elle nous face aïe,
Car bien poons par sa promotion
Des ciels avoir la glore autorisie.

Pastourelle:

FOR GASTON DE FOIX[1]

By Jean Froissart

Entre Luniel et Montpellier,
Moult près d'une abbeïe,
Vi pastourelles avant hier
Seans en une preorie.
Je me mis en leur compagnie
Pour leur ordenance veoir,
Aussi pour nouvelles sçavoir.
Si entendi que Honnourée
Disoit à sa serour l'ainnée:
" Las! mon ami que j'aime tant
Se part de moi, et ne sçai quant
Il retourra en ce pays,
Mès il prist congié en riant,
Li beaus, li bons et li gentils."

" Aultrement, Diex me puist aidier,
J'euïsse esté trop couroucie,
Mes au partir me vint baisier
Et me dist: ' Adieu, douce amie! '
Et je li di à ciere lie:
' Adieu, Robin, tant qu'au revoir.'
Il s'en va; c'est pour mieuls valoir,
De ce sui toute assegurée.
Mès je sui en cœr trop troublée;
Car il emmaine tout juant
Tristran, Hector, Brun et Rollant,
Quatre levriers que j'ai nouris;
Faire en devra en presant grant
Li beaus, li bons et li gentils."

Lors respondi la fille Ogier:
" Or nous dittes, belle Soussie,
Quel part est il allés logier?
Esce or en Prouvence ou en Brie,

[1] It should be remarked that Froissart's pastourelle, unlike his amoureuse and serventois (all chants royaux in type), has both envoi and refrain. He keeps the bucolic setting and the dramatic tendency of the Provençal-Old French form, but in this example uses the form as the vehicle of compliment to a patron. The writers of pastorals in Renaissance times continue this use of political allegory in their pastoral poetry couched in the form of Virgil's *Eclogues*, not in the Middle French fixed form pastourelle illustrated above.

En Auvergne ou en Piquardie?
Le t'a il dit point au mouvoir? "
— " Oïl," dist elle, " j'ai espoir
Qu'il s'en va en une contrée
D'un prince de grant renommée,
Sage, large, noble et vaillant;
Nommer le vous vœil maintenant:
Gaston s'appelle en ses escris,
Fois et Berne tient, je m'en vant,
Li beaus, li bons et li gentils."

— " Gaston," dist la fille Olivier,
" Par le corps la viergne Marie,
Onques mès je n'oï bregier
Nommer ensi jour de ma vie,
Ne en toutte la letanie
Nul Gaston n'i puis percevoir.
Mès or nous di de Gaston voir:
Scet il de no mestier denrée,
Ne d'une canemie lée
Sauroit il juer tant ne quant,
Ne danser au pié de Braibant
A la maniere de jadis,
Si com fait mon frere Engherant,
Li beaus, li bons et li gentils? "

Adont dist Mares dou Rosier:
" Tais toi, fol bien adrecie;
Quant tu vœs mettre un tel princier,
De si noble et de si grant lignie,
Ou nombre de la bregerie,
On t'en deveroit bien ardoir.
Saces qu'il a sens et pooir
Et largece continuée,
Et tient terre si bien gardée
Que nuls n'i fourfet un besant,
Tant qu'ommes, femes et enfant
En regracient Jhesucris;
Di, vit dont en bon couvenant
Li beaus, li bons et li gentils? "

" Belles," di je, " je vous creant,
Aler me ferés si avant
Que j'esprouverai, j'en sui fis,
Se tels est comme alés disant
Li beaus, li bons et li gentils."

Triolets or rondeaux simples:

THE GRACIOUS LADY [1]

By Jehannot de Lescurel

De gracieuse dame amer
Ne me quier jamés departir.

Touz biens en viennent, sanz douter,
De gracieuse dame amer.

Et touz deduiz. N'en veil cesser:
Car c'est ma joie sanz mentir;
De gracieuse dame amer.
(Ne me quier jamés departir).

HER SOFT GLANCE

By Jehannot de Lescurel

Dame, par vo dous regart
Sui espris de vous amer.

Mon cuer senz lié et gaillart,
Dame, par vous dous regart.

Ainsi vous sers main et tart,
Et touz jours m'en veil pener.
Dame, par vo douz regart
Sui espris de vous amer.

THE PROPOSAL

By Jehannot de Lescurel

Douce dame, je vous pri,
Faites de moi vostre ami.

Belle, aiés de moi merci.
Douce dame, je vous pri

Qu'il soit ainsi com je di.
De cuer amoureus joli,
Douce dame, je vous pri
(Faites de moi vostre ami).

[1] The triolet, or rondeau simple, usually rimes ABaAabaB. The thrice-repeated refrain and the two rimes are characteristic.

TO BEATRICE

By JEHANNOT DE LESCUREL

Biétris est mes delis,
Mes confors et ma joie:

Ou que soie, tous dis,
Biétris est mes delis,

U point que me senc pis
Et que vivre m'anoie;
Biétris est mes delis,
Mes confors et ma joie.

WHITE AS THE LILY, RED AS THE ROSE

By GUILLAUME DE MACHAUT

Blanche com lys, plus que rose vermeille,
Resplendissant com rubis d'Oriant,

En remirant vo biauté non pareille,
Blanche com lys, plus que rose vermeille,

Suy si ravis que mes cuers toudis veille
Afin que serve à loy de fin amant,
Blanche com lys, plus que rose vermeille,
Resplendissant com rubis d'Oriant.

LOVE'S HOPE [1]

By GUILLAUME DE MACHAUT

Cilz qui onques encores ne vous vit
Vous aime fort et desire veoir.

Or vous verra, car en cest espoir vit
Cilz qui onques encores ne vous vit.

Car pour les biens que chascun de vous dit
Vous veult donner cuer, corps, vie et pouoir;
Cilz qui onques encores ne vous vit
Vous aime fort et desire veoir.

[1] This triolet or rondeau simple is one of the models offered by Eustache
Deschamps in *L'Art de dictier* (1392). It is in ten-syllable verse.

Triolets or rondeaux simples:

LOVE'S JOY
By Guillaume de Machaut

Toute joye est descendue sur my,
Quant j'ay oy de ma dame nouvelle,

Car elle m'a appellé nom d'amy.
· Toute joye est descendue sur my.

Lors a mon cuer et tout mon corps frémi;
Amours en moy par ce se renouvelle:
Toute joye est descendue sur my,
Quant j'ay oy de ma dame nouvelle.

MY LOVE IS LIKE A ROSE [1]
By Jean Froissart

Mon cœr s'esbat en oudourant la rose
Et s'esjoïst en regardant ma dame:

Trop mieulz me vault l'une que l'autre chose,
Mon cœr s'esbat en oudourant la rose.

L'oudour m'est bon, mès dou regart je n'ose
Juer trop fort, je le vous jur par m'ame;
Mon cœr s'esbat en oudourant la rose
Et s'esjoïst en regardant ma dame.

DARING
By Jean Froissart

Pour vostre amour, plus belle que la rose,
Vodrai je avoir le cœr joli et gai;

Commandés moi, je ferai toute chose
Pour vostre amour, plus belle que la rose.

Pardonnés moi quant à vous penser ose,
Vostre beauté m'a mis en tel assai
Pour vostre amour, plus belle que la rose.

---

[1] Froissart is particularly addicted to the triolet which he used with considerable delicacy.

THE SERVANT OF LOVE
By Jean Froissart

Je vœil morir poursievans ma querelle,
Comme loyal servant au dieu d'Amours,

Tout pour l'amour de ma dame la belle
Je vœil morir poursievans ma querelle.

Quant mors serai, quoi que soit dira elle,
Mon esperit la servira tous jours,
Je vœil morir poursievans ma querelle.

TIME
By Jean Froissart

Le temps perdu ne poet on recouvrer,
Avec la honte y a damage au perdre;

Legierement le puis dire et prouver,
Le temps perdu ne poet on recouvrer.

Dont qui en vœlt très sagement ouvrer,
Jones se doit au bien amer aherdre;
Le temps perdu ne pœt on recouvrer.

DESTINY
By Jean Froissart

Amours, amours, que volés de moi faire!
En vous ne puis veoir riens de seür,

Je ne cognois ne vous ne vostre afaire.
Amours, amours, que volés de moi faire!

Lequel vault mieulz; pryer, parler ou taire?
Dittes le moi, qui avés bon eür.
Amours, amours, que volés de moi faire!

THE REMAINING HEART
By Jean Froissart

Le corps s'en va, mès le cœr vous demeure,
Très chiere dame, adieu jusqu'au retour!

Triolets or rondeaux simples:

Trop ne sera lontainne la demeure.
Le corps s'en va, mès le cœr vous demeure.

Mès doulc penser, que j'aurai à toute heure,
Adoucera grant part de ma dolour.
Le corps s'en va, mès le cœr vous demeure.

RENEWAL

By JEAN FROISSART

De quoi que soit se doit renouveler.
Uns jolis cœrs le premier jour de may,

Voires s'il aime ou s'il pense à amer.
De quoi que soit se doit renouveler.

Pour ce vous vœil, ma dame emmayoler,
En lieu de may, d'un loyal cœr que j'ai.
De quoi que soit se doit renouveler.

ABSENCE

By JEAN FROISSART

Revien, amis, trop longe est ta demeure,
Elle me fait avoir painne et dolour,

Mon esperit te demande à toute heure.
Revien, amis, trop longe est ta demeure.

Car il n'est nuls fors toi qui le sequeure,
Ne secourra jusques à ton retour.
Revien, amis, trop longe est ta demeure.

FORTUNE

By JEAN FROISSART

On doit le temps ensi prendre qu'il vient,
Toutdis ne pœt durer une fortune,

Un temps se part, et puis l'autre revient.
On doit le temps ensi prendre qu'il vient.

Je me conforte à ce qu'il me souvient.
Que tous les mois avons nouvelle lune.
On doit le temps ensi prendre qu'il vient.

A MONTH AGO

By Christine de Pisan

Il a aujour d'ui un mois
Que mon ami s'en ala.

Mon cuer remaint morne et cois,
Il a au jour d'ui un mois.

" A Dieu, me dit, je m'en vois ";
Ne puis a moy parla,
Il a au jour d'ui un mois.

GRIEF AND HONOR

By Christine de Pisan

Dure chose est a soustenir
Quant cuer pleure et la bouche chante;

Et de faire dueil se tenir
Dure chose est a soustenir.

Faire le fault qui soustenir
Veult honneur qui mesdisans hante,
Dure chose est a soustenir.

ASHES TO ASHES, DUST TO DUST

By Georges Chastellain

Hélas! mourir convient
Sans remède, homme et femme.

Trop mal nous en souvient,
        Hélas!

Le corps cendre devient:
Pensons doncques à l'âme.
        Hélas!

Triolets or rondeaux simples:

LOYAL BURGUNDIANS ALL! [1]
By Jean Molinet

Souffrons a point	Soyons bons	Bourgoingnons
Bourgois loyaux	Serviteurs	De noblesse
Barons en point	Prosperons	Besoignons
Souffrons a point	Soyons bons	Bourgoingnons
Oindons son point	Conquerons	Esperons
François sont faulz	Soyons seurs	S'on nous blesse
Souffrons a point	Soyons bons	Bourgoingnons
Bourgois leaulx	Serviteurs	De noblesse.

AT THE GATE
By André de la Vigne

Vous, qui estes à cette porte,
Comment estes-vous cy seulette?

Or qu'un petit on se déporte,
Vous, qui estes à cette porte.

S'il vous plaist, un baiser j'apporte;
Tendez un petit la bouchette!
Vous, qui estes à cette porte,
Comment estes-vous cy seulette?

FOLLY'S WAGE
By André de la Vigne

De trop aimer, c'est grand folie;
Je le sçais bien, quant à ma part:

Quelque chose que l'on m'en die,
De trop aimer c'est grand folie.

[1] This triolet, or rondeau simple, can be read in seven different ways; as a whole as written, each column from bottom to top; each column from top to bottom. If the first words of each line are read separately, in the order in which they appear, an eighth triolet is possible! It is an excellent example of the intrusive complexity with which the Grands Rhétoriqueurs could overwhelm a form in essence delicately simple and fragile though difficult.

A la parfin on en mendie:
Qui sage est, bientost s'en départ.
De trop aimer, c'est grand folie;
Je le sçais bien, quant à ma part.

Rondeaux:

HER SWEET FACE[1]

By JEHANNOT DE LESCUREL

Bien se lace
Qui embrace
D'Amours la jolie trace:

C'est la bouche. Et quant amis
Son cuer a mis
En desirrer amie,
Faite de cors et de vis
A son devis
Voir(e), il n'est plus de vie,
Si tant face
Amour par grace
Qu'il baise sa douce face.

Bien se lace
Qui embrace
D'Amours la jolie trace.

SEPARATION

By JEHANNOT DE LESCUREL

Diex, quant la verrai,
Celle que lessai
En ce dous païs?

Siens sui et serai.
Diex, quant la verrai?
Ja n'en partirai;
Ains la servirai
Com loiaus amis.

Diex, quant la verrai,
Celle que lessai
En ce dous païs?

[1] Lescurel's rondeaux are sometimes irregular in metrical form. They are chivalric lyrics in content, possessing genuine grace and charm. The essence of the rondeau, like that of the triolet, or simple rondeau, is in the structure based on two rimes and a thrice-repeated refrain (or portion of the refrain). The number of lines in the rondeau is variable within limits.

Rondeaux:

HOPE DEFERRED
By Jehannot de Lescurel

   Douce desirrée,
Faciez moi secours;
Pour vous seuffre griés doulours.

Moult forment m'agrée
Douce desirrée
La douce pensée
Qui me croist touz jours
En esperant voz douçours:

Douce (desirrée,
Faciés moi secours;
Pour vous seuffre griés doulours).

HER GREY EYES
By Jehannot de Lescurel

   A vous, douce debonnaire,
     Ai mon ceur donné,
     Ja n'en partiré.

Vo vair euil mi font atraire
A vous, dame debonnaire:
Ne ja ne m'en quier retraire,
     Ains vous serviré
     Tant comme vivré.

A vous, douce debonnaire,
     Ai mon ceur donné,
     Ja n'en partiré.

THE LADY TO HER LOVER
By Jean Froissart

Mon doux ami, adieu jusqu'au revoir;
Qu'Amour bientost devers moi vous ramaine!

Pour vous ferai loyaument mon devoir.
Mon doux ami, adieu jusqu'au revoir;
Qu'Amour bientost devers moi vous ramaine!

Si souhaiter pouvoit estre veoir,
Vous me verriez trente fois la semaine:
Mais puisqu'ainsi il n'est en mon pouvoir,
Mon doux ami, adieu jusqu'au revoir,
Qu'Amour bientost devers moi vous ramaine!

THE CONVENIENT HUSBAND [1]

By Eustache Deschamps

Qui bien vivre veult en son mariage,
Aveugles soit et sourt sanz rien oir,
Et se gart bien de sa femme enquerir.

Qui en enquiert, il ne fait pas que saige;
Nulz homs ne doit voir ce qu'il veult querir,
Qui bien vivre veult en son mariage.

Car s'il trovoit villenie ou oultrage,
Il ne pourroit jamais du mal guerir;
Pour ce, se doit de l'enquerre soufrir:
Qui bien vivre veult en son mariage,
Aveugle soit et sourt sanz rien oir,
Et se gart bien de sa femme enquerir.

THE CASTLE OF CLERMONT

By Eustache Deschamps

Beau fait aler ou chastel de Clermont,
Car belle y a et douce compaignie,
Qui en dançant et chantant s'esbanye.

Les dames la trebonne chiere font
Aux estrangiers: si convient que je dye:
Beau fait aler ou chastel de Clermont,
Car belle y a et douce compaignie.

Une en y a qui les autre semont
En toute honour et en joyeuse vie.
C'est paradiz; et pour ce a tous escrie:
Beau fait aler ou chastel de Clermont,
Car belle y a et douce compaignie,
Qui en dançant et chantant s'esbanye.

[1] This rondeau by Deschamps is on one of his favorite subjects, to which he devotes many lines in all the popular poetical forms, namely, the negative "joys" of marriage. In his verses he exhibits much the same spirit as that revealed by the cynical fifteenth-century prose tales, such as *Les Quinze Joies de mariage*.

Rondeaux:

TO CHURCH I SHALL GO
By CHRISTINE DE PISAN

Se souvent vais au moustier,
C'est tout pour veoir la belle
Fresche com rose nouvelle.

D'en parler n'est nul mestier,
Pour quoy fait on tel nouvelle
Se souvent vais au moustier?

Il n'est voye ne sentier
Ou je voise que pour elle;
Folz est qui fol m'en appelle
Se souvent vais au moustier.

THE JEALOUS MOON
By CHRISTINE DE PISAN

Hé lune! trop luis longuement,
Par toy pers les biens doulcereux
Qu'amours donne aux vrais amoureux.

Ta clarté nuit trop durement
A mon cuer qui est desireux,
Hé lune! trop luis longuement.

Car tu fais le decevrement
De moy et du doulz savoureux;
Nous ne t'en savons gré touz deux,
Hé lune! trop luis longuement.

IN HIM IS ALL MY PLEASURE
By CHRISTINE DE PISAN

Quant je ne fais a nul tort,
Pour quoy me doit on blasmer
De mon doulz ami amer?
Et a son vueil je m'acord.

S'en lui est tout mon deport,
N'autre n'y puet droit clamer,
Quant je ne fais a nul tort?

Je l'aim, qu'en est il au fort?
En fault il tel plait semer
Partout pour moy diffamer?
En ay je desservi mort
Quant je ne fais a nul tort?

MY DOLOROUS SAD HEART [1]

By Christine de Pisan

Je ne sçay comment je dure;
Car mon dolent cuer font d'yre,
Et plaindre n'oze, ne dire
Ma doulereuse aventure,

Ma dolente vie obscure,
Riens, fors la mort, ne desire;
Je ne sçay comment je dure.

Et me fault par couverture
Chanter quant mon cuer souspire,
Et faire semblant de rire;
Mais Dieux scet ce que j'endure;
Je ne sçay comment je dure.

TIME HAS LEFT ITS MANTLE

By Charles d'Orléans

Le tems a laissié son manteau
De vent, de froidure et de pluye,
Et s'est vestu de brouderie,
De soleil luyant, cler et beau.

Il n'y a beste, ne oyseau,
Qu'en son jargon ne chant ou crie:
Le tems a laissié son manteau
De vent, de froidure et de pluye.

Riviere, fontaine et ruisseau
Portent, en livrée jolye
Gouttes d'argent d'orfavrerie,
Chascun s'abille de nouveau.
Le tems a laissié son monteau.

---

[1] The rondeaux by Christine de Pisan are of two different types metrically, Abb abA abbA and Abba abA abbaA, and illustrate the variety of content which she could successfully place in this fragile form. Note that Christine prefers to repeat only the first line of the refrain.

Rondeaux:

SUMMER'S DWELLING

By Charles d'Orléans

Les fourriers d'Esté sont venus
Pour appareiller son logis,
Et ont fait tendre ses tappis
De fleurs et de verdure tissus.

En estendant tappis veluz
De verte herbe par le pais,
Les fourriers d'Esté sont venus
Pour appareiller son logis.

Cueurs, d'ennuy pieça morfonduz,
Dieu mercy, sont sains et jolis;
Alez vous en, prenez païs,
Yver, vous ne demourrez plus;
Les fourriers d'Esté sont venus.

THE VERY BEAUTIFUL LADY

By Charles d'Orléans

Dieu, qu'il la fait bon regarder,
La gracieuse, bonne et belle!
Pour les grans biens qui sont en elle,
Chascun est prest de la loüer.

Qui se pourroit d'elle lasser!
Tousjours sa beaulté renouvelle.
Dieu, qu'il la fait bon regarder,
La gracieuse, bonne et belle!

Par deça, ne delà la mer,
Ne sçay Dame ne Demoiselle
Qui soit en tous biens parfais telle;
C'est ung songe que d'y penser.
Dieu, qu'il la fait bon regarder!

WILT HAVE ME, SWEET?

By Charles d'Orléans

Le voulez-vous,
Que vostre soye?
Rendu m'ottroye,
Pris ou recous.

Ung mot pour tous;
Bas, qu'on ne l'oye;
Le voulez-vous,
Que vostre soye?

Maugré jaloux,
Foy vous tendroye:
Or ça, ma joye,
Accordons-nous:
Le voulez-vous?

CUPID'S BOW

By CHARLES D'ORLÉANS

Gardez le trait de la fenestre,
Amans, qui par rues passez:
Car plus tost en serez blessez
Que de trait d'arc ou d'arbalestre.

N'allez à destre n'a senestre
Regardant; mais les yeulx baissez:
Gardez le trait de la fenestre.

Se n'avez medecin bon maistre,
Se tost que vous serez navrez
A Dieu soyez recommandez.
Mors vous tiens; demandez le prestre:
Gardez le trait de la fenestre.

YOUNG LOVERS

By CHARLES D'ORLÉANS

Jeunes amoureux nouveaulx,
En la nouvelle saison,
Par les rues, sans raison,
Chevauchent faisans les saulx;

Et font saillir des carreaulx
Le feu, comme de charbon:
Jeunes amoureux nouveaulx
En la nouvelle saison.

Je ne sçay se leurs travaulx
Ilz employent bien ou non;

Mais piqués de l'esperon
Sont autant que leurs chevaulx,
Jeunes amoureux nouveaulx.

THE LOST LOVE

By Charles d'Orléans

Encore lui fait-il grant bien
De veoir celle qu'a tant amée,
A celui qui cueur et pensée
Avoit sien, elle comme sien.

Combien qu'il n'y aye plus rien
Et qu'autre la lui ait ostée,
Encore lui fait-il grant bien
De veoir celle qu'a tant amée.

En regardant son doulx maintien
Et son fait, qui moult lui agrée,
S'il la peut tenir embrassée,
Il pense qu'une foiz sien,
Encore lui fait-il grant bien.

THE VEXATIONS OF LIFE

By Charles d'Orléans

Deux ou trois couples d'Ennuys
J'ai toujours en ma maison.
Desencombrer ne m'en puis:

Quoy qu'à mon povoir les fuis,
Par le conseil de Raison,
Deux ou trois couples d'Ennuys:

Je les chasse d'où je suis,
Mais en chascune saison
Ilz rentrent par un autre huis,
Deux ou trois couples d'Ennuys:

PLEASANT MEMORY

By Charles d'Orléans

Laissez-moy penser à mon aise,
Hélas! donnez m'en le loysir.
Je devise avecques Plaisir,
Combien que ma bouche se taise.

Quand Merencolie mauvaise
Me vient maintes fois assaillir,
Laissez-moy penser à mon aise.
Hélas! donnez m'en le loysir.

Car afin que mon cueur rapaise,
J'appelle Plaisant-Souvenir,
Qui tantost me vient resjouïr.
Pour ce, pour Dieu! ne vous desplaise,
Laissez-moy penser à mon aise.

AWAY WITH MELANCHOLY [1]

By Charles d'Orléans

Allez-vous-en, allez, allez,
Soussi, Soing et Merencolie,
Me cuidez-vous, toute ma vie,
Gouverner, comme fait avez?

Je vous promet que non ferez;
Raison aura sur vous maistrie:
Allez-vous-en, allez, allez,
Soussi, Soing et Merencolie.

Se jamais plus vous retournez
Avecques vostre compaignie,
Je pri à Dieu qu'il vous maudie
Et ce par qui vous reviendrez:
Allez-vous-en, allez, allez.

---

[1] D'Orléans is the greatest master of the French rondeau. The rondeau is by no means so fixed a form as the sonnet. Minor differences in its use are observable from poet to poet and even from poem to poem in the works of a given writer. The constant elements are the triple occurrence of the refrain, or some part of it, and the principle of two rimes.

Rondeaux:

TO DEATH [1]

By FRANÇOIS VILLON

Mort, j'appelle de ta rigueur,
Qui m'a ma maistresse ravie,
Et n'es pas encore assouvie,

Se tu ne me tiens en langueur.
Onc puis n'eus force ne vigueur;
Mais que te nuysoit elle en vie,
      Mort?

Deux estions, et n'avions qu'ung cuer;
S'il est mort, force est que devie,
Voire, ou que je vive sans vie,
Comme les images, par cuer,
      Mort!

EPITAPH IMPLORING ETERNAL REST [2]

By FRANÇOIS VILLON

Repos eternel donne à cil,
Sire, et clarté perpetuelle,
Qui vaillant plat ni escuelle
N'eut oncques, n'ung brain de percil.

Il fut rez, chief, barbe et sourcil,
Comme ung navet qu'on ret ou pelle.
    Repos eternel donne à cil.

[1] The structure of the refrain in the first rondeau by Villon should be noticed. This abridged refrain is known to the theorists of verse as a *rentrement.*

[2] The second rondeau is the concluding part of the *Épitraphe du povre petit escollier François Villon.* Before the rondeau appears the huitain:

Cy gist et dort en ce sollier
Qu'Amours occist de son raillon,
Ung povre petit escollier
Qui fut nommé François Villon.
Oncques de terre n'eut sillon.
Il donna tout, chascun le scet:
Tables, tresteaulx, pain, corbeillon.
Gallans, dictes en ce verset:
Repos eternel donne à cil, . . .

Rigueur le transmit en exil,
Et luy frappa au cul la pelle,
Non obstant qu'il dit: " J'en appelle! "
Qui n'est pas terme trop subtil.
    Repos eternel donne à cil.

THE FALL OF ADAM [1]

By Georges Chastellain

Dont vient cela qu'amour a la puissance
De desrober et navrer à Oultrance
Les cœurs humains? Je ne le puis entendre
Lors que nature est tant fragile et tendre
Qu'elle ne peult contre son ordonnance.

Dieu fist Adam armé de congnoissance,
Et néanmoins contre la décevance
D'Eve sa femme il ne put se deffendre.
    Dont vient cela?

D'amour qui prend dedans son cœur naissance,
Nous doncq conçus en carnelle plaisance
Que ferons nous? car feu, le feu engendre.
Quoyque raison nous en veulle reprendre,
    Dont vient cela.

THE JILTED LADY

By Jean Marot

Dedans mon cœur, par très-bonne entreprise
J'eus le vouloir et la pensée éprise
D'en aimer un, qu'on dit qui bien le vaut;
Mais maintenant de moi il ne lui chaut,
Dont un chacun le blasme et le desprise.

L'avoir choisi bien dois estre reprise;
Si j'eusse été en l'art d'amour apprise,
Jamais n'eusse eu pour lui de mal assaut,
    Dedans mon cœur.

[1] Among the Rhétoriqueur and early Renaissance poets, also in the archaistic revival of the rondeau in the first half of the seventeenth century, a rather long variant of the form, with *rentrement* rather than full statement of the refrain, and riming Aabba aabA– aabbA– is extremely popular.

Rondeaux:

  Je n'en connois, tant soit de sens comprise,
  Qui de l'amour d'un tel n'eust esté prise,
  Car en lui n'a tant soit peu de défaut;
  Je l'ai connu, dont beaucoup moins le prise,
    Dedans mon cœur.

BITTERNESS

By Jean Marot

  De tant aimer je me plains à bon droit,
  Car pauvre femme oncques en son endroit,
  Si faussement ne fut d'homme trahie,
  Que je suis d'un, dont toujours obéie
  J'espérois estre, et qu'il ne me fauldroit.

  Juré m'avoit qu'à jamais il tiendroit
  Le mien parti et autre ne prendroit;
  Ce qu'il n'a fait, dont me trouve esbahie
    De tant aimer.

  S'il connoissoit mon mal, il me plaindroit,
  Et, pour tout l'or du monde, il ne voudroit
  A si grand tort m'avoir désobéie;
  Il aime ailleurs, et de lui suis haïe,
  On disoit bien qu'ainsi m'en adviendroit
    De tant aimer!

MONEY TALKS

By Roger de Collerye

  En faict d'amours Beau Parler n'a plus lieu
  Car sans argent vous parlez en Hebrieu,
  Et fussiez vous le plus beau filz du monde,
  Se ne foncez, je veulx que l'on me tonde
  Si vous mectez vostre pied en l'estrieu.

  De dire aussi, en jurant le sang-bieu:
  " Tout est à vous, rentes, corps, biens et fieu."
  Ce propos-là peu vault parole ronde
    En faict d'amours.

  Pour parvenir il convient mectre au jeu,
  Avant jouyr, baillez, comptez empreu,

Velà la point où la dosne se fonde,
Et sans cela à la brune, à la blonde,
Jà n'y aurez accez ne bon adveu
    En faict d'amours.

THE DESERTED LOVER

By Roger de Collerye

Triste j'en suis de ma fleur Marguerite.
De mon jardin un villageois l'a eue;
Mais s'il advient que j'en perde la veue
De ce pays je m'en iray bien vite.

Tout à part moy souvent je m'en despite
Voyant qu'elle est meschantement pourveue,
    Triste j'en suis.

De gens d'honneur elle a esté poursuitte,
Et de cueur gay en amour l'ont receue,
Mais le touyn l'a faulcement deceue
Par le moyen d'une sotte conduite,
    Triste j'en suis.

TO A WOMAN HUNTING A HUSBAND

By Jean Bouchet

Pensez-y bien, avant que mari prendre,
Que grand' beauté ne vous puisse surprendre;
Car orgueil est souvent en grand' beauté,
Et en orgueil, il y a cruauté,
Que l'on ne peut à son plaisir reprendre.

A souffreteux n'allez aussi prétendre,
Ni de richesse à pauvreté vous rendre:
En indigence y a déloyauté;
    Pensez-y bien.

Monter trop haut, c'est pour en deuil descendre:
Entre deux vents il faut son aisle étendre,
Et son pareil aimer en loyauté,
Avec vouloir de tenir féauté.
Qui ne le trouve, il vaut bien mieux attendre;
    Pensez-y bien.

THE WHEEL OF FORTUNE
By Jean Bouchet

Quand il lui plaist, Fortune fait avoir
Gloire et honneur, richesses et avoir,
Et quelques-uns met au haut de sa roue,
Lesquels soudain fait descendre en la boue,
Tant qu'ils en sont pitoyables à voir.

De patience il se convient pourvoir,
Quand résister on veut à son pouvoir;
Car elle rit, puis soudain fait la moue
          Quand il lui plaist.

Elle ne peut les humains décevoir,
Qui ont le sens rassis et bon sçavoir;
Car aucun d'eux de ses biens ne se loue,
Bien avertis que la dame s'en joue,
En les baillant, pour après les ravoir,
          Quand il lui plaist.

TO A FLOWER–LIKE LADY
By Jean le Maire de Belges

Fleur fleurissant, nymphe claire et jolie,
Fleurant Flora, belle Aurora polie,
Blanche Hermione aux yeux riants et vairs,
On ne sauroit réciter par nuls vers
La grand beauté qui en vous se rallie.

L'ardent Phébus envers vous s'humilie,
Car vostre amour trop plus le serre et lie
Que de Daphné dont sortent lauriers verts,
          Fleur fleurissant!

Amour aussi vous requiert et supplie
Qu'à son désir votre gent cœur se plie
Sans avoir peur de ses dards si divers,
Et Jupiter ses hauts cieux tient ouverts,
Pour mieux choisir votre forme accomplie
          Fleur fleurissant.

THE IMPERIAL CITY [1]

By Jean le Maire de Belges

Grande concorde et petite avarice,
Cœurs adonnés à louable exercice,
Audace en guerre et en paix équité,
Haussèrent Rome en telle autorité
Que tout le monde estoit pour son service.

Là fut assis le trosne de Justice
Faisant si bien envers tous son office
Qu'on n'estimoit autre félicité
     Grande.

Mais quand Vertu céda son bien à Vice,
Qu'Ambition et Pécune, nourrice
De tous maux, eut crédit en la cité,
En peu de jours sa ruine a esté
Et le rabat de son los et police
     Grande.

MELPOMENE MOURNING

By Jean Le Maire de Belges

De toutes gens doux son repaist l'ouye,
Et de plaisir la rend fort esjouye,
Tant sont prisez les chants melodieux:
Parquoy convient, que m'entremesle aux Dieux
Faire priere, en douceur d'harmonie.

Souverain Roy de bonté infinie,
Je vous diray le grief mal, qui m'ennuye,
Si mon parler n'est tenu odieux
     De toutes gens.

J'ay cœur navré, et la veüe esblouye,
Voir pourtraiture ainsi esvanouye,
Du corps gisant, organisé le mieux
Que peult homme estre, ouvrez luy les saints lieux,
     De toutes gens.

[1] Compare the ideas in this rondeau with those found in Joachim du Bellay's sonnets called *Les Antiquitéz de Rome*.

Rondeaux:

IN HIS WILL IS OUR PEACE
By Jean Le Maire de Belges

Si Dieu le veult nul ne peult contredire,
Parquoy luy fault chacun jour parfoye dire:
O Pere sainct ta voulenté soit faicte
Que confessons estre si tres parfaicte
Qu'en ses effectz il n'y a que redire.

Le plus souvent l'homme quiert et desire
Pour le meilleur ce qui luy est le pire
Aussi souvent son emprise est desfaicte
　　　Si Dieu le veult.

Pour nous oster d'ennuy peine et martire
Le plus seur est que nostre vouloir tire
Tout droit au blanc où la main de Dieu gecte
Tres justement sa puissante sagecte,
Qui lors guerit qu'on la cuyde plus nuyre.
　　　Si Dieu le veult.

IN GAY PARIS
By Clément Marot

Dedans Paris, ville jolie,
Un jour, passant melancolie,
Je prins alliance nouvelle
A la plus gaye damoyselle
Qui soit d'icy en Italie.

D'honnesteté elle est saisie,
Et croy — selon ma fantasie —
Qu'il n'en est gueres de plus belle
　　Dedans Paris.

Je ne la vous nommeray mye,
Si non que c'est ma grand'amye;
Car l'alliance se feit telle
Par un doulx baiser que j'eus d'elle,
Sans penser aucune infamie,
　　Dedans Paris.

THE KISS

By Clément Marot

En la baisant m'a dit: " Amy sans blasme,
Ce seul baiser, qui deux bouches embasme,
Les arres sont du bien tant espéré."
Ce mot elle a doulcement proféré,
Pensant du tout appaiser ma grand'flame.

Mais le mien cueur adonc plus elle enflame,
Car son aleine odorant plus que basme
Souffloit le feu qu'Amour m'a préparé,
   En la baisant.

Bref, mon esprit, sans congnoissance d'ame,
Vivoit alors sur la bouche à ma dame,
Dont se mouroit le corps enamouré;
Et si la levre eust gueres demouré
Contre la mienne, elle m'eust succé l'ame
   En la baisant.

THE GOOD OLD TIMES

By Clément Marot

Au bon vieulx temps un train d'amour regnoit,
Qui sans grand art et dons se dememoit,
Si qu'un bouquet donné d'amour profonde,
C'estoit donné toute la terre ronde,
Car seulement au cueur on se prenoit.

Et si, par cas, à jouyr on venoit,
Sçavez-vous bien comme on s'entretenoit?
Vingt ans, trente ans; cela duroit un monde
   Au bon vieulx temps.

Or est perdu ce qu'amour ordonnoit:
Rien que pleurs fainctz, rien que changes on n'oyt.
Qui vouldra donc qu'à aymer je me fonde,
Il fault, premier, que l'amour on refonde,
Et qu'on la meine ainsi qu'on la menoit
   Au bon vieulx temps.

Rondeaux:

PRAYER TO GOD THE SON [1]
By Clément Marot

O bon Jesus, de Dieu eternel filz
Qui avec luy les cieulx et monde feis,
Las! prens pitié de moy, ta creature;
J'ay contre toy tant faict de forfaicture,
Que tous mes sens en sont de dueil confitz.

En une croix tout ton corps fut affix,
Où par ta mort les enfers tu deffitz,
Non pour moy seul, mais pour toute nature,
    O bon Jesus.

En ceste croix où tu fus crucifix,
De Paradis le chemin tu reffis,
Et d'iceluy feis à tous ouverture.
De tous delictz tu as la couverture;
Couvre les miens, et ce qu'oncques meffeis,
    O bon Jesus.

MY HOPE IS IN THEE
By Marguerite de Navarre

Mon seul Sauveur, que vous pourrois-je dire?
Vous connoissez tout ce que je desire;
Rien n'est caché devant vostre sçavoir;
Le plus profond du cœur vous pouvez voir:
Parquoi à vous seulement je souspire.

Je n'ai espoir en roi, roc ni empire,
Si non en vous; le demeurant m'empire,
Car je vous tiens Dieu ayant tout pouvoir.
    Mon seul Sauveur.

Et si à vous, par vous, je ne me tire,
Rien je ne sçay qui m'eloigne ou retire,
Hors de ça bas meurt corps, pensée, vouloir.
Doncques, daignez à vostre œuvre pourvoir,
Que sauvée soit, par vostre grand martyre:
    Mon seul Sauveur.

[1] Compare this religious rondeau and the one following it by Marguerite de Navarre with the *Pseaumes* of C. Marot and the *Chansons spirituelles* of Marguerite.

THE DOUBTING LOVER
By Mellin de Saint-Gelays

J'ay trop de peine et peu de recompense,
J'ay grand désir et petite esperance,
Beaucoup de mal et nulle medicine;
J'ay fruict amer d'une doulce racine,
L'assault de près et de loing la deffence.

Je quiers mercy à qui m'a faict offence,
Du tort d'aultruy je porte pénitence;
En poursuivant un bien qui me ruine,
    J'ay trop de peine!

J'ay brief confort et longue patience,
Le vouloir hault et basse la puissance,
Bien peu d'effect et assez de bon signe;
Mais quand je pense à qui ce mal m'assigne,
Le supporter m'est bien et suffisance:
    J'ay trop de peine!

PRISONER HEART
By Antoine Héroët

Cœur prisonnier, je le vous disois bien,
Qu'en la voyant vous ne seriez plus mien:
Si j'eusse eu lors le sens de vous entendre . . .
Mais qui eust pu deviner ny attendre
Qu'un si grand mal advint d'un si grand bien?

Puis qu'ainsi est, bien heureux je vous tien
D'estre arresté à si noble lyen,
Pourveu aussi qu'elle vous vueille prendre
    Cœur prisonnier.

Mais si vous laisse, aussi ne vous retien,
Et si sçay bien qu'ailleurs n'aymerez rien,
Ainsi mourrez n'ayant à qui vous rendre;
Dont elle et moy serons trop à reprendre,
Mais elle plus, que vous estes sien,
    Cœur prisonnier.

Rondeaux:

THE POET'S EYES IN A FINE FRENZY ROLLING! [1]

By Vincent Voiture

Ma foi, c'est fait de moi; car Isabeau
M'a conjuré de lui faire un rondeau,
Cela me met en une peine extrême.
Quoi! treize vers, huit en eau, cinq en ème!
Je lui ferois aussitost un bateau.

En voilà cinq pourtant en un monceau,
Faisons en huit, en invoquant Brodeau,
Et puis mettons par quelque stratagème:
    Ma foi, c'est fait!

Si je pouvois encor de mon cerveau
Tirer cinq vers, l'ouvrage seroit beau.
Mais cependant je suis dedans l'onzième,
Et ci je crois que je fais le douzième,
En voilà treize ajustés au niveau:
    Ma foi, c'est fait!

Rondeaux doubles:

LOVE'S LIFE [2]

By Eustache Deschamps

Joyeusement, par un tresdoulx joir,
En joyssant menray vie joyeuse,
Comme celui qui se doit resjoir
Et joye avoir en la vie amoureuse.

[1] Compare this clever archaistic seventeenth-century rondeau of Voiture's with earlier triolets or rondeaux of Jean Froissart, Charles d'Orléans, or François Villon. Voiture is a witty writer of " vers de société," not a lyric poet.

[2] This rondeau double by Eustache Deschamps appears in two different versions, the second version in *L'Art de dictier* (1392) itself. There are minor variations in spelling which may be neglected, but in the second version in line five *oir* becomes *veir* and the whole last section is different in wording. In version one, the whole four-line refrain is restated at the end whereas in version two only the first two lines of the refrain recur. The two versions are in ten-syllable verse and rime: (1) ABAB abAB ababABAB; (2) ABAB abAB ababAB.

Si joyeux sui, chascuns le puet oir (veir)
A mon chanter; tresplaisant, gracieuse,
Joyeusement, par un tresdoulx joir,
En joyssant menray vie joyeuse.

Rien ne me faut quant je vous puis veir,
Tresdouce fleur, nouvelle et precieuse;
Si veil courroux et tristece fuir,
Chanter pour vous et de voix doucereuse:
Joyeusement, par un tresdoulx joir,
En joyssant menray vie joyeuse,
Comme celui qui se doit resjoir
Et joye avoir en la vie amoureuse.

or

Pour ce doy bien vostre amour conjouir,
Et joye avoir, humble flour precieuse;
S'en chanteray tant que l'en puist ouir
Que mon chant vient de voix douce et piteuse.
Joieusement, par un tresdoulz jouir,
En joyssant menrray vie joieuse.

AN AGED POET'S GREETING TO HIS FRIENDS [1]

By Charles d'Orléans

Saluez moy toute la compaignie
Où à présent estes à chiere lie,
Et leur dictes que voulentiers seroye
Avecques eulx, mais estre n'y porroye,
Pour Vieillesse qui m'a en sa baillie.

Au temps passé, Jeunesse si jolie
Me gouvernoit; las! or n'y suis je mye,
Et pour cela, pour Dieu, que excusé soye;
Saluez moy toute la compaignie
Où à present estes à chiere lie,
Et leur dictes que voulentiers seroye.

Amoureux fus, or ne le suis je mye
Et en Paris menoye bonne vie;
Adieu Bon temps, ravoir ne vous saroye,
Bien sanglé fus d'une estroite courroye.
Que, par Aige, convient que la deslie.
Saluez moy toute la compaignie.

[1] This rondeau double by D'Orléans is not constructed according to the same formula as that quoted from Eustache Deschamps. The two double rondeaux should be compared. The rime scheme of D'Orléans' rondeau double is AABba aabAAB aabbaA.

Rondeaux redoublés:

RENDER AN ACCOUNT, OLD AGE! [1]

By Charles d'Orléans

Rendez compte, Vieillesse,
De temps mal despendu
Et sottement perdu
Es mains dame Jeunesse.

Trop vous court sus Foiblesse;
Qu'est povoir devenu?
Rendez compte, Vieillesse,
Du temps mal despendu.

Mon bras en l'arc se blesse
Quant je l'ay estandu;
Pourquoy j'ay entendu
Qu'il convient que jeu cesse.
Rendez compte, Vieillesse,
Du temps mal despendu.

Tout vous est en destresse
Desormais chier vendu;
Rendez compte, Vieillesse,
Du temps mal despendu.

Des tressors de liesse
Vous sera peu rendu,
Rien qui vaille ung festu;
N'avez plus que Sagesse.
Rendez compte, Vieillesse,
Du temps mal despendu.

MY LIFE IN PRISONS [2]

By Clément Marot

En liberté maintenant me pourmaine,
Mais en prison pourtant je fuz cloué;
Voylà comment Fortune me demaine:
C'est bien et mal.　Dieu soit de tout loué.

---

[1] The rime scheme employed by the poet in the rondeau redoublé above is ABba abAB abbaAB abAB abbaAB.

[2] This most elaborate type of rondeau was rare before the time of Marot, who composed this one example, which he called a rondeau parfaict. Its rime scheme is $A^1B^1A^2B^2$ babA¹ abaB¹ babA² abaB² babaA.

Les envieux ont dit que de Noué
N'en sortiroys; que la mort les emmaine!
Maulgré leurs dens le neu est desnoué;
En liberté maintenant me pourmaine.

Pourtant, si j'ay fasché la Court Rommaine,
Entre meschans ne fuz onc alloué:
De bien famez j'ay hanté le dommaine,
Mais en prison pourtant je fuz cloué.

Car aussitost que fuz desadvoué
De celle là qui me fut tant humaine,
Bien tost après à sainct Pris fuz voué;
Voylà comment Fortune me demaine.

J'euz à Paris prison fort inhumaine;
A Chartres fuz doulcement encloué;
Maintenant voys où mon plaisir me maine:
C'est bien et mal.   Dieu soit du tout loué.

Au fort, amys, c'est à vous bien joué,
Quand vostre main hors du per me ramaine.
Escript et faict d'un cuer bien enjoué,
Le premier jour de la verte semaine
       En liberté.

Virelai triple:

A LADY'S VIRTUES [1]

By Guillaume de Machaut

Douce, plaisant et debonnaire,		A
Onques ne vi vo dous viaire		A
Ne de vo gent cors la biauté,	A	B
Mais je vous jur en loiauté		B
Que sur tout vous aim sans meffaire.		A

[1] A virelai, from *Le Voir Dit,* by Machaut, like all his poems in that form, in three strophes. According to L. E. Kastner (*History of French Versification,* Oxford, Clarendon Press, 1903, pp. 273–274) the B section of the strophe is built up of different rimes from the A and C sections, which have the same rimes. Observe also that the B section is made up of two parts, called the *ouvert* and *clos,* which correspond metrically. The whole strophe rimes: refrain, A, first statement AABBA; strophe I, B, ouvert ccb, clos ccb; C, aabba, refrain, second statement, AABBA. The whole tripartite poem is then built up upon three rimes. The virelai was in origin a dance song and should be compared in structure with the Provençal balada and the Old French balete. A one-strophe virelai is known as a bergerette. A virelai may be of one, two, or

Virelai triple:

Certes, et je fais mon deü		c
Car j'ay moult bien aperceü	ouvert B1	c
Que de mort m'avez respité		b

B

Franchement sans avoir treü;		c
Qu'a ce faire a Ameours meü	clos B2	c
Vo gentil cuer plain de pité.		b

Strophe I

Si ne doi pas estre contraire		a
A faire ce qui vous doit plaire		a
A tous jours mais; qu'en verité	C1	b
Mon cuer avés et m'amisté		b
Sans partir, en vo dous repaire.		a

C

Douce, plaisant et debonnaire,		A
Onques ne vi vo dous viaire		A
Ne de vo gent cors la biauté,	C2–A	B
Mais je vous jur en loiauté		B
Que sur tout vous aim sans meffaire.		A

Ne m'avez pas descongneü,
Ains m'avez trés bien cogneü
Par vostre grant humilité
En lit de mort ou j'ai geü;
Belle, quant il vous a pleü,
Que vous m'avez resuscité.

Si que je ne m'en doi pas taire,
Ains doi par tout dire et retraire
Le grant bien qu'en vous ay trouvé,
La douçour, le bien, l'onnesté
Qui en vo cuer maint et repaire.

Douce, plaisant et debonnaire,
Onques ne vi vo dous viaire
Ne de vo gent cors la biauté,
Mais je vous jur en loiauté
Que sur tout vous aim sans meffaire.

Et de fortune m'a neü
Et fait dou pis qu'elle a peü,

----

three strophes. The strophes of this virelai are isometric, but virelais in mixed
measures are more common. A virelai triple or double is sometimes called a
chanson balladée. See the third and fourth poems under chansons below, pp.
156–157.

Vostre douçour l'a surmonté
Qui m'a de joie repeü
Et sa puissance a descreü
Et son orgueil suppedité.

Pour ç'avez mon cuer, sans retraire,
Qu'Amours, qui tout vaint et tout maire
Le vous ha franchement donné.
Le li vostre le prent en gré,
Onques ne vi si douce paire.

Douce, plaisant et debonnaire,
Onques ne vi vo dous viaire
Ne de vo gent cors la biauté,
Mais je vous jur en loiauté
Que sur tout vous aim sans meffaire.

Virelais doubles:

A LADY'S PRIDE [1]

By Jean Froissart

On dist que j'ai bien maniere			A
D'estre orgillousette;		A	B
Bien afiert à estre fiere			A
Jone pucelette.			B
Hui main matin me levai	B1 ouvert		c
Droit à l'ajournée;		B	d
En un jardinet entrai	B2 clos		c
Dessus la rousée;			d
Je cuidai estre premiere			a
Ou clos sur l'erbette,	C1		b
Mès mon douls ami y ere,			a
Cœillans la flourette.			b
		C	
On dist que j'ai bien maniere	C2–A		A
D'estre orgillousette;			B
Bien afiert à estre fiere			A
Jone pucelette.			B

[1] A charming virelai in two identical strophes. According to L. E. Kastner's analysis of the form (*op. cit.*, p. 274), its metrical structure may be analyzed as follows: refrain, A, first statement, ABAB; strophe I, B, ouvert cd, clos cd; C, abab, refrain second statement, ABAB. The alternation of seven-syllable with five-syllable lines and the fact that all rimes except the c are feminine should be noted.

Virelais doubles:

Un chapelet li donnai
    Fait de la vesprée
Il le prist, bon gré l'en sçai;
    Puis m'a appellée.

Vœilliés oïr ma proyere,
    Très belle et doucette,
Un petit plus que n'afiere
    Vous m'estes durette.

On dist que j'ai bien maniere
    D'estre orgillousette;
Bien afiert à estre fiere
    Jone pucelette.

THE MOURNING LOVER

By Jean Froissart

Se je sui vestis de noir,
    C'est drois pour mi,
Car j'ai le cœr si marri,
    Au dire voir,
Que sus moi ne doit avoir
    Riens de joli.

Parles a ces amoureus,
Les jolis, les gracieus,
    Les envoisies,
Et laissies les ancieus,
Les tristes, les dolereus
    Et les blecies.

Faire un peu de leur voloir,
    Je vous en pri;
Car il sont en tel parti
    Que main ne soir
De resjoir n'est pooir.
    Pour moi le di:

Se je sui, etc.

Penses vous que se soit jeus
D'estre melancolieus
    Ne courecies?
Nennil, et je sui de ceuls,
Qui ne puis estre joieus,
    Bien le sacies.

Car je n'ai sens ne espoir
    D'avoir merci;
Quanque soit jour ne demi,
    Que pœt valoir?
Homs qui vit en desespoir
    C'est dur pour li.

Se je sui, etc.

GRATITUDE

By Eustache Deschamps

Dame, je vous remercy
Et gracy
De cuer, de corps, de pensee,
De l'anvoy qui tant m'agree
Que je dy
C'onques plus biau don ne vi
Faire a creature nee,
Plus plaisant ne plus joly,
Ne qui sy
M'ait ma leesce doublee;

    Car du tout m'a assevi
Et ravi
En l'amoureuse contree.
Je le porte avecques my,
Con cellui
Qui m'a joye recouvree,
Et si m'a renouvellee
M'amour, qui

Manquoit par rapport häy
Et par fausse renommee.

    Dame, je vous remercy, etc.

    Long temps a mon cuer gemy
Et fremy
En doleur desesperee,
En tristesse et en soucy
Jusqu'a cy
Que pitez est devalee,
Qui a des loyaulx mercy.
Or li pry
Que ne croye, a la volee,
Fausse langue envenimee,
Car par lui
Sont maint loyal cuer trahy:
De mal feu soit embrasee!

    Dame, je vous remercy, etc.

Virelai simple (bergerette):

TO DEATH[1]

By Eustache Deschamps

Mort felonne et despiteuse,		A
Fausse, desloyal, creuse,		a
Qui regnes sanz loy,	A	b
Je me plaing a Dieu de toy,		b
Car tu es trop perilleuse.		a
Merveille est que ne marvoy,		b
Quant je voy		b
Morte la plus gracieuse		a

[1] The virelai was a form that Deschamps used with great variety and mastery. This virelai simple should be compared with the virelai triple by Machaut and the first virelai double by Froissart. Note effect achieved at the end of the poem by repeating only the first line of the five-line refrain. The poem is in two rimes and in seven-syllable feminine verse, five-syllable masculine, and three-syllable masculine. The rimes run Aabba bbabba aabba A. Kastner (*op. cit.*, pp. 258–259) defines the bergerette as a development of the rondeau, omitting the second statement of the refrain.

Et la mieudre en bonne foy	B	b
Qui, je croy,		b
Fust onques, ne plus joyeuse.		a

C'est par toy, fausse crueuse;		a
Ta venue est trop doubteuse,		a
Tu n'as pas d'arroy;	C	b
Espargnier prince ne roy		b
Ne veulz, tant yes orgueilleuse.		a

Mort felonne et despiteuse.	A	A

Virelai (villanelle type):

A LADY'S CHARMS[1]
By Eustache Deschamps

Sui je, sui je, sui je belle?

Il me semble, a mon avis,
Que j'ay beau front et doulz viz
Et la bouche vermeillette;
Dittes moy se je sui belle.

J'ay vers yeulx, petits sourcis,
Le chief blont, le nez traitis,
Ront menton, blanche gorgette;
Sui je, sui je, sui je belle?

J'ay dur sain et hault assis,
Lons bras, gresles doys aussis,
Et par le faulz sui greslette;
Dittes moy se je sui belle.

J'ay bonnes rains, ce m'est vis,
Bon dos, bon cul de Paris,
Cuisses et gambes bien faictes;
Sui je, sui je, sui je belle?

J'ay piez rondès et petiz,
Bien chaussans, et biaux habis,
Je sui gaye et foliette;
Dittes moy se je sui belle.

J'ay mantiaux fourrez de gris,
J'ay chapiaux, j'ay biaux proffis
Et d'argent mainte espinglette;
Sui je, sui je, sui je belle?

J'ay draps de soye et tabis,
J'ay draps d'or et blans et bis,
J'ay mainte bonne chosette;
Dittes moy se je sui belle.

Que .XV. ans n'ay, je vous dis;
Moult est mes tresors jolys,
S'en garderay la clavette;
Sui je, sui je, sui je belle?

[1] Deschamps shows his mastery of the virelai, a genre he used with much variety, in this example, which escapes his own definition of the form, in *L'Art de dictier* (1392). The whole poem is on three rimes, two feminine and one masculine, proceeding A bbcA bbcA, etc. Note the alternation of the two refrains ending in *belle*, which gives a pleasing variation to this very detailed catalog of the charms of a fourteenth-century beauty decidedly conscious of her attractions. This irregular virelai should be compared with the sixteenth-century villanelle of Jean Passerat, which it somewhat resembles in arrangement of rimes and in progressive development of the pattern.

Bien devra estre hardis
Cilz qui sera mes amis,
Qui ara tel damoiselle;
Dittes moy se je sui belle.

Et par Dieu je le plevis
Que tresloyal, se je vis,
Li seray, si ne chancelle;
Sui je, sui je, sui je belle?

Se courtois est et gentilz,
Vaillans, apers, bien apris,

Il gaignera sa querelle;
Dittes moy se je sui belle.

C'est un mondains paradiz
Que d'avoir dame toudis,
Ainsi fresche, ainsi nouvelle;
Sui je, sui je, sui je belle?

Entre vous accouardiz,
Pensez a ce que je diz;
Cy fine ma chansonelle;
Sui je, sui je, sui je belle?

Chansons:

GENTLE GILLETTE [1]

By JEHANNOT DE LESCUREL

Gracïeusette
La trés douce Gillette,
Dex vous doint trés bon jour,
Dex vous dont trés bon jour.

Amé vous ai en foi
Et amerai,
Amé vous ai en foi
Et amerai;

Se je sai qu'envers moi
Aiez cuer vrai,
Se je sai qu'envers moi
Aiez cuer vrai.

Pource, doucette,
La trés plaisant Gillette,
Dex vous doint trés bon jour,
La trés plaisant Gillette,
Dex (vous doint trés bon jour).

THE TREASURE

By JEHANNOT DE LESCUREL

Bontés, sen, valours et pris,
Regart savoureus
En un dous viaire assis,
Maintiens gracieus,
Biautés souveraine
Me font d'amours trés certaine
Amer dame de valour,
Dont je merci bonne amour.

A li servir veil toudis
Estre curieus,
Com vrais et loiaus amis,
Maugré envieus.
Més mon cuer se painne
D'avenir si haut, qu'à painne
Pourrai ja avoir merci,
S'Amours n'a pitié de mi.

[1] The free lyric, or chanson (Middle French predecessor of the Renaissance ode) in strophic arrangements of great variety was freely practiced throughout the period (1328–1539). The popular songs of this time, mostly anonymous, are particularly attractive.

Chansons:

E! gent cors garni d'avis,
Tresor precieus,
Ou nature a touz biens mis,
Aiez cuer piteus,

Qui estes fontaine
De grace et de douceur plainne,
Ver(s) voustre amant, qui vous prie
Merci, dame seignourie.

SO SWEET IS SHE

By Jehannot de Lescurel

Bonnement m'agree
Vous amer, blondette
  Doucette,
  Savourousette,
Et vo cors veir.

Vo manierette
  Joliette,
Simple, plaisans, faitissette,
M'en donne desir.

Ailleurs ma pensee,
N'est, gente, bellette,
  Jeunette,
  Gracieusette,
Por si dous plaisir.

Bonnement m'agree
Vous amer, blondette
  Doucette,
  Savourousette,
Et vo cors veir.

Vo manierette
  Joliette

Simple, plaisans, faitissette,
M'en donne desir.

Or vous proi, amee,
Par fine amourette,
  Sadette,
  Que m'amiette
Soiez; ce desir.

Car vo bouchette
  Vermeilette,
Rians et amourousette,
Fait que, sans partir.

Bonnement m'agree
Vous amer, blondette,
  Doucette,
  Savourousette,
Et vo cors veir.

Vo manierette
  Joliette,
Simple, plaisans, faitissette,
M'en donne desir.

THE GUERDON OF MY HEART [1]

By Guillaume de Machaut

Onques si bonne journee
  Ne fu adjournee,
Com quant je me departi
De ma dame desiree
  A qui j'ay donnee
M'amour, et le cuer de mi.

Car la manne descendi
  Et douceur aussi
Par quoi m'ame saoulee
Fu dou fruit de Dous ottri
  Que Pite cueilli
En sa face coulouree.

[1] A chanson balladée (or virelai triple) from *Le Voir Dit*. The chanson balladée is built on the general virelai plan. This one is, then, a virelai triple,

La fu bien l'onnour gardee
  De la renommee
De son cointe corps joli;
Qu'onques villeine pensee
  Ne fu engendree
Ne nee entre moy et li.

Onques si bonne journee, . . .

Souffisance m'enrichi
  Et Plaisance si,
Qu'onques creature nee
N'ot le cuer si assevi,
  N'a mains de sousci,
Ne joie si affinee.
Car la deesse honnouree
  Qui fait l'assemblee
D'amours, d'amie & d'ami,
Coppa le chief de s'espee

Qui est bien tempree,
A Dangier, mon anemi.

Onques si bonne journee, . . .

Ma dame l'enseveli
  Et Amours, par si
Que sa mort fust tost plouree.
N'onques Honneur ne souffri
  (Dont je l'en merci)
Que messe li fu chantee.
Sa charongne trainee
  Fu sans demouree
En un lieu dont on dit: fi!
S'en fu ma joie doublee
  Quant Honneur l'entree
Ot dou tresor de merci.

Onques si bonne journee, . . .

YOUTH IS THE TIME FOR PLEASURE
(Anonymous chanson populaire)

Laissez jouer jeunes gens.
  Jeunes gens doyvent jouer,
Nul ne les en doibt reprendre,
Rire, chanter et dancer,
Et faire tout ce qu'ilz pensent.
Quant ung homme a soixante ans
Et jeune femme le prent,
Elle est folle et s'en repend.
Laissez jouer jeunes gens.

Nous prirons au doulx Jesus
Qu'il leur doint malle meschance,
A ces vieillars tout chenus
Qui parlent de nos enffances:
Plus en dient qu'il n'y a;
Mais Dieu les en pugnira
Au grant jour de jugement.
Laissez jouer jeunes gens.

ROBIN AND MARION
(Anonymous chanson populaire)

Puisque Robin j'ay a non,
J'aymeray bien Marion.

Elle est gente et godinette,
  Marionette,
Plus que n'est femme pour vray,
  Hauvay!
Plus que n'est femme pour vray.

D'or en avant je vueil estre
Plus grant maistre:
Pastoureau je deviendray,
  Hauvay!
Pastoureau je deviendray.

Et merray mes brebis pestre
  Sur l'erbette;

---

as is Lescurel's, above, p. 156. Compare their structure with that of the simpler lyrics which follow. The chanson balladée is included here for comparison and also to illustrate a common confusion of names within the varied chanson genre during this period.

Chansons:

Ma pannetiere saindray,
  Hauvay!
Ma pannetiere saindray.

Et sçay bien qu'il m'y fault mectre
  Pour repaistre:
Croyez que point n'y faudray,

  Hauvay!
Croyez que point n'y faudray.

Je suis seur qu'y fairons feste.
  Marionette
Le m'a dit et je le croy,
  Hauvay!
Le m'a dit et je le croy.

A KNIGHT AND A SHEPHERDESS
(Anonymous chanson populaire)

L'autrier quant je chevauchoys,
A l'oree d'ung vert boys
  Trouvay gaye bergere:
De tant loin qu'oüy sa voix
  Je l'ay araisonnee,
    Tanderelo!
Dieu vous adjust, bergere!
Dieu vous adjust, bergere!

Quant le chevalier oyt
Ce que la bergere a dit,
  Mist la main a l'espee
Au devant du lou s'en va,
  La brebiz a laissee,
    Tanderelo!
Dieu vous adjust, bergere!
Dieu vous adjust, bergere!

Tandis que l'araisonnoys,
Ung grant lou saillit du boys
  O la goulle baee:
La plus belle des brebis
  Il en a emportee,
    Tanderelo!
Dieu vous adjust, bergere!
Dieu vous adjust, bergere!

  " Tenez, belle, tenez cy:
Je vous rends vostre brebiz
  Saine comme les aultres;
Or me faictes mon plaisir
  Comme j'ay fait le vostre,"
    Tanderelo!
Dieu vous adjust, bergere!
Dieu vous adjust, bergere!

Quant la bergere si vit
Que le lou tint sa brebiz,
  A haulte voiz s'escrie:
" Qui m'y rendra ma brebiz,
  Et je seray s'amye? "
    Tanderelo!
Dieu vous adjust, bergere!
Dieu vous adjust, bergere!

  " Chevalier, cinc cens mercyz:
Pour ceste heure n'ay loisir,
  Aussi je n'oseroye;
Et m'en eussiés sauvé dix,
  Pour rien ne le feroye,"
    Tanderelo!
Dieu vous adjust, bergere!
Dieu vous adjust, bergere!

THE GARDEN OF LOVE

(Anonymous chanson populaire)

L'amour de moi sy est enclose
Dedans un joly jardinet
Ou croist la rose et le muguet
Et aussi fait la passerose.

Ce jardin est bel et plaisant;
Il est garny de toutes flours;
On y prend son esbatement
Autant la nuit comme le jour.

Helas! il n'est si douce chose
Que de ce doulx roussignollet

Qui chante au soir, au matinet:
Quant il est las il se repose.

Je la vy l'autre jour cueillir
La violette en ung vert pre,
La plus belle qu'oncques je veis
Et la plus plaisante a mon gre.

Je la regarde une pose:
Elle estoit blanche comme let,
Et douce comme un aignelet,
Vermeillette comme une rose.

THE SLEEPLESS LADY

(Anonymous chanson populaire)

Que faire s'amour me laisse?
Nuit et jour ne puis dormir.

Quant je suis la nuyt couchee,
Me souvient de mon amy!

Je m'y levay toute nue,
Et prins ma robbe de gris.

Passe par la faulce porte
M'en entray en noz jardins;

J'ouy chanter l'alouecte
Et le rousignol jolis,

Qui disoit en son langaige,
" Veez cy mes amours venir,

En ung beau bateau sur Seine
Qui est couvert de sappin;

Les cordons en sont de saye,
La voille en est de satin;

Le grant mast en est d'ivoire,
L'estournay en est d'or fin;

Les mariniers qui le meynent
Ne sont pas de ce pais:

L'ung est filz du roy de France
Il porte la fleur de lis;

L'aultre est filz . . .
Cestuy la est mon amy."

THE DEAD KNIGHT

(Anonymous chanson populaire)

" Gentilz gallans de France
Qui en la guerre allez,
Je vous prie qu'il vous plaise
Mon amy saluer."

" Comment le saluroye
Quant point ne le congnois? "
" Il est bon a congnoistre:
Il est de blanc armé;

Chansons:

Il porte la croix blanche,
Les esperons dorez,
Et au bout de sa lance
Ung fer d'argent doré."

" Ne plorez plus, la belle,
Car il est trespassé:

Il est mort en Bretaigne,
Les Bretons l'ont tué.

J'ay veu faire sa fouce
L'oree d'ung vert pré,
Et veu chanter sa messe
A quatre cordeliers."

THE UNWON LADY

(Anonymous chanson populaire)

J'ay veu la beauté m'amye
Enfermee en une tour
Pleust a la vierge Marie
Que j'en fusse le seignour!

Et le souleil fust couché,
Et le jour n'adjournast ja,
Et je vous tensisse, belle,
Nue a nu entre mes bras!

Mon cueur, que feras tu?
Ton plaisir est perdu,
Ta joye et ton soulas:
Sans elle vivre ne pourras.

LAMENT FOR OLIVIER BASSELIN

(Anonymous chanson populaire)

Hellas! Olivier Bachelin
Orron nous plus de voz nouvelles?
Vous ont les Anglois mis a fin?

Vous soullies gaiment chanter
Et demener jouyeuse vie,
Et la blanche livree porter
Par le pais de Normandie.

Jusqu'a saint Gille en Coutantin,
En une compaignie tresbelle,
Oncques ne vy tel pellerin.

Les Anglois ont fait desraison
Aux compaignons du val de Vire:
Vous n'orrez plus dire chançon
A ceulx qui les souloyent bien dire.

Nous prions Dieu de bon cueur fin
Et la doulce Vierge Marie
Qu'ils doynt aux Anglois male fin!

THE BRITISH FOE [1]

By Olivier Basselin

Et cuidez vous que je me joue,
Et que je voulsisse aller
En Angleterre demeurer?
Ils ont une longue coue.

Entre vous, gens de village,
Qui aymés le roi françoys,
Prenez chascun bon courage
Pour combatre les Engloys.

Prenez chascun une houe
Pour mieulx les deraciner,
S'ilz ne s'en veullent aller;
Au moins, faictes leur la moue.

Ne craignez point à les batre,
Ces godons, panches a pois:
Car ung de nous en vault quatre,
Au moins en vault il bien troys.

Affin qu'on les esbafoue,
Autant qu'en pourrés trover
Faictez au gibet mener,
Et que nou les y encroue.

Par Dieu! se je les empoigne,
Puis que j'en jure une foys,
Je leur moustreray sans hoingne
De quel pesant sont mes doigts.

Ilz n'ont laissé porc ne oue
Tout entour nostre cartier,
Ne guerne ne guernelier:
Dieu so mect mal en leur joue!

GOD KEEP HER SAFE

By Olivier Basselin

Dieu gard celle du deshonneur
Que j'ay long tems aymée!
Avec elle par grant doulceur
Ma jeunesse ay passée.

Or voy-je bien que c'est folleur
D'y avoir ma pensée.
Puisqu'elle a faict amy ailleurs,
De moy s'est esloingnée.

A pourpenser je me suis mys
Quel desplaisir je luy ay faict;
Jour de ma vie ne luy meffis
Aussy ne vouldrois l'avoir faict.

Pour bien faire souvent mal sourt,
C'est verité prouvée;
Dieu soit loué du tems qui court:
J'auray mieulx l'autre année.

[1] A patriotic song by the fifteenth-century Béranger, Olivier Basselin, who was born at Vire and possessed a mill near the bridge of Vaux. It is contained in the *Chansons normandes du XVe siècle* (publiées pour la première fois sur les manuscrits de Bayeux et de Vire, avec introduction et notes de A. Gasté) (Caen, Le Gost-Clerisse, 1866), p. 92, chanson 61. Note the quadruple recurrence of the rimes of strophe one in strophes three, five, seven.

Basselin was of some importance for the development of the Middle French chanson of wine, women, or war. Some of the songs attributed to him are by his companions, who called themselves " Compagnons vaudevirois " or " Compagnons du vau de Vire." Other songs formerly attributed to him are by Jean Le Houx (1550?–1616), a lawyer of Vire in the next century, whose poems resemble Basselin's in tone.

Chansons:

Despenser m'a faict mon argent
  A la maison d'ung tavernier,
Payer l'escot de mainte gent,
  De qui je n'avois pas mestier.

Chausse de verd m'a faict porter,
  Souliers a la poullaine,
Par devant son huys passer
  Maintes foys la sepmaine.

Le verd je ne veulx plus porter,
  Qui est livrée aux amoureux,
Et de tout me veulx exempter,
  S'elle ne me veult faire mieulx.

De moy ne sera, se m'aist Dieux
  Dorenavant aymée;
S'il ne luy plaist, s'y aille ailleurs;
  Elle est plainte et plorée.

TO NOAH [1]

By Olivier Basselin

Que Noé fut un patriarche digne!
Car ce fut luy qui nous planta la vigne
Et beust premier le jus de son raisin.
        O le bon vin!

Mais tu estois, Lycurgue, mal habile,
Qui ne voulus qu'on beust vin en ta ville;
Les beuveurs d'eau ne font point bonne fin.
        O le bon vin!

Qui boit bon vin, il fait sa besongne.
On voit souvent vieillir un bon ivrongne,
Et mourir jeune un savant médecin.
        O le bon vin!

Le vin n'est point de ces mauvais beuvraiges
Qui, beus par trop, font faillir les couraiges:
J'ay quand j'en bois, le couraige herculin.
        O le bon vin!

Puisque Noé, un si grand personnaige,
De boire bien nous a appris l'usaige,
Je boirai tout. Fay comme moi, voisin!
        O le bon vin!

[1] A chanson à boire or *vau-de-vire*, by Olivier Basselin, according to some authorities; by Jean Le Houx, according to others. The word " vaudeville " is said to be derived from the title given to these convivial songs composed to be sung after meals. Compare some of the Latin student songs in *Carmina Burana*.

SONG OF GALATÉE, SHEPHERDESS

By Jean le Maire de Belges

Arbres feuillez, revestus de verdure,
Quant l'yver dure, on vous voit desolez.
Mais maintenant aucun de vous n'endure
Nulle laidure, ains vous donne Nature
Riche paincture et flourons à tous lez;
Ne vous branlez, ne tremblez, ne crouslez,
Soyez meslez de joye et fleurissance,
Zephire est sus, donnant aux fleurs issance.

      Gentes bergerettes,
      Parlant d'amourettes
      Dessoubz les couldrettes,
      Jeunes et tendrettes
      Cueillent fleur jolie,
      Framboises, meurettes,
      Pommes et poirettes
      Rondes et durettes,
      Flourons et flourettes
      Sans melancolie.

Sur les préaux de sinople vestuz
Et d'or battu autour des entellettes
De sept couleurs selon les sept vertuz
Seront vestuz. Et de joncs non torduz,
Droicts et pointuz, feront sept corbeillettes:
Violettes, au nombre des planettes,
Fort honnestes mettront en rondelet,
Pour faire à Pan un joly chapelet.

      Là viendront dryades
      Et hamadryades,
      Faisant sous feuillades
      Ris et resveillades
      Avec aultres fées.
      La feront naïades
      Et les Oréades,
      Dessus les herbades,
      Aubades, gambades,
      De joye eschauffées.

Quant Aurora, la princesse des fleurs,
Rend les couleurs aux boutonceaux barbuz,

Chansons:

La nuyt s'enfuyt avecques ses douleurs;
Aussi font pleurs, tristesses et malheurs,
Et sont valeurs en vigueur, sanz abuz,
Des près herbuz et des nobles vergiers
Qui sont à Pan et à ses bons bergiers.

> Chouettes s'enfuyent,
> Couleuvres s'estuyent,
> Cruels loups s'enfuyent,
> Pastoureaulx les huyent.
> Et Pan les poursuit.
> Les oyseletz bruyent,
> Les cerfs aux boys ruyent,
> Les champs s'enjolyent,
> Tous elemens ryent,
> Quant Aurora luyt.

SONG OF TITIRUS, SHEPHERD

By Jean le Maire de Belges

Donnez repos à vos doulx firiolez,
Tant mignonnetz, gentilz bergiers des champs;
Et vous aussi tres plaisans oyseletz
Rossignoletz, cessez ung peu vos pletz
D'amour repletz, pour ouïr autres chans.
Ruisseaux glissans qui menez bruitz plaisans
Soyez taisans, courez à doulce noise,
Souffrez le loz de haulteur Bourbonnoise.

> Boreas qui bruit,
> Vulturnus qui ruit,
> Circius qui cuit,
> Notus qui fort nuit
> Par courroux ennuyeux,
> Ne menez grant bruit,
> N'empeschez le fruit
> Du soleil qui luyt,
> Lequel fort me duit
> Pour estre joyeux!

Longer poems in lyrical strophes:

LOVE CONQUERS ALL [1]

(Lyrical douzains: from *Un Trettié amourous à loënge dou joli mois de mai*)

By Jean Froissart

Pensans à l'amoureuse vie,
Dont tous cœrs doit avoir envie
　　Dou poursievir,
Car elle est la plus envoisie,
La plus gaie et la mieuls prisie
　　Qu'on puist tenir,
Et qui bien le scet maintenir,
Toute joie en pœt soustenir
　　Pour sa partie,
Car espoir, penser, souvenir
Font à l'amant souvent venir
　　Plaisance lie; —

En ce doulx amoureus pourpos,
Où je prenc plaisance et repos
　　Lors que je l'ay,
Entrai l'autre jour en un clos,
Où là dedens avoit enclos,
　　Bien l'avisai,
Rosiers, osiers et joli glay;
Moult y demenoit son glay
　　Li rosegnols;
Ce fu ou joli mois de may;
Le tems et l'oiselet amay
　　Et ses douls mos.

Au regarder pris le vregié,
Que tout autour on ot vregié
　　De rainselés
Espessement et dur margiet
Et ouniement arrengié
　　Au veoir les
Ce sambloit des arbrisselés
Qu'on les euïst au compas fais
　　Et entailliés.
D'oïr chanter les oiselés,
Leurs divers chans et leurs motés,
　　J'oc le cœr lié.

Bien imaginai la haiette,
Et le bois dont elle estoit fette,
　　Moult le tienc chier.
Dedans avoit mainte haiette,
Maint grouselier, mainte espinette
　　Et maint rosier,
Et tout au lonc maint violier,
Anquelier et marjolier
　　Sus l'erbelette;
Car riens ne croissoit au closier
Qui n'odourst trop mieuls qu'osier,
　　Fœille et flourette.

Et encor, qu'oublié ne l'aie,
Entre les arbres et la haie
　　Y avoit pars
Où le soleil ombroie et raie;
Là ot mainte flourette gaie
　　De toutes pars
Parmi le gardinet espars.
Au chanter n'estoit parescars
　　D'une vois vraie
Le rosegnol en ses douls ars.
Son chant fu un amoureus dars,
　　Qui une plaie

Parmi le cœr lors me feri,
Sitos que dire li oï
　　En deduisant,
Moult clerement " occi! occi! "
Et me rememora de celi
　　Que j'aime tant:
Ma dame au gent corps avenant.
Lors me boutai un peu avant
　　Plus près de li,
Pour mieuls imaginer son chant.
J'ai bien memore maintenant
　　Que je li di:

[1] Among the important predecessors of the Renaissance lyric, on the formal side, are the long lyrics (such as the complainte and the lai, the latter *not*

Longer poems in lyrical strophes:

" Hé! rosegnols clers et hautains
En chant amourous et certains,
        Plains de douçour,
A toi vœil faire mes complains.
Nom pour quant point ne me complains
        De bonne amour;
Car, par sa grasce et sa vigour,
La plus très parfaite en honnour
        Sers, crienc et ains,
Qu'onques je veïsse à nul jour;
Si l'en regrasci et aour
        A jointes mains.

Douls rosegnols, gais et jolis,
Ton bel esbat, ton chant jolis,
        Ta vois isnele
M'aporte au cœr tant de delis,
Avec le may, qui fait le lys
        Croistre et l'asprelle
Et fait venir la rose belle,
Et toute joie renouvelle,
        Je m'en tienc fis,
Dont pour l'amour de la loyelle,
Que ma très souverainne appelle,
        J'ai mon chant pris.

HAIL TO THE MAID! [1]

(Lyrical huitains: from *Le Dit de Jeanne d'Arc*, abridged)

By Christine de Pisan

Je, Christine, qui ay plouré
Unze ans en abbaye close
Où j'ay tousjours puis demouré
Que Charles (c'est estrange chose!)
Le filz du roy, se dire l'ose
S'en fouy de Paris, de tire
Par la traïson là enclose:
Ore à prime me prens à rire.

Si est bien le vers retourné
De grant duel en joie nouvelle,
Depuis le temps qu'ay séjourné
Là où je suis; et la tres belle

Saison, que printemps on appelle,
La Dieu merci, qu'ay desirée,
Où toute rien se renouvelle
Et est du sec au vert temps née.

Or fesons feste à nostre roy;
Que très bien soit-il revenu!
Resjoïz de son noble arroy
Alons trestous, grans et menu,
Au devant; nul ne soit tenu,
Menant joie le saluer,
Louant Dieu, qui l'a maintenu,
Criant Noël en hault huer.

---

presented here because of its length) and the longer poems in lyrical strophes. As regards content, these verses have also genuine interest and significance.

[1] The poem has 61 strophes. Of it Louis Petit de Julleville says (*Histoire de la littérature française*, Paris, Colin, 1896–1899, II, 365–366): "Le poème est daté: 31 juillet, 1429. Au bout de ce long exil, déjà vieille et touchant à sa fin (mais son cœur est toujours jeune et il est resté bon français), elle apprend, au fond de son couvent, la merveilleuse apparition de Jeanne d'Arc, et la levée du siège d'Orléans et le sacre de Reims. Elle se réveille un jour, et pleine de foi, d'enthousiasme et de joie, écrit son dernier chant à la gloire de l'héroïne; puis disparaît définitivement, et meurt sans doute peu après Jeanne d'Arc. Christine était certainement morte avant 1440."

Oyez par tout l'univers monde
Chose sur toute merveillable;
Notez se Dieu, en qui habonde
Toute grace, est point secourable
Au droit enfin. C'est fait notable,
Considéré le présent cas;
Si soit aux deceüs valable
Que fortune a flati à cas.

Qui vit doncques chose avenir
Plus hors de toute opinion,
Qui à noter et souvenir
Fait bien en toute region,
Que France, de qui mention
En faisoit, qui jus est ruée,
Soit, par divine mission,
Du mal en si grant bien muée.

Par tel miracle vrayement
Que, se la chose n'est notoire
Et évident quoy et comment,
Il n'est homs qui le peust croire?
Chose est bien digne de mémoire
Que Dieu, par une vierge tendre,
Ait adès voulu (chose est voire)
Sur France si grant grace estendre.

Et tu, Charles roy des François,
Septiesme d'icellui hault nom,
Qui si grant guerre as eue ainçois
Que bien t'en prensist, se peu non;
Mais Dieu grace, or voiz ton re-
    nom;
Hault eslevé par la Pucelle,
Que a soubmis sous ton penon
Tes ennemis; chose est nouvelle.

Et j'ay espoir que bon seras,
Droiturier et amant justice
Et tous les autres passeras;
Mais que orgueil ton fait ne hon-
    nisse;
A ton peuple doulz et propice
Et craignant Dieu qui t'a esleu
Pour son servant, si com premisse
En as; mais que faces ton deu.

Tu en soyes loué, hault Dieu!
A toy gracier tous tenus
Sommes, que donné temps et lieu
As, où ces biens sont avenus.
A jointes mains, grans et menus,
Graces te rendons, Dieu céleste
Par qui nous sommes parvenus
A paix, et hors de grant tempeste.

Et toy, Pucelle beneurée,
N'y dois-tu mie estre obliée,
Puisque Dieu t'a tant honnourée,
Qui as la corde desliée,
Qui tenoit France estroit liée.
Te pourroit-on assez louer
Quant, ceste terre humiliée
Par guerre, as fait de paix douer?

Consideree ta personne,
Qui est une jœnne pucelle
A qui Dieu force et povoir donne
D'estre le champion, et celle
Qui donne à France la mamelle
De paix, et doulce nourriture,
A ruer jus la gent rebelle:
Veci bien chose oultre nature.

Car se Dieu fist par Josué
Des miracles à si grant somme,
Conquerant lieux, et jus rué
Y furent maints: il estoit homme
Fort et puissant. Mais tout en
    somme
Veci femme, simple bergière,
Plus preux qu'onc homs ne fut à
    Romme,
Quant à Dieu, c'est chose légère;

Mais quant à nous, oncques parler
N'oymes de si grant merveille;
Car tous les preux au long aler,
Qui ont esté, ne s'appareille.
Leur proësse à ceste qui veille
A bouter horz noz ennemis.
Mais ce fait Dieu, qui la conseille,
En qui cuer plus que d'homme a mis.

Longer poems in lyrical strophes:

Par miracle fut envoiée
Et divine amonition
De l'ange de Dieu convoiée
Au roy, pour sa provision.
Son fait n'est pas illusion,
Car bien a esté esprouvée
Par conseil, en conclusion:
A l'effect la chose est prouvée;

Et sa belle vie, par foy!
Monstre qu'elle est de Dieu en grâce.
Par quoy on adjouste plus foy
A son fait; car quoy qu'elle face,
Tousjours a Dieu devant la face,
Qu'elle appelle, sert et deprye
En fait, en dit; ne va en place
Où sa devocion détrie.

O! comment lors bien y paru
Quant le siege iert à Orléans,
Où premier sa force apparu!
Onc miracle, si comme je tiens,
Ne fut plus cler; car Dieu aux siens
Aida telement, qu'ennemis
Ne s'aidèrent plus que mors chiens.
Là furent prins ou à mort mis.

Une fillette de seize ans
(N'est-ce pas chose fors nature?)
A qui armes ne sont pesans,
Ains semble que sa norriture

Y soit, tant y est fort et dure;
Et devant elle vont fuyant
Les ennemis, ne nul n'y dure.
Elle fait ce, mains yeulx voiant.

Et sachez que, par elle, Anglois
Seront mis jus sans relever,
Car Dieu le veult, qui ot les voix
Des bons qu'ils ont voulu grever.
Le sanc des occis sans lever
Crie contre eulz. Dieu ne veult plus
Le souffrir; ains les resprouver
Comme mauvais, il est conclus.

N'a elle mené le roy au sacre,
Que tenoit adès par la main?
Plus grant chose oncques devant Acre
Ne fut faite; car pour certain
Des contrediz y ot tout plain;
Mais maulgré tous, à grant noblesse,
Y fut receu et tout à plain
Sacré, et là ouy la messe.

Si pry Dieu qu'il mecte en courage
A vous tous qu'ainsi le fassiez,
Afin que le conseil o rage
De ces guerres soit effaciez,
Et que vostre vie passiez
En paix sous votre chief greigneur,
Si que jamais ne l'effaciez
Et que vers vous soit bien seigneur.
                    Amen.

A PRAYER TO OUR LADY

(Lyrical douzains: L'Oraison à Notre Dame)

By Christine de Pisan

O Vierge pure, incomparable,
Pleine de grâce inestimable,
De Dieu mère très glorieuse,
A qui te requiert secourable,
Ma prière soit acceptable
Devant toy, Vierge précieuse!

Doulce dame, si te requiers
Que m'ottroie ce que je quiers:
C'est pour toute chrétienté
A qui paix et grant joye acquier
Devant ton fils, et tant enquier
Que tout bien soit en nous enté.

Ave Maria.

Et, si com saint Bernard témongne
Celle es par qui nous prolongne
Tout mal et qui adès ne fine
De procurer nostre besoigne,
Devers Dieu priant qu'il n'esloigne
De nous sa grâce pure et fine,
Pour Sainte Église requérir
Ce veuil qu'il te plaise acquérir
Paix et vraie tranquillité,
Et si bon pastour nous quérir
Qui tous nous fasse à Dieu courir
En foy et en humilité.

Ave Maria.

Vierge sacrée, pure et ferme,
Si com saint Bernard nous afferme
En son saint sermon de l'Advent,
Celle qui en foy nous conferme
Et en purté, et nous defferme
Le ciel, si comme il fut convent,
Je te prie pour tous les prélaz
De sainte Église que des laz
De l'anemi tu les deffendes,
Curés et prestres, leur solas
Soit en bien faire et jamais las
Ne soient et qu'ou ciel les rendes.

Ave Maria.

O nette, pure et entérine,
De toute bonté la racine,
Si com saint Jérosme nous dit,
Assise ou plus hault termine
Du ciel par la grâce divine
Après ton filz, com fut prédit,
Pour le roy de France te pri
Qu'en pitié tu oyes le cry
De ses bons et loyaulx amis,
Paix et vraye santé descry
A lui et au livre l'escry
Où Dieu à tous ses éslus mis.

Ave Maria.

O tu, Vierge prédestinée
Très avant que tu fusses née,
Ainsi le dit saint Augustin,
De la Trinité ordonnée,

Pour nostre sauvement donnée,
Pure et parfaite par destin,
Pour nostre royne de France,
Te pry qu'elle n'ai jà souffrance
De peine infernal, et lui donnes
Joye et paix, et tiens en souffrance
Long temps au monde; après l'outrance
De la mort de son ame ordonnes.

Ave Maria.

Dame des angelz très courtoise,
Si com tesmoigne saint Ambroise,
Mirouer de toute vertu,
Vraye humilité qui la noise
D'orgueil rabat et qui racoise
D'yre la force, et la vertu,
Paix, bonne vie et bonne fin
Donne à mon seigneur le Daulphin
Et science pour gouverner
Le peuple que de bon cuer fin
L'aime, et veuille qu'à celle fin,
Après le père, il puist régner!

Ave Maria.

Royne, qui des maulx nous lève
Lesquels nous empétra dans Eve,
Si com saint Augustin raconte,
Tu es celle qui n'es pas teve
A nous expurger de la céve
Du péché qui trop nous surmonte;
Pour les enfants du roy prière
Te fais, Vierge très singulière,
Que tu leur donnes bonne vie
De vraye science lumière
Et paradis après la bière:
En eulx soit ta grâce assouvie!

Ave Maria.

. . . Fontaine pleine de pitié,
De grâce et de toute amitié,
Dit saint Bernard en son sermon,
Commune à tous, bien exploité
A qui de toi s'est accointé,
Car de péché romps le lymon,
Je te prie m'oraison reçois,
Et le royaume des François

Longer poems in lyrical strophes:

De mal et de péril tu gardes
Et d'anemis, se l'aperçois,
De guerre et de contens, ainçois
Que tes loyaulx amis y perdes.

Ave Maria.

O Lumière celestiéle,
De nous conduire la droite elle,
Si comme dit saint Anseaume,
Qui tant portas doleur cruele
A la mort ton filz qui t'appelle,
Tu lui es déffense et heaume:
Pour la noble chevalerie
De France, je te prie, Marie,
Et pour tous nobles ensement,
Leur âme jà ne soit périe;
Par toy et par eux soit garie
France de mal et de torment.

Ave Maria.

O engendrerece de vie;
Et de Dieu épouse et plévie,
De toy saint Bernard le recorde,
En corps et en âme ravie,
Ou hault ciel en gloire assouvie,
Fontaine de Miséricorde:
Pour le clergé et les bourgeois,
Dame, prière je te fois,
Et pour marchans et pour commun,
Prie Cil qui morut en croix
Que aux âmes leur soit courtois,
Et tout bien soit entr'eulx commun.

Ave Maria.

Dame, de grâce la droit ente,
Qui devant Dieu nous représente,
Et ce tesmoigne saint Bernard,
Nostre moyen et nostre sente,
Nostre escu quand péché nous tente,
Qui, pour nous, prie main et tart;
Pour tous les laboureurs de terre
Te prie que leur veuilles acquerre
Sauvement, et leur donnes grâce
Que tel amour puisse pourquerre,

Dont Dieu soit servi en tout erre
Et toute la terre en soit grasse.

Ave Maria.

Coulombe simple, sade et blanche,
De péché monde, pure et franche,
Si comme ton filz t'appella,
Quant de la mort passas la planche
Et entre ses bras comme branche
Ou ciel te porta, pour cela
Te prie pour tous les trespassez
De Purgatoire qu'effacez
Soit de leurs péchés le limon;
Si soient en gloire passez
Et de ton filz soit embrassez
L'esprit Charles roy quint du nom.

Ave Maria.

Vierge mère, de Dieu ancelle,
De la Trinité temple et celle,
Saint Jérosme en fait mencion,
Après l'enfantement pucelle,
Sur toutes femmes tu es celle
Qui de grâce eus prévencion:
Pour le dévot sexe des femmes
Te prie que leur corps et leurs ames
Tu ayes en ta sainte garde,
Soient damoiselles ou dames
Ou autres, gard les de diffames
Et que feu d'enfer ne les arde.

Ave Maria.

Vierge pure, par les fontaines
De tes chastes yeulz et les peines
Qu'à ton filz veïs en la croix,
Dist saint Anseaume, et les vaines
De son corps qui pendent en aines
Ouvertes, te prie qu'os ma voix
Et à ton filz, qui fut mort mis
Pour moy et pour tous mes amis,
Il te plaise à faire prière,
Et la gloire qu'il a promis
A ceulx qui ont péchié remis,
Nous ottroit et grâce plainière.

Ave Maria.

Explicit.

LAMENT

(Lyrical huitains: from *La belle Dame sans merci*)

By ALAIN CHARTIER

Nagueres chevauchant pensoye,
Comme homme triste et douloreux,
Au dueil où il faut que je soye
Le plus dolant des amoureux;
Puis que par son dart rigoureux
La mort me tolli ma maistresse
Et me laissa seul langoureux
En la conduicte de Tristesse.

Je laisse aux amoureulx malades,
Qui ont espoir d'allegement,
Faire chansons, ditz, et ballades,
Chacun en son entendement.
Car ma dame en son testament
Prist a la mort, Dieu en ait l'ame,
Et emporta mon sentement,
Qui gist o elle soubz la lame.

Si disoye, il fault que je cesse
De dicter et de rimoyer,
Et que j'abandonne et delaisse
Le rire pour le larmoyer.
Là me fault le temps employer,
Car plus n'ay sentement ne aise,
Soit d'escrire soit d'envoyer
Chose qu'à moy n'a autruy plaise.

Desormais est temps de moy taire,
Car de dire je suis lassé;
Je vueil laisser aux autres faire
Leur temps, car le mien est passé.
Fortune a le forcier cassé,
Ou j'espargnoye ma richesse
Et le bien que j'ay amassé
Au meilleur temps de ma jeunesse.

Qui vouldroit mon vouloir contraindre
A joyeuses choses escrire,
Ma plume n'y sauroit attaindre,
Non feroit ma langue à les dire.
Je n'ay bouche qui puisse rire,
Que les yeulx ne la desmentissent:
Car le cueur l'en vouldroit desdire
Par les lermes qui des yeulx issent.

Amours a gouverné mon sens,
Se faulte y a, Dieu me pardonne:
Se j'ay bien fait, plus ne m'en sens,
Cela ne me toult, ne me donne.
Car au trepas de la tres bonne
Tout mon bien se trespassa.
La mort m'assist illec la bourne
Qu'oncques puis mon cueur ne passa.

THE POET AS PATRIOT

(Lyrical neuvains: La Complainte de France)

By CHARLES D'ORLÉANS

France, jadis on te souloit nommer,
En tous pays, le tresor de noblesse,
Car un chascun povoit en toy trouver
Bonté, honneur, loyaulté, gentillesse,
Clergie, sens, courtoisie, proësse.
Tous estrangiers amoient te suir
Et maintenant voy, dont j'ay desplaisance,
Qu'il te convient maint grief mal soustenir.
Trescrestien, franc royaume de France.

Longer poems in lyrical strophes:

Scez tu dont vient ton mal, à vray parler?
Congnois tu point pourquoy es en tristesse?
Conter, le vueil, pour vers toy m'acquiter,
Escoutes moy, et tu feras sagesse.
Ton grant orgueil, gloutonnie, peresse,
Convoitise, sans justice tenir,
Et luxure, dont as eu abondance,
Ont pourchacié vers Dieu de te punir,
Trescrestien, franc royaume de France.

Ne te vueille pourtant desespérer,
Car Dieu est plain de merci, à largesse.
Va-t-en vers lui, sa grâce demander,
Car il t'a fait, de jà pieçà, promesse.
(Mais que faces ton advocat Humblesse.)
Que très joyeux sera de toy guerir;
Entierement metz en luy ta fiance,
Pour toy et tous, voulu en crois mourir,
Trescrestien, franc royaume de France.

Souviengne toy comment voult ordonner
Que criasses Montjoye, par liesse,
Et, qu'en escu d'azur, deusses porter
Trois fleurs de Lis d'or et pour hardiesse
Fermer en toy, t'envoya sa Haultesse,
L'Auriflamme, qui t'a fait seigneurir
Tes ennemis; ne metz en oubliance
Telz dons haultains, dont lui pleut t'enrichir,
Trescrestien, franc royaume de France.

En oultre plus, te voulu envoyer
Par un coulomb qui est plain de simplesse,
La unction dont dois tes Rois sacrer,
Afin qu'en eulx dignité plus en cresse.
Et, plus qu'à nul, t'a voulu sa richesse
De reliques et corps sains departir;
Tout le monde en a la congnoissance.
Soyes certain qu'il ne te veult faillir,
Trescrestien, franc royaume de France.

Court de Romme si te fait appeler
Son bras dextre, car souvent de destresse
L'as mise hors, et pour ce approuver,
Les Papes font te seoir, seul, sans presse,

A leur dextre; se droit jamais ne cesse.
Et pour ce, dois fort pleurer et gemir,
Quant tu desplais à Dieu qui tant t'avance
En tous estas, lequel deusses cherir
Trescrestien, franc royaume de France.

Quelz champions souloit en toy trouver
Chrestienté! Jà ne fault que l'expresse;
Charlemaine, Rolant et Olivier,
En sont tesmoings; pource, je m'en delaisse.
Et saint Loys Roy, qui fist la rudesse
Des Sarrasins souvent anéantir,
En son vivant, par travail et vaillance;
Les creniques le monstrent, sans mentir,
Trescrestien, franc royaume de France.

Pource, France, vueilles toy adviser,
Et tost reprens de bien vivre l'adresse;
Tous tes meffaiz metz paine d'amander,
Faisant chanter et dire mainte messe
Pour les ames de ceulx qui ont l'aspresse
De dure mort souffert, pour te servir;
Leurs loyautez ayes en souvenance,
Riens n'espargnié n'ont pour toy garantir,
Trescrestien, franc royaume de France.

Dieu a les braz ouvers pour t'acoler,
Prest d'oublier ta vie pecheresse;
Requier pardon, bien te vendra aidier
Nostre Dame, la trespuissant princesse,
Qui est ton cry et que tiens pour maistresse.
Les sains aussi te viendront secourir,
Desquelz les corps font en toy demourance.
Ne vueilles plus en ton pechié dormir,
Trescrestien, franc royaume de France.

Et je, Charles duc d'Orlians, rimer
Voulu ces vers, au temps de ma jeunesse,
Devant chacun les vueil bien advouer,
Car prisonnier les fis, je le confesse;
Priant à Dieu, qu'avant qu'aye vieillesse,
Le temps de paix partout puist avenir.
Comme de cueur j'en ay la desirance,
Et que voye tous tes maulx brief finir,
Trescrestien, franc royaume de France.

Longer poems in lyrical strophes:

LAMENT FOR BEAUTY LOST

(Lyrical huitains: from *Les Regrets de la belle heaulmiere*)

By FRANÇOIS VILLON

Advis m'est que j'oy regretter
La belle qui fut heaulmiere;
Soy jeune fille souhaitter
Et parler en ceste maniere:
" Ha vieillesse felonne et fiere,
Pourquoy m'as si tost abatue?
Qui me tient que je ne me fiere,
Et qu'à ce coup je ne me tue?

" Tollu m'as la haulte franchise
Que beauté m'avoit ordonné
Sur clercz, marchans et gens
    d'Eglise:
Car alors n'estoit homme né
Qui tout le sien ne m'eust donné,
Quoy qu'il en soit de repentailles,
Mais que luy eusse abandonné
Ce que reffusent truandailles.

" A maint homme l'ay reffusé,
Qui n'estoit à moy grand' saigesse,
Pour l'amour d'ung garson rusé,
Auquel j'en feiz grande largesse.
A qui que je feisse finesse,
Par m'ame, je l'amoye bien!
Or ne me faisoit que rudesse,
Et ne m'amoyt que pour le mien.

" Si ne me sceut tant detrayner,
Fouller aux pieds, que ne l'aymasse,
Et m'eust-il faict les rains trayner,
Si me disoit que le baisasse
Et que tous mes maux oubliasse;
Le glouton, de mal entaché,
M'enbrassoit. . . . J'en suis bien
    plus grasse!
Que m'en reste-il? honte et péché.

" Or il est mort, passé trente ans,
Et je remains vieille et chenue.
Quand je pense, las! au bon temps;
Quelle fus, quelle devenue;
Quand me regarde toute nue,
Et me voy si tres changée,
Pauvre, seiche, maigre, menue,
Je suis presque toute enragée. . . .

" Ainsi le bon temps regretons
Entre nous, pauvres vieilles sottes,
Assise bas, à croppetons,
Tout en ung tas comme pelottes;
A petit feu de chenevottes,
Tost allumées, tost estainctes.
Et jadis fusmes si mignottes! . . .
Ainsi en prend à maintz et maintes."

WASTED YOUTH AND DREADFUL DEATH

(Lyrical huitains: from *Le Grant Testament*)

By FRANÇOIS VILLON

Je plaings le temps de ma jeunesse,
Auquel j'ay, plus qu'autre, gallé
Jusque à l'entrée de vieillesse,
Car son partement m'a celé.

Il ne s'en est à pied allé,
N'à cheval; las! et comment donc?
Soudainement s'en est vollé,
Et ne m'a laissé quelque don.

Allé s'en est, et je demeure
Pauvre de sens et de sçavoir,
Triste, failly, plus noire que meure.
Je n'ay ne cens, rente, n'avoir;
Des miens le moindre, je dy voir,
De me desadvouer s'avance,
Oublyans naturel devoir,
Par faulte d'ung peu de che-
vance. . . .

Hé Dieu! se j'eusse estudié
Au temps de ma jeunesse folle,
Et à bonne meurs dedié,
J'eusse maison et couche molle!
Mais quoy? je fuyoye l'escolle,
Comme faict le mauvays enfant.
En escrivant ceste parolle,
A peu que le cueur ne me fend. . . .

Où sont les gratieux gallans
Que je suivoye au temps jadis,
Si bien chantans, si bien parlans,
Si plaisans en faictz et en ditz?
Les anciens sont mortz et roydiz;
D'eulx n'est-il plus rien maintenant.
Respit ils ayent en Paradis,
Et Dieu saulve le remenant!

Et les aucuns sont devenuz,
Dieu mercy! grans seigneurs et
maistres;
Les autres mendient tous nudz,
Et pain ne voyent qu'aux fenestres;
Les autres sont entrez en cloistres
De Celestins et de Chartreux,
Bottez, housez, comme pescheurs
d'oystres:
Voylà l'estat divers d'entre eulx. . . .

Povre je suys de ma jeunesse,
De pauvre et de petite extrace.
Mon pere n'eut oncq' grand' ri-
chesse,
Ne son ayeul, nommé Orace.

Pauvreté tous nous suyt et trace.
Sur les tumbeaulx de mes ancestres,
Les ames desquels Dieu embrasse,
On n'y voyt couronnes ne sceptres.

De pauvreté me guementant,
Souventesfoys me dit le cueur:
" Homme, ne te doulouse tant
Et ne demaine tel douleur,
Se te n'as tant que Jacques Cueur.
Mieulx vault vivre soubz gros bu-
reaux,
Pauvre, qu'avoir esté seigneur
Et pourrir soubz riches tom-
beaux! " . . .

Je congnoys que pauvres et riches,
Sages et folz, prebstres et laiz,
Nobles et vilains, larges et chiches,
Petitz et grans, et beaulx et laidz,
Dames à rebrassez colletz,
De quelconque condicion,
Portant attours et bourreletz,
Mort saisit sans exception.

Et meure Paris ou Helene,
Quiconque meurt, meurt à douleur.
Celluy qui perd vent et alaine,
Son fiel se creve sur son cueur;
Puys sue, Dieu sait quel sueur!
Et n'est qui de ses maulx l'allege:
Car enfans n'a, frere ne sœur,
Qui lors voulsist estre son pleige.

La mort le faict fremir, pallir,
Le nez courber, les veines tendre,
Le col enfler, la chair mollir,
Joinctes et nerfs croistre et estendre.
Corps feminin, qui tant est tendre,
Polly, souef, si precieulx,
Te fauldra-il ces maulx attendre?
Ouy, ou tout vif aller ès cieulx.

Longer poems in lyrical strophes:

MEMORIES OF JEANNE D'ARC

(Lyrical huitains: from *Recollection des merveilles advenues en nostre temps*)

By GEORGES CHASTELLAIN

Qui veult ouyr merveilles
Estranges raconter?
Je sçay nonpareilles
Qu'homme sçauroit chanter,
Et choses advenues
Depuis longtemps en ça;
Je les ay retenues
Et sçay comme il en va.

Sainte fut aourée
Pour les œuvres que fit;
Mais puis fut rencontrée
Et prise à bon proufit,
A Rouen arse en cendre
Au grand deuil des François,
Donnant puis à entendre
Son revivre aultre fois.

En France la très-belle
Fleur de crestienté,
Je vis une pucelle
Sourdre en auctorité,
Qui fit lever le siege
D'Orliens en ses mains,
Puis le roi par prodiege
Mena sacrer à Reims.

J'ay vu deux, trois commettes
Manifester au ciel,
Et d'estranges planettes
Plus amères que fiel,
Dont les fins non congnues
Sont d'esbahissement;
Mais de leurs advenues
N'est nul vray jugement.

THE LADY TO HER LOVER

(Lyrical huitains: from *Le Pas de la mort*)

By GEORGES CHASTELLAIN

Je fus indigne serviteur,
Au temps de ma prime jeunesse,
De l'oultrepasse de valeur,
La joye de mon povre cœur,
Ma parassouvie maistresse;
Mais la mort, par sa grant rudesse,
Envieuse de nostre bien,
Prit son corps et laissa le mien.

" Voyez que fait dolante mort
" Et ne l'oubliez désormais;
" C'est celle qu'aimiez si fort;
" Et ce corps vostre, vil et ort,
" Vous perderez pour un jamais;
" Ce sera puant entremais
" A la terre et à la vermine:
" Dure mort, toute beauté fine."

Peu paravant de son trespas
Et en son derrenier parler,
Les yeux couchiés encontre bas,
Voulut que moy, dolant et las,
La visse pour désespérer;
Car elle me fit appeler
Et me dit basset à voix casse:
" Mon amy, regardez ma face.

Las! il faut mourir une fois,
Et ne sçait-on quant et comment;
Et faut porter le fais et poix
De ce dont on a pris le choix,
Pour attendre son jugement
Qui sera de joye ou tourment,
Dont l'un et l'autre est perdurable:
Joye mondaine est peu durable.

Où sont les princes de la terre?
Où est Alixandre d'Allier,
Celuy qui tout voulut conquerre?
Où est le bon roy d'Angleterre,
Artus, et son couraige fier?
Et Lancelot, bon chevalier,
Qui fut garde de son honneur?
Ils sont morts comme un laboureur.

Charmemaine, roy des François,
Qui les Espaignes reconquist,
Roland et Ogier le Danois
Qui soustinrent le fais et pois,
Avant ce qu'à la foy les mist,
Ils (ont) logis aussy petit
Et aussy bien par dedans terre
Que celuy qui va son pain querre.

Et le grant renommé Pompée,
Qui aux Romains fit tant de biens
Que par fureur de son espée
Leur subjugua toute contrée,
Que vingt et deux rois furent siens,
Après tous ses haulx faits terriens
Il fu tué piteusement
A coup ainsy qu'en un moment.

Où est d'Hélaine la beauté
Sur toutes autres non pareille?
Où est l'honneur et la clarté
De Lucrèce et sa chasteté,
De quoy un chascun s'esmerveille?
Heureux est celuy qui a veille
Et qui connoist qu'il faut finir!
Helas! nous ne pouvons fuyr.

Regarde où sont allés nos pères
Qui ont eu vie comme nous,
Nos parens, sœurs et frères.
Ils ont laissié ces misères
Esquelles nous sommes trèstous.
Ce monde qui nous semble doux,
Est décevant et tost passé:
Heureux est qui l'a bien passé!

Prions à Dieu qu'il nous pardonne,
Prions qu'il nous donne sa grâce,
Prions qu'il ne nous abandonne,
Prions que sa gloire nous donne,
Prions que nous véons sa face,
Prions que nos péchiés efface;
Prions qu'il nous veule garder
Et nos deffaultes pardonner.

AMEN.

TWO EPITAPHS

(Lyrical quatrains: from *La Complainte d'Hector*)

By GEORGES CHASTELLAIN

HECTOR'S EPITAPH

Cy-gist Hector, l'artifice des dieux,
Le très-hautain comblé trésor des cieux,
L'espouvantable estermineur des Grieux,
Des bons l'eslitte et l'aigle des mortieux.

Cy-gist le tout plain pouvoir de nature,
L'entier ressort de félice adventure,
L'excès de grâce et d'œuvre en créature
Du présent siècle et de saison future.

Cy-gist d'honneur le haut précieux thronne
L'excellent siège où vertu se floronne,
Le flun des mœurs de noblesse couronne
Et dont la terre et la mer s'avironne.

Longer poems in lyrical strophes:

Cy-gist la fleur de vaillance parfonde,
Le bras armé du triomphe du monde
Et qui plus porte en prouesse et faconde
Qu'en tout le siècle au remanent n'abonde.

Cy-gist de Troye invincible la vie,
Et puis sa mort, quant l'âme en fu ravie,
De qui le titre et gloire desservie
Si des dieux non, ne peut estre assouvie.

Cy-gist la mort amère de Priant
Et d'Hécube ses cheveux destirant,
De qui les voix vont en pleurs escriant
Des morts l'abisme et les monts d'Orient.

Cy-gist le seul envié de fortune,
Celuy en qui toute vertu fut une,
Parquoy fortune en célée rancune
L'a fait tomber soubs éclipse de lune.

Cy-gist l'object de l'humaine pité,
Qui toute haute excellent royauté
Semont, provoque à larmes de durté
Et à mémoire en toute éternité.

ACHILLES' EPITAPH

Cy-gist reclos Achiles le seigneur,
L'aigre, le fort, fier lion batailleur,
Tigre en estour, des Grieux tout le meilleur.
Et des Troyens dur mortel travailleur.

Cy-gist l'horrible espée fouldroieuse,
Robuste bras, dextre victorieuse,
Semblant crému, menace flamboyeuse,
Mortel rencontre et touche furieuse.

Cy-gist des Grieux la promise victoire,
Tout leur confort, leur attente de gloire,
Leur destiné parfait de vieille histoire
Pour renverser Troye en arsure noire.

Cy-gist des Grieux la terrible vengeance,
Le contre-arrest de troyenne puissance,
Le chier vengeur de la honte et nuisance
Que fut Paris sur Grèce en arrogance.

Cy-gist l'effroy du haut roy Priamus,
L'abat-orgueil de ses enfans crémus,
Le prosterneur sur les troyens palus
Du fort Menon et du fier Troylus.

Cy-gist celuy qui près par impossible
A devaincu le victeur invincible,
Le bras du monde en sa fureur visible,
Le plus à craindre et le moins agressible.

Cy-gist celuy soubs qui force et maistrie
La fleur du monde est faillie et périe,
Orgueil soubmis, morte chevalerie,
Fierté conquise et prouesse tarie.

Cy-gist celuy, dont la main dévora
Le noble Hector et de mort enferra
Le plus vaillant qui oncq fu, ne sera:
Qui veut s'en rie, et pleure qui vouldra.

FAME

(Lyrical huitains: from the *Déploration de Charles le Téméraire*)

By Jean Molinet

Je suis la folle Renommée
Courant et trassant nuyct et jour;
De nobles vertus aornée,
La fleur de mon fruict est semée
Jusques en Inde la majour;
Avec les grans tiens mon séjour,
Où je cours et recours grant erre:
Tant vault homme, tant vault sa terre.

Affin que je puisse en allant
Souldainement passer la mer,
Montée suis, comme ung Rolland,
Sur mon gentil coursier vollant,
Qui Pegasus se fait nommer;
J'entre partout, sans entamer
Quelque huys, comme chose invisible:
A cueur vaillant riens impossible.

Plus subit qu'on ne clost les yeulx,
Je trotte ès champs, je trotte ès préz,
Je volle en l'air, j'attains les cieulx;
Je conduys l'ung, l'autre je sieux,

L'ung vient devant moy, l'autre après;
L'ung de bien loing, l'autre de près;
Tous estats sont vers moy marchans:
Par toutes terres vont marchans.

Qui me reboute, je le quiers,
Qui mal me sert, je le guerdonne,
Qui ne m'ayme, je le requiers,
Qui me fuyt, grans biens luy acquiers,
Qui ne me veult, je m'abandonne;
Plus me demande-on, moins je donne,
Comme femmes, qui mercy n'ont;
Plus les prie-on et moins en font.

Puis que Loyaulté trespassa
De ce siecle, qui n'est pas sage,
Et que Vertu s'en despassa,
Oncques puis Amour n'y passa,
Ne repassa ung seul passage.
Avec les bons mon repas ay-je;
Mon pas en peu d'espace passe:
Fors l'amour de Dieu, tout se passe.

Longer poems in lyrical strophes:

LAMENT OVER LOST YOUTH

(Lyrical neuvains: from *Le Séjour d'honneur*)

By Octovien de Saint-Gelays

Ores congnois mon premier temps perdu,
De retourner jamais ne m'est possible;
De jeune vieulx, de joyeux esperdu,
De beau tres lait, et de joyeux taisible
Suis devenu; rien n'estoit impossible
A moy jadis, helas! ce me sembloit.
C'estoit Abus qui caultement embloit
Le peu qu'avois pour lors de congnoissance
Quant je vivois en mondaine plaisance.

Des dames lors estoye recueilly,
Entretenant mes douces amourettes;
Amours m'avoit son servant accueilly,
Portant bouquets de boutons et fleurettes;
Mais maintenant, puisque porte lunettes,
De Cupido ne m'acointeray plus;
De sa maison suis chassé et forclus;
Plus ne feray ne rondeaulx ne ballades;
Ala n'est pas restaurant pour mallades.

Ha! jeune fus, encore le fussé-je;
Or ay passé la fleur de mon jouvant;
Plus ne sera Espoir de mon corps pleige
Pour estre tel comme je fus devant;
Chanter souloye et rymoyer souvent;
Ores me fault, en lieu de telles choses,
Tousser, cracher; ce sont les fleurs et roses
De vieillesse, et ses jeux beaulx et gents
Pour festoyer entre nous bannes gens. . . .

J'estoye frais, le cuyr tendre et poly,
Droict comme ung jonc, legier comme arondelle,
Propre, miste, gorgias et joly,
Doulx en maintien ainsi qu'une pucelle.
Dieu! que j'ay dueil quant me souvient de celle
Que j'aymoye tant alors parfaitement,
Qui me donna premier enseignement
De bonnes meurs pour acquerir sa grace.
S'elle est morte, mon Dieu pardon luy face,

Et s'elle vit, je prie à Jesus-Christ,
Que de tout mal et dangier la preserve;
Pour elle ay faict maint douloureux escript;
Plus ne m'atens que jamais je la serve,
Car banny suis, vieillart mis en reserve;
Plus que gemir certes je ne feray,
Doresnavant à riens ne serviray
Que de registre ou de vieulz protecolle
Pour enseigner les enfans à l'escolle. . . .

Doresnavant tiendray mon rang à part,
Aupres du feu pour eschauffer la cire,
Et compteray les fais de Sallezart
A mes voysins, de Poton ou La Hyre;
Du temps passé pourray compter et dire,
Voyre et servir de tesmoing ancien;
J'auray mon chat et mon bon petit chien,
Nommé Muguet, et deux ou trois gelines,
Patenostres et mes vieilles matines.

Mon passe-temps sera compter alors
Combien y a que premier j'eus couronne,
Quel roy regnoit, ou quel pape estoit lors,
Si la saison estoit à l'heure bonne;
Veez là l'estat de ma povre personne,
En attendant que Dieu face de moy
L'ame partir, car tous à ceste loy
Sommes lyez, c'est tribut de nature,
Sans excepter aucune creature.

LINES IN *TERZA RIMA* DESCRIBING VENUS, THE GODDESS OF LOVE

(from *La Concorde des deux langages*)

By Jean le Maire de Belges

. . . En ce disant avec un pleur amer,
Je veis en l'aer, claire et resplendissante,
Celle qui faict mes plainctifs entamer.

C'est la deese outrageuse et puissante,
Mere d'Amour, le fier et orgeuilleulx
Par qui je suis en douleur languissante.

Longer poems in lyrical strophes:

> Trop bel estoit son arroy merveilleulx,
> Trop y avoit de grandz beaultez insignes,
> Trop y fut tout plaisant et perilleulx.
>
> Son charriot mainent coulombz et cignes
> Blancz comme neige à coliers argentez:
> A l'entour sont riz et amoureux signes.
>
> Pensers joyeulx richement charpentez,
> Tout à esmail, le tymon enrichissent
> Et doulz attritz bien faitz de tous costez.
>
> Plaisants regards, à l'envyron marchissent
> Des roues d'or richement estoffées
> Qui de perles et dyamantz blanchissent.

THE POET AND IMMORTALITY [1]

(Lyrical quatorzain: from *La Complainte du Désiré*)

By JEAN LE MAIRE DE BELGES

> Nobles acteurs, mon seul espoir unicque,
> Qui compilez ou histoiyre ou cronicque,
> N'oubliez pas de coucher par escript
> Que la mort brune, au regard gorgonique,
> Et faulse Envie, horrible et plutonicque,
> En cuydant faire ung grand exploict inicque,
> Ont mys au ciel ung trés sublime esprit.
> Le corps pourra bien retourner en cendre,
> Mais le renom ne peult en oubly tendre;
> Car nul bien faict jamais ne deperit;
> Pour quoy vueillez, sans longuement actendre,
> Tant labourer et a ces fins pretendre
> Que du bon comte on puist le loz entendre,
> Qui par tout siecle en triumphe flourit.

[1] An interesting example of the fourteen-line strophe quoted by Molinet's continuator in *L'Art et science de rhétorique* (1524). The continuator speaks of this strophe as " bonne, pondereuse et grave a faire histoyres et mesmement complainctes." It is *not* a sonnet, but has the same length. Its rime scheme is aabaaabccbccccb.

Épître:

THE DESCENT INTO HELL

(from *Épistres de l'amant vert*) [1]

By Jean le Maire de Belges

(L'Amant vert, perroquet de la princesse Marguerite, apprend le départ de sa maîtresse. Il ne peut résister à sa douleur, qu'il chante dans une longue épître :)

> O demy dieux, o Satires aggrestes,
> Nymphes de bois et fontaines proprettes,
> Escoutez moy ma plainte demener,
> Et tu, Echo, qui faiz l'air resonner
> Et les rochiers de voix repercussives,
> Vueillez doubler mes douleurs excessives.
> Vous sçavez bien que les dieux qui tout voient
> Tel bien mondain, tel heur donné m'avoient
> Que de plus grand ne joist oncques ame.
> Vous cognoissez que pour maistresse et dame
> J'avoie acquis (par dessus mes merites)
> La fleur des fleurs, le chois des marguerites.
> Las! double helas! pourquoy doncques la pers je?
> Pourquoy peut tant infortune et sa verge
> Qui maintesfois celle dame greva?
> Elle s'en va, helas! elle s'en va
> Et je demeure icy sans compagnie.

(Après avoir donné ordre d'écrire sur son tombeau ces quatre vers:)

> Soubz ce tumbel qui est (ung) dur conclave
> Git l'amant vert, et le tresnoble esclave
> Dont le hault cueur, de vraye amour pure yvre,
> Ne peut souffrir perdre sa dame et vivre.

(Il meurt de chagrin, va aux enfers, guidé par Mercure qui le conduit à Minos. Celui-ci le déclare digne des Champs-Elysées; et, mis au rang des immortels, il adresse à sa dame, du séjour des bienheureux, une relation de son voyage aux enfers:)

> . . . Quand mon ame eut (en tristes recordz
> Et grand douleur) prins yssue du corps,
> Tantost fut prest le noble Dieu Mercure
> Qui les espritz des deffunctz prend en cure.
> Lequel, tenant son Caducée ou verge

---

[1] These passages are taken from the two *Épistres de l'amant vert*, at the end of the first book of the *Illustrations*, edition of 1513. The summaries are from Arsène Darmsteter and Adolphe Hatzfeld, *Le Seizième Siècle* (Paris, Delagrave, 1920), pp. 172–75.

Épître:

Print mon esprit tout innocent et vierge;
Puis, en volant plus legier que le vent,
Me mena veoir le tenebreux convent
Des infernaulx où siet Radamanthus
Retributeur des vices et vertuz.
Ung Rochier brun se treuve en la Morée
Dont sault vapeur horrible et sulphurée.
Le Roch se dit en latin *Tenarus*
Dont Hercules entrainna *Cerberus.*
Droit la voit on ung grand trou tartaricque
Si tres hideux que nulle Rhetoricque
Ne sçauroit bien sa laideur exprimer,
Au fons duquel alasmes abismer
Mercure et moy. Si trouvons l'huys de fer
Par ou on entre ou grand pourpris d'enfer.
Lors Cerberus, le portier lait et noir
En abbayant nous ouvrit son manoir.
Sa voix tonant si fort retombissoit
Que la valée obscure en gemissoit.
Si ne fault pas demander se j'euz peur
Quand j'apperceuz ung si fier aggrippeur.
Nous tirons oultre et alons jusque au fleuve
Le plus despit que nulle part on treuve:
Stix il a nom, c'estadire tristesse,
Tout plain d'horreur, d'angoisse, et de destresse.
Or nous passa le viellart nautonnier
Qu'on dit Karon, tres vilain pautonnier.
Sa barque estoit desbiffée et viellette,
Si n'eut de moy ne denier ne maillette.
Quand on est oultre, alors la clarté fault
Et ne voit on goutte ne bas ne hault,
Mais bien ot on des criz espoventables,
Fiers urlemens de bestes redoubtables.
Lors j'eus frayeur de telz mugissemens,
Bruit de marteaux, chaines et ferremens,
Grandz tumbemens de montaigne et ruyne
Et grand souffliz de ventz avec bruyne.
J'avoie aussi bien pres de mes oreilles
Oiseaux bruyans de strideurs nonpareilles
Batans de l'esle et faisans grans murmures,
Clacquans du bec come ung droit son d'armures
Si me tapiz au plus pres de ma guide,
Car de chaleur ma poictrine estoit vuide
Tant peur avoie. Et lors il me va dire;

MERCURE

Ce lieu umbreux, tout plain de dueil et d'ire,
Est le royaume et sejour Plutonicque
Et le repaire à tout esprit inique.
Tu dois sçavoir que les fiers animaulx
Qui en leur vie ont faict cas anormaulx
Et perpetré oultraiges criminelz
Aprez leur mort sont icy condamnez
En griefz tourmens, en ordure et pueur.

L'AMANT VERT

En ce disant, je vis une lueur
Estrange et bleue avec noire fumée
Noyant la flambe et rouge et alumée.
Plus aprouchons, plus oyons de tumulte
Qui du parfond d'un grand goufre resulte,
Et quand ce vint que fusmes assez pres
Mon conducteur s'arresta tout expres
Et dit ainsi:

MERCURE

Cy demeure Pluton.
Vecy le fleuve horrible Flegeton
Ardent et chault. Voy ce que je te monstre.
Maint gros serpent et maintes leides bestes . . .
Tout y est plain de si mortelle injure
Que tu aurois frayeur trop merveilleuse
De veoir la tourbe horrible et batailleuse
Qui n'a jamais n'amour ne paix ensemble.
Or passons oultre, et verrons, se bon semble
Au roy Minos le grand juge infernal
Que je te maine en ton repos final.

Fatras double:

THE UNWELCOME SOLDIERS [1]

By JEAN MOLINET

Povres gens sont a malaise
Ou gens d'armes logiez sont.

Povres gens sont a malaise:
Ne demeure soif ne haise,

Fenestre, huys ne baston ront
Qui n'arde comme fournaise,
Pour chauffer une punaise,
Qui mengüe ce qu'ilz ont.
Tout brule, tout art, tout ront,

[1] The fatras is said by Jean Molinet to be a genre of second rhetoric suitable for lively joyous subject-matter. This fatras is double. A single fatras

Tout se desrigle et desgraise,
Tout tresbuche au plus parfont,
Se fault que chascun se taise
Ou gens d'armes logiez sont.

Ou gens d'armes logiez sont
Povres gens sont a malaise.

Ou gens d'armes logiez sont,
L'un escorche, l'autre tond,

L'autre, qui la fille baise,
Taste si l'anette pond,
Et l'oste rechoit le bond
D'un baston, done il despaise,
Et se l'ostesse est mauvaise,
On lui fait passer le pont.
Brief, il n'est chose qui plaise
Ou saudars viennent et vont;
Povres gens sont a malaise.

Pastoral verse (neither pastourelles nor églogues):

THE LAY OF THE MARGUERITE

(*Le Dittié de la flour de la margherite*) [1]

By Jean Froissart

Je ne me doi retraire de löer
La flour des flours, prisier et honnourer,
Car elle fait moult a recommender,
C'est la consaude, ensi le vœil nommer,
Et qui li vœlt son propre nom donner,
On ne li pœt ne tollir ne embler;
Car en françois a a nom, c'est tout cler,
          La margherite,
De qui on pœt en tous temps recouvrer.
Tant est plaisans et belle au regarder
Que dou veoir ne me puis söeler;
Tous jours vodroie avec li demorer,
Pour ses vertus justement aviser.
Il m'est avis qu'elle n'a point de per;
A son plaisir le volt nature ouvrer:
          Elle est petite,
Blanche et vermeille, et par usage habite

---

has one strophe. It may be lyric in content. The *fatras possible* is coherent. The *fatras impossible* is an incoherent extravagance. The rime scheme here is noteworthy: AB aabaabbabaB BA bbabbaababA. The fatras is one of the predecessors of the Renaissance satire. It is discussed by Middle French theorists of verse, unlike the coq-à-l'asne, to which early Renaissance theorists devote space. The coq-à-l'asne is therefore reserved for Anthology B.

[1] This poem, by Jean Froissart, and the selection following, by Alain Chartier, are not églogues, but they show how the pastoral vein of inspiration was exploited by the pre-Renaissance poets. Compare the fixed form *pastou-relles*, by old French and Middle French poets. Observe the skilfully inter-woven rimes of both selections.

En tous vers lieus, aillours ne se delite.
Ossi chier a le preel d'un hermite,
Mes qu'elle y puist croistre sans opposite,
Comme elle fait les beaus gardins d'Egypte.
Son doulç veoir grandement me proufite,
Et pour ce est dedens mon cœr escripte
   Si plainnement,
Que nuit et jour en pensant je recite
Les grans vertus de quoi elle est confite,
Et di ensi: " li heure soit benite,
Quant pour moi ai tele flourette eslite,
Qui de bonté et de beauté est dite
La souverainne, et s'en attenc merite,
Se ne m'i nuist fortune la trahite,
   Si graindement,
Qu'onques closiers, tant scëuist sagement,
Ne gardiniers, ouvrer joliement,
Mettre en gardin pour son esbatement
Arbres et flours et fruis a son talent,
N'ot le pareil de joie vraiement
Que j'averai, s'ëurs le me consent."
De ce penser m'ont espoir fait present
   Un lonc termine.
Et la flourette en un lieu cruçon prent
Ou nourie est d'un si doulç element
Que froit ne chaut, plueve, gresil ne vent
Ne li pöent donner empecement,
Ne il n'i a planette ou firmament,
Qui ne soit preste a son commandement.
Uns clers solaus le nourist proprement
   Et enlumine.
Et ceste flour qui tant est douce et fine,
Belle en cruçon et en regart benigne,
Un usage a et une vertu digne
Que j'ai moult chier, quant bien je l'imagine:
Car tout ensi que li solaus chemine
De son lever jusqu'a tant qu'il decline,
La margherite encontre lui s'encline,
   Comme celi
Qui monstrer vœlt son bien et sa doctrine;
Car li solaus qui en beauté l'afine,
Naturelment li est chambre et courtine
Et le deffent contre toute brüine,
Et ses coulours de blank et de sanguine
Li paraccroist; c'en sont li certain signe
Pour quoi la flours est envers li encline;
   S'ai bien cuesi,

Pastoral verse (neither pastourelles nor éclogues) :

> Quant j'ai en cœr tel flourette enchieri
> Qui sans semence et sans semeur aussi
> Premierement hors de terre appari.
> Une pucelle ama tant son ami,
> Ce fu Herés qui tamaint mal souffri
> Pour bien amer loyalment Cephëy,
> Que les larmes que la belle espandi
>   Sus la verdure,
> Ou son ami on ot ensepveli, —
> Tant y ploura, dolousa et gemi
> Que la terre les larmes recueilli,
> Pité en ot, encontre elles s'ouvri.
> Et Jupiter, qui ceste amour senti,
> Par le pooir de Phebus les nouri,
> En belles flours toutes les converti
>   D'otel nature,
> Comme celle est que j'aim d'entente pure
> Et amerai tous jours quoi que j'endure.
> Mes s'avenir pooie a l'aventure
> Dont a son temps ot ja l'ëur Mercure,
> Plus ëureus ne fu ains creature
> Que je seroie, ensi je le vous jure.
> Mercurius, ce dist li escripture,
>   Trouva premier
> La belle flour que j'ainc oultre mesure;
> Car en menant son bestail en pasture,
> Il s'embati dessus la sepulture
> De Cephëy, de quoi je vous figure,
> Et sa couulour vivete tesmongnier.
> La doulce flour dont je faç si grant cure.
> Merveilla soy, il y ot bien droiture;
>   Car en jenvier,
> Que toutes flours sont mortes pour l'ivier,
> Celle perçut blancir et vermillier
> Et sa coulour vivete tesmongnier,
> Lors dist en soi: " or ai mon desirier."
> Tant seulement il en ala cueillier
> Pour un chapiel, bien les volt espargneir,
> Et a l'Irés ala celui cargier
>   Et se li prie
> Que a Serés le porte sans targier
> Qui de s'amour ne le vœlt adagnier.
> S'en gré le prent, sa vie aura plus chier.

Ce que dist fist errant le messagier;
A Serés vint le chapelet baillier.
Celle le prist de cler cœr et entier
Et dist: " Bien doi celui remerciier
    Qui s'esbanie
A moi tramettre un don qui me fait lie,
Et bien merir li doi sa courtoisie;
Et je vœil que de par moi on li die
Que ja mais jour n'amera sans partie."
Moult lïement fu la response öie;
Car tout ensi l'Irés li segnefie
A son retour et li acertefie
    Ne plus ne mains.
La ot la flour une vertu jolie,
Car elle fist celui avoir amie,
Qui devant ce venir n'i pooit mie.

A SPRING MORNING

(from *Le Livre des quatre dames*)

By ALAIN CHARTIER

Pour oublier merancolye,
Et pour faire chiere plus lie,
Un doulx matin aux champs yssy,
Au premier jour qu'amours ralie
Les cueurs en la saison jolye,
Et fait cesser ennuy et soucy:
Si alay tout seulet ainsy,
Que l'ay de coustume, et aussi
Marchai l'herbe poignant menue,
Qui mist mon cœur hors de soucy,
Lequel avoit esté transy
Long-temps par lïesse perdue.
    Tout autour, oiseaulx voletoient,
Et si tresdoulcement chantoient,
Qu'il n'est cueur qui n'en fut joyeux:
Et en chantant, en l'air montoient,
Et puis l'un l'autre surmontoient
A l'estrivee à qui mieulx mieulx.
Le temps n'estoit mie nüeux,
De bleu se vestoient les cieux,
Et le beau soleil cler luisoit.
Violettes croissoient par lieux,
Et tout faisoit ses devoirs, tieulx
Comme nature le duisoit.

    En buissons oyseaulx s'assem-
      bloient:
L'un chantoit, les autres doubloient
Leurs gorgettes, qui verboyoient
Le chant que nature a apris,
Et puis l'un de l'autre s'embloient,
Et point ne s'entre-ressembloient:
Tant en y ot, qui ne sembloient,
Fors à estre en nombre compris. . . .
    Les arbres regarday flourir,
Et lievres et lapins courir.
Du printemps tout s'esjouissoit.
Là sembloit amour seignourir.
Nul n'y peut vieillir, ne mourir,
Ce me semble, tant qu'il y soit.
Des erbes un flair doulx issoit,
Qui l'air sery adoucissoit;
Et en bruyant par la vallee,
Un petit ruisselet passoit,
Qui les païs amoitissoit
Dont l'onde n'estoit pas sallee.
    La venoient les oysillons,
Apres ce que des gresillons,
De mouschettes et papillons,

Ils avoient pris leur pasture . . .
De l'autre part, fut la closture
D'un pré gracieux, où nature
Sema les fleurs sur la verdure,
Blanches, jaunes, rouges et perses.
D'arbres fleuris fut la çainture
Aussi blancs que se neige pure
Les couvroit: Ce sembloit paincture
Tant y ot de couleurs diverses!

Le ruissel, d'une sourse vive,
Descendoit de roche näyve,
Large d'environ une toise:
Si couroit par l'erbue rive,
Et au gravier qui lui estrive,
Menoit une tresplaisant noise.
Maint poissonnet, mainte vandoise
Vy là nager, qui se degoise
En l'eaue clere, nette et fine.
Si n'ay garde que je m'en voise
De là, mais largement me poise
Qu'il faille que si beau jour fine.

Tout au plus près, sur le pendant
De la montaigne en descendant,
Fut assis un joyeux bocage,
Qui au ruissel s'alloit tendant,
Et vertes courtines pendant
De ses branches sur le rivage.
Là hante maint oisel sauvage,
L'un vole, l'autre au ruissel nage,
Canes, ramiers, hérons, faisans:
Les cerfs paissoient par l'ombrage;

Et ces oisillons hors de cage,
Dieu sçait s'ils estoient taisans. . . .

Sy disoie à Amours: " Amours,
Pourquoy me faiz tu vivre en
    plours,
Et passer tristement mes jours,
Et tu donnes par-tout plaisance?
Tiens suis à durer à tousjours,
Et je trouve toutes rigours,
Plus de durtez, moins de secours,
Que ceulx qui aiment decevance.
J'ay pris en gré ma penitence,
Attendant la bonne ordonnance
De la belle qui a puissance
De moy mettre en meilleur party;
Mais je vois que faintise avance
Ceulx qui ont des biens abondance
Dont j'ay failly à l'espérance:
Ce n'est pas loyaulment party."

Ainsy mon cueur se guermentoit
De la grant douleur qu'il portoit
En ce plaisant lieu solitaire,
Où ung doulx ventelet ventoit,
Si sery qu'on ne le sentoit,
Fors que violette mieulx en flaire.
Là fut le gracïeux repaire
De ce que nature a pu faire
De bel et joyeux en esté.
Là n'avoit-il rien à refaire
De tout ce qu'il me pourroit plaire,
Fors que madame y eust esté. . . .

Églogue:

OF A ROYAL BIRTH
(Sur la naissance de François Dauphin, l'an 1517)
By Guillaume Cretin

En prés verdis, sous plaisante saulsoye,
Au long d'un fleuve, ainsi que l'œil haulsoye,
Vis arriver l'ancien franc berger,
Nommé Gallus, qui pour se héberger,
Fit accoustrer une chambre nattée,
D'arbres florits, où dame Galatée,
Noble bergere, avec lui prit séjour.

Le franc Gaultier y amena ce jour
S'amie Hélène, et pour leur couverture,
Un pavillon dresserent de verdure.
Vinrent aussi Menalcas, Palemon,
Paris de Troye, et l'amoureux Damon.
Pour y venir, nymphes, amadryades,
Et puis aussi nayades et dryades
Laisserent soin des forests et des eaux,
Et leurs palais de rameaux et rozeaux;
Firent entr'eux au gré de leurs ententes,
Beaux cabinets et ombrageuses tentes.
Là, sans débat, querelle, ou noise aucune,
Chacun choisit, pour danser, sa chacune;
Et quand on eut à loisir banqueté,
Dansé, sauté, couru et caquetté,
Le bon Gallus, pasteur d'expérience,
Requit avoir quelque temps audience.
Incontinent tous de lui s'approcherent,
Et sur belle herbe à monceaux se coucherent,
Afin d'entendre et promptement ouïr
Ce qui devoit la brigade esjouir.
Et sur ce point, sans faire autre prologue,
Fut mis avant ce petit dialogue:

Gallus

Pasteurs loyaux,
En ces jours beaux,
Je vous convie
A jeux nouveaux.
Priant Dieu, avant qu'on desvie,
Que le grant Pasteur ait envie
De garder des loups nos troupeaux.

Galatée

Bergeres franches,
Cueillez des branches
De lauriers verds;
Et à travers,
Rendez ouverts
Vos bras nudz, et poictrines blanches;
Car sous l'enfant gisant au bers,
Pourrez à l'endroit et envers,
Dormir jours ouvriers et dimanches.

Églogue:

Gallus

Tendres fillettes,
Fraiches, doulcettes,
Et de valeurs,
Chargez holletes
De violettes,
Feuilles et fleurs;
Délaissez pleurs,
Cris et douleurs,
Et ne craignez estre seulettes;
Reprenez habits de couleurs,
Puisqu'ainsi s'en vont nos malheurs;
Si je suis bien, ainsi vous l'estes.

Galatée

Tout florira,
Dont pérra
Pasle famine;
Peuple rira,
Bled cueillera,
Septier pour mine.
Aux champs floris,
Moutons chéris,
Seront nourris,
En cueillant vermeille framboise.
Plaise donc à tous bons esprits
Prier Dieu garder de périls
François Dauphin, natif d'Amboise.

Les mots ouïs de ces deux bonnes gens,
Francs pastoureaux furent fort diligens
De se lever; ensemble les bergeres
Monstrerent bien avoir jambes legeres;
Et lors tendant mains et testes aux cieux,
Genoux fléchis et les larmes aux yeux,
Dévotement tous et toutes crierent
A haute voix, Noël! et Dieu prierent
Que de sa grace il lui plust préserver
Le bel enfant qui leur vient d'arriver.

Dramatic verse:

THE MOURNING MOTHER

(Abridged and arranged from *La Passion*)

By Arnould Gréban

Nostre Dame

Mes bonnes dames, et mes sœurs,
Pour Dieu, dites moy vérité:
Où est mon enfant transporté?
J'erre de ruelle en ruelle,
Hélas! qui me dira nouvelle
De mon très benois filz Jhésus?

S. Jehan

Pour Dieu, ne m'interrogez plus,
Ne me demandez plus nouvelle,
Car mon cœur débat et sautelle,
Mes yeux pleurent, ma bouche
  plainct,
Et suis de douleur si contrainct,
Qu'à peine me puis soustenir.

Nostre Dame

A quel deuil, las! dois-je venir?
Ne me célez rien, je vous prie,
Car si jà l'heure est accomplie
Que mon fils doit mort endurer,
Plus ne doit mon cœur murmurer,
Autant de douleur soit espris.

S. Jehan

Ah! ma dame, mon maistre est pris,
Bafoué, insulté, meurtris,
Sans avoir l'ayde de personne:
On l'injurie et mot ne sonne;
On le lie et ses deux bras tend;
On le bat, point ne se défend;
On le mène, point ne rebelle,
Oncques prise si fort cruelle
Ne se fit sur l'homme mortel.

Nostre Dame

O Père puissant éternel,
En ceste douleur très amère,
Conforte la dolente mère
Que traites à tant de rigueur.

Magdeleine

Dame, dame, prenez bon cœur,
Ayez pensée plus haultaine
Que vostre affection humaine,
Car Dieu veult qu'ainsy se parfasse
Hault désir vostre deuil efface:
Contemplez les divins mystères
Enclos ès douleurs très amères
Que vostre cher enfant soutient.

Nostre Dame

D'obéïr à Dieu il convient
Tel deuil son hault vouloir amène.
Mais je suis femmelette humaine,
La plus simple de tout le monde
Où amour si très grand abonde
Envers mon filz que tant désire!
Merveille n'est si ne soupire,
Merveille n'est si mon cœur fend,
Et si Dieu fort ne me défend,
Je succomberai sous le faix.
Lorsque mes sens sont tant défaits
Je me vouldrai mettre en prière
Devant la divine lumière,
Pour qu'elle veuille nous sauver
Et mon cher enfant préserver.

(Cy se met Nostre Dame en prière, et
  cependant, harpent les harpeurs.)

O Dieu glorieux,
Père généreux,
O divine essence,

Dramatic verse:

> Qui de vostre doulce clémence,
> M'avez départi et donné
> Filz tant bienheureux,
> Filz tant précieulx,
> De haulte excellence,
> Or vous requiers pour sa défense
> Ne le laissez abandonné:
> C'est mon filz, mon unique né,
> Ce fut par la bonté divine
> Mon désir onc ne le requit
> N'oncques ne me réputai digne
> D'avoir un filz de si hault signe;
> Mais puisqu'à douleur il n'acquit,
> Puisqu'avec moult inquiétudes,
> L'élevai en sollicitudes,
> O père du ciel triomphant,
> Veuillez huy garder mon enfant
> De ceste gent dure et vilaine.

(Cy se départ Nostre Dame avec S. Jehan et les sainctes femmes. Et l'on entend là moult lointaine plaincte des âmes qui du Limbe, parvient jusqu'en la terre où va Jhésus, pour la rédemption des hommes, souffrir maint cruelles douleurs.)

Les âmes, *chantant*

> Quand viendras-tu, doulx Messias,
> Voir la peine qui nous abonde?

Aultres âmes

> Quand viendras-tu, Saulveur du monde,
> Nous apporter joie et soulas?

(Cy répondent par haineux refrains les diables à la plaincte des âmes.)

Les diables, *chantant*

> La dure mort éternelle,
> C'est la chanson des damnés;
> Bien nous tient à sa cordelle
> La dure mort éternelle;
> La dure mort éternelle
> C'est la chanson des damnés.

(Icy vient Nostre Dame au Calvaire avec Magdeleine et S. Jehan et s'advance vers la croix.)

Nostre Dame

Mon filz, mon filz, je vous veulx supplier,
Mon doulx enfant, mon bienheureux loyer,
Est-ce bien fait de sa mère oublier
    En tel manière?

Regardez-moy, filz, je vous fais prière;
Recognoissez vostre mère très chère
Qui, pour vous, faict si très doulente chère
    En pleurs piteux!

Jhesus, mon filz, mon enfant gracieulx,
Mon ornement, mon trésor précieulx,
Va-t-il falloir nous despartir tous deux?
    Que mort nous lie!

Tout un sommes, vous ne l'ignorez mie:
Un corps, un sang et une mesme vie
Par mesme mort requiert estre ravie,
    Ainsy sera:

Fasse la mort du pis qu'elle pourra,
Pende ton corps si hault qu'elle voudra,
Jà séparer de toi ne me sçaura;
    C'est chose vaine!

Si ton corps pend en ceste croix haultaine,
Mon âme y pend par pitié qui m'y mène,
Et n'as sur toi plaie tant soit grevaine
    Que je ne sente! . . .

Filz bienheuré, filz charmant, filz aimé,
Filz gracieulx de vertus animé,
De tous vivants mortel le mieux formé,
    O beauté pure,

Choix des humains, fleur de toute nature,
Riche joyau, parfaicte pourtraiture,
Regard tant doulx, très bénigne stature,
    Face sacrée,

Face adorable et d'amour esclairée,
Que te voilà, hélas! défigurée,
Blesme des yeulx, toute de sang pourprée,
    Est-ce donc vous? . . .

Dramatic verse:

Jhesus, mon filz, mon enffant gracieux,
Ma portee, mon trésor precieux,
Se fait ainsi le despart de nous deux?
          O despartie

A grief torment et douleur despartie,
Au desconffort et courroux de partie!
Mère du filz estre par Mort partie,
          Quel dur remort!

Filz, regardez ceste terrible Mort,
Ou, s'il vous fault par envye estre mort,
A tout le moins que nous mourons d'acort!
          Ainsi le vueil:

Filz, passez moi le désir de mon vueil.
Vivre sans vous ne me sera que dueil.
Mourir o vous jemès ne plains de dueil:
          Ce m'est a queste.

Ung corps, ung sang et une mesme vie
Par une mort requiert estre ravye:
Tout ung sommes, vous ne l'ignorez mie,
          Je le sçay bien.

Et ainsi pers mon trésor, ma richesse,
Se ceste mort vous surprent et me lesse.
Ha! rude Mort, tourne a moy ta rudesse;
          Fais tout onny,

Sans séparer ce qui est tant uny:
Ou laisse tout, assés il est pugny,
Ou prens mon filz et me happe avec luy,
          Je suis heureuse.

Choix des humains, fleur de toute nature,
Riche couleur, parfaicte pourtraiture,
Regard piteux, tres benigne stature,
          Face sacree,

Face luysant, franchement figuree,
Es tu ce la si tres desfiguree,
Blesme des yeux, tout de sang pourpuree,
          Dur entremès?

Filz, es tu ce, je ne te congnoy mès,
Qui vas mourant?　Ne t'adviengne jamès!
En croix te rendz, à la mort te submès,
　　　　Sans desservir.

Hélas! mon filz, je retourne vers vous.
Voiez mon dueil, mon tristable courroux,
Et de vos yeux tant précieux et doulx
　　　　Regardez celle

Qui vous conceut pure vierge et pucelle,
Qui vous nourrit de sa tendre mamelle,
Donnez regard à sa douleur mortelle . . .
　　　　O mon Jhesus!

Longer poems in couplets:

THE LAY OF THE HARP

(from *Le Dit de la harpe*)

By GUILLAUME DE MACHAUT

Je puis trop bien ma dame comparer
A la harpe et son gent corps parer
De vint de cinq cordes que la harpe a,
Dont roys David par maintes fois harpa.
Et vraiement, qui aimme de la harpe
Le tresdous son et sagement en harpe
Et le grant bien des cordes en harpant,
Trop mieus le pris que d'or fin un arpent.
Et pour itant vueil aprendre a harper
Et ma dame en chantant löer; car per
De grant douceur en ce monde n'a point:
Pour ce li puis comparer bien a point,
Si qu'un dous lay, que j'ay fait, harperay
Com cils qui ja d'amours n'eschaperay,
Qu'amez ou mors ne soie sans deport.
La seront mis et sont tuit mi deport,
Passer n'en puis n'issir par autre porte,
Quelque grace que fortune m'aporte.
Et s'amez sui, j'aray tresbonne part
Des biens qu'amours aus amoureus depart.
Et se j'y muir, mon ame en portera
Li dieus d'amours et s'en deportera
Et tuit amant me tenront pour martyr,
Pour bien amer loiaument sans partir.

Longer poems in couplets:

Si que je puis legierement prouver
Qu'on ne porroit pas instrument trouver
De si plaisant ne de si cointe touche
Quant blanche main de belle et bonne y touche,
Ne qu'en douceur a elle se compere;
Vesci comment je vueil bien qu'il appere.
    Quant Orphëus, le pöete devin,
Fist sacrefice, ou il n'ot point de vin,
Einsois le fist de tor ou de ginisce
A Jupiter pour s'amie Erudice,
Qu'il la vosist deffendre de la mort
Pour le serpent qui en talon la mort —
Mais ne volt pas consentir son respas
Li dieus, einsois ala plus que le pas
Droit en enfer aveques Proserpine,
Que d'enfer fu la dame et la röine —
Li pöetes qui de fin cuer l'ama
Aprés sa mort forment la reclama.
Il prist sa harpe et bien l'a acordee,
Si s'en ala en l'orrible valee,
N'il n'arresta tant qu'il vint a la porte
Des infernaus; la trop se desconforte
Pour s'amie qu'il a einsi perdue.
La de harper doucement s'esvertue
Le lay mortel a la porte d'enfer;
Mais n'i ot huis ne fenestre de fer,
Porte, barre, verrueil ne serrëure,
Tant fust forte, ne diverse, ne dure,
Qui ne s'ouvrist au dous son de la harpe.
Les infernaus ne prisoit une sarpe,
Qu'o sa harpe si doucement chanta
Que les tourmens d'enfer si enchanta
Que les ames nuls tourmens ne sentirent,
Quant le dous son de sa harpe entröirent.
Pluto, Floron, Cerberus, Lucifer,
Qui estoient quatre des dieus d'enfer,
Et Proserpine a li si attrëi
Que hors d'enfer Erudice trëi.
    Il s'en revint de la en Siconie,
Et la harpa par si grant melodie
Que les arbres leurs comes abaissoient
Pour li öir et ombre li faisoient,
Et des oisiaus et des bestes sauvages
Faisoit donter les orguilleus corages,

En escoutant le dous son de sa lire.
Encor vueil je plus grant merveille dire:
Il fist aussi retourner les rivieres
Mervilleuses, grandes, fortes et fieres.
Or me querés instrument qui ce face
Ne ou il ait tant douceur et tant grace.
Il n'est ouvriers qui le scëust ouvrer,
N'on n'en porroit nulle part recouvrer.

    Phebus, uns dieus de moult haute puissance,
Avoit la harpe en si grant reverence
Que chans nouviaus ja ne li eschapast,
Qu'en la harpe ne jouast ne harpast.
Par dessus tous instrumens le prisoit
Et envers li tous autres desprisoit.

    Quant roys David voloit apaisier l'ire
De Dieu le pere, il acordoit sa lire
Et la faisoit sonner si doucement
Et li prioit si tresdevotement
Que li grans Dieus son ire rapaisoit
Pour l'orison David qui li plaisoit.
Et quant li sons de la harpe est plaisans
A Dieu, bien doit estre cois et taisans
Tous instrumens, quant on la vuet sonner
Et on la fait doucement resonner.

THE ART OF LOVE

(from *Le Dit dou lyon*)

By Guillaume de Machaut

Apres des dames vous diray,
Puis que commencié a dire ay,
Comment elles se chevissoient
De ceaus qui si tresbien savoient
Requerir, flater, losangier
Et leurs paroles arrengier.
Aucunes en y avoit d'elles
Qui savoient tours et cautelles
Et faindre si tresproprement
Qu'il cuidoient certainnement,
Meinte fois, qu'elles les amassent
La ou penser ne le deingnassent,
N'il ne pooient de parler
Tant savoir, ne de bas voler,
Qu'il ne fussent d'elles rusé,
Acornadi et amusé;
Car on doit ruser les ruseurs,

Qui puet, et moquer les moqueurs,
Les mauvais häir et blamer
Et les amans loyaus amer.
    Les autres savoient congnoistre,
Fust seculers ou fust de cloistre,
Li quels pensoit a fausseté
Et li quels voloit loyauté, —
Nom pas chascune vraiement;
Car li mauvais si sagement
En leur folour se gouvernoient
Qu'aucune fois amé estoient,
Et aucune fois li loial
Avoient pour l'amoureus mal
Joie, guerredon et merite,
Et li faus mauvais ypocrite
Estoient d'elles sans pité
Laidangiér, häi, despité.

Longer poems in couplets:

S'en y avoit qui renoier
Le jouster, ne le tournoier,
Le dancier ne le caroler
Ne pooient, ne le baler,
Mais si forment se delitoient
Qu'en tous lieus ou elles estoient
Ne leur chaloit d'autres reviaus,
Tant fust estranges ne nouviaus;
Et vosissent que leurs amis
A ç'ordené fussent et mis
Que pour honneur ne pour vaillance
Ne partissent de ceste danse,
Et qu'einsi usassent leur vie,
Sans avoir d'autre honneur envie.
    Les autres toutes leurs plaisences
Avoient et leurs souvenances
En ceaus qui cerchoient les guerres
Par toutes les estranges terres.
Comment que samblant n'en fëissent
Et que po souvent les vëissent,
N'estoient il pas mis en puer,
Mais bien amé dou bon dou cuer,
Sans villonnie et sans folour,
Pour leur bien et pour œur valour.
Quar quant on les tenoit pour tels
Qu'ils estoient en fais mortels,
Es batailles et es assaus
Fiers, hardis, puissans et vassaus,
Sans riens doubter ne ressongnier
Qui fust, eins s'aloient baignier
En sanc, en süeur, en cerveles,
Tels ouevres leur estoient belles;
C'estoit tout ce qu'elles voloient,
Autre chose ne demandoient.
Et je m'i acort, car sans faille
Trop mieus vaut le grain que la paille.
    L'autre faisoit un chapelet
Et entre gieu et gabelet,
Quant il estoit fais, le donnoit

A celui qui l'arraisonnoit
Et requeroit d'avoir s'amour,
Ja fust einsi que la clamour
N'en parvenist a ses oreilles
Et qu'autre part fëist ses veilles
Ses cuers qui gueres n'i pensoit,
Mais a tant de li se passoit.
    L'autre le paissoit de regart
Ou d'estre améz n'avoit regart,
Et ainssi le tenoit, espoir,
Tout son temps en ce fol espoir.
L'autre l'apaissoit d'un dous ris,
Qui tant li estoit signoris
Que parmi le cuer le poingnoit.
L'autre le doi li estraingnoit;
L'autre li marchoit sus le pié,
Nom pas en samblant de congié,
Mais en signe de retenue,
Comment que de s'amour fust nue.
L'autre parloit moult doucement
A li pour son adoucement;
L'autre li faisoit bonne chiere
Et dous samblant de cuer ariere.
Einsi moustroient les pluseurs
Faus samblant a leurs requereurs,
Car pour ce qu'elles se doubtoient
D'estre rusees, les rusoient
Et leur donnoient a entendre
Que merci devoient attendre,
Et que leur cuer estoient sien
Comment qu'il ne leur en fust rien.
Mais toutes pas teles n'estoient,
Car maintes dames le faisoient
Einsi comme Amours le devise,
Sans mal engien et sans feintise,
De fin cuer loial, sans meffaire,
Dous, humble, courtois, debonnaire,
Par franche liberalité
Et de fine pure amité.

GENOA'S LAMENT

(from *La Conqueste de Gênes*)

By Jean Marot

Les elemens me font maux innombrables;
Mer me soutient guerres inexpugnables;
Le feu me brusle et chasteaux et maisons;
Terre engloutit mes gens morts miserables;
L'air corrompu me vomit ses poisons.
La corde au col, le glaive sur la gorge,
Petite autant qu'un grain de mil ou d'orge,
Vaincue, helas! pasle, blesme, adolée,
De désespoir quasi toute affolée,
Contrainte fus d'ouvrir au roy ma porte —
Oncques vivant n'y entra de la sorte.
    O lasches cœurs, effeminés enfans,
N'avez-vous point souvenance et mémoire
Comme Priam fit gestes triomphans?
Si l'on vous dit que Grecs eurent victoire,
Troyens occis, leur ville mise en cendre,
Ce n'est rien dit; car il est tout notoire
Qu'en souffrant mort, ont acquis plus de gloire
Que vous, sauvants la vie par vous rendre.
    A droit dirois que belles insensibles
Ont plus de cœur que vous et hardement;
Car de leurs dents et leurs griffes terribles,
Vont défendant leurs cavernes horribles,
Et les oiseaux leurs nids pareillement;
Le chien couard encor communement,
Sur son fumier se monstre fier et rude.
Bestes ainsi nous disent hautement
Qu'on doit s'armer pour vivre franchement,
Et que mieux vaut la mort que servitude.

Poetic prose:

THE YOUNG PARIS AND THE NYMPHS [1]

By Jean le Maire de Belges

Paris Alexandre, tout lassé de la course d'un cerf lequel il avoit longue-ment suivy en la forest Ida à cor et à cry, et en le poursuivant s'estoit eslongné de ses compaignons, s'endormit en l'ombre des lauriers tousjours

---

[1] The passage is taken from the first book of the *Illustrations de Gaule et singularitez de Troye*, Chap. XXIIII (Paris edition, 1513). This page of

verdoyans, aupres d'une fontaine nommee Creusa, laquelle est au fons d'une plaisant valee des montaignes Idees; la ou le fleuve Xanthus ou Scamander prent son origine.　La delectation du val plaisant et solitaire et l'amenité du lieu coy, secret et taciturne avec le doulx bruit des cleres undes argentines partans du roch exciterent le beau Paris à sommeiller et s'estendre sur l'herbe espesse et drue et sur les flourettes bien flairans, faisant chevet du piéd du rochier et ayant son arc et son carquois soubz son bras dextre. Apres ce qu'il eut pris le doulx repos de nature recreant les labeurs des hommes, il s'esveilla; et, à son reveil, en estendant ses fortz bras et torchant ses beaulx yeulx clers comme deux estoilles, getta son regard en circumference.　Si vit tout à l'entour de lui ung grand nombre de belles nymphes, gentilles et gratieuses fees, qui le regardoient par grand attention.　Mais si tost qu'elles l'aperceurent remouvoir et entrebriser sa plaisant somnolence, toutes ensemble en ung mouvement disparurent et tournerent en fuitte.

Adoncq Paris tout esmerveillé et transmué d'une vision si nouvelle se dressa sur piedz en sursault, et d'ung grand zele ardant se print à courir apres elles si treslegierement qu'il ne sembloit point fouler l'herbe de ses plantes.　Et tant fit, qu'il en rataignit une legierement fuyant, de laquelle les cheveulx aureins voletoient en l'air par dessus ses espaules.　Si la retint doulcement par les plys undoyans de sa robe gentille et lui dist humblement en ceste maniere: " O deesse specieuse, quelque tu soyes, ou nom de la clere Dyane, plaise à ta grace et courtoisie demourer un petit (saulve ta bonne paix) et me vouloir dire quelle est l'assemblee de ces nobles nymphes, que j'ay presentement veues.　Car oncques nulle chose ne desiray tant sçavoir que ceste cy."　Lors la gracieuse nymphe qui se sentit arestee, se retourna promptement et d'une chiere semblable à coursee, lui dist ainsi: " Quelle hardiesse te meut, o jeune adolescent Royal? ne de quelle fiance presumestu de mettre la main aux nymphes (qui sont demy deesses) en leur faisant violence?　Je te prie, deporte toy de telle oultrageuse temerité et nous laisse aller franches et liberees par l'exemple de ceulx à qui il en est autrefois mescheur."

Le noble enfant Paris Alexandre, quand il ouyt la nymphe ainsi parler imperieusement et haultainement, tout craintif et plain de tremeur, s'enclina en terre, comme estonné et moictié ravy tant de sa merveilleuse eloquence come de sa souveraine beaulté et la voulut adorér come une deesse celeste.

---

poetic prose from the work which exercised such an influence on Ronsard and his *Franciade* is worth inclusion to show the grounds of the admiration of the Pléiade poets for Jean Molinet's gifted disciple and nephew.

ANTHOLOGY B
FRENCH RENAISSANCE GENRES OF VERSE

AS THE preceding anthology furnishes the poems (1328–1539) necessary to illustrate the Arts de Seconde Rhétorique (1370–1539), so this one provides those needed to exemplify the successive definitions of the genres in the Arts Poétiques (1544–1630). The two anthologies are obviously interrelated, as references from one to the other show. The discussion of the various poets and genres in the text is detailed, so that information in regard to any of them can be readily found by consulting the Index.

As with the earlier Anthology, it was necessary in this one to establish a kind of hierarchy of the poetic genres in relation to the central purpose of the study. Some genres require, in the opinion of the writer, fuller representation than others if their evolution in relation to the theory concerning them is to be properly understood. In Anthology A the ballade, rondeau, and various types of poems in lyrical strophes were given especial prominence. In Anthology B the short forms especially popular in the first half of the century (épigramme, épitaphe, dizain), the sonnet, the ode, and related lyrical forms, are given the most ample development. Longer forms, such as the hymne, the élégie, the satire, the épître, the discours, and the églogue, could not be so fully exemplified in the limited space at disposal. For dramatic verse and for the epic a few typical lines from the chief exponents of those genres must suffice.

The poets represented under these genres, arranged chronologically, are:

Mellin de Saint-Gelays (1490–1558)
Marguerite de Navarre (1492–1549)
Antoine Héroët (1492–1568)
Clément Marot (1496–1544)
Estienne Dolet (1509–46)
Bonaventure des Périers (1510–44)
Maurice Scève (1510–64)

Charles de Sainte-Marthe (1512–55)
Pernette du Guillet (1520–45)
Pontus de Tyard (1521–1603)
Joachim du Bellay (1522–1660)
Pierre de Ronsard (1525–85)
Marc-Claude de Buttet (1525?–87?)
Louise Labé (1526–66)
Jacques Tahureau (1527–55)
Rémy Belleau (1528–77)
Estienne de la Boétie (1530–63)
Estienne Jodelle (1532–73)
Jean-Antoine de Baïf (1532–89)
Robert Garnier (1534–90)
Jean Passerat (1534–1602)
Scévole de Sainte-Marthe (1536–1623)
Jean Vauquelin de la Fresnaye (1536–1606)
Jacques Grévin (1540–70)
Amadis Jamyn (1540–93)
Jean de la Taille (1540–1611)
Guillaume du Bartas (1544–90)
Philippe Desportes (1546–1606)
Estienne Tabourot (1547–90)
Théodore Agrippa d'Aubigné (1550–1630)
Jean Bertaut (1552–1611)
Henri de Bourbon, roi de France (1553–1610)
Gilles Durant (1554–1615)
François de Malherbe (1555–1628)
Michel Guy de Tours (1562?–1611?)
Mathurin Régnier (1573–1613)
Antoine de Montchrestien (1575–1621)
Jean Ogier de Gombauld (1576–1660)
Jean-Baptiste Chassignet (1578–1635)
François Maynard (1582–1642)
Honorat de Racan (1589–1670)
Théophile de Viau (1590–1626)
Marc-Antoine de Saint-Amant (1594–1661)

The genres and subgenres, in order of their appearance, as indicated at the left of pages, are:

Épigramme	Ode (Horatian, Anacreontic, Sapphic)
Épitaphe	Baiser
Dizain	Blason
Sonnet	Idillie
Chanson	Stance
Chansonette en vers mesurés	Villanesque and villanelle
Chanson spirituelle	Sextine
Cantique	Chapitre in terza rima
Psaume	Hymne
Noël	Chanson lamentable
Pindaric ode	Élégie

Fable	Discours
Coq-à-l'asne	Églogue
Satire	Dramatic verse
Épître	Epic verse
Élégie-épître	

The English titles prefixed to the poems (a device already used in Anthology A) are added to facilitate the ready comparison of poems, in the same or different genres dealing with similar material. Cross-references, though fewer than in Anthology A (where, as much of the material is seldom read, they therefore seemed of more value), give further help for comparative examination.

The Poems

Épigrammes:

TO ONE IN PARADISE

(*Épigrammes*, XXV)[1]

By Clément Marot

Si jamais fut un paradis en terre,
Là où tu es, là est-il sans mentir:
Mais tel pourroit en toy paradis querre,
Qui ne viendroit fors à peine sentir.
Non toutesfoys qu'il s'en doit repentir;
Car heureux est qui souffre pour tel bien.
Donques celuy que tu aymerois bien,
Et qui receu seroit en si bel estre,
Que seroit-il? Certes je n'en sçais rien,
Fors qu'il seroit ce que je voudrois estre.

THE "LIEUTENANT CRIMINEL" MAILLART AND SAMBLANÇAY

(*Épigrammes*, XL)

By Clément Marot

Lors que Maillart, juge d'enfer, menoit
A Montfaulcon Samblançay l'ame rendre,
A vostre advis, lequel des deux tenoit
Meilleur maintien? Pour le vous faire entendre:
Maillart sembloit homme qui mort va prendre,
Et Samblançay fut si ferme vieillart
Que l'on cuydoit, pour vray, qu'il menast pendre
A Montfaucon le lieutenant Maillart.

[1] See pp. 435–436, note 2.

Épigrammes:

THE ABBÉ AND HIS VALET

(*Épigrammes*, XLIII)

By CLÉMENT MAROT

Monsieur l'abbé et monsieur son valet
Sont faictz egaulx tous deux comme de cire:
L'ung est grand fol, l'aultre petit folet;
L'ung veult railler, l'aultre gaudir et rire:
L'ung boit du bon, l'aultre ne boit du pire;
Mais un debat, au soir, entre eulx s'esmeut
Car maistre abbé toute la nuit ne veult
Estre sans vin, que sans secours ne meure,
Et son valet jamais dormir ne peult
Tandis qu'au pot une goutte demeure.

TO THE QUEEN OF NAVARRE

(*Épigrammes*, LXXXIX)

By CLÉMENT MAROT

Mes creanciers qui de dizain n'ont cure
Ont leu le vostre, et sur ce leur ay dit:
" — Sire Michel, sire Bonaventure,
" La sœur du Roy a pour moy faict ce dict."
Lors eulx, cuydans que fusse en grand credit
M'ont appelé Monsieur à cry et cor;
Et m'a valu vostre escript autant qu'or.
Car promis ont, non seulement d'attendre,
Mais d'en prester, foy de marchant, encor,
Et j'ay promis, foy de Clement, d'en prendre.

CUPID DECEIVED

(*Épigrammes*, CIII)

By CLÉMENT MAROT

Amour trouva celle qui m'est amere,
(Et je y estois, j'en sçay bien mieulx le compte).
" — Bon jour, dit-il, bon jour, Venus ma mere."
Puis tout à coup il veoit qu'il se mescompte,
Dont la couleur au visage luy monte
D'avoir failly, honteux, Dieu sçait combien.
" — Non, non, Amour, ce dy je, n'ayez honte;
" Plus clersvoyans que vous s'y trompent bien."

THE DREAM
(*Épigrammes*, CXIII)
By Clément Marot

Anne, ma sœur, d'ont me vient le songer
Qui toute nuict par devers vous me maine?
Quel nouvel hoste est venu se loger
De dans mon cueur, et tousjours s'i pourmaine?
Certes je croy (et ma foy n'est point vaine)
Que c'est un Dieu. Me vient-il consoler?
Ha! c'est Amour; je le sens bien voler.
Anne, ma sœur, vous l'avez faict mon hoste,
Et le sera, me deust il affoler,
Si celle la qui l'y mist ne l'en oste.

ANNE AT THE SPINET
(*Épigrammes*, CXX)
By Clément Marot

Lors que je voy en ordre la brunette
Jeune, en bon poinct, de la ligne des dieux,
Et que sa voix, ses doigtz, et l'espinette
Meinent un bruyct doulx et melodieux,
J'ay du plaisir, et d'oreilles, et d'yeulx,
Plus que les sainctz en leur gloire immortelle:
Et autant qu'eulx je deviens glorieux,
Dès que je pense estre un peu aymé d'elle.

TO ANNE
(*Épigrammes*, CXXVII)
By Clément Marot

Puisqu'il vous plaist entendre ma pensée
Vous la sçaurez, gentil cœur gracieux:
Mais, je vous pry, ne soyez offensée,
Si en pensant suis trop audacieux,
Je pense en vous et au fallacieux
Enfant Amour, qui par trop sottement
A faict mon cœur aymer si haultement;
Si haultement, helas! que de ma peine
N'ose esperer un brin d'allegement,
Quelque doulceur de quoy vous soyez pleine.

Épigrammes:

TO THE KING OF NAVARRE
(*Épigrammes*, CXL)
By Clément Marot

Mon second Roy, j'ay une hacquenée
D'assez bon poil, mais vieille comme moy,
A tout le moins long temps a qu'elle est née,
Dont elle est foible et son maistre en esmoy.
La povre beste, aux signes que je voy,
Dict qu'à grant peine ira jusqu'à Narbonne;
Si vous voulez en donner une bonne,
Sçavez comment Marot l'acceptera?
D'aussi bon cueur comme la sienne il donne
Au fin premier qui la demandera.

TO A LADY WHO LOVED HIM UNSEEN
(*Épigrammes*, CLXXVII)
By Clément Marot

Ains que me veoir, en lisant mes escripts,
Elle m'ayma, puis voulut veoir ma face;
Si m'a veu noir, et par la barbe gris,
Mais pour cela ne suis moins en sa grace.
O gentil cueur, nymphe de bonne race,
Raison avez, car ce corps jà grison
Ce n'est pas moy, ce n'est que ma prison;
Et aux escriptz dont lecture vous feistes,
Vostre bel œil, à parler par raison,
Me veit trop mieux qu'a l'heure que me veistes.

A WILLING SERVITOR
(*Épigrammes*, CCVIII)
By Clément Marot

Plus ne suis ce que j'ay esté,
Et ne le sçaurois jamais estre;
Mon beau printemps et mon esté
On fait le saut par la fenestre.
Amour, tu as esté mon maistre:
Je t'ai servi sur tous les dieux.
O si je pouvois deux fois naistre,
Comme je te servirois mieulx!

TO ONE WHO REGRETTED HIS YOUTH
(*Épigrammes*, CCX)
By Clément Marot

Pourquoi voulez vous tant durer,
Ou renaistre en fleurissant aage,
Pour pecher et pour endurer?
Y trouvez-vous tant d'avantage?
Certes, celuy n'est pas bien sage,
Qui quiert deux fois estre frappé;
Et veut repasser un passage
Dont il est à peine eschappé.

MARTIAL TO MAROT
(*Épigrammes*, CCXVII)
By Clément Marot

Marot, voici, si tu le veux sçavoir,
Qui faict à l'homme heureuse vie avoir:
Successions, non biens acquis à peine,
Feu en tout temps, maison plaisante et saine,
Jamais procès, les membres bien dispos,
Et au dedans un esprit à repos;
Contraire à nul, n'avoir aucuns contraires;
Peu se mesler des publiques affaires,
Sage simplesse, amis à soy pareilz,
Table ordinaire et sans grands appareilz;
Facilement avec toutes gens vivre,
Nuict sans nul soing, n'estre pas pourtant yvre;
Femme joyeuse, et chaste neantmoins;
Dormir qui fait que la nuit dure moins;
Plus haut qu'on n'est ne vouloir point attaindre;
Ne desirer la mort ny ne la craindre:
Voilà, Marot, si tu le veux sçavoir,
Qui faict à l'homme heureuse vie avoir.

THE STOLEN KISS
(*Épigrammes*, CCLXI)
By Clément Marot

Vous vous plaignez de mon audace,
Qui ai pris de vous un baiser,
Sans en requerir vostre grace;
Venez vers moy vous appaiser:

Épigrammes:

> Je ne vous iray plus baiser
> Sans vostre congé, vu qu'ainsi
> Il vous deult de ce baiser-cy,
> Lequel, si bien l'ay osé prendre,
> N'est pas perdu: Je suis icy
> En bon vouloir de vous le rendre.

TO CLÉMENT MAROT [1]

By Mellin de Saint-Gelays

> Gloire et regret des poëtes de France,
> Clement Marot, ton ami Sainct-Gelais,
> Autant marri de la longue souffrance,
> Comme ravi de tes doux chants et lais,
> Te fait savoir par un de ses valets
> Comme en son mal et amour il se porte:
> Deux accidens de bien contraire sorte!
> Desirant fort tes nouvelles avoir,
> En attendant que la personne forte
> De l'un de nous l'autre puisse aller voir.

TO A BORE

By Mellin de Saint-Gelays

> Tu te plains, amy, grandement
> Qu'en mes vers j'ay loué Clement
> Et que je n'ay rien dit de toy.
> Comment veux tu que je m'amuse
> A louer ny toy ny ta muse;
> Tu le fais cent fois mieux que moy.

TO AN ASTROLOGER

By Mellin de Saint-Gelays

> Maistre Jean Thibaut va jurant
> Qu'il n'est ny fol ny esventé
> Et encores moins ignorant,
> Et qu'il a tout seul inventé
> L'escrit qu'un autre s'est vanté
> D'avoir faict du tourner des cieux.

[1] See pp. 436–437, note 3.

Maistre Jean Thibaut faites mieux,
Donnez-luy le livre et l'estoffe,
Et l'on tiendra vostre envieux
Pour un tres mauvais Philosophe.

FILTHY LUCRE

By Mellin de Saint-Gelays

Dy moi, ami, que vaut-il mieux avoir,
Beaucoup de biens ou beaucoup de savoir?
Je n'en say rien; mais les savans je voy
Faire la Cour à ceux qui ont de quoy.

THE FICKLE CHARLES–QUINT

By Mellin de Saint-Gelays

Un Espaignol, entrant dedans Paris,
Vit les grands arcs, que l'on avoit dressés
Pour l'Empereur, presque cheus et peris,
Et des ouvriers et d'eux mesdit assez.
Lors dit quelqu'un: — Ne vous esbahissez
Si chose foible a eu peu de durée.
L'estoffe fust à la foy mesurée,
D'un Empereur qui se va communant;
Et s'il l'eust eue entiere et asseurée,
On lui eust faict ouvrage de durée,
De marbre dur, voire de diamant.

THE SIRENS

By Mellin de Saint-Gelays

Par l'ample mer, loing des ports et arenes
S'en vont nageant les lascives Sirenes,
En desployant leurs cheveleures blondes,
Et de leur voix plaisantes et sereines,
Les plus hauts mats et plus basses carenes
Font arrester aux plus mobiles ondes,
Et souvent perdre en tempestes profondes;
Ainsi la vie à nous si delectable,
Comme Sirene affectée et muable,
En ses douceurs nous enveloppe et plonge,
Tant que la Mort rompe aviron et cable,
Et puis de nous ne reste qu'une fable,
Un moins que vent, ombre, fumée et songe.

Épigrammes:

TO A VERY FRIGID LADY [1]
By Mellin de Saint-Gelays

Quand le printemps commence à revenir,
Retournant l'an en sa premiere enfance,
Un doux penser entre en mon souvenir,
Du temps heureux que ma jeune ignorance
Cueillit les fleurs de sa verde esperance;
Puis quand le ciel ramene les longs jours
Du chaut Esté, j'apperçoy que tousjours
Avec le temps s'allume le desir,
Qui seulement ne me donne loisir
D'aviser l'ombre et mes passés sejours;
Puis quand Automne apporte le plaisir
De ses doux fruicts, helas! c'est la saison,
Où de pleurer j'ay le plus de raison;
Car mes labeurs ne l'ont jamais congnue
Mais seulement, en ma triste prison,
L'hiver extreme ou l'Esté continue.

TO CLÉMENT MAROT OF HIS MANY DEBTS
By Marguerite de Navarre

Si ceulx à qui devez comme vous dites,
Vous cognoissoient comme je vous congnois,
Quitte seriez des debtes que vous feistes
Au temps passé, tant grandes que petites,
En leur payant un Dizain toutefoys,
Tel que le vostre, qui vault mieux mille foys
Que l'argent deu par vous, en conscience:
Car estimer on peult l'argent au poix;
Mais on ne peult (et j'en donne ma voix)
Assez priser votre belle science.

TO CLÉMENT MAROT
By Charles de Sainte-Marthe

Il fut un bruit, ô Marot, qu'estois mort,
Et ce faulz bruit un menteur asseura.
L'un d'un costé, se plaignoit de la Mort
Faisant regret qui longuement dura.

[1] By "l'automne et ses beaux fruits" Mellin means the time of enjoyment. He knows but two seasons: summer, symbol of his ardor; winter, symbol of the coldness of his inhuman lady.

L'aultre, par vers piteux la deplora,
Gettant souspirs de dur gemissement.
Moy, de grand dueil plorant amerement,
Duquel estoit ma triste Ame saisie,
Las, dys je, mort est nostre Amy Clement?
Morte donq' est Françoise Poësie.

TO THE BARON DU BARTAS [1]

By Jean-Antoine de Baïf

Bartas, ose, vantard, en sa longue sepmaine,
Le chaos debrouiller, mais, estonnant les sots,
De ses vers haut tonnants, bouffis d'enflure vaine,
Il a, plus que devant, rebrouillé le chaos.

POETS AND FOOLS

By Scévole de Sainte-Marthe

Je confesse bien comme vous,
Que tous les poëtes sont fous:
Mais puisque poëte vous n'estes,
Tous les fous ne sont pas poëtes.

OLD AGE [2]

By Scévole de Sainte-Marthe

J'ay passé mon printems, mon esté, mon automne;
Voicy le triste hyver qui vient finir mes voeux;
Desja de mille vents le cerveau me bouillonne;
J'ay la face ridée et la neige aux cheveux.

D'un pas douteux et lent, à trois pieds je chemine,
Appuyant d'un baston mes membres languissans,
Mes reins n'en peuvent plus, et ma debile eschine
Se courbe peu à peu, sous le faix de mes ans.

Une morne froideur sur mes nerfs espanchée,
Engourdit tous mes sens, desormais curieux,
D'un glaçon endurci j'ai l'oreille bouchée,
Et porte en un estuy la force de mes yeux.

Mais bien que la jeunesse en moy ne continue,
Dieu, fais que ton amour me conserve le cœur!
Autant que de mon sang la chaleur diminue,
Daigne de mon esprit augmenter la vigueur.

[1] This épigramme has also been attributed to Ronsard.
[2] This lyric on old age is oddly called an épigramme.

Épigrammes:

> Que sert de prolonger une ingrate vieillesse,
> Pour regarder sans fruit la lumiere du jour?
> Heureux qui sans languir en si longue vieillesse,
> Retourne de bonne heure au celeste sejour!

WISDOM OR FOLLY

By Estienne Tabourot

> Un pauvre pitaut de village
> Tout esbahi me demandoit
> Un seigneur quel homme c'estoit;
> Car il lui sembloit au visage
> Qu'il estoit homme comme nous:
> Amy, dis-je, il est davantage;
> Car s'il est fol, il nous perd tous,
> Et nous rend heureux, s'il est sage.

THE LITTLE VOLUME

By Estienne Tabourot

> Un envieux me blasme et dit
> Que ce volume est trop petit;
> Mais j'aurois un plaisir bien grand,
> Si chascun en disoit autant.

THE FOUNTAIN

By François de Malherbe

> Voy-tu, passant, couler ceste onde,
> Et s'écouler incontinent?
> Ainsi fuit la gloire du monde,
> Et rien que Dieu n'est permanent.

MINOR AUTHORS

By Jean Ogier de Gombauld

> On vous donne le privilege,
> Petits auteurs, on vous protege,
> Et souvent on vous fait du bien:
> N'en déplaise aux pouvoirs supresmes,
> Les ouvrages ne valent rien
> S'ils ne se protegent eux-mesmes.

TO A CRITIC

By Jean Ogier de Gombauld

Vous lisez les œuvres des autres
Plus négligemment que les vostres,
Et vous les louez froidement.
Voulez-vous qu'elles soient parfaictes?
Imaginez-vous seulement
Que c'est vous qui les avez faictes.

A YOUNG MAN ESTEEMED HAPPY

By Jean Ogier de Gombauld

Il se dit noble, il a sa terre;
Il ne va jamais à la guerre;
Il fait visite, il la reçoit;
Il roule, et pour tous exercices,
Il chasse, il joue, il mange, il boit:
Sont-ce des vertus, ou des vices?

MISERS

By Jean Ogier de Gombauld

Admirez les bontés, admirez les tendresses
De ces vieux esclaves du sort:
Ils ne sont jamais las d'acquérir des richesses
Pour ceux qui souhaitent leur mort.

THE ITCH TO WRITE

By Jean Ogier de Gombauld

Chacun s'en veut mesler; et pour moy je m'estonne
De voir tant d'escrivains, et si peu de lecteurs;
Je ne sçay quel espoir abuse mille auteurs:
Tel pense escrire à tous qui n'escrit à personne.

THE VEIL OF ŚILENCE

By François Maynard

Ce que ta plume produit
Est couvert de trop de voiles;
Ton discours est une nuit
Veufve de lune et d'estoilles.

Épigrammes:

> Mon ami, chasse bien loin
> Ceste noire rhétorique;
> Tes ouvrages ont besoin
> D'un devin qui les explique.

> Si ton esprit veut cacher
> Les belles choses qu'il pense,
> Dy-moi qui peut t'empescher
> De te servir du silence.

PEGASUS
By François Maynard

> Un rare escrivain comme toy
> Devroit enrichir sa famille
> D'autant d'argent que le feu roy
> En avoit mis en la Bastille:
> Mais les vers ont perdu leur prix,
> Et pour les excellens esprits
> La faveur des princes est morte;
> Malherbe, en cet âge brutal,
> Pégase est un cheval qui porte
> Les grands hommes à l'hospital.

FOR TOMORROW WE DIE!
By François Maynard

> Amy, prenons le verre en main!
> Buvons, le temps nous y convie:
> Et que savons-nous si demain
> Est un des jours de nostre vie?

> La mort nous guette; et quand ses lois
> Nous ont enfermés une fois
> Au sein d'une fosse profonde,

> Adieu bons vins et bons repas:
> Apprends que l'on ne trouve pas
> Des cabarets en l'autre monde.

Épitaphes:

" CIMETIÈRE " FOR CATHERINE BUDÉ
By Clément Marot

Mort a ravy Catherine Budé;
Cy gist le corps: helas! qui l'eust cuydé?
Elle estoit jeune, en bon poinct, belle et blanche,
Tout cela chet comme fleurs de la branche.
N'y pensons plus. Voyre mais, du renom
Qu'elle merite, en diray je rien? Non:
Car du mary les larmes, pour le moins,
De sa bonté sont suffisans tesmoings.

FOR GUILLAUME BUDÉ
By Mellin de Saint-Gelays

Qui est ce corps que si grand peuple suit?
Las, c'est Budé au cercueil estendu.
Que ne font donc les clochers plus grand bruit?
Son nom sans cloche est assez espandu.
Que n'a l'on plus en torches despendu
Suivant la mode accoustumée et sainte?
Afin qu'il soit par l'obscur entendu
Que des François la lumiere est esteinte.

FOR QUEEN MARGUERITE DE NAVARRE
By Antoine Héroët

Si la Mort n'est que separation
D'Ame et de corps, et que la congnoissance
De Dieu s'acquiert par elevation
D'Esprit, laissant corporelle aliance,
Entre la mort et vie difference
De Marguerite aulcune ne peut estre,
Sinon que, morte, ha parfaicte science
De ce que, vive, eust bien voulu congnoistre.

FOR PERNETTE DU GUILLET
By Maurice Scève

L'heureuse cendre aultrefois composee
En un corps chaste, où vertu reposa,
Est en ce lieu par les Grâces posee,
Parmy ces os, que Beaulté composa.

Épitaphes:

O terre indigne! en toy son repos a,
Le riche Estuy de celle Ame gentille,
En tout sçavoir sur tout aultre subtile,
Tant que les Cieulx, par leur trop grande envie,
Avant ses jours l'ont d'entre nous ravie,
Pour s'enrichir d'un tel bien mecongneu:
Au Monde ingrat laissant honteuse vie,
Et longue mort à ceulx qui l'ont congneu.

FOR DELIA, DEAD

By Maurice Scève

Beaulté mortelle icy en vain souspire,
Puis que la Mort le corps soubdain ravit
Mais Vertu vive, et qui jamais n'empire,
Comme l'Esprit au Ciel, en terre vit.

FOR CLÉMENT MAROT

By Joachim du Bellay

Si de celuy le tumbeau veux sçavoir,
Que de Maro avoit plus que le nom,
Il te convient tous les lieux aller voir
Ou France a mis le but de son renom.
Qu'en terre soit, je te respons que non,
Au moins de luy c'est la moindre partie.
L'ame est au lieu d'ou elle estoit partie.
Et de ses vers, qui ont domté la mort,
Les Seurs luy ont sepulture batie
Jusques au ciel. Ainsi, LA MORT N'Y MORD.

FOR A LOVED SISTER [1]

By Pierre de Ronsard

Icy les os reposent d'une Dame
De qui le Ciel se réjouïst de l'ame:
Le corps mortel en poudre est converty.
Sous le Tombeau que son frere a basty
Vous qui passez faites à DIEV priere
Que ceste tombe à ses os soit legere.

[1] This is the épitaphe of Loyse de Mailly, Abbesse de Caën. The delicate sentiment of Ronsard's memorial poem should be noted. The épitaphe was

Les roses et les lis puissent tomber du Ciel
A jamais sur ce marbre: & les mouches à miel
Puissent à tout jamais y faire leur ménage,
Et le laurier sacré a jamais face ombrage
Aux Manes de ce corps dessous ce marbre enclos,
Et la tombe à jamais soit legere à ses os.

    Passant, marche plus loin, ce marbre ne regarde:
Ma cendre n'est icy: mon frere me la garde
Enclose en sa poitrine, et son cœur pour vaisseau
Retient en luy mes os, et me sert de tombeau.

TO MY SOUL [1]

By PIERRE DE RONSARD

    Amelette Ronsardelette,
Mignonnelette, doucelette,
Treschere hostesse de mon corps,
Tu descens là bas foiblelette,
Pasle, maigrelette, seulette,
Dans le froid Royaume des mors:
Toutefois simple, sans remors
De meurtre, poison, ou rancune,
Méprisant faveurs et tresors
Tant enviez par la commune.
    Passant, j'ay dit, suy ta fortune,
Ne trouble mon repos, je dors.

FOR MY TOMB

By PIERRE DE RONSARD

    Ronsard repose icy, qui hardy des l'enfance
Détourna d'Helicon les Muses en la France,
Suivant le son du Luth et les traits d'Apollon:
Mais peu valut sa Muse encontre l'eguillon
De la mort, qui cruelle en ce tombeau l'enserre.
Son ame soit à Dieu, son corps soit à la terre.

---

not necessarily a serious lyric genre. Marot and various other poets sometimes used the name for satiric poems memorializing some unworthy subject.
Marot's serious poems of this type are called cimetières.

[1] A poem inspired by the Latin poem composed by the Emperor Hadrian
just before his death, according to the *Life of Hadrian*, by Aelius Spartianus:

    Animula vagula, blandula,
    Hospes, comesque corporis,
    Quae nunc abitis in loca?
    Pallidula, rigida, nudula,
    Nec, ut soles, dabis jocos.

Épitaphes:

FOR FRANÇOIS RABELAIS

By Jean-Antoine de Baïf

O Pluton, Rabelais reçoi,
Afin que toy, qui es le roy
De ceux qui ne rient jamais,
Tu ais un rieur désormais.

FOR AN ATHEIST

By Estienne Tabourot

J'ay vescu sans ennuy, je suis mort sans regret,
Je ne suis plaint d'aucun, n'ayant pleuré personne;
De savoir où je vais, c'est un autre secret:
J'en laisse le discours aux docteurs de Sorbonne.

NAKED I CAME INTO THE WORLD

By Estienne Tabourot

Nud du ciel je suis descendu,
Et nud je suis sous ceste pierre;
Donc pour estre venu sur terre
Je n'ay ni gagné ni perdu.

FOR THE POET HIMSELF

By Jean Passerat

Jean Passerat icy sommeille
Attendant que l'Ange l'esveille:
Et croit qu'il se resveillera
Quand la trompette sonnera.
S'il faut que maintenant en la fosse je tombe,
Qui ay toujours aimé la paix et le repos,
Afin que rien ne poise à ma cendre, à mes os,
Amis, de mauvais vers ne chargez point ma tombe!

FOR THE POET JACQUES TAHUREAU

By Jean Vauquelin de la Fresnaye

Mon Tahureau mignardelet,
La Parque, fatale deesse,
Rompit de tes ans le filet

Au bel esté de ta jeunesse,
Sçachant que toujours tu vivrois,
Et que jamais tu ne mourrois,
Si tu parvenois en vieillesse.

FOR THE POET PIERRE DE RONSARD

By JEAN VAUQUELIN DE LA FRESNAYE

Ronsard, Tours te bastit fidelle
Un tombeau: sçais-tu bien pourquoy?
Afin que tu vives par elle,
Et qu'elle vive aussi par toy.

FOR THE POET HIMSELF

By MATHURIN RÉGNIER

J'ay vescu sans nul pensement,
Me laissant aller doucement
A la bonne loy naturelle,
Et ne sçaurois dire pourquoy
La mort daigna songer à moy,
Qui n'ay daigné penser à elle.

Dizains:

TO DELIA

(*Délie*, I)[1]

By MAURICE SCÈVE

L'Œil trop ardent en mes jeunes erreurs
Girouettoit, mal cault, a l'impourveue:
Voicy (ô paour d'agreables terreurs)
Mons Basilisque, avec sa poingnant veue
Perçant Corps, Cœur, et Raison despourveue,
Vint penetrer en l'Ame de mon Ame.
Grand fut le coup, qui sans tranchante lame
Fait, que vivant le Corps, l'Esprit desire,
Piteuse hostie au conspect de toy, Dame,
Constituée Idole de ma vie.

[1] See pp. 437–438, note 4.

Dizains:

THE DIVINE IDEAS
(*Délie*, II)
By Maurice Scève

Le Naturant par ses haultes Idées
Rendit de soy la Nature admirable.
Par les vertus de sa vertu guidées
S'esvertua en œuvre esmerveillable.
Car de tout bien, voyre es Dieux desirable,
Parfeit un corps en sa perfection,
Mouvant aux Cieulx telle admiration,
Qu'au premier œil mon ame l'adora,
Comme de tous la delectation
Et de moy seul fatale Pandora.

IN APRIL
(*Délie*, VI)
By Maurice Scève

Libre vivois en L'Avril de mon aage,
De cure exempt soubz celle adolescence,
Ou l'œil, encor non expert de dommage,
Se veit surpris de la doulce presence,
Qui par sa haulte et divine excellence
M'estonna l'Ame, et le sens tellement
Que de ses yeulx l'archier tout bellement
Ma liberté luy a toute asservie:
Et des ce jour continuellement
En sa beaulté gist ma mort, et ma vie.

THE IDEA OF THE BEAUTIFUL
(*Délie*, VII)
By Maurice Scève

Celle beaulté, qui embellis le Monde
Quand nasquit celle en qui mourant je vis,
A imprimé en ma lumiere ronde
Non seulement ses lineamentz vifz:
Mais tellement tient mes espritz raviz,
En admirant sa mirable merveille,
Que presque mort, sa Deité m'esveille,
En la clarté de mes desirs funebres,
Ou plus m'allume, et plus, dont m'esmerveille,
Elle m'abysme en profondes tenebres.

THE IDEA OF THE GOOD
(*Délie*, XXIII)
By Maurice Scève

Seule raison, de la Nature loy,
T'a de chascun l'affection acquise.
Car ta vertu de trop meilleur alloy,
Qu'Or monnoyé, ny aultre chose exquise,
Te veult du Ciel (ô tard) estre requise,
Tant approchante est des Dieux ta coustume.
Doncques en vain travailleroit ma plume
Pour t'entailler à perpetuité:
Mais ton sainct feu, qui à tout bien m'allume,
Resplendira à la posterité.

THE DIVINE WILL
(*Délie*, XXXIII)
By Maurice Scève

Tant est Nature en volenté puissante,
Et volenteuse en son foible povoir,
Que bien souvent a son vueil blandissante,
Se voit par soy grandement decevoir.
A mon instinct je laisse concevoir
Un doulx souhait, qui, non encor bien né,
Est de plaisirs nourry, et gouverné,
Se poussant puis de chose plus haultaine;
Lors estans creu en desir effrené,
Plus je l'attire et plus à soy m'entraine.

DELIA'S NAME
(*Délie*, LIX)
By Maurice Scève

Taire, ou parler soit permis à chascun,
Qui libre arbitre à sa voulenté lye.
Mais s'il advient, qu'entre plusieurs quelqu'un
Te die: Dame, ou ton Amant se oblye,
Ou de la Lune il fainct ce nom Delie
Pour te monstrer, comme elle, estre muable:
Soit loing de toy tel nom vituperable,
Et vienne à qui un tel mal nous procure.
Car je te cele en ce surnom louable,
Pour ce qu'en moy tu luys la nuict obscure.

Dizains:

DISARMAMENT
(*Délie*, LXXIV)
By MAURICE SCÈVE

Dans son jardin Venus se reposoit
Avec Amour, sa douce nourriture,
Lequel je vy, lorsqu'il se deduisoit
Et l'aperçus semblable à ma figure:
Car il estoit de tres basse stature,
Moy tres petit: luy pasle, moy transi.
Puisque pareilz nous sommes donc ainsi
Pourquoy ne suis second Dieu d'amitié?
Las! je n'ay pas l'arc et les traitz aussi
Pour esmouvoir ma Maistresse à pitié.

DAYBREAK
(*Délie*, LXXIX)
By MAURICE SCÈVE

L'Aulbe estaingnoit Estoilles à foison,
Tirant le jour des regions infimes,
Quand Apollo montant sur l'Orison
Des montz cornuz doroit les haultes cymes.
Lors du profond des tenebreux Abysmes,
Ou mon penser par ses fascheux ennuys
Me fait souvent percer les longues nuictz,
Je revoquay à moy l'ame ravie:
Qui dessechant mes larmoyantz conduictz,
Me feit cler veoir le Soleil de ma vie.

LOST ARROWS
(*Délie*, LXXXIX)
By MAURICE SCÈVE

Amour perdit les traictz qu'il me tira,
Et de douleur se print fort à complaindre;
Venus en eut pitié, et souspira,
Tant que par pleurs son brandon feit esteindre:
Dont aigrement furent contrainctz de plaindre,
Car l'Archier fut sans traict, Cypris sans flamme.
Ne pleure pas, Venus: mais bien enflamme
La torche en moy, mon cœur l'allumera:
Et toy, Enfant, cesse: va vers ma Dame,
Qui de ses yeux tes fleches refera.

DARK VESPER
(*Délie*, CXXXIII)
By Maurice Scève

Le Vespre obscur à tous le jour clouit
Pour ouvrir l'Aulbe aux limbes de ma flamme;
Car mon desir par ta parolle ouyt
Qu'en te donnant à moy, tu m'estois Dame.
Lors je sentis distiller en mon ame
Le bien du bien, qui tout aultre surmonte.
Et neantmoins, asses loing de mon compte,
Pitié te feit tendrement proferer
Ce doulx nenny, qui flamboyant de honte,
Me promit plus qu'onc n'osay esperer.

THE FISH
(*Délie*, CCXXI)
By Maurice Scève

Sur le Printemps, que les Aloses montent,
Ma Dame et moy sautons dans le batteau,
Ou les Pescheurs entre eulx leur prise comptent,
Et une en prent: que sentant l'air nouveau,
Tant se debat, qu'en fin se saulve en l'eau,
Dont ma Maistresse et pleure et se tourmente.
— Cesse, luy dy-je, il fault que je lamente
L'heur du Poisson que n'as sceu attraper,
Car il est hors de prison vehemente,
Où de tes mains ne peuz onc eschapper.

SOLITUDE
(*Délie*, CCLXII)
By Maurice Scève

Je vois cherchant les lieux plus solitaires
De desespoir et d'horreur habitez
Pour de mes maulx les rendre secretaires,
Maulx de tout bien, certes, desheritez,
Qui de me nuire, et aultruy usitez,
Font encor paour, mesme à la solitude,
Sentant ma vie en telle inquietude,
Que plus fuyant et de nuict, et de jour
Ses beaulx yeulx sainctz, plus loing de servitude
A mon penser sont icy doulx sejour.

Dizains:

DEATH
(*Délie*, CCLXIV)
By MAURICE SCÈVE

La Mort pourra m'oster et temps, et heure,
Voire encendrir la mienne arse despouille:
Mais qu'elle face, en fin que je ne vueille
Te desirer, encor que mon feu meure?
Si grand povoir en elle ne demeure,
Tes fiers desdaingz, toute ta froide essence,
Ne feront point, me nyant ta presence,
Qu'en mon penser audacieux ne vive,
Qui, maulgré Mort, et maulgré toute absence,
Te represente à moy trop plus, que vive.

THE BEAUTIFUL IMAGE
(*Délie*, CCLXXV)
By MAURICE SCÈVE

Pour m'incliner souvent à celle Image
De ta beaulté esmerveillable Idée,
Je te presente autant de foys l'hommage,
Que toute loy en faveur decidée
Te peult donner. Parquoy ma foy guidée
De la raison, qui la me vient meurant,
Soit que je sorte, ou soye demeurant,
Reveramment, te voyant, te salue,
Comme qui offre, avec son demeurant
Ma vie aux piedz de ta haulte value.

BEAUTY, GRACE, VIRTUE
(*Délie*, CCCVI)
By MAURICE SCÈVE

Ta beaulté fut premier et doulx Tyran
Qui m'arresta tres violentement;
Ta grace apres, peu à peu m'attirant,
M'endormit tout en son enchantement:
Dont assoupy d'un tel contentement
N'avois de toy, ni de moy connoissance.
Mais ta vertu, par sa haulte puissance,
M'esveilla lors du sommeil paresseux,
Auquel Amour, par aveugle ignorance,
M'espovantoit de maint songe angoisseux.

CUPID AND THE LADY
(*Délie*, CCCXXVII)
By MAURICE SCÈVE

Delie aux champs troussée et accoustrée,
Comme un Veneur s'en alloit esbatant.
Sur le chemin d'Amour fut rencontrée,
Qui partout va jeunes Amants guettant,
Et luy a dit, pres d'elle volletant:
" Comment vas-tu sans armes à la chasse? "
" N'ay-je mes yeulx, dit-elle, dont je chasse,
Et par lesquelz j'ay maint gibbier surpris?
Que sert ton arc qui rien ne te pourchasse,
Vu mesmenent que par eux je t'ay pris? "

DELIA'S TEARS
(*Délie*, CCCXLII)
By MAURICE SCÈVE

Quand quelquesfoys d'elle à elle me plaings,
Et que son tort je luy fais recongnoistre,
De ses yeulx clers d'honnestes courroux plains
Sortant rosée en pluye vient à croistre,
Mais comme on voit le Soleil apparoistre
Sur le Printemps parmy l'air pluvieux,
Le Rossignol, à chanter curieux,
S'esgaye alors, ses plumes arousant:
Ainsi Amour aux larmes de ses yeulx
Ses ailes baigne, à gré se reposant.

DELIA'S LUTE
(*Délie*, CCCXLIV)
By MAURICE SCÈVE

Leuth resonnant, et le doulx son des cordes,
Et le concent de mon affection,
Comment ensemble unyment tu accordes
Ton harmonie avec ma passion:
Lorsque je suis sans occupation
Si vivement l'esprit tu m'exercites
Qu'ores à joye, ore à dueil tu m'incites
Par tes accordz, non aux miens ressemblantz.
Car plus, que moy, tes maulx tu luy recites,
Correspondant à mes souspirs tremblantz.

Dizains:

THE FULL MOON
(*Délie*, CCCLXV)
By Maurice Scève

La Lune au plein par sa clarté puissante
Rompt l'espaisseur de l'obscurité trouble,
Qui de la nuict, et l'horreur herissante,
Et la paour pasle ensemble nous redouble:
Les desvoyez alors met hors de trouble,
Où l'incertain des tenebres les guide.
De celle ainsi, qui sur mon cœur preside,
Le doulx regard à mon mal souverain
De mes douleurs resoult la nue humide,
Me conduisant en son joyeux serain.

DELIA'S RETURN
(*Délie*, CCCLXVII)
By Maurice Scève

Asses plus long, qu'un Siecle Platonique
Me fut le moys, que sans toy suis esté:
Mais quand ton front je revy pacifique,
Sejour treshault de toute honnesteté,
Ou l'empire est du conseil arresté
Mes songes lors je creus estre devins.
Car en mon corps: mon Ame, tu revins,
Sentant ses mains, mains celestement blanches,
Avec leurs bras mortellement divins
L'un coronner mon col, l'aultre mes hanches.

THE WHITE DAWN
(*Délie*, CCCLXXVIII)
By Maurice Scève

La blanche Aurore à peine finyssoit
D'orner son chef d'or luisant, et de roses,
Quand mon Esprit, qui du tout perissoit
Au fons confus de tant diverses choses,
Revint à moy soubz les custodes closes
Pour plus me rendre envers Mort invincible.
Mais toy, qui as (toy seule) le possible
De donner heur à ma fatalité,
Tu me seras la Myrrhe incorruptible
Contre les vers de la mortalité.

THE HOLY FLAME
(*Délie*, CCCCXLIX)
By Maurice Scève

Flamme si saincte en son cler durera,
Tousjours luysante en publique apparence,
Tant que ce Monde en soy demeurera,
Et qu'on aura Amour en reverence.
Aussi je voy bien peu de difference
Entre l'ardeur, qui noz cœurs poursuyvra,
Et la vertu, qui vive nous suyvra
Oultre le Ciel amplement long, et large.
Nostre Genevre ainsi doncques vivra
Non offensé d'aulcun mortel Letharge.

Sonnets:

TO A LADY IN HEAVEN [1]
By Clément Marot

Le premier jour que trespassa la belle,
Les purs espritz, les anges precieux,
Sainctes et sainctz, citoyens des haultz cieulx
Tout esbahis vindrent a l'entour d'elle.

Quelle clarté, quelle beauté nouvelle,
Ce disoient ilz, apparoist à noz yeulz?
Nous n'avons veu du monde vicieux
Montez ça hault encor une ame telle.

Elle, contente avoir changé demeure,
Se parangonne aux anges d'heure a heure,
Puis coup à coup derriere soy regarde

Si je la suy: il semble qu'elle attend;
Dont mon desir ailleurs qu'au ciel ne tend,
Car je l'oy bien crier que trop je tarde.

I CALL THE HILLS TO WITNESS
By Mellin de Saint-Gelays

Voyant ces monts de veue ainsi lointaine,
Je les compare à mon long desplaisir:
Haut est leur chef et haut est mon desir,
Leur pied est ferme et ma foi est certaine.

[1] See p. 438, note 5.

Sonnets:

D'eux maint ruisseau coule et mainte fontaine,
De mes deux yeux sortent pleurs à loisir;
De forts souspirs ne me puis dessaisir,
Et de grands vents leur cime est toute pleine.

Mille troupeaux s'y promènent et paissent;
Autant d'amours se couvent et renaissent
Dedans mon cœur, qui seul est ma pasture;

Ils sont sans fruict, mon bien n'est qu'aparence;
Et d'eux à moy n'a qu'une difference,
Qu'en eux la neige, en moy la flamme dure.

MY LADY'S WHIMS
By Mellin de Saint-Gelays

Il n'est pas tant de barques à Venise,
D'huistres à Bourg, de lievres en Champagne,
D'ours en Savoye, et de veaux en Bretaigne,
De cygnes blancs le long de la Tamise,

Ne tant d'Amours se traitant en l'eglise,
De differents aux peuples d'Alemaigne,
Ne tant de gloire à un seigneur d'Espaigne,
Ne tant se trouve à la Cour de feintise,

Ne tant y a de monstres en Afrique,
D'opinions en une republique,
Ne de pardons à Romme aux jours de feste,

Ne d'avarice aux hommes de pratique,
Ne d'argumens en une Sorbonique,
Que m'amie a de lunes en la teste.

IN PRAISE OF FOLLY [1]
By Bonaventure des Périers

Hommes pensifz, je ne vous donne à lire
Ces miens devis si vous ne contraignez
Le fier maintien de voz frons rechignez:
Icy n'y ha seulement que pour rire.

---

[1] Concerning this poem Arthur Tilley, *The Literature of the French Renaissance* (2 vols., Cambridge, England, University Press, 1904), I, 130–131,

Laissez à part vostre chagrin, vostre ire
Et vos discours de trop loing desseignez.
Une autre fois vous serez enseignez.
Je me suis bien contrainct pour les escrire.

J'ay oublié mes tristes passions,
J'ay intermis mes occupations.
Donnons, donnons quelque lieu à folie,

Que maugré nous ne nous vienne saisir,
Et en un jour plein de melancholie
Meslons au moins une heure de plaisir.

CONTEMPLATION

(*Les Erreurs amoureuses*, I, v)

By Pontus de Tyard

Quand je m'eslieve en contemplation,
M'esmerveillant de ce divin visage,
Saint et divin, contre mortel usage,
Fait au pourtrait de la perfection,

Soudain l'ardeur de serve passion,
(Serve à l'object du plus servil hommage)
Me prosternant aux piedz de cette image,
Fond mon desir tout en devotion.

Alors j'adore en telle humilité
Ce saint seul Dieu de ma felicité
Lequel tousjours devotement je prie:

Que mon las cœur mourant à son service,
Pour aggreable et plaisant sacrifice,
S'offre aux autelz de mon idolatrie.

---

notes: "In the year 1558, fourteen years after Des Périers' death, a Lyons publisher, named Jean Granjon, brought out a collection of ninety tales under the title of *Les Nouvelles Recréations et Joyeux Devis de feu Bonaventure Des Périers*. The world, he says in his address to the reader, would have been deprived of the volume but for the diligence of a certain virtuous person. This 'virtuous person' was almost certainly Jacques Peletier. The *au lecteur* is followed by a sonnet which in its intensity of feeling, firmness of execution, and general modernity of tone is most remarkable. If, as there is no sufficient reason to doubt, it is by the hand of Des Périers and therefore written before the year 1544, it is all the more remarkable, for nothing like it had yet appeared in the whole of French poetry."

Sonnets:

THE INCARNATE IDEA [1]

(*Les Erreurs amoureuses*, III, iv)

By Pontus de Tyard

Pere divin, sapience eternelle,
Commencement et fin de toute chose,
Ou en pourtrait indeleble repose
De l'Univers, l'Idee universelle:

Voy de tes Raiz la plus belle estincelle,
Qui soit ça bas en corps humain enclose,
Que la trop fiere impiteuse Parque ose
Tirer du clos de sa cendre mortelle.

Donq de mon feu pourra la flame claire,
Qui à vertu heureusement m'esclaire,
Me delaisser en tenebreuse plainte?

Ah non, plustost pleuve la cruauté
Du ciel sur moy, que voir celle clarté
De mon Soleil, avant son soir esteinte.

TO SLEEP

(*Sonnets d'amours*, vi)

By Pontus de Tyard

Pere du doux repos, Sommeil, pere du songe,
Maintenant que la nuit, d'une grande ombre obscure,
Faict à cet air serain humide couverture,
Viens, Sommeil desiré, et dans mes yeux te plonge.

Ton absence, Sommeil, languissamment alonge,
Et me faict plus sentir la peine que j'endure.
Viens, Sommeil, l'assoupir et la rendre moins dure,
Viens abuser mon mal de quelque doux mensonge.

Ja le muet Silence un esquadron conduit
De fantosmes ballans dessous l'aveugle nuict,
Tu me dedaignes seul qui te suis tant devot!

[1] Pontus de Tyard's sonnet sequence, *Les Erreurs amoureuses*, appeared in the same year as *L'Olive* of Du Bellay (1549). Book I was written in 1548, but published, it is claimed by some, slightly before Du Bellay's *Deffence*. Books II and III appeared in 1551 and 1553, respectively.

Viens, Sommeil desiré, m'environner la teste,
Car d'un vœu non menteur un bouquet je t'appreste
De la chere morelle, et de ton cher pavot.

MOODS [1]
(Sonnet VIII)
By Louise Labé

Je vis, je meurs; je me brusle et me noye;
J'ay chaut estresme en durant froidure;
La vie m'est et trop molle et trop dure;
J'ay grans ennuis entremeslez de joye.

Tout à un coup je ris et je larmoye,
Et en plaisir maint grief tourment j'endure;
Mon bien s'en va, et à jamais il dure;
Tout en un coup je seiche et je verdoye.

Ainsi Amour inconstamment me meine;
Et quand je pense avoir plus de douleur,
Sans y penser je me treuve hors de peine.

Puis, quand je croy ma joye estre certeine
Et estre au haut de mon desiré heur,
Il me remet en mon premier malheur.

I DREAM OF THEE
(Sonnet IX)
By Louise Labé

Tout aussitot que je commence à prendre
Dens le mol lit le repos desiré,
Mon triste esprit hors de moy retiré
S'en va vers toy incontinent se rendre.

Lors m'est avis que dedens mon sein tendre,
Je tiens le bien où j'ay tant aspiré,
Et pour lequel j'ay si haut souspiré,
Que de sanglots ay souvent cuidé fendre.

[1] See p. 439, note 6.

Sonnets:

O dous sommeil, ô nuit à moy heureuse!
Plaisant repos, plein de tranquilité,
Continuez toutes les nuiz mon songe;

Et si jamais ma povre ame amoureuse
Ne doit avoir de bien en verité,
Faites au moins qu'elle en ait en mensonge.

THE BLOND LOVER
(Sonnet X)
By Louise Labé

Quand j'aperçoys ton blond chef, couronné
D'un laurier vert, faire un lut si bien pleindre
Que tu pourrois à te suivre contreindre
Arbres et rocs; quand je te vois, orné

Et de vertus dix mile environné,
Au chef d'honneur plus haut que nul ateindre,
Et des plus hauts les louenges esteindre,
Lors dit mon cœur en soy passionné,

" Tant de vertus qui te font estre aymé,
Qui de chacun te font estre estimé,
Ne te pourroient aussi bien faire aymer?

" Et, ajoutant à ta vertu louable
Ce nom encor de m'estre pitoyable,
De mon amour doucement t'enflamer? "

TO HER LUTE
(Sonnet XII)
By Louise Labé

Lut, compagnon de ma calamité,
De mes soupirs témoin irreprochable,
De mes ennuis controlleur veritable,
Tu as souvent avec moy lamenté.

Et tant le pleur piteus t'a molesté,
Que, commençant quelque sort delectable,
Tu te rendois tout soudain lamentable,
Feignant le ton que plein avoit chanté.

Et si tu veus efforcer au contraire,
Tu te destens et si me contreins taire;
Mais, me voyant tendrement soupirer,

Donnant faveur à ma tant triste pleinte,
En mes ennuis me plaire suis contreinte,
Et d'un dous mal douce fin esperer.

EMBRACEMENT
(Sonnet XIII)
By Louise Labé

Oh! si j'estois en ce beau sein ravie
De celui là pour lequel vois mourant;
Si avec lui vivre le demeurant
De mes cours jours ne m'empêchoit envie;

Si m'accolant, me disoit: " Chère amie,
Contentons-nous l'un l'autre," s'asseurant
Que jà tempeste, Euripe, ne courant,
Ne nous pourra desjoindre en nostre vie;

Si de mes bras le tenant acollé,
Comme du lierre est l'arbre encercelé,
La mort venoit, de mon aise envieuse,

Lors que souef plus il me baiseroit,
Et mon esprit sur ses levres fuiroit,
Bien je mourrois, plus que vivante heureuse!

WHILE LOVE LASTS
(Sonnet XIV)
By Louise Labé

Tant que mes yeus pourront larmes espandre,
A l'heur passé avec toy regretter;
Et qu'aus sanglots et soupirs resister
Pourra ma voix, et un peu faire entendre;

Tant que ma main pourra les cordes tendre
Du mignart lut, pour tes graces chanter;
Tant que l'esprit se voudra contenter
De ne vouloir rien fors que toy comprendre;

Sonnets:

Je ne souhaitte encore point mourir:
Mais, quand mes yeus je sentiray tarir,
Ma voix cassée, et ma main impuissante,

Et mon esprit en ce mortel sejour,
Ne pouvant plus montrer signe d'amante;
Priray la Mort noircir mon plus cler jour.

THE KISS
(Sonnet XVIII)
By Louise Labé

Baise m'encor, rebaise-moy et baise;
Donne m'en un de tes plus savoureus;
Donne m'en un de tes plus amoureus;
Je t'en rendray quatre plus chaus que braise.

Las, te pleins-tu? Ça, que ce mal j'apaise,
En t'en donnant dix autres doucereus.
Ainsi meslans nos baisers tant heureus
Jouissons-nous l'un de l'autre à nostre aise.

Lors double vie à chacun en suivra;
Chacun en soy et son ami vivra.
Permets m'Amour penser quelque folie:

Tousjours suis mal, vivant discrettement,
Et ne me puis donner contentement
Si hors de moy ne fay quelque saillie.

SHIPWRECK
(Sonnet XX)
By Louise Labé

Predit me fut que devois fermement
Un jour aymer celui dont la figure
Me fut descrite, et, sans autre peinture,
Le reconnus quand vy premierement.

Puis, le voyant aymer fatalement,
Pitié je pris de sa triste aventure,
Et tellement je forçay ma nature
Qu'autant que luy aimay ardentement.

Qui n'ust pensé qu'en faveur devoit croitre
Ce que le Ciel et destins firent naitre?
Mais quand je voy si nubileus aprets,

Vents si cruels et tant horrible orage,
Je crois qu'estoient les infernaus arrets
Qui de si loin m'ourdissoient ce naufrage.

MARTYRDOM
(Sonnet XXIII)
By Louise Labé

Las! que me sert que si parfaitement
Louas jadis et ma tresse dorée,
Et de mes yeus la beauté comparée
A deus soleils, dont Amour finement

Tira les trets, causes de ton tourment?
Où estes-vous, pleurs de peu de durée?
Et mort par qui devoit estre honorée
Ta ferme amour et itiré serment?

Donques c'estoit le but de ta malice
De m'asservir sous ombre de service?
Pardonne-moy, Ami, à cette fois,

Estant outrée et de despit et d'ire;
Mais je m'assur', quelque part que tu sois,
Qu'autant que moy tu soufres de martire.

LOVE IS A FLAMING FIRE
(Sonnet XXIV)
By Louise Labé

Ne reprenez, Dames, si j'ay aymé;
Si j'ay senti mile torches ardentes,
Mile travaus, mile douleurs mordantes:
Si en pleurant j'ay mon tems consumé,

Las! que mon nom n'en soit par vous blasmé
Si j'ay failli, les peines sont presentes;
N'aigrissez point leurs pointes violentes:
Mais estimez qu'Amour, à point nommé,

Sonnets:

Sans votre ardeur d'un Vulcan excuser,
Sans la beauté d'Adonis acuser,
Pourra, s'il veut, plus vous rendre amoureuses:

En ayant moins que moy d'ocasion,
Et plus d'estrange et forte passion;
Et gardez-vous d'estre plus malheureuses.

INSPIRATION
(*Les Souspirs*, I)
By OLIVIER DE MAGNY

Quel feu divin s'alume en ma poitrine
Quelle fureur me vient ore irriter?
Et mes esprits sainctement agiter
Par les rayons d'une flamme divine?

Ce petit Dieu de qui la force insigne
Sur les grans dieux se peut exerciter,
Viendroit-il bien dans mon ame exciter
Cette chaleur d'immortalité digne?

C'est luy c'est luy qui souffle ceste ardeur,
Car ja desja je fleure sa grandeur
Me bienheurant d'une nouvelle vie.

Sus donc, sus donc prophanes hors d'icy,
Voicy le dieu, je le sens, le voicy,
Qui de fureur m'a ja l'ame ravye.

BLESSEDNESS
(*Les Souspirs*, XIX)
By OLIVIER DE MAGNY

Bien heureux soit le jour, et le mois et l'année,
La saison et le temps, et l'heure, et le moment,
Le pays et l'endroit ou bienheureusement
Ma franche liberté me feut emprisonnée.

Bien heureux l'astre au ciel d'ou vient ma destinée,
Et bien heureux l'ennuy que j'euz premierement,
Bien heureux aussi l'arc, le traict et le tourment
Et la playe que j'ay dans le cœur assenée.

Bien heureux soient les criz que j'ay gettés au vent,
Le nom de ma maistresse appelant si souvent,
Et bien heureux mes pleurs, mes souspirs et mon zele,

Bien heureux le papier que j'emplis de son loz,
Bien heureux mon esprit qui n'a point de repos
Et mon penser aussi qui n'est d'autre que d'elle.

THE HAPPY FARMER
(*Les Souspirs*, XXXIIII)
By OLIVIER DE MAGNY

Bien heureux est celuy qui, loing de la cité,
Vit librement aux champs dans son propre heritage,
Et qui conduyt en paix le train de son mesnage,
Sans rechercher plus loing aultre felicité.

Il ne sçait que veult dire avoir necessité.
Et n'a point d'autre soing que de son labourage,
Et si sa maison n'est pleine de grand ouvrage,
Aussy n'est il grevé de grande adversité.

Ores il ante un arbre et ores il marye
Les vignes aux ormeaux, et ore en la prairie
Il desbonde un ruisseau pour l'herbe en arouzer:

Puis au soir il retourne, et souppe à la chandelle
Avecques ses enfants et sa femme fidelle,
Puis se chauffe ou devise et s'en va reposer.

THE POET AND CHARON [1]
(*Les Souspirs*, LXIIII)
By OLIVIER DE MAGNY

Magny
Hola, Charon, Charon, Nautonnier infernal!
Charon
Qui est cet importun qui si pressé m'appelle?
Magny

---

[1] This curious and not unsuccessful use of the sonnet as a dialogue, by Louise Labé's lover and the inspirer of her poems, is noteworthy. It excited great admiration at the court of Henri II and many musicians of the time rivaled one another in attempting musical settings. Magny's merit as a poet has been too little appreciated. Like Du Bellay he possessed the lyric, elegiac, and satiric notes.

Sonnets:

C'est l'esprit eploré d'un amoureux fidelle,
Lequel pour bien aimer n'eust jamais que du mal.
   Charon
Que cherches-tu de moy?
   Magny
        Le passaige fatal.
   Charon
Quel est ton homicide?
   Magny
       O demande cruelle!
Amour m'a fait mourir.
   Charon
       Jamais dans ma nasselle
Nul subget à l'amour je ne conduis à val.
   Magny
Et de grâce, Charon, reçois-moy dans ta barque.
   Charon
Cherche un autre nocher, car ny moy ny la Parque
N'entreprenons jamais sur ce maistre des Dieux.
   Magny
J'iray donc maugré toy; car j'ay dedans mon âme
Tant de traicts amoureux, et de larmes aux yeux,
Que je seray le fleuve, et la barque et la rame.

GRATITUDE

(*Les Souspirs*, XLIX)

By Olivier de Magny

O bien heureuse nuict, à moy plus douce et chere
Que ne me fust onc cher le jour le plus luysant,
Tu m'as faict si content d'un si joly present,
Qu'il ne sera jamais que je ne te revere.

Tu pouvois bien mon heur plus long tens satisfaire,
Mais tu ne pouvois pas le faire plus plaisant,
Dont je mercie Amour, qui mon mal appaisant
M'a rendu bien heureux d'une telle maniere:

J'euz presque le moyen de me pouvoir lasser,
Mais non de me saouler, de baiser, embrasser,
Taster et caresser les beautez de m'amie:

Mais cela qui me fist bien heureux de tout point,
Ce fust qu'en ce plaisir d'allegresse endormie,
Je songeois en songeant que je ne songeois point.

THE SYCOPHANT'S REWARD
(*Les Souspirs*, CXXVI)
By Olivier de Magny

Servez bien longuement un seigneur aujourd'huy,
Despendez vostre bien à luy faire service,
Corrompez, en servant, la vertu pour le vice,
Et soiez attaché nuict et jour pres de luy;

Pour luy donner plaisir, donnez vous de l'ennuy,
Sans nul respect à vous servez-le en tout office,
Adonnez vous aux jeux dont il fait exercice,
Et ne demandez rien pour vous ny pour autruy.

Continuez long tens, pour quelque bien acquerre,
A le servir ainsi; puis, cassez quelque verre,
Ou faillez d'un seul mot, vous perdez vostre espoir.

Vous perdez vostre tens, vostre bien, vostre peine,
Et ne vous reste rien qu'une promesse vaine,
Et un vain souvenir d'avoir fait le devoir.

THE NEST OF SINGING BIRDS
(*Les Souspirs*, CXXXIII)
By Olivier de Magny

Puisque le cler Soleil veult apparoistre aux cieux,
Et que je voy desja la rougissante Aurore
Qui de ses raiz vermeils le ciel d'Inde colore,
Sus-sus chassons, Bellay, ce somme de noz yeux.

Allons passer aux champs ce loisir ocieux,
Pangeas avecques nous y viendra bien encore,
Et qu'un chascun de nous à son reng rememore
Ses antiques amours d'un chant soulacieux.

Imitons les oiseaux qui par ces verds boucaiges
Au gazouil des ruysseaux degoizent leurs ramaiges,
Bienveignant de leurs voix l'Aurore à son retour.

Voyla ja Gohory, qui de sa main apreste
Un chapeau verdissant que ne craint la tempeste
Pour cil que ce jourd'huy chantera mieux d'amour.

Sonnets:

PASTORALE

By Estienne de la Boétie

Ce jourd'huy, du soleil la chaleur alterée
A jauny le long poil de la belle Ceres:
Ores il se retire; et nous gaignons le frais,
Ma Marguerite et moy, de la douce serée;

Nous traçons dans les bois quelque voye esgarée:
Amour marche devant, et nous marchons apres.
Si le vert ne nous plaist des espesses forests,
Nous descendons pour voir la couleur de la prée;

Nous vivons francs d'esmoy, et n'avons point soucy
Des Roys, ny de la cour, ny des villes aussi.
O Medoc, mon païs solitaire et sauvage,

Il n'est point de païs plus plaisant à mes yeux:
Tu es au bout du monde, et je t'en ayme mieux,
Nous sçavons apres tous les malheurs de nostre aage.

TO THE LADY OLIVE

(*Olive*, II)[1]

By Joachim du Bellay

D'amour, de grace, et de haulte valeur
Les feux divins estoient ceintz, et les cieulx
S'estoient vestuz d'un manteau precieux
A raiz ardens de diverse couleur:

Tout estoit plein de beauté, de bonheur,
La mer tranquille, et le vent gracieulx,
Quand celle là nasquit en ces bas lieux
Qui a pillé du monde tout l'honneur.

Ell' prist son teint des beaux lyz blanchissans,
Son chef de l'or, ses deux levres des rozes,
Et du soleil ses yeux resplandissans:

Le ciel usant de liberalité,
Mist en l'esprit ses semances encloses,
Son nom des Dieux prist l'immortalité.

[1] See pp. 439–440, note 7.

THE MEETING WITH OLIVE IN THE TEMPLE
(*Olive*, V)

By JOACHIM DU BELLAY

C'estoit la nuyt que la divinité
Du plus hault ciel en terre se rendit,
Quand dessus moy Amour son arc tendit,
Et me fist serf de sa grand' deité.

Ny le sainct lieu de telle cruaulté,
Ny le tens mesme assez me deffendit:
Le coup au cœur par les yeux descendit
Trop ententifz à ceste grand' beauté.

Je pensoy' bien que l'archer eust visé
A tous les deux, et qu'un mesme lien
Nous deust ensemble egalement conjoindre:

Mais comme aveugle, enfant, mal avisé
Vous a laissée (helas) qui estiez bien
La plus grand' proye, et a choisi la moindre.

THE DREAM
(*Olive*, XIV)

By JOACHIM DU BELLAY

Le fort sommeil, que celeste on doibt croire,
Plus doulx que miel couloit aux yeulx lassez
Lors que d'amour les plaisirs amassez
Entrent en moy par la porte d'ivoyre.

J'avoy lié ce col de marbre, voyre
Ce sein d'albastre, en mes bras enlassez
Non moins qu'on void les ormes embrassez
Du sep lascif, au fecond bord le Loyre.

Amour avoit en mes lasses mouëlles
Dardé le traict de ses flammes cruelles,
Et l'ame erroit par ces levres de roses.

Preste d'aller au fleuve oblivieux,
Quand le reveil de mon aise envieux,
Du doulx sommeil a les portes decloses.

Sonnets:

THE BELOVÈD IMAGE
(*Olive*, XIX)
By Joachim du Bellay

Face le ciel, quand il vouldra, revivre
Lisippe, Apelle, Homere, qui le pris
Ont emporté sur tous humains espris
En la statue, au tableau, et au livre:

Pour engraver, tirer, decrire en cuyvre,
Peinture, et vers, ce qu'en vous est compris:
Si ne pouroient leur ouvraige entrepris
Cyzeau, pinceau, ou la plume bien suyvre.

Voila pourquoy ne fault que je souhete
De l'engraveur, du peintre, ou du poëte,
Marteau, couleur, ny encre, ô ma Déesse!

L'art peult errer, la main fault, l'œil s'ecarte.
De vos beautez mon cœur soit doncq' sans cesse
Le marbre seul, et la table, et la charte.

THE HESITANT LOVER
(*Olive*, XXVIII)
By Joachim du Bellay

Ce que je sen', la langue ne refuse
Vous decouvrir, quand suis de vous absent,
Mais tout soudain que pres de moy vous sent,
Elle devient et muette, et confuse.

Ainsi, l'espoir me promect, et m'abuse:
Moins pres je suis, quand plus je suis present:
Ce qui me nuist, c'est ce qui m'est plaisent:
Je quier' cela, que trouver je recuse.

Joyeux la nuit, le jour triste je suis:
J'ay en dormant ce qu'en veillant poursuis:
Mon bien est faulx, mon mal est veritable.

D'une me plain', et deffault n'est en elle:
Fay' donc q'Amour, pour m'estre charitable,
Breve ma vie, ou ma nuit eternelle.

THE TORCH OF HEAVEN
(*Olive*, XXXI)
By Joachim du Bellay

Le grand flambeau gouverneur de l'année,
Par la vertu de l'enflammée corne
Du blanc thaureau, prez, montz, rivaiges orne
De mainte fleur du sang des princes née.

Puis de son char la roüe estant tournée
Vers le cartier prochain du Capricorne,
Froid est le vent, la saison nue, et morne,
Et toute fleur devient seiche et fenée.

Ainsi, alors que sur moy tu etens,
O mon Soleil! tes clers rayons epars,
Sentir me fais un gracieux printens:

Mais tout soudain que de moy tu depars,
Je sens en moy venir de toutes parts,
Plus d'un hyver, tout en un mesme tens.

THE CHASTE DIANA
(*Olive*, XXXII)
By Joachim du Bellay

Vous qui aux bois, aux fleuves, aux campaignes,
A cri, à cor, et à course hative
Suivez des cerfz la trace fugitive
Avec Diane, et les Nymphes compaignes:

Et toi ô Dieu! qui mon rivage baignes,
As tu point veu une Nymphe craintive,
Qui va menant ma liberté captive
Par les sommez des plus haultes montaignes?

Helas enfans! si le sort malheureux
Vous monstre à nu sa cruelle beauté
Que telle ardeur longuement ne vous tienne.

Trop fut celuy chasseur avantureux,
Qui de ses chiens sentit la cruauté,
Pour avoir veu la chaste Cyntienne.

Sonnets:

AT DAWNING
(*Olive*, LXXXIII)
By Joachim du Bellay

Desja la nuit en son parc amassoit
Un grand troupeau d'etoiles vagabondes,
Et, pour entrer aux cavernes profondes,
Fuyant le jour, ses noirs chevaulx chassoit;

Desja le ciel aux Indes rougissoit,
Et l'aube encor' de ses tresses tant blondes
Faisant gresler mille perlettes rondes,
De ses thesors les prez enrichissoit;

Quand d'occident, comme une etoile vive,
Je vis sortir dessus ta verte rive,
O fleuve mien, une Nymphe en riant.

Alors, voyant cete nouvelle Aurore,
Le jour honteux, d'un double teint colore
Et l'Angevin et l'Indique Orient.

LONGING
(*Olive*, LXXXIV)
By Joachim du Bellay

Seul et pensif par la deserte plaine
Resvant au bien qui me fait doloureux,
Les longs baisers des collombs amoureux,
Par leur plaisir, firent croistre ma peine.

Heureux oiseaux que vostre vie est pleine
De grand' doulceur! ô baisers savoureux!
O moy deux fois et trois fois malheureux,
Qui n'ay plaisir que d'esperance vaine!

Voyant encor, sur les bords de mon fleuve,
De sep lascif les longs embrassements,
De mes vieux maulx je fy' nouvelle epreuve.

Suis-je donc veuf de mes sacrez rameaux?
O vigne heureuse, heureux enlacemens,
O bord heureux! ô bien heureux ormeaux!

AWAKE, MY SOUL
(*Olive*, CVII)[1]
By JOACHIM DU BELLAY

Sus, sus mon ame, ouvre l'œil, et contemple
L'arc triomphal de l'amour supernel,
Qui pour laver ton peché paternel
Porta le faix de ta perte si ample.

Là de pitié est le parfaict exemple:
Sus donc mes vers, d'un vol sempiternel
Portez mes vœux en son temple eternel:
Le cœur fidele est de Dieu le sainct temple.

S'il a servi pour rendre l'homme franc,
S'il a purgé mes pechez de son sang,
Et s'il est mort pour ma vie asseurer,

S'il a goûté l'amer de mes douleurs,
Prodigues yeulx, ne devez-vous pleurer,
D'avoir sans bruit dependu tant de pleurs?

A PRAYER FOR PENTECOST
(*Olive*, CVIII)
By JOACHIM DU BELLAY

O Seigneur Dieu, qui pour l'humaine race
As esté seul de ton pere envoyé,
Guide les pas de ce cœur devoyé!
L'acheminant au sentier de ta grace.

Tu as premier du ciel ouvert la trace,
Par toy la mort a son dard etuyé,
Console doncq' cet esprit ennuyé,
Que la douleur de mes pechez embrasse.

Vien, et le braz de ton secours apporte
A ma raison, qui n'est pas assez forte,
Vien eveiller ce mien esprit dormant:

D'un nouveau feu brusle moy jusq'à l'ame,
Tant que l'ardeur de ta celeste flamme
Face oublier de l'autre le torment.

[1] See p. 440, note 8.

Sonnets:

THE ETERNAL GOODNESS
(*Olive*, CIX)
By Joachim du Bellay

Pere du ciel, si mil' et mile fois
Au gré du corps, qui mon desir convie,
Or' que je suis au printemps de ma vie,
J'ay asservi et la plume, et la voix:

Toy qui du cœur les abismes congnois,
Ains que l'hiver ait ma force ravie,
Fay moy brusler d'une celeste envie,
Pour mieux goûter la douceur de tes loix.

Las! si tu fais comparoitre ma faulte
Au jugement de ta majesté haulte,
Ou mes forfaictz me viendront accuser,

Qui me pourra deffendre de ton ire?
Mon grand péché me veult condamner, Sire,
Mais ta bonté me peult bien excuser.

GOOD FRIDAY
(*Olive*, CXI)
By Joachim du Bellay

Voicy le jour, que l'eternel amant
Fist par sa mort vivre sa bien aimée:
Qui telle mort au cœur n'a imprimée,
O Seigneur Dieu! est plus que dyamant.

Mais qui pourra sentir ce doulx torment,
Si l'ame n'est par l'amour enflammee?
Soufle luy donc, pour la rendre allumée,
L'esprit divin de ton feu vehement.

Pleurez mes yeulx de sa mort la memoire,
Chantez mes vers l'honneur de sa victoire,
Et toy mon cœur, fay luy son deu hommage!

O que mon Roy est invincible et fort!
O qu'il a faict grand gaing de son dommage!
Qui en mourant triomphe de la mort!

THE IDEAL WORLD
(*Olive*, CXIII) [1]
By Joachim du Bellay

Si nostre vie est moins qu'une journée
En l'eternel, si l'an qui faict le tour
Chasse nos jours sans espoir de retour,
Si perissable est toute chose née,

Que songes-tu, mon ame emprisonnée?
Pourquoy te plaist l'obscur de nostre jour,
Si, pour voler en un plus clair sejour,
Tu as au dos l'aele bien empanée?

Là est le bien que tout esprit desire,
Là le repos où tout le monde aspire,
Là est l'amour, là le plaisir encore.

Là, ô mon ame, au plus hault ciel guidée,
Tu y pourras recongnoistre l'Idée
De la beauté, qu'en ce monde j'adore.

OF OUR LORD'S NATIVITY
(*Recueil de poésie*)
By Joachim du Bellay

La Terre au Ciel, l'homme à la Deïté,
Sont assemblez d'un nouveau mariage:
Dieu prenant corps, sans faire au corps outrage,
Naist aujourd'huy de la virginité.

La Vierge rend à la Divinité
Son sainct depost, dont le Monde est l'ouvrage,
Mais aujourd'huy il a fait d'avantage,
S'estant vestu de nostre humanité.

Il a plus fait: car si du corps humain
Tenant la vie et la mort en sa main,
Il s'est rendu mortel par sa naissance,

Ne s'est-il pas luy-mesme surmonté?
Cest œuvre là demonstre sa puissance,
Et cestuy-cy demonstre sa bonté.

[1] See pp. 440–441, note 9.

Sonnets:

IMPERIAL ROME

(*Antiquitez*, VI) [1]

By Joachim du Bellay

Telle que dans son char la Berecynthienne,
Couronnée de tours, et joyeuse d'avoir
Enfanté tant de Dieux, telle se faisoit voir,
En ses jours plus heureux, ceste ville ancienne,

Ceste ville, qui fut, plus que la Phrygienne,
Foisonnante en enfans, et de qui le pouvoir
Fut le pouvoir du monde, et ne se peult revoir,
Pareille à sa grandeur, grandeur sinon la sienne.

Rome seule pouvoit à Rome ressembler,
Rome seule pouvoit Rome faire trembler:
Aussi n'avoit permis l'ordonnance fatale

Qu'autre pouvoir humain, tant fust audacieux,
Se vantast d'égaler celle qui fit égale
Sa puissance à la terre et son courage aux cieux.

PALE SPIRITS, DUSTY SHADES

(*Antiquitez*, XV)

By Joachim du Bellay

Palles Esprits, et vous, Umbres poudreuses,
Qui, jouissant de la clarté du jour,
Fistes sortir cet orgueilleux séjour,
Dont nous voyons les reliques cendreuses;

[1] The *Antiquitez de Rome* (1558) of Du Bellay shows what a deep impression the Eternal City produced upon the poet's sensitive soul. These sonnets are filled at once with profound admiration and with a pervasive melancholy. The poet feels deeply and intimately the everlasting flow of things, the transiency and vanity of all human effort, however majestic its accomplishment. The ruins of Rome, half-exhumed from its earthen cerements by recent archaeological labors, served Du Bellay as a poignant illustration of " vanitas vanitatum, omnia vanitas." Yet these same remains recalled to his mind the splendors which had been and of which enough still remained to justify a more general application of Horace's proud boast, " Non omnis moriar." Sundry Neo-Latin and Italian poets had celebrated the ruins of Rome in scattering poems before Du Bellay. Du Bellay published, a few weeks after the publication of his *Regrets*, thirty-two sonnets under the title *Antiquitez de*

Dictes, Esprits, (ainsi les ténébreuses
Rives de Styx non passable au retour,
Vous enlaçant d'un trois fois triple tour,
N'enferment point voz images umbreuses!)

Dictes moy donc, (car quelqu'une de vous,
Possible encor, se cache icy dessous),
Ne sentez-vous augmenter vostre peine,

Quand quelquefois de ces costeaux romains
Vous contemplez l'ouvrage de voz mains
N'estre plus rien qu'une poudreuse plaine?

THE BROKEN WAVE
(*Antiquitez*, XVI)
By Joachim du Bellay

Comme lon void de loing sur la mer courroucée
Une montaigne d'eau d'un grand branle ondoyant,
Puis trainant mille flotz, d'un gros choc abboyant
Se crever contre un roc, où le vent l'a poussée:

Comme on void la fureur par l'Aquilon chassée
D'un sifflement aigu l'orage tournoyant,
Puis d'une aile plus large en l'air esbanoyant
Arrester tout à coup sa carriere lassée:

Et comme on void la flamme ondoyant en ces lieux
Se rassemblant en un, s'aguiser vers les cieux,
Puis tumber languissante: ainsi parmy le monde

Erra la Monarchie: et croissant tout ainsi
Qu'un flot, qu'un vent, qu'un feu, sa course vagabonde
Par un arrest fatal s'est venu' perdre icy.

THE QUARRY
(*Antiquitez*, XXVIII)
By Joachim du Bellay

Toy, qui de Rome, emerveillé, contemples
L'antique orgueil qui menassoit les cieux,
Ces vieux palais, ces monts audacieux,
Ces murs, ces arcs, ces thermes et ces temples,

Rome and fifteen under *Songe ou Vision*. His use of the Alexandrine suggests
that the poems were written after 1555, when Ronsard and Baïf had brought
that line to favor.

Sonnets:

Juge, en voyant ces ruynes si amples,
Ce qu'a rongé le temps injurieux,
Puis qu'aux ouvriers les plus industrieux
Ces vieux fragments encor servent d'exemples.

Regarde après, comme, de jour en jour,
Rome, fouillant son antique sejour,
Se rebatist de tant d'œuvres divines:

Tu jugeras, que le Demon Romain
S'efforce encor, d'une fatale main,
Ressusciter ces poudreuses ruynes.

THE HARVESTER TIME
(*Antiquitez*, XXX)
By JOACHIM DU BELLAY

Comme le champ semé en verdure foisonne,
De verdure se hausse en tuyau verdissant,
Du tuyau se herisse en espic florissant,
L'espic jaunit en grain, que le chaud assaisonne.

Et comme en la saison le rustique moissonne
Les ondoyans cheveux du sillon blondissant,
Les met d'ordre en javelle, et du blé jaunissant,
Sur le champ despouillé, mille gerbes façonne;

Ainsi, de peu à peu, creut l'Empire Romain,
Tant qu'il fut despouillé par la Barbare main
Qui ne laissa de luy que ces marques antiques

Que chacun va pillant: comme on voit le gleneur,
Cheminant pas à pas, recueillir les reliques
De ce qui va tombant apres le moissonneur.

IMMORTALITY
(*Antiquitez*, XXXII)
By JOACHIM DU BELLAY

Esperez-vous que la posterité
Doyve, mes vers, pour tout jamais vous lire?
Esperez-vous que l'œuvre d'une lyre
Puisse acquerir telle immortalité?

Si sous le ciel fust quelque eternité
Les monuments que je vous ay fait dire,
Non en papier, mais en marbre et porphyre,
Eussent gardé leur vive antiquité.

Ne laisse par toutefois de sonner
Luth, qu'Apollon m'a bien daigné donner,
Car, si le temps ta gloire ne desrobe,

Vanter te peux, quelque bas que tu sois,
D'avoir chanté, le premier des François,
L'antique honneur du peuple à longue robbe.

ORIGINALITY
(*Regrets*, IV)[1]
By JOACHIM DU BELLAY

Je ne veulx fueilleter les exemplaires Grecs,
Je ne veulx retracer les beaux traicts d'un Horace,
Et moins veulx-je imiter d'un Petrarque la grace,
Ou la voix d'un Ronsard, pour chanter mes Regrets.

Ceulx qui sont de Phœbus vrais poëtes sacrez
Animeront leurs vers d'une plus grand' audace;
Moy, qui suis agité d'une fureur plus basse,
Je n'entre si avant en si profonds secretz.

Je me contenteray de simplement escrire
Ce que la passion seulement me fait dire,
Sans rechercher ailleurs plus graves argumens.

Aussi n'ay-je entrepris d'imiter en ce livre
Ceulx qui par leurs escripts se vantent de revivre
Et se tirer tous vifz dehors des monumens.

DISCOURAGEMENT
(*Regrets*, VI)
By JOACHIM DU BELLAY

Las, ou est maintenant ce mespris de Fortune?
Ou est ce cœur vainqueur de toute adversité,
Cest honneste desir de l'immortalité,
Et ceste belle flamme au peuple non commune?

[1] See pp. 441–442, note 10.

Sonnets:

Ou sont ces doulx plaisirs, qu'au soir sous la nuict brune
Les Muses me donnoient, alors qu'en liberté
Dessus le verd tapiz d'un rivage esquarté
Je les menois danser aux rayons de la Lune?

Maintenant la Fortune est maistresse de moy,
Et mon cœur qui souloit estre maistre de soy,
Et serf de mille maux et regrets qui m'ennuient.

De la postérité je n'ay plus de souci,
Ceste divine ardeur, je ne l'ay plus aussi,
Et les Muses de moy, comme estranges, s'enfuyent.

TO FRANCE, MY COUNTRY
(*Regrets*, IX)
By Joachim du Bellay

France, mere des arts, des armes et des loix,
Tu m'as nourry long temps du laict de ta mamelle:
Ores, comme un aigneau qui sa nourisse appelle:
Je remplis de ton nom les antres et les bois.

Si tu m'as pour enfant advoué quelquefois
Que ne me respons-tu maintenant, ô cruelle?
France, France, respons à ma triste querelle.
Mais nul, sinon Echo, ne respond à ma voix.

Entre les loups cruels j'erre parmy la plaine,
Je sens venir l'hyver, de qui la froide haleine
D'une tremblante horreur fait herisser ma peau.

Las tes autres aigneaux n'ont faute de pasture,
Ils ne craignent le loup, le vent ny la froidure:
Si ne suis-je pourtant le pire du troppeau.

NOBLE PATRONS
(*Regrets*, XVI)
By Joachim du Bellay

Ce pendant que Magny suit son grand Avanson,
Panjas son Cardinal, et moy le mien encore,
Et que l'espoir flateur, qui noz beaux ans devore,
Appaste noz desirs d'un friand hamesson,

Tu courtise les Roys, et d'un plus heureux son
Chantant l'heur de Henry, qui son siecle decore,
Tu t'honores toymesme, et celuy qui honore
L'honneur que tu luy fais par ta docte chanson.

Las, et nous ce pendant nous consumons nostre aage
Sur le bord incogneu d'un estrange rivage,
Ou le malheur nous fait ces tristes vers chanter:

Comme on void quelquefois, quand la mort les appelle,
Arrangez flanc à flanc parmy l'herbe nouvelle,
Bien loing sur un estang trois cygnes lamenter.

IMPORTUNATE CARE

(*Regrets*, XXIV)

By Joachim du Bellay

Qu'heureux tu es (Baïf) heureux, et plus qu'heureux
De ne suyvre, abusé, ceste aveugle Deesse
Qui d'un tour inconstant et nous hausse et nous baisse,
Mais cest aveugle enfant qui nous fait amoureux!

Tu n'esprouves (Baïf) d'un maistre rigoureux
Le severe sourcy, mais la doulce rudesse
D'une belle, courtoise, et gentille maistresse
Qui fait languir ton cœur doucement langoureux.

Moy chetif, ce pendant, loing des yeux de mon Prince,
Je vieillis malheureux en estrange province,
Fuyant la pauvreté: mais las! ne fuyant pas

Les regrets, les ennuis, le travail et la peine,
Le tardif repentir d'une esperance vaine
Et l'importun soucy qui me suit pas à pas.

THE STARS' DECREE

(*Regrets*, XXV)

By Joachim du Bellay

Malheureux l'an, le mois, le jour, l'heure et le poinct
Et malheureuse soit la flateuse esperance,
Quand pour venir icy j'abandonnay la France:
La France, et mon Anjou, dont le desir me poingt.

Sonnets:

Vrayment d'un bon oiseau guidé je ne fus point,
Et mon cœur me donnoit assez signifiance
Que le ciel estoit plein de mauvaise influence,
Et que Mars estoit lors à Saturne conjoint.

Cent fois le bon advis lors m'en voulut distraire,
Mais tousjours le destin me tiroit au contraire:
Et si mon desir n'eust aveuglé ma raison,

N'estoit-ce pas assez pour rompre mon voyage,
Quand sur le sueil de l'huis, d'un sinistre presage,
Je me blasmay le pied sortant de la maison.

'MID PLEASURES AND PALACES
(*Regrets*, XXXI)
By Joachim du Bellay

Heureux qui, comme Ulysse, a fait un beau voyage,
Ou comme cestuy-là qui conquit la toison,
Et puis est retourné plein d'usage et raison,
Vivre entre ses parents le reste de son aage!

Quand revoiray-je, helas, de mon petit village
Fumer la cheminée?   Et en quelle saison
Revoiray-je le clos de ma pauvre maison,
Qui m'est une province et beaucoup davantage?

Plus me plaist le sejour qu'ont basty mes ayeux
Que des palais Romains le front audacieux,
Plus que le marbre dur me plaist l'ardoise fine,

Plus mon Loire Gaulois que le Tybre Latin,
Plus mon petit Lyré que le mont Palatin,
Et plus que l'air marin la doulceur angevine.

THE WINTER OF MY DISCONTENT
(*Regrets*, XXXVII)
By Joachim du Bellay

C'estoit ores, c'estoit qu'à moy je devois vivre,
Sans vouloir estre plus, que cela que je suis,
Et qu'heureux je devois de ce peu que je puis,
Vivre content du bien de la plume et du livre.

Mais il n'a pleu aux Dieux me permettre de suyvre
Ma jeune liberté, ny faire que depuis
Je vesquisse aussifranc de travaux et d'ennuis,
Comme d'ambition j'estois franc et delivre.

Il ne leur a pas pleu qu'en ma vieille saison
Je sceusse quel bien c'est de vivre en sa maison,
De vivre entre les siens, sans crainte et sans envie.

Il leur a pleu (helas) qu'à ce bord estranger
Je veisse ma franchise en prison se changer,
Et la fleur de mes ans en l'hyver de ma vie.

ROMAN CORRUPTION
(*Regrets*, LXXX)
By Joachim du Bellay

Si je monte au Palais, je n'y trouve qu'orgueil,
Que vice deguisé, qu'une cerimonie,
Qu'un bruit de tabourins, qu'une estrange harmonie,
Et de rouges habits un superbe appareil:

Si je descens en banque, un amas et recueil
De nouvelles je treuve, une usure infinie,
De riches Florentins une troppe banie,
Et de pauvres Sienois un lamentable dueil:

Si je vais plus avant, quelque part ou j'arrive,
Je treuve de Venus la grand' bande lascive
Dressant de tous costez mil appas amoureux:

Si je passe plus oultre, et de la Rome neufve
Entre en la vieille Rome, adonques je ne treuve
Que de vieux monuments un grand monceau pierreux.

THE ELECTION OF A POPE
(*Regrets*, LXXXI)
By Joachim du Bellay

Il fait bon voir (Paschal) un conclave serré,
Et l'une chambre à l'autre egalement voisine
D'antichambre servir, de salle, et de cuisine,
En un petit recoing de dix pieds en carré:

Sonnets:

Il fait bon voir autour le palais emmuré,
Et briguer là dedans ceste troppe divine,
L'un par l'ambition, l'autre par bonne mine,
Et par despit de l'un estre l'autre adoré:

Il fait bon voir dehors toute la ville en armes,
Crier, le Pape est fait, donner de faulx alarmes,
Saccager un palais: mais plus que tout cela

Fait bon voir, qui de l'un, qui de l'autre se vante,
Qui met pour cestui-cy, qui met pour cestuy-là,
Et pour moins d'un escu dix Cardinaux en vente.

A ROMAN CARDINAL'S SERVANT
(*Regrets*, LXXXV)
By JOACHIM DU BELLAY

Flatter un crediteur, pour son terme allonger,
Courtiser un banquier, donner bonne esperance,
Ne suivre en son parler la liberté de France,
Et pour respondre un mot, un quart d'heure y songer.

Ne gaster sa santé par trop boire et manger,
Ne faire sans propos une folle despense,
Ne dire à tous venans tout cela que l'on pense,
Et d'un maigre discours gouverner l'estranger:

Cognoistre les humeurs, cognoistre qui demande;
Et d'autant que l'on a la liberté plus grande,
D'autant plus se garder que l'on ne soit repris:

Vivre avecques chascun, de chascun faire compte:
Voilà, mon cher Morel (dont je rougis de honte),
Tout le bien qu'en trois ans à Rome j'ay appris.

THE PAPAL COURT
(*Regrets*, LXXXVI)
By JOACHIM DU BELLAY

Marcher d'un grave pas, et d'un grave sourci,
Et d'un grave soubriz à chacun faire feste,
Balancer tous ses mots, respondre de la teste,
Avec un *Messer non*, ou bien un *Messer si*;

Entremesler souvent un Petit *E cosi,*
Et d'un *Son Servitor'* contrefaire l'honneste,
Et comme si lon eust sa part en la conqueste,
Discourir sur Florence, et sur Naples aussi:

Seigneuriser chacun d'un baisement de main,
Et suivant la façon du courtisan Romain,
Cacher sa pauvreté d'une brave apparence;

Voilà de ceste Court la plus grande vertu,
Dont souvent mal monté, mal sain, et mal vestu,
Sans barbe et sans argent on s'en retourne en France.

THE LAUGHING APES
(*Regrets*, CXLII)
By JOACHIM DU BELLAY

Seigneur, je ne sçaurois regarder d'un bon œil
Ces vieux Singes de Court, qui ne sçavent rien faire,
Sinon en leur marcher les Princes contrefaire,
Et se vestir, comme eulx, d'un pompeux appareil.

Si leur maistre se mocque, ilz feront le pareil,
S'il ment, ce ne sont eulx qui diront le contraire,
Plustost auront-ilz veu, à fin de luy complaire,
La Lune en plein midy, à minuict le Soleil.

Si quelqu'un devant eulx reçoit un bon visage,
Ilz le vont caresser, bien qu'ils crevent de rage:
S'il le reçoit mauvais, ilz le monstrent au doy.

Mais ce qui plus contre eulx quelquefois me despite,
C'est quand devant le Roy, d'un visage hypocrite,
Ilz se prennent à rire, et ne sçavent pourquoy.

CASSANDRA
(*Amours de Cassandre*)[1]
By PIERRE DE RONSARD

Une beauté de quinze ans enfantine,
Un or frisé de meint crespe anelet,
Un front de rose, un teint damoiselet,
Un ris qui l'ame aux astres achemine;

[1] See p. 442, note 11.

Sonnets:

Une vertu de telle beauté digne,
Un col de neige, une gorge de lait,
Un cœur jà mur en un sein verdelet,
En dame humaine une beauté divine;

Un œil puissant de faire jours les nuis,
Une main douce à forcer les ennuis
Qui tient ma vie en ses doigts enfermée,

Avec un chant decoupé doucement,
Or' d'un souris, or' d'un gemissement:
De tels sorciers ma raison fut charmée.

TO CASSANDRA TELL!
(*Amours de Cassandre*)
By Pierre de Ronsard

Ciel, air et vents, plains et monts decouvers,
Tertre vineux et forests verdoyantes,
Rivages tors et sources ondoyantes,
Taillis rasez, et vous, bocages vers;

Antres moussus à demy front ouvers,
Prez, boutons, fleurs et herbes rousoyantes,
Vallons bossus et plages blondoyantes,
Et vous rochers les hostes de mes vers.

Puis qu'au partir, rongé de soin et d'ire,
A ce bel œil Adieu je n'ai sceu dire,
Qui pres et loin me detient en esmoy,

Je vous supply, Ciel, air, vents, monts et plaines,
Taillis, forests, rivages et fontaines,
Antres, prez, fleurs, dites-le-luy pour moy.

THE LOVELY ROSE
(*Amours de Cassandre*)
By Pierre de Ronsard

Pren ceste rose, aimable comme toy,
Qui sers de rose aux roses les plus belles,
Qui sers de fleur aux fleurs les plus nouvelles,
Dont la senteur me ravist tout de moy.

Pren ceste rose, et ensemble reçoy
Dedans ton sein mon cœur, qui n'a point d'ailes;
Il est constant, et cent playes cruelles
N'ont empesché qu'il ne gardast sa foy.

La rose et moy differons d'une chose:
Un soleil voit naistre et mourir la rose;
Mille soleils ont vu naistre m'amour,

Dont l'action jamais ne se repose.
Ha! pleust à Dieu que telle amour enclose
Comme une fleur, ne m'eust duré qu'un jour.

WHERE'ER YOU WALK
(*Amours de Cassandre*)
By Pierre de Ronsard

Voicy le bois que ma saincte Angelette
Sur le printemps resjouist de son chant;
Voicy les fleurs où son pied va marchant,
Quand à soy-mesme elle pense seulette:

Voicy le pré et la rive mollette
Qui prend vigueur de sa main la touchant,
Quand pas à pas en son sein va cachant
Le bel émail de l'herbe nouvelette.

Icy chanter, là pleurer je la vy,
Icy sourire, et là je fu ravy
De ses discours par lesquels je des-vie;

Icy s'asseoir, là je la vy danser:
Sus le mestier d'un si vague penser
Amour ourdit les trames de ma vie.

A ROMANCE OF THE ROSE
(*Amours de Cassandre*)
By Pierre de Ronsard

Ha, Belacueil, que ta douce parolle
Vint traistrement ma jeunesse offenser,
Quand au verger tu la menas danser
Sur mes vingt ans l'amoureuse carolle!

Sonnets:

Amour adonc me mist à son escole,
Ayant pour maistre un peu sage penser,
Qui sans raison me mena commencer
Le chapelet d'une danse plus folle.

Depuis cinq ans hoste de ce verger,
Je vais ballant secques faux-danger,
Tenant la main d'une dame trop caute.

Je ne suis seul par Amour abusé:
A ma jeunesse il faut donner la faulte:
En cheveux gris je seray plus rusé.

THE IDEA OF THE BEAUTIFUL

(*Amours de Cassandre*)

By Pierre de Ronsard

Je veux brusler, pour m'envoler aux cieux,
Tout l'imparfait de mon escorce humaine,
M'éternisant comme le fils d'Alcmène
Qui tout en feu s'assit entre les Dieux.

Jà mon esprit, desireux de son mieux,
Dedans ma chair, rebelle, se promeine,
Et jà le bois de sa victime ameine
Pour s'immoler aux rayons de tes yeux.

Ô saint brazier, ô flame entretenue
D'un feu divin, avienne que ton chaud
Brusle si bien ma despouille connuë

Que, libre et nud, je vole d'un plein saut
Jusques au ciel, pour adorer là haut
L'autre Beauté dont la sienne est venuë.

TO THE PERFECT BEAUTY

(*Amours de Cassandre*)

By Pierre de Ronsard

Comme on souloit si plus on ne me blasme
D'avoir l'esprit et le corps ocieux,
L'honneur en soit au trait de ces beaux yeux,
Qui m'ont poli l'imparfait de mon ame.

Le seul rayon de leur gentille flame
Dressant en l'air mon vol audacieux
Pour voir le Tout m'esleva jusqu'aux Cieux,
Dont ici bas la partie m'enflame.

Par le moins beau qui mon penser aila,
Au sein du beau mon penser s'envola,
Espoinçonné d'une manie extresme:

Là du vray beau j'adore le parfait,
Là d'ocieux actif, je me suis fait,
Là je cogneu ma maistresse et moy-mesme.

LOVE IS SHY

(*Amours de Cassandre*)

By Pierre de Ronsard

Quand je te voy discourant à par-toy,
Toute amusee avecques ta pensee,
Un peu la teste en contre-bas baisée,
Te retirant du vulgaire et de moy:

Je veux souvent, pour rompre ton esmoy,
Te saluer, mais ma voix offensée
De trop de peur se retient amassée
Dedans la bouche et me laisse tout coy.

Mon œil confus ne peut souffrir ta veuë:
De ses rayons mon ame tremble esmeuë:
Langue ne voix ne font leur action.

Seuls mes souspirs, seul mon triste visage
Parlent pour moy, et telle passion
De mon amour donne assez tesmoignage.

TO THE NIGHTINGALE

(*Pièces retranchées*)

By Pierre de Ronsard

Rossignol, mon mignon, qui dans ceste saulaye
Vas seul de branche en branche à ton gré voletant,
Et chantes à l'envy de moy qui vais chantant
Celle qu'il faut tousjours que dans la bouche j'aye,

Nous souspirons tous deux: ta douce voix s'essaye
De sonner les amours d'une qui t'ayme tant,

Sonnets:

Et moy triste je vais la beauté regrettant
Qui m'a fait dans le cœur une si aigre playe.

Toutes-fois, Rossignol, nous differons d'un poinct:
C'est que tu es aimé, et je ne le suis point,
Bien que tous deux ayons les musiques pareilles.

Car tu fléchis t'amye au doux bruit de tes sons,
Mais la mienne qui prent à dépit mes chansons,
Pour ne les escouter, se bouche les oreilles.

HOMER'S ILIAD

(*Pièces retranchées*)

By Pierre de Ronsard

Je veux lire en trois jours l'Iliade d'Homere,
Et pour-ce, Corydon, ferme bien l'huis sur moy;
Si rien me vient troubler, je t'asseure ma foy,
Tu sentiras combien pesante est ma colere.

Je ne veux seulement que nostre chambriere
Vienne faire mon lit, ton compagnon, ny toy;
Je veux trois jours entiers demeurer à requoy,
Pour follastrer apres une sepmaine entiere.

Mais si quelqu'un venoit de la part de Cassandre,
Ouvre-luy tost la porte, et ne le fais attendre,
Soudain entre en ma chambre et me vien accoustrer.

Je veux tant seulement à luy seul me monstrer;
Au reste, si un dieu vouloit pour moy descendre
Du ciel, ferme la porte, et ne le laisse entrer.

TO MARIE

(*Amours de Marie*)[1]

By Pierre de Ronsard

Marie, vous avez la joue aussi vermeille
Qu'une rose de May, vous avez les cheveux
Entre bruns et chatains, frisez de mille nœuds,
Gentement tortillés tout autour de l'oreille.

---

[1] *Les Amours de Marie* was inspired by a young peasant girl whom Ronsard met at Bourgueil in Anjou, Marie Dupin. For this simple girl's mentality

Quand vous estiez petite, une mignarde abeille
Sur vos lévres forma son nectar savoureux,
Amour laissa ses traits dans vos yeux rigoureux,
Pithon vous feit la voix à nulle autre pareille.

Vous avez les tetins comme deux monts de lait,
Qui pommelent ainsi qu'au printemps nouvelet
Pommelent deux boutons que leur chasse environne.

De Junon sont vos bras, des Graces vostre sein,
Vous avez de l'Aurore et le front et la main,
Mais vous avez le cœur d'une fiere Lionne.

MY LADY SWEET, ARISE!

(*Amours de Marie*)

By Pierre de Ronsard

Marie, levez-vous, ma jeune paresseuse,
Jà la gaye Alouette au ciel a fredonné,
Et jà le Rossignol doucement jargonné,
Dessus l'espine assis, sa complainte amoureuse.

Sus! debout! allons voir l'herbelette perleuse,
Et vostre beau rosier de boutons couronné
Et vos œillets aimés ausquels aviez donné
Hier au soir de l'eau d'une main si songneuse.

Harsoir en vous couchant vous jurastes vos yeux
D'estre plutost que moy ce matin esveillée,
Mais le dormir de l'Aube aux filles gracieux

Vous tient d'un doux sommeil encor les yeux fillée
Ça ça, que je les baise et vostre beau tetin
Cent fois pour vous apprendre à vous lever matin.

LOVE IN NATURE

(*Amours de Marie*)

By Pierre de Ronsard

Vous mesprisez nature: estes-vous si cruelle
De ne vouloir aimer? Voyez les Passereaux
Qui demenent l'amour, voyez les Colombeaux;
Regardez le Ramier, voyez la Tourterelle:

and experience "quelque plus hault et meilleur style" was unsuitable, so that for her benefit, in the series of sonnets and chansons dedicated to her (1555), Ronsard employs a very familiar "beau style bas." Marie died in 1573, an event which elicited from the poet the series of sixteen poems *Sur la mort de Marie,* appearing in the edition of 1578.

Sonnets:

Voyez, deçà delà, d'une fretillante aile
Voleter par les bois les amoureux oiseaux;
Voyez la jeune vigne embrasser les ormeaux,
Et toute chose rire en la saison nouvelle.

Icy, la bergerette, en tournant son fuseau,
Desgoise ses amours, et là, le pastoureau
Respond à sa chanson, ici toute chose aime:

Tout parle de l'amour, tout s'en veut enflamer:
Seulement vostre cœur, froid d'une glace extreme,
Demeure opiniastre et ne veut point aimer.

TO THE BELOVED

(*Amours de Marie*)

By PIERRE DE RONSARD

Si j'estois Jupiter, Marie, vous seriez
Mon espouse Junon; si j'estois Roy des ondes,
Vous seriez ma Tethys, Reine des eaux profondes,
Et pour votre palais le monde vous auriez;

Si la terre estoit mienne, avec môy vous tiendriez
L'empire sous vos mains, dames des terres rondes,
Et dessus un beau Coche, en longues tresses blondes,
Par le peuple en honneur Deesse vous iriez.

Mais je ne suis pas Dieu, et si ne le puis estre;
Le ciel pour vous servir seulement m'a fait naistre.
De vous seule je prens mon sort avantureux.

Vous estes tout mon bien, mon mal, et ma fortune;
S'il vous plaist de m'aimer, je deviendray Neptune,
Tout Jupiter, tout Roy, tout riche et tout heureux.

IN THE MEADOW

(*Amours de Marie*)

By PIERRE DE RONSARD

Je mourrois de plaisir, voyant par ces bocages
Les arbres enlacez de lierres espars,
Et la verde lambrunche errante en mille pars
Sur l'aubespin fleury pres des roses sauvages.

Je mourrois de plaisir, oyant les doux ramages
Des Hupes, de Coqus et des Ramiers rouhars
Dessur un arbre verd, bec en bec fretillars,
Et des Tourtres, aux bois, voyant les mariages.

Je mourrois de plaisir voyant en ces beaux mois,
Debusquer un matin le Chevreuil hors du bois,
Et de voir fretiller dans le Ciel l'Alouette;

Je mourrois de plaisir où je languis transi,
Absent de la beauté qu'en ce pré je souhaite:
Un demy-jour d'absence est un an de souci.

THE BOUQUET

(*Amours de Marie*, in *Pièces retranchées*)

By Pierre de Ronsard

Je vous envoye un bouquet que ma main
Vient de trier de ces fleurs épanies;
Qui ne les eust à ce vespre cueillies,
Cheutes à terre elles fussent demain.

Cela vous soit un exemple certain
Que vos beautez, bien qu'elles soient fleuries,
En peu de tems seront toutes fletries,
Et, comme fleurs, periront tout soudain.

Le tems s'en va, le tems s'en va, ma dame;
Las! te tems non, mais nous nous en allons,
Et tost serons estendus sous la lame.

Et des amours, desquelles nous parlons,
Quand serons morts, n'en sera plus nouvelle,
Pour ce aymez-moy ce pendant qu'estes belle.

ON THE DEATH OF MARIE

(*Amours de Marie*)

By Pierre de Ronsard

Je songeois sous l'obscur de la nuict endormie,
Qu'un sepulcre entre-ouvert s'apparoissoit à moy.
La Mort gisoit dedans toute palle d'effroi;
Dessus estoit escrit: Le tombeau de Marie.

Sonnets:

Espouvanté du songe, en sursault je m'escrie:
Amour est donc sujet à nostre humaine loy!
Il a perdu son regne et le meilleur de soy,
Puis que par une mort sa puissance est perie.

Je n'avois achevé, qu'au poinct du jour voici
Un Passant à ma porte, adeulé de soucy,
Qui de la triste mort m'annonça la nouvelle.

Pren courage, mon ame, il faut suivre sa fin:
Je l'entens dans le ciel comme elle nous appelle;
Mes pieds avec les siens ont fait mesme chemin.

TO MARIE DEAD

(*Amours de Marie*)

By Pierre de Ronsard

Comme on voit sur la branche au mois de May la rose
En sa belle jeunesse, en sa premiere fleur,
Rendre le ciel jaloux de sa vive couleur,
Quand l'Aube de ses pleurs au poinct du jour l'arrose,

La Grace dans sa fueille et l'amour se repose,
Enbasmant les jardins et les arbres d'odeur;
Mais batue ou de pluye ou d'excessive ardeur,
Languissante, elle meurt, fueille à fueille déclose.

Ainsi en ta premiere et jeune nouveauté,
Quand la terre et le ciel honoroient ta beauté,
La Parque t'a tuée, et cendre tu reposes.

Pour obseques reçoy mes larmes et mes pleurs,
Ce vase plein de laict, ce panier plein de fleurs,
Afin que, vif et mort, ton corps ne soit que roses.

THE POET AND POSTERITY

(*Amours de Marie*)

By Pierre de Ronsard

Cesse tes pleurs, mon livre: il n'est pas ordonné
Du Destin, que moy vif, tu sois riche de gloire;
Avant que l'homme passe outre la rive noire,
L'honneur de son travail ne luy est point donné.

Quelqu'un, apres mille ans, de mes vers estonné,
Voudra dedans mon Loir comme en Permesse boire,
Et, voyant mon pays, à peine pourra croire
Que d'un si petit lieu tel Poëte soit né.

Pren, mon livre, pren cœur: la vertu precieuse
De l'homme, quand il vit, est toujours odieuse.
Apres qu'il est absent, chacun le pense un Dieu.

La rancœur nuit tousjours à ceux qui sont en vie;
Sur les vertus d'un mort elle n'a plus de lieu,
Et la posterité rend l'honneur sans envie.

THE TIMID LOVER [1]

(*Amours d'Hélène*)

By PIERRE DE RONSARD

Te regardant assise aupres de ta cousine
Belle comme une Aurore, et toy comme un Soleil,
Je pensay voir deux fleurs d'un mesme teint pareil,
Croissantes en beauté l'une à l'autre voisine.

La chaste saincte, belle et unique Angevine,
Vite comme un esclair, sur moy jeta son œil;
Toy, comme paresseuse et pleine de sommeil,
D'un seul petit regard tu ne m'estimas digne.

Tu t'entretenois seule au visage abaissé,
Pensive toute à toy, n'aimant rien que toy-mesme.
Desdaignant un chacun d'un sourcil ramassé.

Comme une qui ne veut qu'on la cherche ou qu'on l'aime.
J'eus peur de ton silence et m'en allay tout blesme,
Craignant que mon salut n'eust ton œil offensé.

[1] The edition of 1578 of Ronsard's works contains the sonnet sequence, *Les Amours d'Hélène*, written at the request of Queen Catherine de Médici in honor of her beautiful maid of honor, Hélène de Fonsèque, daughter of René, baron de Surgères and his wife, Anne de Cossé-Brissac. From the lady's side, the affair to which these sonnets bear witness was entirely platonic. That Ronsard did not wish it to remain on that level certain of the sonnets clearly show. After the death of Mlle de Surgères' fiancé, who was not the poet, she elected to spend her life in retirement.

IN THE WILDERNESS
(*Amours d'Hélène*)
By PIERRE DE RONSARD

Je fuy les pas frayez du méchant populaire,
Et les villes où sont les peuples amassez:
Les rochers, les forests, desjà sçavent assez
Quelle trampe a ma vie estrange et solitaire.

Si ne suis-je seul, qu'Amour mon secretaire,
N'accompagne mes pieds debiles et cassez;
Qu'il ne conte mes maux et presens et passez,
A ceste voix sans corps, qui rien ne sçauroit taire.

Souvent plein de discours, pour flatter mon esmoy,
Je m'arreste, et je dy: Se pourroit-il bien faire
Qu'elle pensast, parlast, ou se souvint de moy?

Qu'à sa pitié mon mal commencast à déplaire?
Encor que je me trompe, abusé du contraire,
Pour me faire plaisir, Helene, je le croy.

HELEN'S TREE
(*Amours d'Hélène*)
By PIERRE DE RONSARD

Je plante en ta faveur cet arbre de Cybelle,
Ce Pin, où tes honneurs se liront tous les jours:
J'ay gravé sur le tronc nos noms et nos amours,
Qui croistront à l'envy de l'escorce nouvelle.

Faunes, qui habitez ma terre paternelle,
Qui menez sur le Loir vos dances et vos tours,
Favorisez la plante et luy donnez secours,
Que l'Esté ne la brusle et l'Hyver ne la gelle.

Pasteur qui conduiras en ce lieu ton troupeau,
Flageollant une Eclogue en ton tuyau d'aveine,
Attache tous les ans à cest arbre un tableau

Qui tesmoigne aux passans mes amours et ma peine;
Puis, l'arrosant de laict et du sang d'un agneau,
Dy, " Ce pin est sacré, c'est la plante d'Helene."

TO HELEN, GROWN OLD

(*Amours d'Hélène*)

By Pierre de Ronsard

Quand vous serez bien vieille, au soir, à la chandelle,
Assise aupres du feu, devidant et filant,
Direz, chantant mes vers, et vous esmerveillant:
Ronsard me celebroit du temps que j'estois belle.

Lors vous n'aurez servante oyant telle nouvelle,
Desja sous le labeur à demy sommeillant,
Qui au bruit de mon nom ne s'aille reveillant,
Benissant vostre nom de louange immortelle.

Je seray sous la terre, et fantôme sans os,
Par les ombres myrteux je prendray mon repos;
Vous serez au fouyer une vieille accroupie,

Regrettant mon amour et vostre fier desdain.
Vivez, si m'en croyez, n'attendez à demain;
Cueillez dés aujourd'huy les roses de la vie.

BIRDS OF THE FOREST

(*Amours d'Hélène*)

By Pierre de Ronsard

Genévres herissez, et vous, houx espineux,
L'un hoste des deserts, et l'autre d'un bocage:
Lierre, le tapis d'un bel antre sauvage,
Source, qui bouillonez d'un surgeon sablonneux:

Pigeons, qui vous baisez d'un baiser savoureux,
Tourtres, qui lamentez d'un eternel veufvage,
Rossignols ramagers, qui, d'un plaisant langage,
Nuict et jour rechantez vos versets amoureux;

Vous à la gorge rouge, estrangere Arondelle,
Si vous voyez aller ma Nymphe en ce Printemps,
Pour cueillir des bouquets par ceste herbe nouvelle,

Dites-luy, pour neant, que sa grace j'attens,
Et que pour ne souffrir le mal que j'ay pour elle,
J'ay mieux aimé mourir que languir si long temps.

Sonnets:

HELEN OF TROY
(*Amours d'Hélène*)
By Pierre de Ronsard

Il ne faut s'esbahir, disoient ces bons vieillars
Dessus le mur Troyen, voyans passer Helene,
Si pour telle beauté nous souffrons tant de peine:
Nostre mal ne vaut pas un seul de ses regars.

Toutefois il vaut mieux, pour n'irriter point Mars
La rendre à son espoux afin qu'il la r'emmeine,
Que voir de tant de sang nostre campagne pleine,
Nostre havre gaigné, l'assaut à nos rempars.

Peres, il ne falloit, à qui la force tremble,
Par un mauvais conseil les jeunes retarder;
Mais, et jeunes et vieux, vous deviez tous ensemble

Pour elle corps et biens et ville hazarder.
Menelas fut bien sage, et Paris, ce me semble,
L'un de la demander, l'autre de la garder.

FAREWELL TO THE FOREST
(*Amours d'Hélène*, from 1587 edition)
By Pierre de Ronsard

Vous ruisseaux, vous rochers, et vous antres solitaires,
Vous chesnes, heritiers du silence des bois,
Entendez les souspirs de ma derniere vois,
Et de mon testament soyez presents notaires.

Soyez de mon malheur fideles secretaires,
Gravez-le en vostre escorce, à fin que tous les mois
Il croisse comme vous: cependant je m'en vois
Là bas privé de sens, de veines, et d'artères.

Je meurs pour la rigueur d'une fiere beauté
Qui vit sans foy, sans loy, amour ne loyauté,
Qui me succe le sang comme un Tygre sauvage.

Adieu, forests, adieu! Adieu le verd sejour
De vos arbres, heureux pour ne cognoistre Amour
Ny sa mere, qui tourne en fureur le plus sage.

TO MARY, QUEEN OF SCOTS

(Dedicatory sonnet of the *Poèmes*)

By PIERRE DE RONSARD

Encores que la mer de bien loin nous separe,
Si est-ce que l'esclair de vostre beau Soleil,
De vostre œil qui n'a point au monde de pareil,
Jamais loin de mon cœur par le temps ne s'egare.

Royne, qui enfermez une Royne si rare,
Adoucissez vostre ire, et changez de conseil;
Le Soleil se levant et allant au sommeil
Ne voit point en la terre un acte si barbare.

Peuple, vous forlignez (aux armes nonchalant)
De vos ayeux Regnault, Lancelot et Rolant,
Qui prenoient d'un grand cœur pour les Dames querelle;

Les gardoyent, les sauvoyent, où vous n'avez, François,
Ny osé regarder ny toucher le harnois
Pour oster de servage une Royne si belle.

ON THE DEATH OF KING CHARLES IX

(Sonnet to Monsieur Sorbin)

By PIERRE DE RONSARD

Si le grain de froment ne se pourrist en terre,
Il ne sauroit porter ny feuille, ny bon fruit;
De la corruption la naissance se suit
Et comme deux anneaux l'un en l'autre s'enserre.

Le Chrestien endormi sous le tombeau de pierre
Doit revestir son corps en despit de la nuit;
Il doit suivre son Christ, qui la Mort a destruit.
Premier victorieux d'une si forte guerre,

Il vit assis là-haut, triomphant de la Mort:
Il a vaincu Satan, les Enfers et leur Fort
Et a fait que la Mort n'est plus rien qu'un passage.

Qui ne doit aux Chrestiens se monstrer odieux,
Par lequel Charles est passé volant aux Cieux,
Prenant pour luy le gain, nous laissant le dommage.

Sonnets:

I GO TO PREPARE A PLACE
(*Derniers sonnets*)
By Pierre de Ronsard

Je n'ai plus que les os, un Scelette je semble,
Decharné, denervé, demusclé, depoulpé,
Que le trait de la mort sans pardon a frappé,
Je n'ose voir mes bras que de peur je ne tremble.

Apollon et son fils, deux grands maistres ensemble,
Ne me sauroient guerir, leur mestier m'a trompé;
Adieu, plaisant soleil, mon œil est estoupé,
Mon corps s'en va descendre où tout se desassemble.

Quel amy me voyant en ce point despouillé
Ne remporte au logis un œil triste et mouillé,
Me consolant au lict et me baisant la face,

En essuyant mes yeux par la mort endormis?
Adieu, chers compaignons, adieu, mes chers amis,
Je m'en vay le premier vous preparer la place.

SLEEP THAT KNITS UP THE RAVELED SLEEVE OF CARE
(*Derniers sonnets*)
By Pierre de Ronsard

Meschantes nuits d'hyver, nuicts filles de Cocyte
Que la terre engendra, d'Encelade les sœurs,
Serpentes d'Alecton, et fureur des fureurs,
N'approchez de mon lict, ou bien tournez plus vitte.

Que fait tant le soleil au giron d'Amphytrite?
Leve-toi, je languis accablé de douleurs;
Mais ne pouvoir dormir c'est bien de mes malheurs
Le plus grand, qui ma vie et chagrine et despite.

Seize heures pour le moins je meurs les yeux ouverts,
Me tournant, me virant de droit et de travers,
Sur l'un sur l'autre flanc je tempeste, je crie.

Inquiet je ne puis en un lieu me tenir,
J'appelle en vain le jour, et la mort je supplie,
Mais elle fait la sourde, et ne veux pas venir.

THE TRUMPET AND THE DARK ANGEL
(*Derniers sonnets*)
By PIERRE DE RONSARD

Quoy mon ame, dors-tu engourdie en ta masse?
La trompette a sonné, serre bagage, et va
Le chemin deserté que Jésu-christ trouva,
Quand tout mouillé de sang racheta nostre race.

C'est un chemin facheux, borné de peu d'espace,
Tracé de peu de gens, que la ronce pava,
Où le chardon poignant ses testes s'esleva;
Pren courage pourtant, et ne quitte la place.

N'appose point la main à la mansine, apres
Pour ficher ta charue au milieu des guerets,
Retournant coup sur coup en arriere ta vue:

Il ne faut commencer, ou du tout s'employer,
Il ne faut point mener, puis laisser la charrue.
Qui laisse son mestier n'est digne du loyer.

THE SWAN SONG
(*Derniers sonnets*)
By PIERRE DE RONSARD

Il faut laisser maisons et vergers et jardins,
Vaisselles et vaisseaux que l'artisan burine,
Et chanter son obseque en la façon du Cygne
Qui chante son trespas sur les bords Maeandrins.

C'est fait, j'ai devidé le cours de mes destins,
J'ai vescu, j'ai rendu mon nom assez insigne:
Ma plume vole au ciel pour estre quelque signe,
Loin des appas mondains qui trompent les plus fins.

Heureux qui ne fut onc, plus heureux qui retourne
En rien comme il estoit, plus heureux qui sejourne
D'homme fait nouvel ange aupres de Jesu-christ,

Laissant pourrir ça-bas sa despouille de boue,
Dont le sort, la fortune et le destin se joue,
Franc des liens du corps pour n'estre qu'un esprit.

Sonnets:

THE NINE MUSES

(*Amours de Francine*, Book I)

By Jean-Antoine de Baïf

Un jour, quand de l'yver l'ennuieuse froidure
S'atiedist, faisant place au printemps gracieux,
Lors que tout rit aux champs, et que les prez joyeux
Peingnent de belles fleurs leur riante verdure;

Près du Clain tortueux, sous une roche obscure,
Un doux somme ferma d'un doux lien mes yeux.
Voicy, en m'endormant, une clairté des cieux
Venir l'ombre enflamer d'une lumiere pure,

Voicy venir des Cieux, sous l'escorte d'Amour,
Neuf nymphes qu'on eust dit estre toutes jumelles:
En rond aupres de moy elles firent un tour;

Quand l'une me tendant de myrte un verd chapeau,
Me dit: Chante d'amour d'autres chansons nouvelles,
Et tu pourras monter à nostre sainct coupeau.

THE NIGHTINGALE

(*Amours de Francine*, Book I)

By Jean-Antoine de Baïf

Rossignol amoureux, qui dans ceste ramée,
Ore haut, ore bas, atrempant ton chanter,
Possible comme moy essayes d'enchanter
Le gentil feu qu'allume en toy ta mieux aymée;

S'il y a quelque amour dans ton cœur allumée
Qui cause ta chanson, vien icy te jetter
Dans mon giron, à fin que nous puissions flater
La pareille douleur de nostre ame enflamée.

Rossignol, si tu l'es, aussi suis-je amoureux.
C'est un soulas bien grand entre deux malheureux
De pouvoir en commun leurs douleurs s'entredire.

Mais, oyseau, nos malheurs (je croy) ne sont égaux,
Car tu dois recevoir la fin de tes travaux:
Moy, je n'espere rien qu'à jamais un martyre.

AFTER THE MASSACRE OF SAINT BARTHOLOMEW
By Jean-Antoine de Baïf

Pauvres cors ou logeoyent ces esprits turbulans,
Nagueres la terreur des princes de la terre,
Mesmes contre le ciel osans faire la guerre,
Deloiaux, obstinez, pervers et violans.

Aujourd'huy le repas des animaux volans
Et rampans charogniers, et de ces vers qu'enserre
La puante voirie, et du peuple qui erre
Sous les fleuves profons en la mer se coulans.

Pauvre cors reposez, si vos malheureux os,
Nerfs et veines et chair, sont dignes de repos,
Qui ne purent souffrir le repos en la France.

Esprits dans les carfours toutes les nuits criez:
O mortels avertis et voiez et croiez,
Que le forfait retarde et ne fuit la vengeance.

TO THE " ADMIRED LADY " AND HER POET, JACQUES TAHUREAU
By Jean-Antoine de Baïf

De bel amy belle amye, Admirée,
De belle amye amy beau, toy heureux,
Heureuse toy, l'un de l'autre amoureux,
Les yeux aimez tous deux de Cytherée.

Tous deux aimez de la Muse dorée,
Tous deux mignards, et tous deux vigoureux,
Tous deux d'amour doucement langoureux,
Tous deux l'honneur de nostre age honnorée.

O couple heureux, de Venus avoué,
O couple sainct à la Muse voué,
Couple entre'aymé, bel amant, belle amante,

Vivez amis d'un doux lien tenus,
Et de la Muse ensemble et de Venus,
Cueillez la fleur à jamais fleurissante.

Sonnets:

THE DREAM OF LOVE [1]

(*Amours de Francine*, Book II)

By Jean-Antoine de Baïf

O doux songe amoureux qui à l'heure plus coye
De cette heureuse nuit (quand je fermoy les yeux
Sous un somme plus doux) mes travaux ennuieux
Es venu consoler d'une soudaine joye,

En un tel paradis faisant que je me voye,
Tu fais que je beni mon tourment gracieux:
Et bien que tu sois faux, si t'aimé-je bien mieux
Qu'autre plaisir plus vray qu'en veillant on m'otroye.

Tant belle et tant humaine entre mes bras tu mis
Ma Francine. O qu'estroit je la tin embrassée!
O comme mes travaux en oubly furent mis!

Que je me vengeay bien de tous les grands ennuis
Soufferts depuis le jour que je l'avoy laissée.
Ainçois depuis le jour qu'à moy plus je ne suis!

[1] In his two recueils of sonnets, the *Amours de Méline* and the *Amours de Francine*, Baïf makes an attempt to be a Petrarchist and to sigh according to the precepts of an idealizing love. His temperament ill adapted him to such foreign fervors. He was more at home as a frank sensualist, as this sonnet and the one following clearly show. These erotic verses from the *Amours de Francine* are less daring than some in the *Amours de Méline*, notably the following extremely daring example from the second book:

Ô doux plaisir plein de doux pensement,
Quand la douceur de la douce meslée
Etreint et joint, l'ame en l'ame meslee,
Le corps au corps d'un mol embrassement.

Ô douce vie! ô doux trepassement!
Mon ame alors de grand' joye troublee,
De moy dans toy cherche d'aller emblee,
Puis haut, puis bas s'écoulant doucement.

Quand nous ardants, Meline, d'amour forte,
Moy d'estre en toy, toy d'en toy tout me prendre,
Par cela mien, qui dans toy entre plus,

Tu la reçois, me laissant masse morte:
Puis vient ta bouche en ma bouche la rendre,
Me ranimant tous mes membres perclus.

In such verses Baïf shows himself a " gaulois," with no touch of the pedantry which caused Du Bellay to hail him jokingly but admiringly as " docte, doctieur, doctime."

THE NIGHT OF LOVE

(*Amours de Francine*, Book I)

By Jean-Antoine de Baïf

Songe heureux et divin, trompeur de ma tristesse,
O que je te regrette! ô que je m'éveillay,
Helas, à grand regret, lors que je dessillay
Mes yeux, qu'un mol someil d'un si doux voile presse.

J'enserray bras à bras nu à nu ma maistresse,
Ma jambe avec sa jambe heureux j'entortillay,
Sa bouche avec ma bouche à souhet je mouillay,
Cueillant la douce fleur de sa tendre jeunesse.

O plaisir tout divin! ô regret ennuieux!
Ô gracieux someil! ô reveil envieux!
O si quelcun des dieux des amans se soucie!

Dieux, que ne fistes vous, ou ce songe durer,
Autant comme ma vie, ou non plus demeurer,
Que ce doux songe court, ma miserable vie.

CONTENTMENT [1]

By Jacques Tahureau

La moite nuit sa teste couronnoit,
De mainte estoille au ciel resplendissante,
Et mollement à nos yeux blandissante,
Apres la peine un doux somme amenoit;

Le gresillon aux prez rejargonnoit,
Perçant, criard, d'une vois egrissante;
Et aux forestz jaunement palissante,
D'un teint blafard la lune rayonnoit;

Quand j'aperceu ma nymphette descendre
De son cheval, pour à mon col se pendre,
Me caressant d'un baiser savoureux.

Devant le jour la nuit me soit premiere,
Plus chere aussi l'ombre que la lumiere,
Puisqu'el' m'a fait si content amoureux!

[1] Tahureau's poetry deserves more attention than it has received, since it possesses certain qualities associated with Catullus among Roman poets and Parny among French.

DEVOTION
By Jacques Tahureau

Tu pourras bien choisir un serviteur
Ayant en main de plus grandes richesses,
Tout semé d'or, de gemmeuses largesses,
Superbe et fier d'un hazardeux bonheur,

Voire tenant des destins la faveur,
Trop mieux instruict en frivoles addresses,
Plus courtisan à farder ses caresses,
Et ses propos masquez de faulse ardeur.

Mais entre mille, et mille, et mille, et mille,
Tu n'en pourras trouver un moins fragile,
Ne qui t'admire aussi fidellement;

Ou qui au lict lascivement folastre,
Sucçant, baisant ta rose et ton albastre,
T'aille embrassant autant mignardement.

THE LADY MOON
By Rémy Belleau

Lune porte-flambeau, seule fille heritiere
Des ombres de la nuit au grand et large sein,
Seule dedans le ciel qui de plus viste train
Gallopes tes moreaux par la noire carriere:

Seule quand il te plaist qui retiens ta lumiere
D'un œil à demi-clos, puis la versant soudain
Montres le teint vermeil de ton visage plein,
Et les rayons sacrez de ta belle paupiere:

Laisse moy, je te pry, sous le silence ombreux
De tes feux argentez au sejour amoureux
De ces rares beautez qui m'ont l'ame ravie,

Et causent que sans peur j'erre dedans ce bois
Vagabond et seulet, comme toy quelquefois
Pour ton mignon dormeur sur le mont de Latmie.

AGAINST THE PROTESTANTS [1]

By Estienne Jodelle

O moy pourtant heureux de l'heur qu'auroit ma France
Si ces gens qui se sont contre elle mutinez,
Si les nostres aussi, qu'en fin ces obstinez
Forceront de venir jusqu'a l'estreme outrance,

Avoyent, ceux là par crainte et ceux cy par clemence,
D'un sainct et juste accord leurs cœurs desacharnez,
Fuyant le cruel choc où les a destinez
La contrainte derniere et l'ardeur de vengeance:

Je sentirois fort grand un tel heur, pour ne voir
Ce beau regne noyé dans son sang, et sçavoir
Que ces pipeurs diroyent s'ils avoyent la victoire:

" Dieu venge ainsi les siens, en tout temps, en tout lieu,"
Et vaincus, ils diroyent: " Sont les verges de Dieu,
De nostre Eglise vraye et la marque et la gloire."

HOME IS THE SAILOR! HOME FROM THE SEA!

By Amadis Jamyn

Le Nocher qui longtemps dessus les flots venteux
Sur la mer ha souffert maint different orage,
Est aise quand il voit la terre et le rivage,
Eschapé des hazards et des vents perilleux.

Il apelle, il saluë, aveq un cœur joyeux
Le port bien asseuré: puis loing de tout naufrage
Il passe doucement auprès de son mesnage
Le reste de ses ans desja foibles et vieux.

Ainsi après avoir dedans la mer mondaine
Passé mille périls en differente peine,
Bonnet se resjouit à l'heure de sa mort;

Pour ne devoir plus rien à quelqu'un des celestes,
Il se mit volontiers souz les ombres funestes
Et le trespas certain luy sembla comme un port.

[1] One of Jodelle's patriotic political sonnets, the most interesting part of his non-dramatic verse, taken from *Contre les ministres de la nouvelle opinion*, sonnet 28. Compare Baïf's sonnet on the Saint Bartholomew with this of Jodelle's and both with Eustache Deschamps' ballades on current events.

Sonnets:

LIFE IS A DREAM
By Amadis Jamyn

Voyant les combatans de la Balle forcée
Merquez de jaune et blanc l'un l'autre terracer,
Pesle-mesle courir, se battre, se pousser,
Pour gaigner la victoire en la foule pressée:

Je pense que la Terre à l'égal balancée
Dedans l'air toute ronde, ainsi fait amasser
Les hommes aux combats, à fin de renverser
Ses nourriçons brulans d'une gloire insensée.

La Balle ha sa rondeur toute pleine de vent:
Pour du vent les mortels font la guerre souvent,
Ne rapportant du jeu que la Mort qui les domte,

Car tout ce monde bas n'est qu'un flus et reflus,
Et n'apprennent jamais à toute fin de conte,
Sinon que cette vie est un songe et rien plus.

THE INCONSTANT LADY
(*Diverses Amours*, XXXIV)
By Philippe Desportes

Je l'aymay par dessein, la connoissant volage,
Pour retirer mon cœur d'un lien fort dangereux:
Aussi que je vouloy n'estre plus amoureux
En lieu que le profit n'avançast le dommage.

Je duray quatre mois avec grand avantage,
Goustant tous les plaisirs d'un amant bien-heureux;
Mais en ces plus beaux jours, ô destins rigoureux!
Le devoir me força de faire un long voyage.

Nous pleurasmes tous deux, puis, quand je fu parti,
Son cœur n'agueres mien fut ailleurs diverti:
Un revint, et soudain luy voilà raliée.

Amour je ne m'en veux ny meurtrir ny blesser;
Car, pour dire entre nous, je puis bien confesser
Que plus d'un mois devant je l'avois oubliée.

THE PHOENIX

(*Les Amours de Cléonice*, LXII)

By Philippe Desportes

Je verray par les ans, vengeurs de mon martire,
Que l'or de vos cheveux argenté deviendra,
Que de vos deux soleils la splendeur s'esteindra,
Et qu'il faudra qu'Amour tout confus s'en retire.

La beauté qui, si douce, à present vous inspire,
Cedant aux lois du tans, ses faveurs reprendra;
L'hyver de vostre teint les fleurettes perdra,
Et ne laissera rien des thresors que j'admire.

Cet orgueil desdaigneux qui vous fait ne m'aimer,
En regret et chagrin se verra transformer,
Avec le changement d'une image si belle.

Et peut estre qu'alors vous n'aurez déplaisir
De revivre en mes vers, chauds d'amoureux desir,
Ainsi que le phénix au feu se renouvelle.

ICARUS

(*Les Amours d'Hippolyte*, I)

By Philippe Desportes

Icare est cheut ici, le jeune audacieux,
Qui pour voler au ciel eut assez de courage:
Ici tomba son corps desgarni de plumage,
Laissant tous braves cœurs de sa chute envieux.

O bienheureux travail d'un esprit glorieux,
Qui tire un si grand gain d'un si petit dommage!
O bienheureux malheur plein de tant d'avantage,
Qu'il rende le vaincu des ans victorieux!

Un chemin si nouveau n'estonna sa jeunesse,
Le pouvoir lui faillit, mais non la hardiesse;
Il eut pour le brusler des astres le plus beau;

Il mourut poursuivant une haute aventure;
Le ciel fut son désir, la mer sa sepulture:
Est-il plus beau dessein, ou plus riche tombeau?

Sonnets:

THE GENTLE SLEEP
(*Les Amours d'Hippolyte*, LXXV)

By PHILIPPE DESPORTES

Sommeil, paisible fils de la nuict solitaire,
Pere alme, nourricier de tous les animaux,
Enchanteur gracieux, doux oubly de nos maux,
Et des esprits blessez l'appareil salutaire;

Dieu favorable à tous, pourquoy m'es-tu contraire?
Pourquoy suis-je tout seul rechargé de travaux,
Or que l'humide nuict guide ses noirs chevaux,
Et que chacun jouyst de ta grâce ordinaire?

Ton silence, où est-il? ton repos et ta paix,
Et ces songes, vollans comme un nuage espais,
Qui des ondes d'oubli vont lavant nos pensées?

O frere de la Mort, que tu m'es ennemy!
Je t'invoque au secours, mais tu es endormy,
Et j'ards, tousjours veillant en tes horreurs glacées.

THE HOLY FIRE [1]
(*Sonnets spirituels*, III)

By PHILIPPE DESPORTES

Puisque le miel d'amour, si comblé d'amertume,
N'altère plus mon cœur comme il fit autrefois;
Puisque du monde faux je mesprise les lois,
Monstrons qu'un feu plus saint maintenant nous allume.

Seigneur, d'un de tes clous je veux faire ma plume,
Mon encre de ton sang, mon papier de ta croix,
Mon subject de ta gloire, et les chants de ma voix
De ta mort, qui la mort éternelle consume.

Le feu de ton amour, dans mon âme eslancé,
Soit la sainte fureur dont je seray poussé,
Et non d'un Apollon l'ombrageuse folie.

---

[1] Philippe Desportes' *Sonnets spirituels* is the finest sequence of Christian sonnets to appear during the French Renaissance.

Cet amour par la foy mon esprit ravira,
Et, s'il te plaist, Seigneur, au ciel l'élevera
Tout vif, comme sainct Paul ou le prophète Elie.

CREATOR SPIRIT, BY WHOSE AID

(*Sonnets spirituels*, VII)

By PHILIPPE DESPORTES

Sur des abysmes creux les fondemens poser
De la terre pesante, immobile et feconde,
Semer d'astres le ciel, d'un mot créer le monde,
La mer, les vens, la foudre à son gré maistriser,

De contrarietez tant d'accords composer,
La matiere difforme orner de forme ronde,
Et par ta prevoyance, en merveilles profonde,
Voir tout, conduire tout, et de tout disposer,

Seigneur, c'est peu de chose à ta majesté haute;
Mais que toy, Createur, il t'ait pleu pour la faute
De ceux qui t'offensoyent en croix estre pendu,

Jusqu'à si haut secret mon vol ne peut s'estendre;
Les anges ny le ciel ne le sçauroyent comprendre;
Apprens-le-nous, Seigneur, qui l'as seul entendu!

FROM HIM COMETH MY HELP

(*Sonnets spirituels*, IX)

By PHILIPPE DESPORTES

Voyant tant de grands flots et de vents s'eslever
Pour submerger ma barque errante et passagere,
Eussé-je, ô Souverain! comme le second pere,
Au naufrage du monde, une arche à me sauver!

Peussé-je à mon besoin ta clemence esprouver
Et, comme les Hebreux en la terre estrangere,
Passer la mer à sec d'une plante legere
Puis au païs promis par ta grace arriver!

Ou que mon cœur tremblant, que l'orage espouvante,
Sentist comme sainct Pierre au fort de la tourmante,
Quand sa foy desfailloit, de ta main le secours!

Ta bonté par le tans n'est en rien plus petite;
Sauve donc par ta grace un qui moins le merite,
Et qui durant ses maux n'a qu'à toy son recours.

Sonnets:

THE BLOOD OF THE LAMB

(*Sonnets spirituels*, XI)

By Philippe Desportes

Helas! si tu prens garde aux erreurs que j'ay faites,
Je l'advouë, ô Seigneur! mon martyre est bien doux;
Mais si le sang de Christ a satisfaict pour nous,
Tu decoches sur moy trop d'ardentes sagettes.

Que me demandes-tu? mes œuvres imparfaites,
Au lieu de t'adoucir, aigriront ton courroux;
Sois-moy donc pitoyable, ô Dieu! pere de tous,
Car où pourray-je aller si plus tu me rejettes?

D'esprit triste et confus, de misere accablé,
En horreur à moy-mesme, angoisseux et troublé,
Je me jette à tes piés; soy-moy doux et propice!

Ne tourne point les yeux sur mes actes pervers,
Ou si tu les veux voir, voy-les teints et couvers
Du beau sang de ton Fils, ma grace et ma justice.

THE THORNS OF LIFE

(*Sonnets spirituels*, XII)

By Philippe Desportes

La vie est une fleur espineuse et poignante,
Belle au lever du jour, seiche en son occident;
C'est moins que de la neige en l'esté plus ardent,
C'est une nef rompue au fort de la tourmente.

L'heur du monde n'est rien qu'une roue inconstante,
D'un labeur eternel montant et descendant;
Honneur, plaisir, profict, les esprits desbordant,
Tout est vent, songe et nue et folie evidente.

Las! c'est dont je me plains, moy qui voy commencer
Ma teste à se mesler, et mes jours se passer,
Dont j'ay mis les plus beaux en ces vaines fumées;

Et le fruict que je cueille, et que je voy sortir
Des heures de ma vie, helas! si mal semées,
C'est honte, ennuy, regret, dommage et repentir.

THE FLIGHT OF DAYS
(*Sonnets spirituels*, XIV)
By Philippe Desportes

Quand quelquefois je pense au vol de ceste vie,
Et que nos plus beaux jours plus vistement s'en vont,
Comme neige au soleil mes esprits se desfont,
Et de mon cœur troublé toute joye est ravie.

O desirs, qui teniez ma jeunesse asservie,
Semant devant le temps des rides sur mon front,
Ma nef par vos fureurs ne sera mise à fond;
Je voy la rive proche où le ciel me convie.

Mais pourquoy, las! plustost ne me suis-je advisé
Que le bien de ce monde et l'honneur plus prisé,
N'est qu'un songe, un fantosme, une ombre, un vain nuage?

Telle erreur si long-tans ne m'eust pas arresté,
Comme un second Narcis, amoureux de l'ombrage,
Au lieu du bien parfaict et de la verité.

THE ETERNAL WORD
(*Sonnets spirituels*, XVI)
By Philippe Desportes

Quand le Verbe eternel, par qui tout est formé,
Eut enduré la mort pour nous donner la vie,
Trois disciples secrets, plein d'amour infinie,
Dedans un monument ont son corps enfermé.

Mais avecques ce corps de ton fils bien-aimé
Fut enterré ton cœur, ô dolente Marie!
De tes yeux ruisselans la splendeur fut tarie,
Et de mille couteaux ton esprit entamé.

Le ciel, les elemens alors tous se troublerent,
De ce grand univers les fondemens tremblerent.
Et le soleil luisant esteignit son flambeau.

O secret que les sens ne sçauroient bien entendre!
Celuy qui comprend tout, et ne se peut comprendre,
Est clos pour nos peschez dans un petit tombeau!

Sonnets:

THE PRODIGAL
(*Sonnets spirituels*, XVIII)
By Philippe Desportes

Je regrette en pleurant les jours mal employez
A suivre une beauté passagere et muable,
Sans m'eslever au ciel et laisser memorable
Maint haut et digne exemple aux esprits desvoyez.

Toi qui dans ton pur sang nos mesfaits as noyez,
Juge doux, benin pere et sauveur pitoyable,
Las! releve, ô Seigneur! un pecheur miserable,
Par qui ces vrais soupirs au ciel sont envoyez.

Si ma folle jeunesse a couru mainte année
Les fortunes d'amour, d'espoir abandonnée,
Qu'au port, en doux repos, j'accomplisse mes jours,

Que je meure en moy-mesme, à fin qu'en toy je vive,
Que j'abhorre le monde et que, par ton secours,
La prison soit brisée où mon ame est captive.

THE FRUITFUL BRANCH
By Jean Vauquelin de la Fresnaye

Seigneur, si de ta vigne un des rameaux je suis,
Dont toujours verdoyant est le branchu feuillage:
Ne permets que mon cep sèche en son bel ombrage,
Mais humecte l'humeur où triste je languis.

Fais que le beau soleil, ô Seigneur, dont tu luis,
Ravive les drageons qu'une greffe sacage:
Et de tes beaux rayons écarte le nuage
Qui me trouble la vue et me charge d'ennuis.

Nous sommes tes provins comme toy notre vigne;
Fais que je porte un fruit qui puisse en être digne,
Ayant déjà promis qu'avec nous tu seras:

Sois donc avecque moy, ma faiblesse supporte
Fais reverdir ma plante et la rends assez forte
Pour porter le bon fruit dont tu la chargeras.

IF THOU, OH LORD, SHOULDST MARK INIQUITY

By Jean Vauquelin de la Fresnaye

Seigneur, je n'ay cessé, des la fleur de mon âge,
D'amasser sur mon chef pechez dessus pechez:
Des dons que tu m'avois dedans l'ame cachez,
Plaisant, je me servois à mon desavantage:

Maintenant que la neige a couvert mon visage,
Que mes prez les plus beaux sont fanez et fauchez,
Et que desja tant d'ans ont mes nerfs dessechez;
Ne ramentoy le mal de mon ame volage.

Ne m'abandonne point: en ses ans les plus vieux,
Le sage roy des juifs adora de faux dieux,
Pour complaire aux desirs des femmes estrangeres.

Las! fay qu'à ton honneur je puisse menager
Le reste de mes ans, sans de toy m'estranger
Et sans prendre plaisir aux fables mensongeres.

WINDS, MEADOWS, FORESTS

By Jean Vauquelin de la Fresnaye

O vent plaisant, qui, d'aleine odorante,
Enbasmes l'air du basme de ces fleurs,
O pré joyeux où verserent leurs pleurs
Le bon Damete et la belle Amarante;

O bois ombreux, ô riviere courante
Qui vis en bien eschanger leurs malheurs,
Qui vis en joye eschanger leurs douleurs,
Et l'une en l'autre une ame respirante;

L'âge or leur fait quitter l'humain plaisir:
Mais, bien qu'ils soient touchez d'un saint desir
De rejetter toute amour en arriere,

Tousjours pourtant, un remors gracieux
Leur fait aimer, en voyant ces beaus lieux,
Ce vent, ce pré, ce bois, ceste riviere.

Sonnets :

TO DIANA
By Jean Passerat

O bel œil de la nuit, ô la fille argentée
Et la sœur du soleil et la mere des mois,
O princesse des monts, des fleuves et des bois,
Dont la triple puissance en tous lieux est vantée.

Puisque tu es, deesse, au plus bas ciel montée,
D'où les piteux regrets ses amants tu reçois,
Dis, lune au front cornu, as-tu vu quelquefois
Une ame qui d'amour fut si fort tourmentée?

Si doncques ma douleur vient ton corps esmouvoir,
Tu me peux secourir; ayant en ton pouvoir
Des songes emplumés la bande charmeresse.

Choisis l'un d'entre tous qui les maus d'un amant
Sache mieux contrefaire, et l'envoie en dormant
Representer ma peine à ma fiere maistresse.

THE DEFEATED SPANIARDS
By Jean Passerat

Mais où est maintenant ceste puissante armée,
Qui sembloit en venant tous les dieux menacer?
Et qui se promettoit de rompre et terrasser
La noblesse françoise avec son prince armée?

Ce superbe appareil s'en retourne en fumée,
Et ce duc, qui pensoit tout le monde embraser,
Est contraint, sans rien faire, en Flandre rebrosser;
Il a perdu ses gens, sons temps, sa renommée.

Henry, nostre grand roy, comme un veneur le suit,
Le presse, le talonne; et le renard s'enfuit,
Le menton contre terre, honteux, despit et blesme.

Espagnols, apprenés que jamais estranger
N'attaque le François qu'avec perte et danger:
Le François ne se vainc que par le François mesme.

THE PYRENEES
By Guillaume du Bartas

François, arreste-toi, ne passe la campagne
Que Nature mura de rochers d'un costé,
Que l'Auriege entrefend d'un cours précipité;
Campagne qui n'a point en beauté de compagne.

Passant, ce que tu vois n'est point une montagne:
C'est un grand Briarée, un géant haut monté
Qui garde ce passage, et défend, indomté,
De l'Espagne la France, et de France l'Espagne.

Il tend à l'une l'un, a l'autre l'autre bras,
Il porte sur son chef l'antique faix d'Atlas,
Dans deux contraires mers il pose ses deux plantes.

Les espaisses forests sont ses cheveux espais;
Les rochers sont ses os; les rivieres bruyantes
L'eternelle sueur que luy cause un tel faix.

IN HEAVENLY LOVE ABIDING
By Théodore Agrippa d'Aubigné

Ainsi l'amour du Ciel ravit en ces hauts lieux
Mon ame sans la mort, et le corps en ce monde
Va soupirant ça-bas sa liberté seconde
De soupirs poursuivans l'ame jusques aux Cieux.

Vous courtisez le Ciel, foibles et tristes yeux.
Quand vostre âme n'est plus en ceste terre ronde:
Devale, corps lassé, dans la fosse profonde;
Vole en ton paradis, esprit victorieux.

O la foible espérance, inutile souci,
Aussi loin de raison que le Ciel jusqu'ici,
Sur les ailes de foy delivre tout le reste,

Celeste Amour, qui as mon esprit emporté,
Je me voy dans le sein de la Divinité;
Il ne fault que mourir pour estre tout celeste.

Sonnets:

A FAITHFUL SERVANT REPROACHES HIS KING
By Théodore Agrippa d'Aubigné

Sire, vostre Citron qui couchoit autrefois
Sur vostre lit paré, couche ores sur la dure:
C'est ce fidelle chien qui apprit de nature
A faire des amys et des traistres le chois:

C'est lui qui les brigands effrayoit de sa voix,
Et de dents les meurtriers; d'où vient donc qu'il endure
La faim, le froid, les coups, les desdains et l'injure,
Payement coustumier du service des Rois.

Sa fierté, sa beauté, sa jeunesse agreable
Le fit cherir de vous, mais il fut redoutable
A vos haineux, aux siens, pour sa dextérité.

Courtisans, qui jettez vos desdaigneuses veuës
Sur ce chien délaissé mort de faim par les ruës,
Attendez ce loyer de la fidélité.

LAMENT FOR A SON SLAIN IN A DUEL
By François de Malherbe

Que mon fils ait perdu sa dépouille mortelle,
Ce fils qui fut si brave, et que j'aimay si fort,
Je ne l'impute point à l'injure du sort,
Puisque finir à l'homme est chose naturelle.

Mais que de deux marauds la surprise infidelle
Ait terminé ses jours d'une tragique mort,
En cela ma douleur n'a point de reconfort,
Et tous mes sentiments sont d'accord avec elle.

O mon Dieu, mon Sauveur, puisque, par la raison,
Le trouble de mon ame estant sans guerison,
Le vœu de la vengeance est un vœu legitime,

Fay que de ton appuy je sois fortifié;
Ta justice t'en prie, et les autheurs du crime
Sont fils de ces bourreaux qui t'ont crucifié.

THE DEEP GOBLET

By Michel Guy de Tours

Voici le coudre où ma saincte Angelette
Se vint asseoir pour y prendre le fraiz
Et pour s'armer à l'encontre des raiz
Que le soleil du trebuchet nous gette.

Voici le coudre où je la vy seulette,
Où mes deux yeux humerent à longs traiz
Le doux venin qu'enfantent ses attraiz,
Attraiz autheurs de ma flamme secrette.

Ce l'est vrayment, et pour ce, mes Amis,
En reverant la beauté qui m'a mis
L'amour au cœur, beuvons sous sa ramée:

Sus que chacun tarisse jusqu'au fond
Autant de fois ce goubelet profond
Qu'y ay de fois baisé ma bien-aymée.

REPENTANCE [1]

By Mathurin Régnier

O Dieu, si mes pechez irritent ta fureur,
Contrit, morne et dolent, j'espere en ta clemence,
Si non duëil ne suffit à purger mon offence,
Que ta grace y supplée, et serve à mon erreur.

Mes esprits éperdus frissonnent de terreur,
Et ne voyant salut que par la penitence,
Mon cœur, comme mes yeux, s'ouvre à la repentance,
Et me hay tellement, que je m'en fais horreur.

Je pleure le present, le passé je regrette,
Je crains à l'avenir la faute que j'ay faite,
Dans mes rebellions je lis ton jugement.

Seigneur, dont la bonté nos injures surpasse,
Comme de Pere à fils uses-en doucement;
Si j'avois moins failly, moindre seroit ta grace.

---

[1] Mathurin Régnier, like Philippe Desportes, is often set down as a worldly Epicurean poet. Yet they wrote some of the best Counter-Reformation religious poetry.

Sonnets:

THE FATHER OF LIGHTS
By Mathurin Régnier

Quand devot vers le Ciel j'ose lever les yeux,
Mon cœur ravy s'émeut, et confus s'emerveille,
Comment, dy-je à part-moy, ceste' œuvre nompareille
Est-elle perceptible à l'esprit curieux?

Cet Astre ame du monde, œil unique des Cieux,
Qui travaille en repos, et jamais ne sommeille,
Pere immense du jour, dont la clarté vermeille,
Produit, nourrit, recrée, et maintient ces bas lieux.

Comment t'eblouïs-tu d'une flamme mortelle,
Qui du soleil vivant n'est pas une étincelle,
Et qui n'est devant luy sinon qu'obscurité.

Mais si de voir plus outre aux Mortels est loisible,
Croy bien, tu comprendras mesme l'Infinité,
Et les yeux de la foy te la rendront visible.

AT THE CROSS HER STATION KEEPING
By Mathurin Régnier

Ce pendant qu'en la Croix plein d'amour infinie,
Dieu pour nostre salut tant de maux supporta,
Que par son juste sang nostre ame il racheta
Des prisons où la mort la tenoit asservie,

Alteré du desir de nous rendre la vie,
J'ay soif, dit-il aux Juifs; quelqu'un lors apporta
Du vinaigre, et du fiel, et le luy presenta;
Ce que voyant, sa Mere en la sorte s'écrie:

Quoy! n'est-ce pas assez de donner le trespas
A celuy qui nourrit les hommes icy bas,
Sans frauder son desir, d'un si piteux breuvage?

Venez, tirez mon sang de ces rouges canaux,
Ou bien prenez ces pleurs qui noyent mon visage,
Vous serez moins cruels, et j'auray moins de maux.

SIMPLY TO THY CROSS I CLING

By Jean Ogier de Gombauld

Le péché me surmonte, et ma peine est si grande,
Lorsque, malgré moy-mesme, il triomphe de moy,
Que, pour me retirer du gouffre ou je me voy,
Je ne sçay quel hommage il faut que je te rende.

Je voudrois bien t'offrir ce que ta loy commande,
Des prieres, des vœux et des fruits de ma foy,
Mais voyant que mon cœur n'est pas digne de toy,
Je fais de mon Sauveur mon eternelle offrande.

Reçoy ton fils, ô Père, et regarde la croix
Où, pret de satisfaire à tout ce que je dois,
Il te fait de luy-mesme un sanglant sacrifice;

Et puisqu'il a pour moy cet excez d'amitié,
Que d'estre incessamment l'objet de ta justice,
Je seray, s'il te plaist, l'object de ta pitié.

HERACLITUS

By Jean-Baptiste Chassignet

Assieds-toy sur le bord d'une ondante riviere,
Tu la verras fluer d'un perpetuel cours,
Et, flots sur flots, roulant en mille et mille tours,
Decharger par les prez son humide carriere.

Mais tu ne verras rien de cette onde premiere
Qui naguere couloit; l'eau change tous les jours,
Tous les jours elle passe, et la nommons tousjours
Mesme fleuve, et mesme eau, d'une mesme maniere.

Ainsi l'homme varie, et ne sera demain,
Telle, comme aujourd'huy, du pauvre corps humain
La force que le temps abbrevie et consomme.

Le nom, sans varier, nous suit jusqu'au trepas,
Et, combien qu'aujourd'huy, celuy ne sois-je pas
Qui vivoit hier passé, tousjours mesme on me nomme.

Sonnets:

LIFE'S FITFUL FEVER

By Jean-Baptiste Chassignet

Sçais-tu que c'est de vivre? Autant comme passer
Un chemin tortueux: ore le pied te casse,
Le genou s'afoiblit, le mouvement se lasse,
Et la soif vient le teint de ta levre effacer.

Tantost il t'y convient un tien ami laisser,
Tantost enterrer l'autre; ore il faut que tu passe
Un torrent de douleur, et franchisses l'audace
D'un rocher de souspirs, fascheux à traverser.

Parmy tant de detours, il faut prendre carriere
Jusqu'au fort de la mort, et, fuyant en arriere,
Nous ne fuyons pourtant le trespas qui nous suit;

Allons-y à regret, l'Eternel nous y traine;
Allons-y de bon cœur, son vouloir nous y mesne;
Plutost qu'estre trainé, mieux vault estre conduit.

THE SHADOW OF THE CROSS

By François Maynard

Mon âme, il faut partir. Ma vigueur est passée,
Mon dernier jour est dessus l'horizon.
Tu crains ta liberté. Quoy! n'es-tu pas lassée
D'avoir souffert soixante ans de prison?

Tes desordres sont grands; tes vertus sont petites,
Parmi tes maux on trouve peu de bien;
Mais si le bon Jesus te donne ses merites,
Espere tout et n'apprehende rien.

Mon âme, repens-toi d'avoir aimé le monde,
Et de mes yeux fais la source d'une onde
Qui touche de pitié le monarque des rois.

Que tu serois courageuse et ravie
Si j'avois soupiré, durant toute ma vie,
Dans le desert, sous l'ombre de la Croix!

THE HOLY ROOD

By Honorat de Racan

Beau cèdre aimé des cieux, dont l'heureuse mémoire
Ne craint point de l'oubli les rigoureuses lois,
Ne blâme point le sort qui fit mourir ton bois,
Puisque le même sort a fait naître ta gloire.

Celui de qui le sang sur toi fut épanché,
C'est celuy dont la grâce égale la justice,
Qui souffre injustement notre juste supplice
Et qui nous fait revivre en tuant le péché.

O non pareil ouvrier des œuvres non-pareilles,
De qui tous les effets sont autant de merveilles,
Que ton amour est grand, que ton pouvoir est fort!

Mon Dieu! de quel miracle est ta bonté suivie:
Jadis un bois vivant nous apporta la mort,
Un bois mort aujourd'hui nous apporte la vie!

SPRING [1]

By Marc-Antoine de Saint-Amant

Zephire a bien raison d'estre amoureux de Flore;
C'est le plus bel objet dont il puisse jouyr;
On voit à son eclat les soins s'esvanouyr
Comme les libertez devant l'œil que j'adore.

Qui ne seroit ravy d'entendre sous l'aurore
Les miracles volans qu'au bois je viens d'ouyr!
J'en sens avec les fleurs mon cœur s'espanouyr,
Et mon lut negligé leur veut respondre encore.

L'herbe sousrit à l'air d'un air voluptueux;
J'apperçoy de ce bord fertile et tortueux
Le doux feu du soleil flatter le sein de l'onde.

Le soir et le marin, la Nuict baise le Jour;
Tout ayme, tout s'embraze, et je croy que le monde
Ne renaist au printemps que pour mourir d'amour.

---

[1] This and the following are the first and last of a series of descriptive sonnets: *Le Printemps des environs de Paris; L'Esté de Rome; L'Automne des Canaries; L'Hyver des Alpes.*

WINTER

By Marc-Antoine de Saint-Amant

Ces atomes de feu, qui sur la neige brillent,
Ces estincelles d'or, d'azur et de christal
Dont l'hyver, au soleil, d'un lustre oriental,
Pare ses cheveux blancs que les vents esparpillent;

Ce beau cotton du ciel de quoy les monts s'habillent,
Ce pavé transparent fait du second metal,
Et cet air net et sain, propre à l'esprit vital,
Sont si doux à mes yeux que d'aise ils en petillent.

Ceste saison me plaist, j'en ayme la froideur;
Sa robbe d'innocence et de pure candeur
Couvre en quelque façon les crimes de la terre.

Aussi l'Olympien la voit d'un front humain;
Sa collere l'espargne, et jamais le tonnerre
Pour desoler ses jours ne partit de sa main.

Chansons:

TO CUPID [1]

By Clément Marot

Dieu gard ma maistresse et régente,
Gente de corps et de façon.
Son cueur tient le mien en sa tente
Tant et plus d'un ardent frisson.
S'on m'oyt poulser sur ma chanson
Son de lucz ou harpes doulcettes,
C'est espoir qui sans marrisson
Songer me faict en amourettes.

La blanche colombelle belle
Souvent je voys priant criant:
Mais dessoubz la cordelle d'elle
Me jecte un œil friant, riant,

---

[1] These graceful little chansons by Clément Marot offer interesting comparisons with the short odes of Ronsard. Insufficient attention has been given Marot's lyrics and those of his contemporaries in evaluating critically the lyrical achievement of the Pléiade. Marot's lyrics continue the Middle French tradition as well as anticipate some of the new developments.

En me consommant et sommant
A douleur qui ma face efface,
Dont suis le reclamant amant
Qui pour l'oultrepasse trespasse.

Dieu des amans, de mort me garde,
Me gardant donne moy bonheur,
Et me le donnant prens ta darde,
En la prenant navre mon cueur;
En la navrant me tiendras seur,
En seurté suyvray l'accointance;
En l'acointant, ton serviteur
En servant aura jouyssance.

A HAPPY LOVER
By Clément Marot

Je suis aymé de la plus belle
Qui soit vivant dessoubz les cieulx;
Encontre tous faulx envieux
Je la soutiendray estre telle.

Si Cupido doulx et rebelle
Avoit desbendé ses deux yeulx
Pour veoir son maintien gracieux,
Je croy qu'amoureux seroit d'elle.

Venus, la déesse immortelle,
Tu as faict mon cueur bien heureux,
De l'avoir faict estre amoureux
D'une si noble damoyselle.

FOR DIANE DE POITIERS
By Clément Marot

Puis que de vous je n'ay autre visage,
Je m'en voys rendre hermite en un desert,
Pour prier Dieu, si un autre vous sert,
Qu'autant que moy en vostre honneur soit sage.

Adieu amours, adieu gentil corsage,
Adieu ce tainct, adieu ces frians yeulx.
Je n'ay pas eu de vous grand advantage;
Un moins aymant aura peult estre mieux.

Chansons:

CONSTANCY
By Clément Marot

Ne sçay combien la haine est dure,
Et n'ay desir de le sçavoir;
Mais je sçay qu'amour, qui peu dure,
Faict un grand tourment recevoir.
Amour autre nom deust avoir;
Nommer le fault fleur ou verdure
Qui peu de temps se laisse veoir.

Nommez le donc fleur ou verdure
Au cueur de mon leger amant;
Mais en mon cueur qui trop endure,
Nommez le roc ou dyamant:
Car je vy tousjours en aymant,
En aymant celuy qui procure
Que Mort ne voyse consommant.

THE VINTAGE
By Clément Marot

Changeons propos, c'est trop chanté d'amours:
Ce sont clamours, chantons de la serpette:
Tous vignerons ont à elle recours.
C'est leur secours pour tailler la vignette;
O serpilette, ô la serpillonnette,
La vignolette est par toy mise sus,
Dont les bons vins tous les ans sont yssus.

Le dieu Vulcain, forgeron des haults dieux,
Forgea aux cieulx la serpe bien taillante,
De fin acier trempé en bon vin vieulx,
Pour tailler mieulx et estre plus vaillante.
Bacchus la vante, et dit qu'elle est seante
Et convenante à Noé le bon hom
Pour en tailler la vigne en la saison.

Bacchus alors chappeau de treille avoit,
Et arrivoit pour benistre la vigne;
Avec flascons Silenus le suyvoit,
Lequel beuvoit aussi droict qu'une ligne;

Puis il trepigne, et se faict une bigne;
Comme une guigne estoit rouge son nez;
Beaucoup de gens de sa race sont nez.

THE PERFECT LADY

By CLÉMENT MAROT

Qui veult avoir liesse
Seulement d'un regard
Vienne veoir ma maistresse
Que Dieu maintienne et gard:
Elle a si bonne grace,
Que celluy qui la veoit
Mille douleurs efface,
Et plus s'il en avoit.

Les vertus de la belle
Me font esmerveiller;
La souvenance d'elle
Faict mon cueur esveiller;
Sa beauté tant exquise
Me faict la mort sentir;
Mais sa grace requise
M'en peult bien garantir.

THE GOD OF LOVE

(*Voyage à Notre Dame de l'Ile*)

By BONAVENTURE DES PÉRIERS

A telle feste,
S'apreste,
Le Dieu de joye et de pleurs,
Des ailes
Toutes nouvelles,
Faictes de roses et fleurs.

Le friand
S'en va riant,
Mais de nuyre ne se soule;
Il se gaudit
Et brandit
Ses flammes parmy la foule.

Il donne maintes
Attainctes
Aux pauvres cueurs esgarez;
Il pousse
D'arc et de trousse
Les pensers mal assurez.

Soubz tes ris
Doulx et cheris,
Lances tu douleur amère,
Cruel Amour!
Au retour
Nous le dirons à ta mère.

Chansons:

> Qui en tristesse
> Sans cesse
> Te va cherchant de ses yeux,
> Par hayes,
> Prez et saulsayes
> Et par spectacles joyeux.

TO MARIE

(*Amours*, Book II)

By Pierre de Ronsard

Ma maistresse est toute angelette,
Ma toute rose nouvellette,
Toute mon gracieux orgueil,
Toute ma petite brunette,
Toute ma douce mignonnette,
Toute mon cœur, toute mon œil.

Toute ma Muse, ma Charite,
Ma toute où mon penser habite,
Toute mon tout, toute mon rien,
Toute ma maistresse Marie,
Toute ma douce tromperie,
Toute mon mal, toute mon bien.

Toute fiel, toute ma sucrée,
Toute ma jeune Cytherée,
Toute ma joye, et ma langueur,
Toute ma petite Angevine,
Ma toute simple et toute fine,
Toute mon ame et tout mon cœur.

Encore un envieux me nie
Que je ne dois aimer Marie.
Mais quoy? Si ce sot envieux
Disoit que mes yeux je n'aimasse,
Voudriez-vous bien que je laissasse
Pour un sot à n'aimer mes yeux?

TWO LADIES

(*Amours*, Book II)

By Pierre de Ronsard

Fleur Angevine de quinze ans,
Ton front monstre assez de sim-
   plesse:
Mais ton cœur ne cache au dedans
Sinon que malice et finesse,
Celant sous ombre d'amitié
Une jeunette mauvaistié.

Ren moy (si tu as quelque honte)
Mon cœur que je t'avois donné,
Dont tu ne fais non-plus de conte
Que d'un esclave emprisonné,
T'esjouissant de sa misere,
Et te plaisant de luy desplaire.

Une autre moins belle que toy,
Mais bien de meilleure nature,
Le voudroit bien avoir de moy.
Elle l'aura, je te le jure:
Elle l'aura, puis qu'autrement
Il n'a de toy bon traitement.

Mais non: j'aime trop mieux qu'il
   meure
Sans esperance en ta prison:
J'aime trop mieux qu'il y demeure
Mort de douleur contre raison,
Qu'en te changeant jouïr de celle
Qui m'est plus douce, et non si belle.

SPRING, THE SWEET SPRING, IS THE YEAR'S PLEASANT KING!

(*Amours*, Book II)

By PIERRE DE RONSARD

Quand ce beau printemps je voy,
    J'apperçoy
Rajeunir la terre et l'onde,
Il me semble que le jour
    Et l'amour
Comme enfans naissent au monde.

Le jour qui plus beau se fait
    Nous refait
Plus belle et verde la terre;
Et amour, armé de traits
    Et d'attraits,
En nos cœurs nous fait la guerre.

Il respand de toutes parts
    Feux et dards,
Et dompte sous sa puissance
Hommes, Bestes et Oyseaux,
    Et les eaux
Lui rendent obéissance.

Venus avec son enfant
    Triomphant
Au haut de son Coche assise,
Laisse ses Cygnes voler
    Parmy l'air
Pour aller voir son Anchise.

Quelque part que ses beaux yeux
    Par les cieux
Tournent leurs lumières belles,
L'air qui se monstre serein,
    Est tout plein
D'amoureuses estincelles.

Puis en descendant à bas
    Sous ses pas
Naissent mille fleurs écloses:
Les beaux lyz et les œillets
    Vermeillets
Rougissent entre les roses.

Je sens en ce mois si beau
    Le flambeau
D'amour qui m'eschauffe l'ame,
Y voyant de tous costez
    Les beautez
Qu'il emprunte de ma Dame.

Quand je voy tant de couleurs
    Et de fleurs
Qui esmaillent un rivage,
Je pense voir le beau teint
    Qui est peint
Si vermeil en son visage.

Quand je voy les grands rameaux
    Des ormeaux
Qui sont lassez de lierre,
Je pense etre pris és laz
    De ses bras,
Et que mon col elle serre.

Quand j'entens la douce vois
    Par les bois
Du gay Rossignol qui chante,
D'elle je pense jouyr,
    Et ouyr
Sa douce voix qui m'enchante.

Quand je voy en quelque endroit
    Un pin droit,
Ou quelque arbre qui s'esleve,
Je me laisse decevoir,
    Pensans voir
Sa belle taille et sa greve

Quand je voy dans un jardin
    Au matin
S'esclorre une fleur nouvelle,
J'accompare le bouton
    Au teton
De son beau sein qui pommelle.

Chansons:

Quand le Soleil tout riant
　　D'Orient
Nous monstre sa blonde tresse,
Il me semble que je voy
　　Devant moy
Lever ma belle maistresse.

Quand je sens parmi les prez
　　Diaprez
Les fleurs dont la terre est pleine,
Lors je fais croire à mes sens
　　Que je sens
La douceur de son haleine.

Bref, je fais comparaison,
　　Par raison,
Du printemps et de m'amie
Il donne aux fleurs la vigueur,
　　Et mon cœur
D'elle prend vigueur et vie.

Je voudrois au bruit de l'eau
　　D'un ruisseau
Desplier ses tresses blondes,
Frizant en autant de nœus
　　Ses cheveux,
Que je verrois friser d'ondes.

Je voudrois pour la tenir,
　　Devenir
Dieu de ces forets desertes,
La baisant autant de fois
　　Qu'en un bois
Il y a de feuilles vertes.

Ha! Maistresse mon soucy,
　　Vien icy,
Vien contempler la verdure!
Les fleurs de mon amitié
　　Ont pitié
Et seule tu n'en as cure.

Au moins, leve un peu tes yeux
　　Gracieux,
Et voy ces deux colombelles,
Qui font naturellement
　　Doucement
L'amour du bec et des ailes.

Et nous, sous l'ombre d'honneur,
　　Le bon heur
Trahissons par une crainte.
Les oyseaux sont plus heureux
　　Amoureux,
Qui font l'amour sans contrainte.

Toutesfois ne perdons pas
　　Nos esbats
Pour ces loix tant rigoureuses;
Mais, si tu m'en crois, vivons,
　　Et suyvons
Les colombes amoureuses.

Pour effacer mon esmoy
　　Baise-moy,
Rebaise-moy, ma Déesse:
Ne laissons passer en vain
　　Si soudain
Les ans de nostre jeunesse.

TO HELEN, OF ILLUSTRIOUS LOVERS

(*Amours diverses*)

By Pierre de Ronsard

Plus estroit que la Vigne à l'Ormeau se marie
　　De bras souplement-forts,
Du lien de tes mains, Maistresse, je te prie
　　Enlace-moy le corps.

Et, feignant de dormir, d'une mignarde face
    Sur mon front panche-toy:
Inspire, en me baisant, ton haleine et ta grâce
    Et ton cœur dedans moy.

Puis, appuyant ton sein sur le mien qui se pâme,
    Pour mon mal appaiser,
Serre plus fort mon col, et me redonne l'âme
    Par l'esprit d'un baiser.

Si tu me fais ce bien, par tes yeux je te jure,
    Serment qui m'est si cher,
Que de tes bras aimez jamais autre avanture
    Ne pourra m'arracher;

Mais, souffrant doucement le joug de ton Empire,
    Tant soit-il rigoureux,
Dans les champs Elysez une mesme navire
    Nous passera tous deux.

Là, morts de trop aimer, sous les branches Myrtines
    Nous verrons tous les jours
Les anciens Heros auprès des Heroïnes
    Ne parler que d'amours.

Tantost nous dancerons par les fleurs des rivages
    Sous maints accords divers;
Tantost, lassez du bal, irons sous les ombrages
    Des Lauriers tousjours verds:

Où le mollet Zephyre en haletant secouë
    De soupirs printaniers
Ores les Orangers, ores mignard se jouë
    Entre les Citronniers.

Là du plaisant Avril la saison immortelle
    Sans eschange se suit;
La terre sans labeur de sa grasse mammelle
    Toute chose y produit.

D'en bas la troupe sainte, autrefois amoureuse,
    Nous honorant sur tous,
Viendra nous saluer, s'estimant bienheureuse
    De s'accointer de nous.

Chansons:

Puis, nous faisant asseoir dessus l'herbe fleurie
De toutes au milieu,
Nulle en se retirant ne sera point marrie
De nous quitter son lieu;

Non celle qu'un Toreau sous une peau menteuse
Emporta par la mer,
Non celle qu'Apollon vit, vierge despiteuse,
En laurier se former:

Ni celles qui s'en vont toutes tristes ensemble,
Artemise et Didon,
Ni ceste belle Grecque à qui ta beauté semble
Comme tu fais de nom.

THE DELIGHTFUL SPRING

By Jean-Antoine de Baïf

La froidure paresseuse
De l'yver a fait son temps;
Voicy la saison joyeuse
Du délicieux printems.

La terre est d'herbes ornée,
L'herbe de fleuretes l'est;
La feuillure retournée
Fait ombre dans la forest.

De grand matin, la pucelle
Va devancer la chaleur,
Pour de la rose nouvelle
Cueillir l'odorante fleur.

Pour avoir meilleure grace,
Soit qu'elle en pare son sein,
Soit que présent elle en fasse
A son amy, de sa main;

Qui, de sa main l'ayant üe
Pour souvenance d'amour,
Ne la perdra point de vüe,
Le baisant cent fois le jour.

Mais oyez dans le bocage
Le flageolet du berger,
Qui agace le ramage
Du rossignol bocager.

Voyez l'onde clere et pure
Se cresper dans les ruisseaux;
Dedans, voyez la verdure
De ces voisins arbrisseaux.

La mer est calme et bonasse
Le ciel est serein et cler,
La nef jusqu'aux Indes passe;
Un bon vent la fait voler.

Les ménageres avetes
Font ça et la un doux fruit,
Voletant par les fleuretes
Pour cueillir ce qui leur duit.

En leur ruche elles amassent
Des meilleures fleurs la fleur,
C'est à fin qu'elles en fassent
Du miel la douce liqueur.

Tout résonne des voix nettes
De toutes races d'oyseaux,
Par les chans, des alouetes,
Des cygnes, dessus les eaux.

Aux-maisons, les arondelles,
Les rossignols, dans les boys,
En gayes chansons nouvelles
Exercent leurs belles voix.

Doncques, la douleur et l'aise
De l'amour je chanteray,
Comme sa flame ou mauvaise,
Ou bonne, je sentiray.

Et si le chanter m'agrée,
N'est-ce pas avec raison,
Puis qu'ainsi tout se recrée
Avec la gaye saison?

TO APRIL [1]

By Rémy Belleau

Avril, l'honneur et des bois
    Et des mois:
Avril, la douce espérance
Des fruicts qui sous le coton
    Du bouton
Nourissent leur jeune enfance.

Avril, l'honneur de prez verds,
    Jaunes, pers,
Qui d'une humeur bigarrée
Emaillent de mille fleurs
    De couleurs,
Leur parure diaprée.

Avril, l'honneur des souspirs
    Des Zéphyrs,
Qui sous le vent de leur aelle
Dressent encor és forests
    Des doux rets,
Pour ravir Flore la belle.

Avril, c'est ta douce main
    Qui du sein
De la nature desserre
Une moisson de senteurs,
    Et de fleurs,
Embasment l'Air et la Terre.

Avril, l'honneur verdissant,
    Florissant
Sur les tresses blondelettes
De ma Dame et de son sein,
    Tousjours plein
De mille et mille fleurettes.

Avril, la grace, et le ris
    De Cypris,
Le flair et la douce haleine:
Avril, le parfum des Dieux,
    Qui des cieux
Sentent l'odeur de la plaine.

C'est toy courtois et gentil,
    Qui d'exil
Retires ces passageres,
Ces arondelles qui vont
    Et qui sont
Du printemps les messageres.

L'aubespine et l'aiglantin,
    Et le thym,
L'œillet, le lis et les roses
En ceste belle saison
    A foison,
Monstrent leurs robes écloses.

[1] See p. 443, note 12.

Chansons:

Le gentil rossignolet,
　　Doucelet,
Découpe dessous l'ombrage
Mille fredons babillars,
　　Frétillars,
Au doux chant de son ramage.

Tu vois en ce temps nouveau
　　L'essaim beau
De ces pillardes avettes
Volleter de fleur en fleur,
　　Pour l'odeur
Qu'ils mussent en leurs cuissettes.

C'est à ton heureux retour
　　Que l'amour
Souffle à doucettes haleines,
Un feu croupi et couvert,
　　Que l'hyver
Receloit dedans nos veines.

May vantera ses fraischeurs,
　　Ses fruicts meurs,
Et sa feconde rosée,
La manne et le sucre doux,
　　Le miel roux,
Dont sa grace est arrosée.

Mais moy je donne ma voix
　　A ce mois,
Qui prend le surnom de celle
Qui de l'escumeuse mer
　　Veit germer
Sa naissance maternelle.

TEARS, IDLE TEARS

By Jean de la Taille

C'est trop pleuré, c'est trop suivy tristesse,
Je veux en joye esbattre ma jeunesse
Laquelle encor, comme un printemps, verdoye
Faut-il tousjours qu'à l'estude on me voye?
　　C'est trop pleuré.

Mais que me sert d'entendre par science
Le cours des cieux, des astres l'influence,
De mesurer le ciel, la terre, et l'onde,
Et de voir mesme en un papier, le monde?
　　C'est trop pleuré.

Que sert, pour faire une ryme immortelle,
De me ronger et l'ongle et la cervelle,
Pousser souvent une table innocente,
Et de ternir ma face palissante?
　　C'est trop pleuré.

Mais que me sert d'ensuyvre, en vers, la gloire
Du grand Ronsard, de sçavoir mainte histoire,
Faire en un jour mille vers, mille et mille,
Et cependant mon cerveau se distille?
　　　C'est trop pleuré.

Cependant l'âge, en beauté fleurissante,
Chet comme un lys, en terre languissante.
Il faut parler de chasse, et non de larmes,
Parler d'oyseaux, et de chevaux, et d'armes.
　　　C'est trop pleuré.

Il faut parler d'amour, et de liesse,
Ayant choisy une belle maitresse,
J'ayme, et j'honore et sa race et sa grâce;
C'est mon Phoebus, ma Muse, et mon Parnasse:
　　　C'est trop pleuré.

Digne qu'un seul l'ayme, et soit aymé d'elle,
Luy soit espoux, amy, et serf fidelle,
Autant qu'elle est sage, belle et honneste,
Qui daigne bien de mes vers faire feste:
　　　C'est trop pleuré.

Va-t'en, chanson, au sein d'elle te mettre,
A qui l'honneur — qui ne me doit permettre
Telle faveur — est plus cher que la vie.
Ha, que ma main porte à ton heur d'envie!
　　　C'est trop pleuré.

TO GABRIELLE D'ESTRÉES [1]

By Henry de Bourbon

Charmante Gabrielle,
Percé de mille dards,
Quand la gloire m'appelle
Sous les drapeaux de Mars,
Cruelle départie,
　　Malheureux jour!
Que ne suis-je sans vie
　　Ou sans amour!

[1] Several songs are attributed to Henri IV, who is also said to have composed melodic settings for poems by others.

Chansons:

Bel astre que je quitte,
Ah! cruel souvenir!
Ma douleur s'en irrite . . .
Vous revoir ou mourir!
Cruelle départie, etc.

Partagez ma couronne,
Le prix de ma valeur,
Je la tiens de Bellone,
Tenez-la de mon cœur.
Cruelle départie, etc.

Je veux que mes trompettes,
Mes fifres, les échos,
A tous moments répetent
Ces doux et tristes mots:
Cruelle départie, etc.

TO THE DAWN
By Henry de Bourbon

Viens, Aurore,
Je t'implore,
Je suis gai quand je te voy.
La bergere,
Qui m'est chere,
Est vermeille comme toy.

Pour entendre
Sa voix tendre
On déserte le hameau,
Et Tityre,
Qui souspire,
Fait taire son chalumeau.

De rosée
Arrosée,
La rose a moins de fraischeur;
Une hermine
Est moins fine;
Le lait a moins de blancheur.

Elle est blonde,
Sans seconde;
Elle a la taille à la main;
Sa prunelle
Estincelle
Comme l'astre du matin.

D'ambroisie,
Bien choisie,
Hébé la nourrit à part;
Et sa bouche,
Quand j'y touche,
Me parfume de nectar.

TO REMEMBERED HAPPINESS FOREVER LOST
By Jean Bertaut

Les Cieux inexorables
Me sont si rigoureux
Que les plus misérables,
Se comparans à moy, se trouveroient heureux.

Je ne fais à toute heure
Que souhaiter la mort,
Dont la longue demeure
Prolonge dessus moy l'insolence du Sort.

Mon lict est de mes larmes
Trempé toutes les nuits;
Et ne peuvent ses charmes,
Lors mesme que je dors, endormir mes ennuis.

Si je fay quelque songe,
J'en suis espouvanté,
Car mesme son mensonge
Exprime de mes maux la triste vérité.

Toute paix, toute joye
A prins de moy congé,
Laissant mon âme en proye
A cent mille soucis dont mon cœur est rongé.

La pitié, la justice,
La constance et la foy,
Cédant à l'artifice,
Dedans les cœurs humains sont esteintes pour moy.

L'ingratitude paye
Ma fidelle amitié;
La calomnie essaye
A rendre mes tourmens indignes de pitié.

En ce cruel orage,
On me laisse périr,
Et, courant au naufrage,
Je voy chacun me plaindre et nul me secourir.

Et ce qui rend plus dure
La misere où je vy,
C'est, ès maux que j'endure
La mémoire des biens que le ciel m'a ravy.

Félicité passée
Qui ne peux revenir,
Tourment de ma pensée,
Que n'ay-je en te perdant perdu le souvenir.

IF MY EYES WERE FOUNTAINS [1]

(On the Departure of the Vicomtesse d'Auchy)

By FRANÇOIS DE MALHERBE

Ils s'en vont, ces rois de ma vie,
　　Ces yeux, ces beaux yeux
Dont l'éclat fait paslir d'envie
　　Ceux mesme des cieux.
Dieux amis de l'innocence,
Qu'ai-je fait pour mériter
Les ennuis où ceste absence
　　Me va précipiter?

Elle s'en va, ceste merveille
　　Pour qui nuit et jour,
Quoy que la raison me conseille,
　　Je brusle d'amour.
Dieux amis, etc.

En quel effroy de solitude
　　Assez écarté
Mettray-je mon inquiétude
　　En sa liberté?
Dieux amis, etc.

Les affligez ont en leurs peines
　　Recours à pleurer;
Mais quand mes yeux seroient fontaines,
　　Que puis-esperer?
Dieux amis, etc.

Chansonnette en vers mesurés:

THE BABBLING BIRD [2]

By JEAN-ANTOINE DE BAÏF

Babillarde, qui tousjours viens
Le sommeil et songe troubler
Qui me fait heureux et content,
Babillarde aronde, tais-toy.

---

[1] The lady to whom this song is dedicated was Charlotte Jouvenel des Ursins, wife of Eustache de Conflans, Vicomte d'Auchy.
[2] See pp. 443–444, note 13.

Babillarde aronde, veux-tu
Que de mes gluaux affutés
Je te fasse choir de ton nid?
Babillarde aronde, tais toy.

Babillarde aronde, veux-tu
Que coupant ton aile et ton bec
Je te fasse pis que Terée?
Babillarde aronde, tais-toy.

Si ne veux te taire, crois-moy,
Je me vengerai de tes cris,
Punissant ou toy ou les tiens.
Babillarde aronde, tais-toy.

Chansons spirituelles:

PRAYER FOR THE KING, HER BROTHER [1]

By Marguerite de Navarre

O Dieu, qui les vostres aimez,
J'adresse à vous seul ma complainte;
Vous, qui les amis estimez,
Voyez l'amour que j'ai sans feinte,
Où par votre loi suis contrainte,
Et par nature et par raison.
J'appelle chaque Saint et Sainte
Pour se joindre à mon oraison.

Le désir du bien que j'attens
Me donne de travail matière.
Une heure me dure cent ans,
Et me semble que ma litière
Ne bouge ou retourne en arrière,
Tant j'ai de m'avancer désir.
O! qu'elle est longue, la carrière
Où a la fin gist mon plaisir!

Las! celui que vous aimez tant
Est détenu par maladie,
Qui rend son peuple malcontent,
Et moi, envers vous si hardie
Que j'obtiendrai, quoique l'on die,
Pour lui très parfaite santé.
De vous seul ce bien je mendie,
Pour rendre chacun contenté.

Je regarde de tous costés
Pour voir s'il arrive personne;
Priant sans cesser, n'en doutez,
Dieu, que santé à mon Roi donne;
Quand nul ne vois, l'œil j'abandonne
A pleurer; puis sur le papier
Un peu de ma douleur j'ordonne:
Voilà mon douloureux mestier.

O! qu'il sera le bienvenu,
Celui qui, frappant à ma porte,
Dira " Le Roi est revenu
En sa santé très bonne et forte! "
Alors sa sœur, plus mal que morte,
Courra baiser le messager
Qui telles nouvelles apporte,
Que son frère est hors de danger.

---

[1] The Queen of Navarre's religious lyrics must certainly be included among the worthy ancestors of the Renaissance ode.

Chansons spirituelles:

HE IS MY ROCK AND MY SALVATION
By Marguerite de Navarre

Ceste belle fleur de jeunesse
Devient flestrie en la vieilesse,
Malgré le fard et l'embasmer:
Tout a passé, hors Dieu aymer.

La terre et les cieulx si très beaulx
Passeront pour estre nouveaulx,
Quant Dieu vouldra tout reformer,
Tout se passe, hors Dieu aymer.

Puisque ça bas rien ferme n'est,
Courons a Celluy seul qui est,
Pour tous a luy nous conformer.
Tout se passe, hors Dieu aymer.

Qui aymer Dieu parfaictement
L'aymera eternellement;
Viens, Seigneur, ton feu allumer.
Tout se passe, hors Dieu aymer.

OUT OF THE DEPTHS HAVE I CRIED UNTO THEE
(Abridged)
By Marguerite de Navarre

Helas, monseigneur Dieu,
De ton celeste lieu
Veulle escouter mes plainctz,
Car à toy me complains.

Helas! perdu je suis,
Parquoy viens à ton huys
Te demander du pain:
Helas! je meurs de faim.

Las! moy, pauvre ignorant,
Requiers le demeurant
Des infames morceaux
Que laissent les pourceaulx.

J'ay mis tout mon desir
En richesse et plaisir,
Et à l'ambition
Est mon affection.

J'en ay beau avaller,
Je ne m'en puis souller,
Car plus m'en fais avoir,
Plus j'en veulx recepvoir.

En ce desert bruslant,
Suis criant et volant,
Jamais mon mal n'a fin,
Tant est mon tempteur fin.

O Dieu, qui es en hault,
Tu sçais ce qu'il me fault,
Mieulx que moy la moictié,
Las! prens de moy pitié.

Mon cueur sans ta clarté,
Perdu plus qu'escarté,
Ne voit qu'obscurité,
Ignorant vérité.

Helas! mon Dieu, mon Tout,
Qui vois de bout en bout
Le mal en moy caché.
Qui me tient attaché.

O puissant Createur,
Par mon doulx redempteur
Ton seul filz Jesuchrist,
Donne moy ton esprit.

Et par son feu bruslant
D'un amour violent,
Viens mon péché purger,
En lieu de me juger,

Plante en son lieu, Seigneur,
Ton Esprit enseigneur,
Qui est vivifiant
Voire et deyfiant.

SPIRITUAL AND PROFANE LOVE

By MARGUERITE DE NAVARRE

Si l'amour vayne et nuysante
Est en ung cueur si plaisante
Qu'il ne s'en peult abstenir,
La vertueuse et duysante
Debvroit bien cher la tenir.

Celluy qui a congnoissance
D'Amour et de sa naissance
Scet lequel on doibt choisir,
Où gist sçavoir et puissance,
Félicité et plaisir.

Dont vient qu'affection folle
Scet si bien jouer son rolle,
Que d'un diable faict ung dieu
Qui toujours aveugle volle,
Sans s'arrester en nul lieu.

Mais l'homme qui ne void goutte,
Qui de la vérité doubte,
Partant chemine à cloz yeulx,
Quant à la fosse se boutte
Dict qu'il ne peult estre mieulx.

L'amitié qui est estable,
Ferme, seure et veritable,
Sans dommaige ne danger,
Mais utile et profitable,
Nul cueur ne la veult loger.

La nuict luy semble lumiere,
Et si paint en sa banniere
La follie de son cueur,
Preferant sa chambriere
A la maistresse d'honneur.

La responce est veritable:
Chacun ayme son semblable
Et a luy se veult ranger:
Dieu ferme au cueur immuable,
Dieu vollant au cueur legier.

Sa volonté il adore
Et son amour il honore,
Disant que le mal est bien.
Las! cest pouvre qui ignore
Que Dieu faict tout et luy rien.

OUR SHIELD AND DEFENDER,
THE ANCIENT OF DAYS

By MARGUERITE DE NAVARRE

Helas! Helas!
Helas! mon mignon,
Voys combien Dieu est bon:
Il nous a creez de terre,
De la fange et du limon,
Et nous sert en nostre guerre
De deffence et d'escusson.

Cantique:

BE THOU FAITHFUL UNTO DEATH [1]
By Estienne Dolet

Si au besoin le monde m'abandonne
Et si de Dieu la volonté m'ordonne
Que liberté encores on me donne
    Selon mon veuil.

Dois-je en mon cœur pour cela mener deuil
Et de regrets faire amas et recueil?
Non pour certain, mais au ciel lever l'œil
    Sans autre égard.

Sus donc, esprit, laissez la chair à part,
Et devers Dieu qui tout bien nous départ
Retirez-vous comme à vostre rempart
    Vostre fortresse.

Ne permettes que la chair soit maistresse
Et que sans fin tant de regrets vous dresse,
Si vous plaignant de son mal et détresse
    De son affaire.

Trop est connu ce que la chair sait faire,
Quant à son veuil c'est toujours à refaire,
Pour peu de cas elle se met à braire
    Inconstamment.

De plus en plus elle accroist son tourment,
Se débattant de tout trop aigrement,
Faire regrets c'est son allègement
    Sans nul confort.

Mais de quoi sert un si grand déconfort?
Il est bien vrai qu'au corps il grève fort
D'estre enfermé si longtemps en un fort
    Dont tout mal vient.

A ferme corps grand regret il advient,
Quand en prison demeurer lui convient,
Et jour et nuit des plaisirs lui souvient
    Du temps passé.

[1] This poem is a product of Dolet's imprisonment, which immediately preceded his martyrdom in 1546.

Pour un mondain, le tout bien compassé,
C'est un grand deuil de se voir déchassé
D'honneurs et biens pour un voirre cassé
    Ains sans forfait.

A un bon cœur certes grand mal il faut
D'estre captif sans rien savoir méfaut,
Et pour cela bien souvent en effet
    Il entre en rage.

Grand' douleur sent un vertueux courage
(Ce fut ce bien du monde le plus sage)
Quand il se voit forclus du doux usage
    De sa famille.

Voilà les gousts de corps imbécile
Et les regrets de cette chair débile,
Le tout fondé sur complainte inutile,
    Plainte frivole.

Mais vous, esprit, qui savez la parole
De l'Eternel, ne suivez la chair folle,
Et en celui qui tant bien nous console
    Soit vostre espoir.

Si sur la chair les mondains ont pouvoir,
Sur vous, esprit, rien en peuvent avoir;
L'œil, l'œil au ciel, faites vostre devoir,
    De la entendre.

Soit tost ou tard ce corps deviendra cendre,
Car à nature il faut son tribut rendre,
Et de cela nul ne se peut défendre;
    Il faut mourir.

Quand à la chair, il lui convient pourrir,
Et quant à vous, vous ne pouvez périr,
Mais avec Dieu tousjours devez fleurir
    Par sa bonté.

Or dites donc, faites sa volonté;
Sa volonté est que ce corps dompté.
Laissant la chair, soyez au ciel monté
    Et jour et nuit.

Au ciel monté c'est que premier déduit
Aux mandements du Seigneur qui conduit
Tous bons esprits, et a bien les réduit
    S'ils sont pervers.

Les mandements commandent ès briefs vers
Que si le monde envers vous est divers,
Nous tourmentant à tort et à travers
    En mainte sorte,

Pour tout cela nul ne se déconforte,
Mais constamment un chacun son mal porte,
Et en la main, la main de Dieu tant forte
    Il se remette.

C'est le seul point que tout esprit délecte,
C'est le seul point que tout esprit affecte,
C'est où de Dieu la volonté est faite,
    C'est patience.

Ayant cela ne faut autre science
Pour supporter l'humaine insipience,
Nul mal n'est rien, nulle doute si en ce
    L'esprit se fonde.

Il n'est nul mal que l'esprit ne confonde
Si patience en lui est bien profonde;
En patience il n'est bien qui n'abonde
    Bien et soulas.

En patience on voit coure, hélas!
De ce muni l'esprit n'est jamais las,
En tes vertus bien tu l'entremis, las!
    Dieu tout puissant.

De patience un bon cœur jouissant
Dessous le mal jamais n'est flechissant,
Et désolant ou en rien gémissant
    Tousjours vainqueur.

Sus, mon esprit, montrez-vous de tel cœur
Votre assurance au besoin fort connue.
Tout gentil cœur, tout constant belliqueur
Jusqu'à la mort sa force a maintenue.

Psaumes:

THE EARTH IS THE LORD'S [1]

(Psalm XXIV, *Domini est terra*)

By Clément Marot

La terre au Seigneur appartient,
Tout ce qu'en sa rondeur contient,
Et ceulx qui habitent en elle;

[1] See pp. 444–445, note 14.

Sur mer fondemens luy donna,
L'enrichit et l'environna
De mainte riviere trèsbelle.

Mais sa montaigne est un sainct lieu;
Qui viendra donc au mont de Dieu,
Qui est ce qui là tiendra place?
L'homme de mains et cueur lavé,
En vanitez non eslevé,
Et qui n'a juré en fallace.

L'homme tel, Dieu le benira:
Dieu son sauveur le munira
De misericorde et clemence.
Telle est la generation
Cherchant, cherchant d'affection
Du Dieu de Jacob la presence.

Haulsez vos testes, grans portaulx,
Huys eternelz, tenez vous haultz,
Si entrera le Roy de gloire.
Qui est ce Roy tant glorieux?
C'est le fort Dieu victorieux
Le plus fort qu'en guerre on peult croire.

Haulsez vos testes, grans portaulx,
Huys eternelz, tenez vous haultz,
Si entrera le Roy de gloire.
Qui est ce Roy tant glorieux?
Le Dieu d'armes victorieux,
C'est luy qui est le Dieu de gloire.

THE LORD IS MY SHEPHERD

(Psalm XXIII, *Dominus regit me*)

By Clément Marot

Mon Dieu me paist soubz sa puissance haulte,
C'est mon berger, de rien je n'auray faulte.
En tect bien seur, joingnant les beaulx herbages,
Coucher me faict, me mene aux clairs rivages,
Traicte ma vie en doulceur trèshumaine,
Et pour son nom par droictz sentiers me meine
Si surement, que quand au val viendroye
D'umbre de mort, rien de mal ne craindroye,
Car avec moy tu es à chascune heure,
Puis ta houlette et conduicte m'asseure,
Tu enrichis de vivres necessaires

Psaumes:

Ma table, aux yeulx de tous mes adversaires.
Tu oings mon chef d'huiles et senteurs bonnes
Et jusqu'aux bords pleine tasse me donnes.
Voyre, et feras que ceste faveur tienne,
Tant que vivray compaignie me tienne,
Si que tousjours de faire ay esperance
En la maison du Seigneur demourance.

REJOICE IN THE LORD, O YE RIGHTEOUS
(Psalm XXXIII, *Exultate justi*)
By Clément Marot

Resveillez vous, chascun fidele
Menez en Dieu joye orendroit.
Louenge est trèsseante et belle
En la bouche de l'homme droict.
    Sur la doulce harpe
    Pendue en escharpe
    Le Seigneur louez:
    De luz, d'espinettes,
    Sainctes chansonnettes
    A son Nom jouez.

Chantez de luy par melodie,
Nouveau vers, nouvelle chanson,
Et que bien on la psalmodie
A haulte voix et plaisant son.
    Car ce que Dieu mande,
    Qu'il dit, et commande,
    Est juste et parfaict:
    Tout ce qu'il propose,
    Qu'il faict et dispose,
    A fiance est faict.

Il ayme d'amour souveraine,
Que droict regne et justice ayt lieu:
Quand tout est dict, la terre est pleine
De la grande bonté de Dieu.
    Dieu par sa Parolle
    Formas chascun pole,
    Et Ciel precieux:
    Du vent de sa bouche
    Feit ce qui attouche,
    Et orne les Cieulx.

Il a les grans eaux amassees,
Et la mer comme en un vaisseau,
Aux abysmes les a mussees
Comme un tresor en un monceau.
    Que la terre toute
    Ce grand Dieu redoubte,
    Qui feit tout de rién:
    Qu'il n'y ait personne
    Qui ne s'en estonne,
    Au val terrien . . .

Celluy se trompe qui cuide estre
Saulvé par cheval bon et fort:
Ce n'est point par sa force adextre
Que l'homme eschappe un dur effort.
    Mais l'œil de Dieu veille
    Sur ceulx, à merveille,
    Qui de voulunté
    Crainctifs le reverent:
    Qui aussi esperent
    En sa grand' bonté.

Affin que leur vie il delivre,
Quand la mort les menacera:
Et qu'il leur donne de quoy vivre,
Au temps que famine sera.
    Que doncques nostre ame,
    L'Eternel reclame,
    S'attendant a luy.
    Il est nostre addresse,
    Nostre forteresse,
    Pavoys et appuy.

Et par luy grand' resjouyssance
Dedans nos cueurs tousjours aurons,
Pourveu qu'en la haulte puissance
De son Nom sainct nous esperons.
Or ta bonté grande
Dessus nous s'espande,
Nostre Dieu, et roy,
Tout ainsi, qu'entente,
Espoir et attente
Nous avons de toy.

O LORD GOD OF MY SALVATION

(Psalm LXXXVIII, *Domine Deus salutis meae*)

By Philippe Desportes

Je crie à toy de jour, je crie à toy de nuit,
Seigneur, Dieu de ma delivrance;
Oy ma priere, helas! qu'elle entre en ta presence,
Ten l'oreille à mon cry, voy le mal qui me nuit.
De douleur et d'ennuis ma pauvre ame est soulée;
Ma vie a touché le trespas.
On me conte entre ceux qui descendent là-bas;
Ma vigueur tout à coup de moy s'est escoulée.
Delivre, entre les morts qu'un long somme 1 touchez
Sans aucun soin l'on m'abandonne,
Comme les corps meurtris que la tombe environne,
Loin de ton souvenir de ta main retranchez.
En la fosse plus basse aux tenebres profondes,
Ombres de mort, tu m'as jetté;
L'effort de ton courroux sur moy s'est arresté,
J'ay senti dessus moy tous les flots de tes ondes.
Ceux qui me cognoissoyent, tu les as esloignez;
A tous je leur suis detestable.
Je ne sors de tout point, prisonnier miserable;
La tristesse affoiblist mes yeux tousjours baignez.
De clameurs, ô Seigneur! j'ay comblé tes oreilles,
Tout le jour mes mains t'elevant.
Vas-tu donc pour les morts tes hauts faits reservant?
Se releveront-ils pour chanter tes merveilles?
Ta clemence au tombeau se dira-t-elle mieux
Et tes veritez en la perte?
Luiront mieux tes hauts faits en l'horreur plus couverte
Et tes jugements droits au sejour oublieux?
Las! dès le poinct du jour, Seigneur, je crie à toy,
Je te previens par ma priere.

Psaumes:

Qui te fait rejetter ma pauvre ame en arriere?
Pourquoy destournes-tu ton visage de moy?
    Moy, pauvre et languissant dès mon age plus tendre,
        Les travaux me vont consumant;
Quelquefois elevé, mais aussi prontemant,
Bas et confus d'esprit, ta main me fait descendre.
    Sur moy de tes courroux le desbord est passé,
        Je suis emporté de tes craintes,
Qui, comme un long cours d'eau, m'environnent d'enceintes:
Je me voy tout autour ce deluge amassé.
    Mes plus chers compagnons, mes amis plus fidelles,
        Tu les as tirez de ces lieux;
Un seul de mes prochains n'apparoist à mes yeux,
Tous deviennent pour moy des tenebres cruelles.

O PRAISE THE LORD OF HEAVEN

(Psalm CXLVIII, *Laudate Coeli Dominum*)

By JEAN BERTAUT

Heureux hostes du ciel, saintes légions d'Anges,
Guerriers qui triomphez du vice surmonté,
Célebrez à jamais du Seigneur les louanges,
Et d'un hymne éternel honorez sa bonté.

Soleil dont la chaleur rend la terre féconde,
Lune qui de ses rais emprunte la splendeur,
Lumière, l'ornement et la beauté du monde,
Louez, bien que muets, sa gloire et sa grandeur.

Témoigne sa puissance, ô toi, voûte azurée
Qui de mille yeux ardents a le front éclairci:
Et vous, grands arrosoirs de la terre altérée,
Vapeurs dont le corps rare est en pluie épaissi . . .

Faites-la dire aux bois dont vos fronts se couronnent,
Grands monts qui comme rois les plaines maitrisez,
Et vous, humbles coteaux où les pampres foisonnent,
Et vous, ombreux vallons, de sources arrosés,

Féconds arbres fruitiers, l'ornement des collines,
Cèdres qu'on peut nommer géants entre les bois,
Sapins dont le sommet fuit loin de ses racines,
Chantez-le sur les vents qui vous servent de voix . . .

Soit à jamais sa gloire en notre âme adorée,
Soit à jamais son nom par nos chants célébré,
Soit l'honneur de son los d'éternelle durée,
Même après l'univers en pièces demembré.

Que le sceptre éternel, dont si saint et si juste
Il régit tout le monde et le range à ses lois,
Voye au sacré pouvoir de sa grandeur auguste
Rendre hommage éternel les peuples et les rois.

Et lui qui, tout-puissant, au sort même commande,
Veuille de nos destins combattre la rigueur,
Délivrant de tourment l'humble et fidèle bande,
Qu'un souci paternel loge près de son cœur.

PUT NOT YOUR TRUST IN PRINCES [1]

(From Psalm CXLVI, *Lauda, anima mea*)

By François de Malherbe

N'esperons plus, mon âme, aux promesses du monde;
Sa lumiere est un verre, et sa faveur une onde
Que tousjours quelque vent empesche de calmer.
Quittons ces vanitez, lassons-nous de les suivre;
    C'est Dieu qui nous fait vivre,
    C'est Dieu qu'il faut aimer.

En vain, pour satisfaire à nos lasches envies,
Nous passons près des rois tout le temps de nos vies
A souffrir des mépris et ployer les genoux:
Ce qu'ils peuvent n'est rien; ils sont, comme nous sommes,
    Véritablement hommes,
    Et meurent comme nous.

Ont-ils rendu l'esprit, ce n'est plus que poussiere
Que cette majesté si pompeuse et si fiere,
Dont l'éclat orgueilleux étonnait l'univers;
Et, dans ces grands tombeaux où leurs âmes hautaines
    Font encore les vaines,
    Ils sont mangé des vers.

[1] This psalm is the 146th in the King James version. The verses paraphrased are:

"Put not your trust in princes, nor in the son of man, in whom there is no help.

"His breath goeth forth, he returneth to his earth; in that very day his thoughts perish."

Là se perdent ces noms de maistres de la terre,
D'arbitres de la paix, de foudres de la guerre;
Comme ils n'ont plus de sceptre, ils n'ont plus de flateurs;
Et tombent avec eux d'une cheute commune
  Tous ceux que leur fortune
  Faisoit leurs serviteurs.

Noëls:

THE NATIVITY OF OUR LORD [1]

By Mellin de Saint-Gelays

D'où vient l'esjouissance
Qui mon cœur a surpris?
Je n'ay pas la puissance
D'arrester mes esprits:
Je n'aurois pas appris
 De me veoir tel;
De chanter suis espris;
 Noël! noël!

Est-ce que je devine
S'approcher la saison
Que la bonté divine
Nous osta de prison,
Quand Dieu prist la maison
 D'homme mortel?
De chanter ay raison:
 Noël! noël!

Fuyez, sollicitude,
Pensement et ennuys!
Je ne veux aultre estude
Que d'esbats et deduicts.
A tous soit ouvert l'huis
 De mon hostel,
Chantans toutes ces nuicts:
 Noël! noël!

O nuict, plus reluysante
Que jour qui ayt esté!
Qui fustes produisante
L'éternelle clairté,
Qui nous mist en esté
 Perpetuel,
A droict vous est chanté:
 Noël! noël!

Bien fustes attendue
Des siècles paravant,
Et à peine entendue
Du peuple lors vivant.
Or le nostre ensuyvant
 Continuel,
Dit, la voix eslevant:
 Noël! noël!

Les clairs signes celestes
Furent vos messagiers,
Que veirent manifestes
Trois sages estrangiers;
Et les anges legiers
 Du Supernel
Viendrent dire aux bergiers:
 Noël! noël!

Lors cessa tout oracle,
Et n'eust plus de credit.
Le royal habitacle
De Juda se perdit.
C'estoit le temps predit
 De Daniel.
Bien faict mal qui n'en dict:
 Noël! noël!

Autre oracle, autre sceptre,
Autre bien promettant;
Et autre le grand prestre
Pour nous s'entremettant,
Aultre offrande mettant
 Sur aultre autel,
Pour qui allons chantant
 Noël! noël!

---

[1] Compare a hymn on the same subject by Mathurin Régnier, p. 392, a sonnet by Joachim du Bellay, p. 249, and a ballade by Clément Marot, pp. 104–105.

Nuict donc pleine de joye,
D'où tout bien est venu,
Quelque part que je soye,
Franc ou serf detenu,
De moy sera tenu
　Tres-solennel
Ce sainct temps revenu.
　　Noël! noël!

THE NATIVITY OF OUR LORD

By Honorat de Racan

Maintenant que l'astre doré
Par qui le monde est éclairé
A cédé la place aux étoiles,
Par un miracle mon pareil
La nuit au milieu de ses voiles
A vu naître un nouveau soleil.

Un bienheureux enfantement
Remplit l'enfer d'étonnement,
Réjouit les âmes captives
Et rend le Jourdain glorieux
De voir naître dessus ses rives
Le Roi de la terre et des cieux.

Ce roi des astres adoré
N'est point né dans un lieu paré
Où la pompe étale son lustre:
Un haillon lui sert au besoin
Et n'a pour dais ni pour ballustre
Qu'une crèche pleine de foin.

Ces petits bras emmaillotés
Sont ces mêmes bras redoutés
Du ciel, de l'onde et de la terre:
Ils se sont à notre aide offerts,
Et ne s'arment plus du tonnerre
Que pour foudroyer les enfers.

Voyez que son divin pouvoir
Surpasse tout humain savoir
De quiconque le considère:
Dieu de son corps est créateur.
Une vierge enfante son Père
Et l'œuvre produit son auteur.

O Dieu, protecteur des humains,
Qui par de si puissantes mains
Nous as garantis du naufrage,
Sois à jamais notre support
Et ne laisse point dans l'orage
Ceux que ta grâce a mis au port!

Pindaric ode:

TO MADAME MARGUERITE, DUCHESS OF SAVOY, SISTER OF KING HENRY II [1]

(*Odes*, I, iv)

By Pierre de Ronsard

Strophe I

Il faut aller contenter
L'oreille de Marguerite,
Et en son palais chanter
Quel honneur elle merite.

[1] See pp. 445–447, note 15.

Pindaric ode:

Debout, Muses, qu'on m'attelle
Vostre charrette immortelle,
Afin qu'errer je la face
Par une nouvelle trace,
La chantant d'autres façons
Qu'un tas de chantres barbares
Qui ses louanges si rares
Honnissoient par leurs chansons.

Antistrophe

J'ay sous l'esselle un carquois
Gros de fleches nonpareilles,
Qui ne font bruire leurs vois
Que pour les doctes oreilles.
Leur roideur n'est apparente
A telle bande ignorante
Alors que ma fleche annonce
L'honneur que mon arc enfonce.
Entre toutes j'esliray
La mieux sonnante, et de celle
Par la terre universelle
Ses vertus je publiray.

Epode

Sus, ma Muse, ouvre la porte
A tes vers plus doux que le miel,
Afin qu'une fureur sorte
Pour me ravir jusqu'au ciel.
Du croc arrache la lyre
Qui tant de gloire t'acquit,
Et vien sur ses cordes dire
Comme la vierge nasquit.

Strophe II

Par un miracle nouveau,
Pallas du bout de sa lance
Ouvrit le docte cerveau
De François, grand roy de France.
Alors, estrange nouvelle!
Tu nasquis de sa cervelle,
Et les Muses qui là furent,
En ton giron te receurent:
Mais quand le temps eut parfait

L'accroissance de ton âge,
Tu pensas en ton courage
De mettre à chef un grand fait.

Antistrophe

Ta main prist pour son renfort
L'horreur de deux grandes haches,
D'un plastron brillant et fort
Tout l'estomac tu te caches;
Une menassante creste
Flottoit au haut de ta teste,
Refrappant la gueule horrible
D'une Meduse terrible:
Ainsi tu allas trouver
Le vilain monstre Ignorance,
Qui souloit toute la France
Dessous son ventre couver.

Epode

L'ire qui la beste eslance
En vain irrita son cœur,
Poussant son mufle en defence
Encontre ton bras veinqueur;
Car le fer prompt à l'abbattre
En son ventre est ja caché,
Et ja trois fois, voire quatre,
Le cœur luy a recherché.

Strophe III

Le monstre gist estendu,
L'herbe en sa playe se souille;
Aux Muses tu as pendu
Pour trophée sa despouille;
Puis, versant de sa poitrine
Mainte source de doctrine,
Aux François tu fis cognoistre
Le miracle de ton estre.
Et pource je chanteray
Ce bel Hymne de victoire,
Et sur l'autel de Memoire
L'enseigne j'en planteray.

Antistrophe

Or' moy, qui suis le tesmoin
De ton loz qui le monde orne,
Il ne faut ruer si loin
Que mon trait passe la borne.
Chanton donques Marguerite
Et celebrons son merite
Qui luit comme une planete
Sous la nuict clair-brunette.
Respandon devant ses yeux
Ma musique tousjours neuve

Et le Nectar dont j'abreuve
Les honneurs dignes des cieux,

Epode

Afin que la Nymphe voye
Que mon luth premierement
Aux François monstra la voye
De sonner si proprement,
Et comme imprimant ma trace
Au champ Attiq' et Romain,
Callimaq', Pindare, Horace,
Je déterray de ma main.

Odes and odelettes, Horatian, Anacreontic, Sapphic:

TO SPRING [1]

(Imitation près de translation d'une Ode d'Horace qui se commence:
Diffugere nives, IV, vii)

By MELLIN DE SAINT-GELAYS

Or ha hyver, avecques sa froidure,
Quicté le lieu à la belle verdure
    Qui painct les arbrisseaux;
La terre change accoustrements nouveaux,
Et ne sont plus si non petits ruisseaux
    Les tant grosses rivières.

Les vois-tu jà, nues, en ces bruières,
Chanter, danser les Graces familières
    Et les nymphes des bois?
Ce changement de l'an tel que tu vois,
Te monstre, amy, si bien tu le cognois,
    Que rien n'est immuable.

L'hyver s'en va au retour souhaictable
Du doux Printemps, qui de l'Esté aymable
    Tantost surprins sera;
Automne après sur l'Esté se ruera,
Et puis l'Hyver le siege levera
    Au fructueux Automne.

[1] Mellin mocked at Ronsard's Pindaric odes, but he did not disdain to attempt the Horatian type.

Odes and odelettes, Horatian, Anacreontic, Sapphic:

Au cours des temps la lune belle et bonne,
Sans leur faillir, si certain ordre donne
    Qu'ils en sont remis sus;
Mais aussitost que sommes rués jus
Là où Roland et Lancelot sont cheus
    Rien que pouldre ne sommes.

Puis en est-il un seul entre tant d'hommes
Qui soit certain que Dieu croistra les sommes
    De ses jours d'un demain?
Entretien doncq le tien amy humain;
Car tel acquest ne peut tomber en main
    De tes biens héritière,
Qui pourriront aussi bien que ta bière;
Mais ton bienfaict sera mis en lumière
    Et loing esclairera,
    Tant que clarté sera.

TO MY INFANT SON [1]

By CHARLES FONTAINE

Mon petit filz n'as encore rien veu,
A ce matin ton pere te salue:
Vien t'en, vien voir ce monde bien pourveu
D'honneurs et biens qui sont de grande value:
Vien voir la paix en France descendue:
Vien voir Françoys, nostre Roy et le tien,
Qui a la France ornée et deffendue:
Vien voir le monde où y a tant de bien.

Vien voir le monde où y a tant de maux,
Vien voir ton pere en procès et en peine:
Vien voir ta mere en douleurs et travaux
Plus grands que quand elle estoit de toy pleine:
Vien voir ta mere à qui n'as laissé veine
En bon repos: vien voir ton pere aussi,
Qui a passé sa jeunesse soudaine,
Et à trente ans est en peine et souci.

[1] This poem was called a chant by Fontaine, but it is in substance an ode.

Jan, petit Jan, vien voir ce tant beau monde,
Ce ciel d'azur, ces estoiles luisantes,
Ce soleil d'or, cette grande terre ronde,
Cette ample mer, ces rivieres bruyantes,
Ce bel air vague, et ces nues courantes,
Ces beaux oyseaux qui chantent à plaisir,
Ces poissons frais et ces bestes paissantes:
Vien voir le tout à souhait et désir.

Vien voir le tout sans désir et souhait,
Vien voir le monde en divers troublemens,
Vien voir le ciel que jà la terre hait,
Vien voir combat entre les élémens:
Vien voir l'air plein de rudes soufflemens,
De dure gresle et d'horribles tonnerres:
Vien voir la terre en peine et tremblemens:
Vien voir la mer noyant villes et terres.

Enfant petit, petit et bel enfant,
Masle bien fait, chef d'œuvre de ton pere,
Enfant petit en beauté triomphant,
La grand liesse et joye de ta mere,
Le ris, l'esbat de ma jeune commere,
Et de ton pere aussi certainement
Le grand espoir et l'attente prospere,
Tu sois venu au monde eureusement.

Petit enfant, peux tu le bien venu
Estre sur terre, où n'apportes rien?
Mais où tu viens comme un petit ver nu?
Tu n'as ne drap ne linge qui soit tien,
Or, ny argent, n'aucun bien terrien:
A pere et mere apportes seulement
Peine et souci: et voilà tout ton bien.
Petit enfant, tu viens bien povrement.

De ton honneur ne vueil plus estre chiche,
Petit enfant de grand bien jouissant,
Tu viens au monde aussi grand, aussi riche
Comme le Roy, et aussi florissant:
Ton trésorier c'est Dieu le tout puissant,
Grâce divine est ta mere nourrice:
Ton héritage est le ciel splendissant:
Tes serviteurs sont les anges sans vice.

Odes and odelettes, Horatian, Anacreontic, Sapphic:

THE PERFECT MISTRESS [1]
Ode (Non Mesurée)
By PIERRE DE RONSARD

Quand je seroy si heureux de choisir
　　Une Maistresse à mon desir,
　　Mon Peletier, je te veux dire
　　Laquelle je voudrois eslire
Pour la servir, constant, à son plaisir.

L'âge non meur, mais verdelet encore,
　　Est l'âge seul qui me devore
　　Le cœur d'impatience atteint:
　　Noir je vueil l'œil, et brun le teint,
Bien que l'œil verd toute la France adore.

J'aime la bouche imitante la rose
　　Au lent Soleil de May déclose,
　　Un petit tetin nouvelet
　　Qui se fait desja rondelet,
Et sur l'yvoire eslevé se repose:

La taille droite à la beauté pareille,
　　Et dessous la coife une oreille
　　Qui toute se monstre dehors,
　　En cent façons les cheveux tors,
La jouë egale à l'aurore vermeille:

L'estomac plein, la jambe de bon tour
　　Pleine de chair tout à l'entour
　　Que par souhait on tasteroit,
　　Un sein qui les Dieux tenteroit,
Le flanc haussé, la cuisse faite au tour:

La dent d'yvoire, odorante l'haleine,
　　A qui s'égaleroient à peine
　　Les doux parfums de Sabée,
　　Ou toute l'odeur desrobée
Que l'Arabie heureusement ameine:

L'esprit naïf, et naïve la grace,
　　La main lascive, ou qu'elle embrasse
　　L'amy en son giron couché,
　　Ou que son luth en soit touché,
Et une voix qui mesme son luth passe:

[1] See pp. 447–448, note 16.

Le pied petit la main longuette et belle,
  Dontant tout cœur dur et rebelle,
    Et un ris qui en descouvrant
    Maint diamant, allast ouvrant
Le beau vermeil d'une lèvre jumelle.

Qu'ell' sceust par cœur tout cela qu'a chanté
  Petrarcque en amour tant vanté,
    Ou la Rose si bien descrite,
    Et cintre les femmes despite,
Dont je serois comme d'elle enchanté.

Quant au maintien, inconstant et volage,
  Folastre et digne de tel âge,
    Le regard errant ça et là,
    Un naturel outre cela
Qui plus que l'art miserable soulage.

Je ne voudrois avoir en ma puissance
  A tous coups d'elle jouyssance:
    Souvent le nier un petit
    En amour donne l'appetit,
Et fait durer la longue obeyssance.

D'elle le temps ne pourroit m'estranger,
  N'autre amour, ne l'or estranger,
    Ny à tout le bien qui arrive
    De l'Orient à nostre rive
Je ne voudrois ma brunette changer:

Lors que sa bouche à me baiser tendroit,
  Où qu'approcher ne la voudroit
    Comme feignant d'estre fâchée,
    Où quand en quelque coin cachée
Sans l'aviser pendre au col me viendroit.

AND THIS SAME FLOWER THAT SMILES TODAY TOMORROW WILL BE DYING [1]

(*Odes*, I, vii)

By Pierre de Ronsard

Mignonne, allons voir si la rose
Qui ce matin avoit desclose
Sa robe de pourpre au Soleil

[1] See pp. 448–449, note 17.

Odes and odelettes, Horatian, Anacreontic, Sapphic:

A point perdu ceste vesprée
Les plis de sa robe pourprée,
Et son teint au vostre pareil.

Las! voyez comme en peu d'espace,
Mignonne, elle a dessus la place
Las, las, ses beautez laissé cheoir!
O vrayment marastre Nature,
Puis qu'une telle fleur ne dure
Que du matin jusques au soir!

Donc, si vous me croyez, mignonne,
Tandis que vostre âge fleuronne
En sa plus verte nouveauté,
Cueillez, cueillez vostre jeunesse:
Comme à ceste fleur la vieillesse
Fera ternir vostre beauté.

TO THE FOUNTAIN BELLERIE

(*Odes*, II, ix)

By PIERRE DE RONSARD

O fontaine Bellerie,
  Belle fontaine cherie
  De nos Nymphes quand ton eau
  Les cache au creux de ta source
  Fuyantes le Satyreau,
  Qui les pourchasse à la course
  Jusqu'au bord de ton ruisseau:

Tu es la Nymphe eternelle
  De ma terre paternelle:
  Pource en ce pré verdelet
  Voy ton Poëte qui t'orne
  D'un petit chevreau de lait,
  A qui l'une et l'autre corne
  Sortent du front nouvelet.

L'Esté je dors ou repose
  Sus ton herbe, où je compose,
  Caché sous tes saules vers,
  Je ne sçay quoy, qui ta gloire
  Envoira par l'univers,
  Commandant à la Memoire
  Que tu vives par mes vers.

L'ardeur de la Canicule
  Ton verd rivage ne brule,
  Tellement qu'en toutes pars
  Ton ombre est espaisse et druë
  Aux pasteurs venans des parcs,
  Aux bœufs las de la charruë,
  Et au bestial espars.

Iô, tu seras sans cesse
  Des fontaines la princesse,
  Moy celebrant le conduit
  Du rocher percé, qui darde
  Avec un enroué bruit
  L'eau de ta source jazarde
  Qui trepillante se suit.

LET US DRINK AND BE MERRY
(*Odes*, II, x)
By Pierre de Ronsard

Fay refraischir mon vin de sorte
Qu'il passe en froideur un glaçon:
Fay venir Janne, qu'elle apporte
Son luth pour dire une chanson:

Nous ballerons tous trois au son:
Et dy à Barbe qu'elle vienne
Les cheveux tors à la façon
D'une follastre Italienne.

Ne vois tu que le jour se passe?
Je ne vy point au lendemain:
Page, reverse dans ma tasse,
Que ce grand verre soit tout plain.

Maudit soit qui languit en vain:
Ces vieux Medecins je n'appreuve:
Mon cerveau n'est jamais bien sain,
Si beaucoup de vin ne l'abreuve.

TO THE FOREST OF GASTINE
(*Odes*, II, xv)
By Pierre de Ronsard

Couché sous tes ombrages vers,
　　Gastine, je te chante,
Autant que les Grecs par leurs vers
　　La forest d'Erymanthe.

Car malin celer je ne puis
　　A la race future
De combien obligé je suis
　　A ta belle verdure:

Toy, qui sous l'abry de tes bois
　　Ravy d'esprit m'amuses;
Toy, qui fais qu'à toutes les fois
　　Me respondent les Muses:

Toy, par qui de ce mechant soin
　　Tout franc je me delivre,
Lors qu'en toy je me pers bien loin,
　　Parlant avec un livre.

Tes bocages soient tousjours pleins
　　D'amoureuses brigades,
De Satyres et de Sylvains,
　　La crainte des Naiades.

En toy habite desormais
　　Des Muses le college,
En ton bois ne sente jamais
　　La flame sacrilege.

I LIVE FOR PLEASURE
(*Odes*, II, xvii)
By Pierre de Ronsard

Pour boire dessus l'herbe tendre
Je veux sous un laurier m'estendre,
Et veux qu'Amour d'un petit brin
Ou de lin ou de cheneviere
Trousse au flanc sa robe legere
Et my-nud me verse du vin.

Odes and odelettes, Horatian, Anacreontic, Sapphic:

L'incertaine vie de l'homme
De jour en jour se roule comme
Aux rives se roulent les flots:
Puis apres nostre heure derniere
Rien de nous ne reste en la biere
Qu'une vielle carcasse d'os.

Je ne veux, selon la coustume,
Que d'encens ma tombe on parfume,
Ny qu'on y verse des odeurs:
Mais tandis que je suis en vie,
J'ai de me parfumer envie,
Et de me couronner de fleurs.

De moy-mesme je me veux faire
L'heritier, pour me satisfaire:
Je ne veux vivre pour autruy.
Fol le pelican qui se blesse
Pour les siens, et fol qui se laisse
Pour les siens travailler d'ennuy.

TO THE SAME FOUNTAIN, BELLERIE
(*Odes*, III, viii)
By Pierre de Ronsard

Escoute un peu, Fontaine vive,
En qui j'ai rebeu si souvent,
Couché tout plat dessur ta rive,
Oisif à la fraischeur du vent,

Quand l'Esté mesnager moissonne
Le sein de Cerés dévestu
Et l'aire par compas resonne
Gemissant sous le blé batu:

Ainsi tousjours puisses-tu-estre
En devote religion
Au bœuf, et au bouvier champestre
De ta voisine region.

Ainsi tousjours la Lune claire
Voye à mi-nuict au fond d'un val
Les Nymphes pres de ton repaire
A mille bonds mener le bal!

Comme je desire, Fontaine,
De plus ne songer boire en toy,
L'Esté, lorsque la fievre ameine
La mort despite contre moy.

REMINISCENCE [1]
(*Odes*, III, ix)
By Pierre de Ronsard

Que les formes de toutes choses
Soyent comme dit Platon, encloses
En nostre ame, et que le sçavoir
N'est sinon se ramentevoir,
Je ne le croy, bien que sa gloire

[1] An ode of lesser poetic value than some others, but it is important for its Platonic reference.

Me persuade de le croire:
   Car veritablement depuis
Que studieux du Grec je suis,
Homere devenu je fusse,
Si souvenir ici me peusse
D'avoir ses beaux vers entendu,
Ains que mon esprit descendu
Et mon corps fussent joints ensemble.
Mais c'est abus, l'esprit ressemble
Au tableau tout neuf, où nul trait
N'est par le peintre encor portrait,
Et qui retient ce qu'il y note,
Lambin, qui sur Gange, d'Eurote
Par tes beaux vers pleins de douceurs
As ramené les Muses Sœurs.

BODY AND SPIRIT [1]

(*Odes*, III, xxv)

By Pierre de Ronsard

Celuy qui est mort aujourdhuy,
   Est aussi bien mort que celuy
   Qui mourut aux jours du Deluge:
   Autant vaut aller le premier,
   Que de sejourner le dernier
   Devant le parquet du grand juge.

Incontinent que l'homme est mort,
   Ou jamais ou long temps il dort
   Au creux d'une tombe enfouye,
   Sans plus parler, ouyr ne voir:
   Hé, quel bien sçauroit-on avoir
   En perdant les yeux et l'ouye?

Or l'ame, selon le bien-fait
   Qu'hostesse du corps elle a fait,
   Monte au ciel, sa maison natale:
   Mais le corps, nourriture à vers,
   Dissoult de veines et de nerfs,
   N'est plus qu'une ombre sepulcrale

---

[1] Ronsard expressed anti-Epicurean ideas in his odes, as well as in his sonnets, hymns, discours, etc. This fact is too seldom observed and should be emphasized.

Odes and odelettes, Horatian, Anacreontic, Sapphic:

Il n'a plus esprit ny raison,
  Emboiture ne liaison,
  Artere, poux, ny veine-tendre:
  Cheveul en teste ne luy tient:
  Et qui plus est, ne luy souvient
  D'avoir jadis aimé Cassandre.

La mort ne desire plus rien:
  Donc ce-pendant que j'ay le bien
  De desirer vif, je demande
  Estre tousjours sain et dispos:
  Puis quand je n'auray que les os,
  La reste à Dieu je recommande.

Homere est mort, Anacreon,
  Pindare, Hesiode et Bion,
  Et plus n'ont soucy de s'enquerre
  Du bien et du mal qu'on dit d'eux:
  Ainsi apres un siecle ou deux
  Plus ne sentiray rien sous terre.

Mais dequoy sert le desirer
  Sinon pour l'homme martirer?
  Le desir n'est rien que martire.
  Content ne vit le desireux,
  Et l'homme mort est bien-heureux:
  Heureux qui plus rien ne desire!

THE SOUL'S FLIGHT [1]

(*Odes*, III, xxvi)

By Pierre de Ronsard

Quand je dors, je ne sens rien,
  Je ne sens ne mal ne bien,
  Je ne sçaurois rien cognoistre,
  Je ne sçay ce que je suis,
  Ce que je fus, et ne puis
  Sçavoir ce que je dois estre.

J'ay perdu le souvenir
  Du passé, de l'advenir:
  Je ne suis que vaine masse
  De bronze en homme gravé,
  Ou quelque terme eslevé
  Pour parade en une place.

Toutefois je suis vivant,
  Repoussant mes flancs de vent,
  Et si pers toute memoire:
  Voyez donc que je seray
  Quand mort je reposeray
  Au fond de la tombe noire!

L'ame volant d'un plain saut,
  A Dieu s'en-ira là haut
  Avecque luy se resoudre:
  Mais ce mien corps enterré,
  Sillé d'un somme ferré,
  Ne sera plus rien que poudre.

[1] Ronsard expresses Christian ideas also in this ode.

OF THE CHOICE OF HIS GRAVE
(*Odes*, IV, iv, abridged)

By PIERRE DE RONSARD

Antres, et vous fontaines,
De ces roches hautaines
Qui tombez contre-bas
    D'un glissant pas,

Et vous, forests et ondes
Par ces prez vagabondes,
Et vous, rives et bois,
    Oyez ma voix!

Quand le ciel et mon heure
Jugeront que je meure,
Ravi du beau sejour
    Du commun jour,

Je defens qu'on ne rompe
Le marbre pour la pompe
De vouloir mon tombeau
    Bastir plus beau.

Mais bien je veux qu'un arbre
M'ombrage au lieu d'un marbre,
Arbre qui soit couvert
    Tousjours de vert.

De moy puisse la terre
Engendrer un lierre,
M'embrassant en maint tour
    Tout à l'entour,

Et la vigne tortisse
Mon sepulcre embellisse,
Faisant de toutes parts
    Un ombre espars!

Là viendront chaque année,
A ma feste ordonnée
Avecques leurs troupeaux
    Les pastoureaux;

Puis ayant fait l'office
De leur beau sacrifice,
Parlant à l'isle ainsi,
    Diront ceci:

" Que tu es renommée
D'estre tombeau nommée
D'un, de qui l'univers
    Chante les vers!

Et qui onq en sa vie
Ne fut bruslé d'envie
Mendiant les honneurs
    Des grands Seigneurs!

Ni ne r'apprist l'usage
De l'amoureux breuvage,
Ni l'art des anciens
    Magiciens,

Mais bien à nos campagnes
Fist voir les Sœurs compagnes,
Foulantes l'herbe aux sons
    De ses chansons.

Car il fist à sa Lyre
Si bons accords eslire,
Qu'il orna de ses chants
    Nous et nos champs.

La douce manne tombe
A jamais sur sa tombe,
Et l'humeur que produit
    En Mai la nuit!

Tout à l'entour l'emmure
L'herbe et l'eau qui murmure,
L'un tousjours verdoyant,
    L'autre ondoyant!

Odes and odelettes, Horatian, Anacreontic, Sapphic:

Et nous, ayans memoire
Du renom de sa gloire,
Lui ferons comme à Pan
   Honneur chaque an."

Ainsi dira la troupe,
Versant de mainte coupe
Le sang d'un agnelet
   Avec du laict,

Desur moy, qui à l'heure
Seray par la demeure
Où les heureux esprits
   Ont leurs pourpris.

La gresle ne la neige
N'ont tels lieux pour leur siege,
Ne la foudre oncque là
   Ne devala;

Mais bien constante y dure
L'immortelle verdure,
Et constant en tout temps
   Le beau printemps. . . .

THE FLIGHT OF YOUTH
(*Odes*, IV, x, abridged)
By Pierre de Ronsard

Quand je suis vingt ou trente mois
Sans retourner en Vendomois,
Plein de pensées vagabondes,
Plein d'un remors et d'un souci,
Aux rochers je me plains ainsi,
Aux bois, aux antres et aux ondes:

Rochers, bien que soyez âgez
De trois mil ans, vous ne changez
Jamais ny d'estat ny de forme:
Mais tousjours ma jeunesse fuit,
Et la vieillesse qui me suit
De jeune en vieillard me transforme.

Bois, bien que perdiez tous les ans
En hyver vos cheveux plaisans,
L'an d'apres qui se renouvelle
Renouvelle aussi vostre chef.
Mais le mien ne peut de rechef
R'avoir sa perruque nouvelle.

Antres, je me suis vu chez vous
Avoir jadis verds les genous,
Le corps habile et la main bonne:
Mais ores j'ay le corps plus dur
Et les genous, que n'est le mur
Qui froidement vous environne.

Ondes, sans fin vous promenez
Et vous menez et ramenez
Vos flots d'un cours qui ne sejourne:
Et moy sans faire long sejour,
Je m'en vais de nuict et de jour
Au lieu d'où plus on ne retourne. . . .

YOUTH AND AGE
(*Odes*, IV, xiii)
By Pierre de Ronsard

Ma douce jouvence est passée,
Ma premiere force est cassée;
J'ay la dent noire et le chef blanc;
Mes nerfs sont dissous, et mes veines,
Tant j'ay le corps froid, ne sont
    pleines
Que d'une eau rousse au lieu de sang.

Adieu ma lyre! adieu fillettes,
Jadis mes douces amourettes!
Adieu, je sens venir ma fin;
Nul passetemps de ma jeunesse
Ne m'accompagne en la vieillesse
Que le feu, le lit et le vin.

J'ai la teste tout estourdie
De trop d'ans et de maladie;
De tous costés le soin me mord;
Et soit que j'aille ou que je tarde,
Tousjours apres moy je regarde
Si je verrai venir la Mort;

Qui doit, ce me semble, à toute
    heure
Me mener là-bas où demeure
Je ne sais quel Pluton, qui tient
Ouvert à tous venans un antre,
Où bien facilement on entre,
Mais d'où jamais on ne revient.

TO A PLOUGHMAN
(*Odes*, IV, xiv)
By Pierre de Ronsard

Pourquoy, chetif laboureur,
Trembles tu d'un Empereur
Qui doit bien tost, legere ombre,
Des morts accroistre le nombre?
Ne sçais-tu qu'à tout chacun
Le port d'Enfer est commun,
Et qu'une ame Imperiale
Aussi tost là bas devale
Dans le bateau de Charon
Que l'ame d'un bucheron?

Courage, coupeur de terre!
Ces grands foudres de la guerre
Non plus que toy n'iront pas
Armez d'un plastron là bas
Comme ils alloyent aux batailles:
Autant leur vaudront leurs mailles,
Leurs lances et leur estoc,
Comme à toy vaudra ton soc.

Le bon juge Rhadamante,
Asseuré, ne s'espouvante
Non plus de voir un harnois
Là bas qu'un levier de bois,
Ou voir une souquenie,
Qu'une robbe bien garnie,
Ou qu'un riche accoustrement
D'un Roy mort pompeusement.

Odes and odelettes, Horatian, Anacreontic, Sapphic:

THE POISONED ARROWS
(*Odes*, IV, xvi)
By Pierre de Ronsard

Le petit enfant Amour
Cueilloit des fleurs à l'entour
D'une ruche, où les avettes
Font leurs petites logettes.

Comme il les alloit cueillant,
Une avette, sommeillant
Dans le fond d'une fleurette,
Lui piqua la main douillette.

Si tost que piqué se vit,
Ah! je suis perdu (ce dit),
Et s'en-courant vers sa mere,
Lui montra sa playe amere:

" Ma mere, voyez ma main,
Ce disoit Amour tout plein
De pleurs, voyez quelle enflure
M'a fait une esgratignure! "

Alors Venus se sourit,
Et en le baisant le prit,
Puis sa main lui a soufflée
Pour guarir sa playe enflée:

" Qui t'a, dy-moy, faulx garçon,
Blessé de telle façon?
Sont-cè mes Graces riantes
De leurs aiguilles poignantes?

— Nenny, c'est un serpenteau
Qui vole au Printemps nouveau,
Avecque deux ailerettes,
Ça et là, sus les fleurettes.

— Ah! vrayment je le cognois,
(Dit Venus) les villageois
De la montagne d'Hymette
Le surnomment Melissete.

Si doncques un animal
Si petit fait tant de mal,
Quand son halesne espoinçonne,
La main de quelque personne,

Combien fais-tu de douleur,
Au prix de luy, dans le cœur
De celuy en qui tu jettes
Tes amoureuses sagettes.

TO THE EVENING STAR
(*Odes*, IV, xx)
By Pierre de Ronsard

Brune Vesper, lumiere dorée
De la belle reine Cythérée,
Vesper, dont la belle clarté luit
Autant sur les Astres de la nuit
Que reluit par-dessus toi la Lune;
O claire image de la nuit brune,
En lieu du beau Croissant tout ce
soir
Donne lumiere, et te laisse choir
Bien tard dedans la marine source

Je ne veux, larron, oster la bourse
A quelque amant, ou comme un
méchant
Voleur dévaliser un marchant:
Je veux aller outre la rivière
Voir m'amie; mais sans ta lumière
Je ne puis mon voyage achever.
Sors doncque de l'eau pour te lever,
Et de ta belle nuitale flamme
Esclaire au feu d'amour qui m'en-
flamme!

TO SPRING
(*Odes*, IV, xxi)
By Pierre de Ronsard

Dieu vous gard, messagers fidelles
Du printemps, vistes arondelles,
Huppes, cocus, rossignolets,
Tourtres, et vous oiseaux sauvages,
Qui de cent sortes de ramages
Animez les bois verdelets.

Dieu vous gard, belles paquerettes,
Belles roses, belles fleurettes
De Mars, et vous boutons cognus
Du sang d'Ajax et de Narcisse;
Et vous thym, anis et melisse,
Vous soyez les bien revenus.

Dieu vous gard, troupe diaprée
De papillons, qui par la prée
Les douces herbes suçotez;
Et vous, nouvel essain d'abeilles,
Qui les fleurs jaunes et vermeilles
De vostre bouche baisotez.

Cent mille fois je resalue
Vostre belle et douce venue;
O que j'aime ceste saison
Et ce doux caquet des rivages,
Au prix des vents et des orages
Qui m'enfermoyent en la maison!

(Sus, page, à cheval! que l'on bride!
Ayant ce beau printemps pour guide,
Je veux ma dame aller trouver
Pour voir, en ces beaux mois, si elle
Autant vers moi sera cruelle
Comme elle fut durant l'hyver.)

TO THE HAWTHORN TREE
(*Odes*, IV, xxii)
By Pierre de Ronsard

Bel Aubepin fleurissant,
    Verdissant
Le long de ce beau rivage,
Tu es vestu jusqu'au bas
    Des longs bras
D'une lambrunche sauvage.

Deux camps de rouges fourmis
    Se sont mis
En garnison sous ta souche:
Dans les pertuis de ton trone,
    Tout du long,
Les avettes ont leur couche.

Le chantre Rossignolet
    Nouvelet,
Courtisant sa bien-aimée,
Pour ses amours alleger
    Vient loger
Tous les ans en ta ramée.

Sur ta cime il fait son ny,
    Tout uny
De mousse et de fine soye,
Où ses petits esclorront
    Qui seront
De mes mains la douce proye.

Odes and odelettes, Horatian, Anacreontic, Sapphic:

> Or vy, gentil aubespin,
>   Vy sans fin,
> Vy sans que jamais tonnerre,
> Ou la coignée, ou les vents,
>   Ou les temps,
> Te puissent ruer par terre.

THE PRISONER OF THE MUSES
(*Odes*, IV, xxix)
By PIERRE DE RONSARD

Les Muses lierent un jour,
De chaisnes de roses, Amour,
Et, pour le garder, le donnerent
Aux Graces et à la Beauté
Qui, voyant sa desloyauté,
Sus Parnasse l'emprisonnerent.

Si tost que Venus l'entendit,
Son beau ceston elle vendit
A Vulcan, pour la delivrance
De son enfant, et tout soudain,
Ayant l'argent dedans la main
Fit aux Muses la reverence.

" Muses, Deesses des chansons,
Quand il faudroit quatre rançons
Pour mon enfant, je les apporte;
Delivrez mon fils prisonnier."
Mais les Muses l'ont fait lier
D'une chaisne encore plus forte.

Courage donques, amoureux,
Vous ne serez plus langoureux,
Amour est au bout de ses ruses;
Plus n'oseroit ce faux garçon
Vous refuser quelque chanson,
Puisqu'il est prisonnier des Muses.

TO THE RIVER LOIR [1]
(Book IV, *Pièces retranchées*)
By PIERRE DE RONSARD

O Loir, dont le beau cours distille
Au sien d'un pays si fertile,
    Fay bruire mon renom
    D'un grand son en tes rives,
    Qui se doivent voir vives
    Par l'honneur de mon nom.
Ainsi Thetis te puisse aimer
Plus que nul qui entre en la mer.

[1] This *Ode au fleuve du Loir* contains the unjustifiable claim that Ronsard was the first to write odes in France. He was the first to popularize the name and he was the greatest exponent of the ode in all the multifarious strophic forms he lent it. Le Maire was the first to use the name. The form existed in essence under other titles before Ronsard made it glorious.

Si Calliope m'est prospere,
Fameux comme Amphryse, j'espere
    Te faire un jour nombrer
    Aux rangs des eaux qu'on prise
    Et que la Grece apprise
    A daigné celebrer,
Pour estre le fleuve eternel
Qui baigne mon nic paternel.

Sus donq, à haute voix resonne
Le bruit que ma Muse te donne.
    Tu voirras desormais
    Par moy ton onde fiere
    S'enfler par ta riviere,
    Qui ne mourra jamais:
" Le renom qui des Muses vient,
Ferme contre l'âge se tient."

Loir, de qui la bonté ne cede
Au Nil qui l'Egypte possede,
    Pour le loyer d'avoir
    (Eternizant ta gloire
    De durable memoire)
    Fait si bien mon devoir,
Quand j'auray mon âge accomply,
Ensevely d'un long oubly,

Si quelque pelerin arrive
Aupres de ta parlante rive,
    Dy luy à haute vois
    Que ma Muse premiere
    Apporta la lumiere
    De Grece en Vandomois;
Dy luy ma race et mes ayeux
Et le sçavoir que j'eu des cieux.

Dy leur que moy, d'affaire vuide,
Ayant tes filles pour ma guide,
    A tes bords j'encorday
    Sur la lyre ces Odes
    Et aux Françoises modes
    Premier les accorday;
Et tousjours rechante ces vers
Qu'à ton bord je sonne à l'envers.

TO ANACREON [1]

(*Odes*, V, xvi)

By Pierre de Ronsard

Nous ne tenons en nostre main
Le temps futur du Lendemain;
La vie n'a point d'asseurance,
Et, pendant que nous desirons.
La faveur des Roys, nous mourons
Au milieu de nostre esperance.

L'homme, après son dernier trespas,
Plus ne boit ne mange là bas,
Et sa grange, qu'il a laissée
Pleine de blé devant sa fin,
Et sa cave pleine de fin,
Ne luy viennent plus en pensée.

---

[1] A very interesting short ode containing an important reference to Henry Estienne's 1554 edition of pseudo-Anacreontic poems, which caused a sensation in the literary world and exercised a profound influence.

Odes and odelettes, Horatian, Anacreontic, Sapphic:

Hé! quel gain apporte l'esmoy?
Va, Corydon, appreste-moy
Un lict de roses espanchées.
Il me plaist, pour me desfascher,
A la renverse me coucher
Entre les pots et les jonchées.

Fay-moy venir d'Aurat icy;
Fais-y venir Jodelle aussi,
Et toute la Musine troupe.
Depuis le soir jusqu'au matin
Je veux leur donner un festin
Et cent fois leur pendre la coupe.

Verse donc et reverse encor
Dedans cette grand' coupe d'or:
Je vay boire à Henry Estienne,
Qui des enfers nous a rendu
Du vieil Anacreon perdu
La douce lyre Teïenne.

A toy, gentil Anacreon,
Doit son plaisir le biberon,
Et Bacchus te doit ses bouteilles;
Amour son compagnon te doit
Venus, et Silene, qui boit
L'Esté dessous l'ombre des treilles.

THE MUSIC LESSON

(*Odes*, V, xxiii)

By Pierre de Ronsard

La belle Venus, un jour,
M'amena son fils Amour,
Et l'amenant, me vint dire:
Escoute, mon cher Ronsard,
Enseigne à mon enfant l'art
De bien jouer de la lyre.

Incontinent, je le pris
Et soigneux, je luy appris
Comme Mercure eut la peine
De premier la façonner,
Et de premier en sonner
Dessus le mont de Cyllene;

Comme Minerve inventa
Le haut-bois, qu'elle jetta
Dedans l'eau, tout marrie;
Comme Pan le chalumeau,
Qu'il pertuisa du roseau
Formé du corps de s'amie.

Ainsi, pauvre que j'estois,
Tout mon art je recordois,
A cet enfant pour l'apprendre;
Mais luy, comme un faux garçon,
Se moquoit de ma chanson,
Et ne la vouloit entendre.

Pauvre sot, ce me dist-il,
Tu te penses bien subtil!
Mais tu as la teste fole
D'oser t'egaler a moy
Qui, jeune, en sçay plus que toy,
Ny que ceux de ton escole.

Et alors il me sourit,
Et en me flattant m'apprit
Tous les œuvres de sa mere;
Et comme, pour trop aimer,
Il avoit fait transformer
En cent figures son pere.

Il me dist tous ses attraits,
Tous ses jeux, et de quels traits
Il blesse les fantaisies
Et des hommes et des dieux;
Tous ses tourmens gracieux,
Et toutes ses jalousies.

Et me les disant, alors,
J'oubliay tous les accors
De ma lyre desdaignée,
Pour retenir, en leur lieu,
L'autre chanson que ce Dieu
M'avoit par cœur enseignée.

WHILE I LIVE I NEEDS MUST LOVE

(*Odes*, V, xxvii)

By Pierre de Ronsard

Cependant que ce beau mois dure,
Mignonne, allon sur la verdure,
Ne laisson perdre en vain le temps;
L'âge glissant qui ne s'arreste,
Meslant le poil de nostre teste,
S'enfuit ainsi que le Printemps.

Donq, cependant que nostre vie
Et le Temps d'aimer nous convie,
Aimon, moissonnon nos desirs,
Passon l'amour de veine en veine:
Incontinent la mort prochaine
Viendra derober nos plaisirs.

RENUNCIATION [1]

(*Odes*, V, xxxv)

By Pierre de Ronsard

Ny l'âge ny sang ne sont plus en vigueur,
Les ardents pensers ne m'eschauffent le cœur,
Plus mon chef grison ne se veut enfermer
    Sous le joug d'aimer.

En mon jeune Avril, d'Amour je fus soudart.
Et vaillant guerrier portay son estendart:
Ores à l'autel de Vénus je l'appens
    Et forcé me rens.

Plus ne veux oyr ces mots delicieux,
Ma vie, mon sang, ma chere ame, mes yeux:
C'est pour les Amans à qui le sang plus chaud
    Au cœur ne defaut.

Je veux d'autre feu ma poitrine eschauffer,
Cognoistre Nature et bien philosopher,
Du Monde sçavoir et des Astres le cours,
    Retours et destours.

---

[1] Of such Sapphic verses Ronsard himself notes: " Les vers saphiques ne sont, ne ne furent, ne ne seront jamais agréables, s'ils ne sont chantés de voix vive, ou pour le moins accordés aux instruments, qui sont la vie et l'âme de la poésie."

Odes and odelettes, Horatian, Anacreontic, Sapphic:

Donc, Sonets, adieu! adieu, douces Chansons!
Adieu, danse! adieu, de la lyre les sons!
Adieu, traits d'Amour! volez en autre part
    Qu'au cœur de Ronsard.

Je veux estre à moy, non plus servir autruy:
Pour autruy ne veux me donner plus d'ennuy:
Il faut essayer, sans plus me tourmenter,
    De me contenter.

L'oiseau prisonnier, tant soit-il bien traité,
Sa cage rompant, cherche sa liberté;
Servage d'esprit tient de liens plus forts
    Que celuy du corps.

Vostre affection m'a servi de bonheur;
D'estre aimé de vous m'est un bien grand honneur;
Tant que l'air vital en moy se respandra,
    Il m'en souviendra.

A l'Amour ne veut mon âge consentir,
Repris de Nature et d'un tard repentir;
Combattre contre elle et lui estre odieux,
    C'est forcer les Dieux.

THE POET'S MONUMENT [1]

(*Odes*, V, xxxvi)

By PIERRE DE RONSARD

Plus dur que fer j'ay finy cest ouvrage,
Que l'an dispos à demener les pas,
Que l'eau rongearde, ou des freres la rage,
Qui rompent tout, ne ru'ront point à bas.

Le mesme jour que le dernier trespas
M'assoupira d'un somme dur, à l'heure
Sous le tombeau tout Ronsard n'ira pas,
Restant de luy la part qui est meilleure.

Tousjours, tousjours, sans que jamais je meure,
Je voleray tout vif par l'Univers,
Eternisant les champs où je demeure,
De mes Lauriers honorez et couvers,

[1] This *Ode à sa Muse* is an imitation of the *Exegi monumentum* of Horace (*Odes*, Book III, 30). The two harpers referred to in the text are Horace and Pindar.

Pour avoir joint les deux Harpeurs divers
Au doux babil de ma lyre d'yvoire,
Qui se sont faits Vandomois par mes vers.
Sus donque, Muse, emporte au ciel la gloire

Que j'ay gaignée, annonçant la victoire
Dont à bon droit je me voy jouyssant,
Et de Ronsard consacre la memoire,
Ornant son front d'un Laurier verdissant.

DESPAIR

(*Vers lyriques*, Ode IX)

By Joachim du Bellay

La Parque si terrible
A tous les animaulx,
Plus ne me semble horrible,
Car le moindre des maulx,
Qui m'ont fait si dolent
Est bien plus violent.

Comme d'une Fonteine
Mes yeux sont degouttens,
Ma face est d'Eau si pleine
Que bientost je m'attens
Mon cœur tant soucieux
Distiler par les yeux.

De mortelles tenebres
Ils sont deja noirciz,
Mes Plaintes sont funebres,
Et mes Membres transiz:
Mais je ne puy' mourir,
Et si ne puy' guerir.

La fortune amyable
Est-ce pas moins que rien?
O que tout est muable
En ce Val terrien!
Helas, je le congnoy'
Que rien tel ne craignoy'.

Langueur me tient en Lesse,
Douleur me suyt de pres,
Regret point ne me laisse,
Et crainte vient apres:
Bref, de Jour, et de Nuyt,
Toute chose me nuit.

La verdoyant' Campaigne,
Le flory Arbrisseau,
Tumbant de la Montaigne,
Le murmurant Ruysseau,
De ces plaisirs jouyr
Ne me peut rejouyr.

La Musique sauvaige
Du Rossignol au Boys
Contriste mon Couraige,
Et me deplait la voix
De tous joyeux Oyzeaux
Qui sont au bord des Eaux.

Le Cygne poëtique
Lors qu'il est myeux chantant,
Sur la Ryve aquatique
Va sa mort lamentant,
Las! tel chant me plait bien
Comme semblable au mien.

La voix Repercussive
En m'oyant lamenter
De ma plainte excessive
Semble se tormenter,
Car cela que j'ay dit
Tousjours elle redit.

Ainsi la joye et l'ayse
Me vient de dueil saisir,
Et n'est qui tant me plaise
Comme le deplaisir.
De la mort en effect
L'espoir vivre me fait.

Odes and odelettes, Horatian, Anacreontic, Sapphic:

> Dieu tonnant, de ta foudre
> Viens ma mort avencer,
> Afin que soye en poudre
> Premier que de penser,
> Au plaisir que j'auroy'
> Quand ma mort je scauroy'.

IN PRAISE OF FRENCH

(*Recueil de poésie*, Ode IV, " *A Madame Marguerite d'Escrire
en sa langue* ")

By Joachim du Bellay

Quiconque soit qui s'estudie
En leur langue imiter les vieux,
D'une entreprise trop hardie
Il tente la voye des cieulx;

Croyant en des ailes de cire
Dont Phebus le peult deplumer;
Et semble, à le voir, qu'il desire
Nouveaux noms donner à la mer.

Il y met de l'eau, ce me semble,
Et pareil (peult estre) encor' est
A celuy qui du bois assemble,
Pour le porter en la forest.

Qui suyvra la divine Muse
Qui tant sceut Achille extoller?
Où est celuy qui tant s'abuse
De cuider encores voler

Ou par regions incognues
Le cygne Thebain si souvent
Dessoubs luy regarde les nues
Porté sur les ailes du vent?

Qui aura l'haleine assez forte
Et l'estommac pour entonner
Jusqu'au bout la buccine torte
Que le Mantuan fist sonner?

Mais ou est celuy qui se vante
De ce Calabrois approcher
Duquel jadis la main sçavante
Sceut la lyre tant bien toucher?

Princesse, je ne veulx point suyvre
D'une telle mer les dangers,
Aimant mieulx entre les miens vivre
Que mourir chez les estrangers.

Mieulx vault que les siens on precede,
Le nom d'Achille poursuyvant,
Que d'estre ailleurs un Diomede,
Voire un Thersite bien souvent.

Quel siecle esteindra ta memoire,
O Boccace? Et quelz durs hivers
Pourront jamais seicher la gloire
Petrarque, de tes lauriers verds?

Qui verra la vostre muette,
Dante, et Bembe à l'esprit haultain?
Qui fera taire la musette
Du pasteur Neapolitain?

Le Lot, le Loyr, Touvre et Garonne
A voz bords vous direz le nom
De ceulx que la docte couronne
Eternize d'un hault renom.

Et moy (si la doulce folie
  Ne me deçoit) je te promes
Loyre, que ta lyre abolie,
  Si je vy, ne sera jamais.

Marguerite peut donner celle
Qui rendoit les enfers contens,
Et qui bien souvent apres elle
Tiroit les chesnes escoutans.

TO VENUS

(*Jeux rustiques*)

By Joachim du Bellay

Ayant apres long desir
  Pris de ma doulce ennemie
Quelques arres de plaisir,
  Que sa rigueur me denie,
Je t'offre ces beaux œillets,
  Venus, je t'offre ces roses,
Dont les boutons vermeillets,
  Imitent les levres closes,
Que j'ay baisé par trois fois,
  Marchant tout beau dessoubs l'ombre
De ce buisson, que tu vois:
  Et n'ay sçeu passer ce nombre,

Pource que la mere estoit
  Auprès de là, ce me semble,
Laquelle nous aguettoit:
  De peur encores j'en tremble.
Or' je te donne des fleurs:
  Mais si tu fais ma rebelle
Autant piteuse à mes pleurs,
  Comme à mes yeux elle est belle,
Un Myrthe je dedieray
  Dessus les rives de Loyre,
Et sur l'écorse escriray
  Ces quatre vers à ta gloire.

THE REAPER

By Olivier de Magny

Mon Castin, quand j'aperçois
Ces grands arbres dans ces bois
Dépouillés de leur parure,
Je ravasse à la verdure
Qui ne dure que six mois.

Ce pendant que la jeunesse
Nous repand de sa richesse
Toujours gais, nous florissons;
Mais soudain nous flétrissons,
Assaillis de la vieillesse.

Puis, je pense à nostre vie
Si malement asservie,
Qu'el' n'a presque le loisir
De choisir quelque plaisir,
Qu'elle ne nous soit ravie.

Car ce vieil faucheur, le Tems,
Qui dévore ses enfans,
Ayant ailé nos années,
Les fait voler empennées
Plus tost que les mesmes vents.

Nous semblons à l'arbre verd
Qui demeure, un temps, couvert
De mainte feuille naïve,
Puis, dès que l'hiver arrive,
Toutes ses feuilles il perd.

Doncques, tandis que nous sommes,
Mon Castin, entre les hommes,
N'ayons que nostre aise cher,
Sans allèr là haut chercher
Tant de feux et tant d'atomes.

Odes and odelettes, Horatian, Anacreontic, Sapphic:

Quelquefois il faut mourir,
Et, si quelqu'un peut guerir
Quelquefois de quelque peine,
Enfin son attente vaine
Ne sait plus où recourir.

L'esperance est trop mauvaise.
Allons doncques sous la braise
Cacher ces marons si beaux,
Et de ces bons vins nouveaux
Appaisons notre mesaise.

Aisant ainsi nostre cœur,
Le petit archer vainqueur
Nous viendra dans la memoire;
Car, sans le manger et boire,
Son trait n'a point de vigueur.

Puis, avecq' nos nymphes gayes,
Nous irons guerir les playes
Qu'il nous fit dedans le flanc,
Lorsqu'au bord de cet estang
Nous dansions en ces saulayes.

THE UNBIDDEN GUEST

By Olivier de Magny

Pour garder que le plaisir
Qui nous vient ore saysir,
De long temps ne nous eschappe,
Du Buys, fais porter la nappe,
Et dresser viste à manger.
Tandis je vaiz arranger
Deça et delà Catulle,
Properce, Ovide, et Tibulle,
Dessus la table espendus,
Entre les lucz bien tendus,
Et les lucz entre les rozes,
Et les rozes my decloses

Entre les œilletz fleuriz,
Les œilletz entre les liz,
Et les liz entre les tasses,
Parmy les vaisselles grasses.
La mort, peult estre, demain
Viendra prendre par la main
Le plus gay de ceste trouppe,
Pour l'enlever sur sa croupe
Luy disant à l'impourveu,
" Sus gallant, c'est assez beu,
Il est temps de venir boire
Aux enfers de l'onde noire."

E'ER NIGHT FALL

By Jean-Antoine de Baïf

Vivons, mignarde, vivons
　　Et suivons
Les ébats qu'amour nous donne
Sans que des vieux rechignez
　　Renfrognez,
Le sot babil nous estonne.

Les jours qui viennent et vont
　　Se refont;
Le soleil mort se releve;
Mais une trop longue nuit,
　　Las! nous suit
Apres une clarté breve.

　　Tandis que nous la voyons,
　　　　Employons
　　Ce doux vivre, ô ma Meline.
　　Ça donq, mignonne, vien t'en,
　　　　Et me ten
　　Ta bouchette coraline.

TO THE HONEYBEE
By Amadis Jamyn

Estant couché pres les ruchettes
Ou faisoient du miel les avettes,
En ces mots je vins à parler:
Mouches, vous volez à vostre aise,
Et ma maistresse est si mauvaise
Qu'elle m'empesche de voler.

Mouches, de Jupiter nourrices,
Des odeurs qui vous sont propices
Vous faites la cire et le miel;
Et moy, des beautez de ma dame,
Je ne produis rien en mon ame,
Que plaintes, que deuil et que fiel.

Vous volez sur les fleurs escloses,
Et moissonnez les douces choses
Du thym, du safran rougissant,
Et du saule à la feuille molle;
Mais sur les moissons je ne vole,
Dont j'aime à estre jouissant.

On dit, ô coleres abeilles,
Qu'en vos pointures nonpareilles
Vostre destin se voit borné;
Mais celle dont les traits je porte,
Las! en me blessant n'est point morte
De la mort qu'elle m'a donné.

Ha! je voudrois estre une mouche,
Pour voleter dessus la bouche,
Sur les cheveux et sur le sein
De ma dame belle et rebelle;
Je picquerois ceste cruelle
A peine d'y mourir soudain.

THE FIRST OF MAY
By Jean Passerat

Laissons le lit et le sommeil,
Ceste journée:
Pour nous, l'Aurore au front vermeil
Est desjà née.
Or, que le ciel est le plus gay,
En ce gracieus mois de May,
Aimons, mignonne;
Contentons nostre ardent désir:
En ce monde n'a du plaisir
Qui ne s'en donne.

Viens, belle, viens te pourmener
Dans ce bocage,
Entens les oiseaux jargonner
De leur ramage.
Mais escoute comme sur tous,

Le rossignol est le plus dous,
Sans qu'il se lasse.
Oublions tout deuil, tout ennuy,
Pour nous resjouyr comme luy:
Le temps se passe.

Ce vieillard contraire aus amans,
Des aisles porte,
Et en fuyant nos meilleurs ans,
Bien loing emporte.
Quand ridée un jour tu seras,
Melancholique, tu diras:
J'estoy peu sage,
Qui n'usoy point de la beauté
Que si tost le temps a osté
De mon visage.

Odes and odelettes, Horatian, Anacreontic, Sapphic:

Laissons ce regret et ce pleur
A la vieillesse;
Jeunes, il faut cueillir la fleur
De la jeunesse.
Or que le ciel est le plus gay
En ce gracieus mois de May,
Aimons, mignonne;
Contentons nostre ardent désir;
En ce monde n'a du plaisir
Qui ne s'en donne.

THE MARIGOLD

(*Le Soulcy*)

By GILLES DURANT

J'aime la belle violette,
L'œillet et la pensée aussi,
J'aime la rose vermeillette,
Mais surtout j'aime le soulcy.

Belle fleur, jadis amoureuse
Du Dieu qui nous donne le jour,
Te dois-je nommer malheureuse,
Ou trop constante en ton amour?

Ce Dieu qui en fleur t'a changée,
N'a point changé ta volonté:
Encor, belle fleur orangée,
Sens-tu l'effect de sa beauté?

Tousjours ta face languissante
Aux rais de son œil s'espanist,
Et quand sa lumiere s'absente,
Soudain la tienne se ternist.

Je t'aime, soulcy misérable,
Je t'aime, malheureuse fleur,
D'autant plus que tu m'es semblable
Et en constance et en malheur.

J'aime la belle violette,
L'œillet et la pensée aussi;
J'aime la rose vermeillette,
Mais surtout j'aime le soulcy.

TAKE NO THOUGHT OF THE MORROW

By GILLES DURANT

Un homme auroit trop d'affaire,
Jacquier, s'il prenoit soucy
De ce qui luy faudroit faire
A dix ou douze ans d'icy.

Nous vivons à la journée,
Et, peut-estre apres demain,
L'autre aurore retournée
Nous glissera de la main.

A tout' heure nostre vie
Branle sous un sort douteux,
En danger d'estre ravie
Dans les royaumes nuiteux,

D'où jamais on ne rebrousse
Vers ce beau ciel habité,
Pour voir la lumiere douce
Qu'une fois on a quitté.

Que nous sert doncques d'estendre
Nos pensers vers l'avenir?
Ne suffit-il pas d'attendre
Le mal, sans le prévenir?

Las! toujours le malencontre
Est assez tost arrivant;
Assez tost on le rencontre
Sans aller courre au devant.

Jacquier, qu'avons-nous à faire
Des évenemens futurs?
Dieu sçait tout; laissons-le faire:
Ses secrets nous sont obscurs.

Vivons le jour, il est nostre;
N'ayons de plus loin soucy:
Peut-estre au lever de l'autre
Nous ne serons plus icy.

TO APOLLO
(*Vers saphiques*)
By Marc-Claude de Buttet

Prince des Muses, joviale race,
Vien de ton beau mont subit, et de grace
Montre moi les jeux, la lyre ancienne,
    Dans Mitylene,

Qu'autrefois Sapphon sona si dolente,
Quand le cueur bruloit à la pauvre amante,
Pere, si tu veux que je les fredonne,
    Donne la, donne.

Et que d'un archet resonant je pousse
Mille grands beautés de ma nymphe douce,
Douce, non, mais las à l'amant fidele
    Toute cruelle.

Or que dans ces bois je me tire à l'ombre,
Plein d'amours nuisans, que je porte sombre,
Trompe mes langueurs, la doleur, la peine,
    Qui me regeine.

Vange toi, Paean, de la Cyprienne,
Qui va commandant à la bande tienne:
Pas ne suis du rang de sa trouppe serve,
    Mais de Minerve.

O l'honeur par tout reverend de Clare,
Des faveurs ne me sois avare,
Montre les hauts cieux en ma gloire belle,
    Perpetuelle.

Odes and odelettes, Horatian, Anacreontic, Sapphic:

Par fureurs saintes loge dans ma teste,
Contre les Parques sacre moi poëte,
Des nouveaux lauriers à la jeune muse
Dieu ne refuse.

Mets l'amour tousjours de la belle en estre,
Fai que ton luth d'or resone en ma dextre,
Et que l'ord Python de sa langue inique
Plus ne me pique.

REPENTANCE

By Philippe Desportes

Arriere, ô fureur insensée!
Jadis si forte en ma pensée,
Quand d'amour j'estois allumé:
Rempli d'une flamme plus sainte,
Je sens maintenant toute estainte
L'ardeur qui m'a tant consumé.

C'est trop, c'est trop versé de larmes,
C'est trop chanté d'amours et d'armes.
C'est trop semé ses cris au vent,
C'est trop, plein de jeunesse folle,
Perdre tans, labeurs et parolle,
Pour le corps l'ombrage suivant.

Seigneur, change et monte ma lyre,
Afin qu'au lieu du vain martyre
Qui se paist des cœurs ocieux,
Elle ravisse les oreilles,
Resonnant tes hautes merveilles,
Quand de rien tu formas les cieux.

O Père! à toy seul je m'adresse,
Pecheur qui prens la hardiesse
D'elever le regard si haut;
Et, te descouvrant mon offense,
J'invoque, en pleurant, ta clemence
Pour me purger de tout defaut.

Si je suis tout noirci de vice,
Tu peux m'appliquer ta justice
Comme j'en ay parfaicte foy;
Si je ne suis que pourriture,
Pourtant je suis ta creature,
Qui ne veux m'adresser qu'à toy.

Le ciel, qui toute chose embrasse,
Fuiroit tremblant devant ta face,
S'il te cognoissoit irrité;
Et des anges la troupe sainte
N'oseroit paroistre, en la crainte
De ta juste severité.

C'est toy, qui, d'une main puissante,
Dardes la foudre punissante,
Et qui d'un clin d'œil seulement
Fais tourner ceste masse ronde;
La flamme, l'air, la terre et l'onde
Sont serfs de ton commandement.

C'est toy qui n'as point de naissance,
Triple personne en une essence
Tout saint, tout bon, tout droiturier,
Ton doigt ce grand univers range,
Et, bien que toute chose change,
Tu demeures sans varier.

Ta parole est seule asseurée,
Et quand plus n'aura de durée
Du ciel l'assidu mouvement,
Elle encor demeurera ferme,
Comme n'ayant ny fin ny terme
Non plus que de commencement.

Seigneur, c'est sur ceste parole
Que je m'asseure et me console
Quand mon cœur se pasme d'effroy.
C'est elle qui me fortifie
Et qui fait qu'ainsi je me fie
En Christ, mon sauveur et mon roy . . .

C'est pourquoy desjà j'ose dire
Que rien n'a pouvoir de me nuire,
Le peché, l'enfer n'y la mort.
Ta bonté me donne courage;
Qui peut m'asseurer davantage
Qu'un Dieu si puissant et si fort?

Ores troublé de jalousie,
Ou ayant dans la fantaisie
Quelque autre elancement nouveau,
Selon que les vagues soudaines
De mille tempestes mondaines
Agitoyent mon foible cerveau. . . .

Continue, ô Dieu! continue,
Afin que ta force connue
Soit toujours mon seul argument,
Delaissant les faulses louanges
De mille et mille dieux estranges
Que j'ay chantez trop follement.

Mais quoy? veux-je faire revivre
Tant de morts dont tu me delivres?
Veux-je me plaindre une autre fois?
Et par mes accens lamentables
Tascher à rendre pitoyables
Les monts, les rochers et les bois?

Qu'en mes vers desormais j'efface
Tant de traits, d'ardeurs et de glace;
Qu'on ne m'entende plus vanter
Les yeux d'une beauté mortelle
Qui, par quelque douce cautelle
Auroient sceu mes sens enchanter.

Las! non; mais, plein de repentance,
J'en veux perdre la souvenance,
Et l'avoir tousjours en horreur.
O Seigneur! à qui je m'adresse,
Ne souffre, hélas! que ma jeunesse
Retombe plus en ceste erreur.

Je m'en repens, rouge de honte,
Quand je mets quelquefois en conte
Tant de propos que j'ay perdus,
Tant de nuicts vainement passées,
Tant et tant d'errantes pensées,
Et de cris si mal entendus.

Un cœur net en moy renouvelle,
Afin que plus je ne chancelle,
Suivant mon instinct vicieux;
Et quelque chose que je face,
Baille-moy pour guide ta grace
Qui m'adresse au chemin des cieux.

Fay que mon lut tousjours te sonne,
Fay que mon doigt rien ne fredonne
Que tes œuvres grans et parfaicts;
Que ma bouche se tienne close
Si je veux parler d'autre chose
Que de ta gloire et de tes faicts.

TO THE UNCREATED LIGHT, GIVER OF GOOD GIFTS

By PHILIPPE DESPORTES

Depuis six mois entiers que ta main courroucée
Se retira, Seigneur, de mon ame oppressée,
Et me laissa debile au pouvoir des malheurs,
J'ay tant souffert d'ennuis, qu'helas! et ne puis dire
Comment mes tristes yeuz aux pleurs ont pu suffire,
Aux complaintes ma bouche et mon cœur aux douleurs.

Odes and odelettes, Horatian, Anacreontic, Sapphic:

> Je n'y vois point de cesse, et ma peine cruelle,
> Que le temps deust vieillir, sans fin se renouvelle,
> Poussant maint rejetton espineux et tranchant;
> Une nuict de fureurs rend horrible ma vie,
> Le deconfort me suit encor que je le fuye,
> Et la raison me fuit plus je la vay cherchant.
>
> O Dieu! mon seul refuge et ma guide asseurée,
> Peux-tu voir sans pitié la brebis esgarée,
> Estonnée, abbatue, à la merci des sens,
> Qui, comme loups cruels, taschent de s'en repaistre?
> Presque le desespoir s'en est rendu le maistre,
> L'effrayant de regars et de cris menaçans.
>
> N'abandonne ton œuvre, ô Dieu plein de clemence!
> Si je t'ay courroucé par trop d'impatience,
> Plaignant de mes plus chers l'infortuné trespas;
> Si je me suis matté d'excessive tristesse,
> Excuse des mortels l'ordinaire foiblesse:
> Seigneur, tu es parfait et l'homme ne l'est pas.
>
> Toy-mesme, ô souverain, nostre unique exemplaire,
> Quand tu veis ton amy dans le drap mortuaire,
> L'œil clos, les membres froids, palle et defiguré,
> Ne te peus garantir de ces piteux allarmes;
> Les soleils de tes yeux furent baignés de larmes,
> Et du Dieu de la vie un corps mort fut pleuré.
>
> Moy donc qui ne suis rien qu'un songe et qu'un ombrage
> Se faut-il estonner, en ce terrible orage,
> Si ce qui t'a touché m'a du tout emporté?
> Si pour un de tes pleurs j'ay versé des rivieres,
> Toy, soleil flamboyant, seul pere des lumieres,
> Moy, nuage espaissi, moite d'obscurité?
>
> Quand de marbre ou d'acier mon ame eust été faite,
> Las! eussé-je peu voir tant d'amitié desfaite,
> Sans me dissoudre en pleurs, sans me deconforter?
> Voir de mon seul espoir les racines seichées
> Et les plus vives parts de moy-mesme arrachées,
> Mon cœur sans se douloir l'eust-il peu supporter?
>
> Je n'y pense jamais (et j'y pense à toute heure)
> Sans maudire la mort, dont la longue demeure
> Apres vous, chers esprits, me retient tant ici.

J'estoy premier entré dans ce val miserable:
Il me semble, ô Seigneur! qu'il estoit raisonnable
Que, le premier de tous, j'en deslogeasse aussi.

Mais en tous ces discours vainement je me fonde;
Tu les avois prestez et non donnez au monde,
Et as peu comme tiens à toy les retirer.
Helas! je le sçay bien, mais ma foible nature
Trouve pourtant, Seigneur, ceste ordonnance dure,
Et ne peut sur mon mal d'appareil endurer.

Plaise-toy l'augmenter de force et de courage;
Sers de guide à mes pas, sens l'ombre et le nuage,
Qui m'a faict esgarer si long-temps de mon bien,
Et surtout, ô bon Dieu, donne à mon impuissance
Ou moins de passions, ou plus de patience,
Afin que mon vouloir ne s'esloigne du tien.

Donne que les esprits de ceux que je soupire
N'esprouvent point, Seigneur, ta justice et ton ire;
Rens-les purifiez par ton sang precieux,
Cancelle leurs pechez et leurs folles jeunesses,
Fay-leur part de ta grace, et, suivant tes promesses,
Ressuscite leurs corps et les mets dans les cieux.

TO HAPPINESS AND GLORY LOST

By Mathurin Régnier

Jamais ne pourray-je bannir
Hors de moy l'ingrat souvenir
De ma gloire si tost passée?
Tousjours pour nourrir mon soucy,
Amour, cet enfant sans mercy,
L'offrira-t-il à ma pensée!

Tyran implacable des cœurs,
De combien d'ameres langueurs
As-tu touché ma fantaisie!
De quels maux m'as-tu tourmenté!
Et dans mon esprit agité
Que n'a point fait la jalousie!

Mes yeux, aux pleurs accoustumez,
Du sommeil n'estoient plus fermez;
Mon cœur fremissoit sous la peine:
A veu d'œil mon teint jaunissoit;
Et ma bouche qui gemissoit,
De souspirs estoit toujours pleine.

Aux caprices abandonné,
J'errois d'un esprit forcené,
La raison cedant à la rage:
Mes sens, des desirs emportez,
Flottoient, confus, de tous costez,
Comme un vaisseau parmy l'orage.

Blasphemant la terre et les Cieux,
Mesmes je m'estois odieux,
Tant la fureur troubloit mon ame:
Et bien que mon sang amassé
Autour de mon cœur fust glassé,
Mes propos n'estoient que de flame.

Pensif, frenetique et resvant,
L'esprit troublé, la teste au vent,
L'œil hagard, le visage blesme,
Tu me fis tous maux esprouver;
Et sans jamais me retrouver,
Je m'allois cherchant en moy mesme.

Odes and odelettes, Horatian, Anacreontic, Sapphic:

Cependant lors que je voulois,
Par raison enfreindre tes loix,
Rendant ma flame refroidie,
Pleurant, j'accusay ma raison
Et trouvay que la guerison
Est pire que la maladie.

Un regret pensif et confus
D'avoir esté, et n'estre plus,
Rend mon ame aux douleurs ouverte;
A mes despens, las! je vois bien
Qu'un bonheur comme estoit le mien
Ne se cognoist que par la perte.

TO A BEAUTIFUL OLD LADY [1]

By François Maynard

Cloris, que dans mon cœur j'ay si longtemps servie,
Et que ma passion montre à tout l'univers,
Ne veux-tu pas changer le destin de ma vie,
Et donner de beaux jours à mes derniers hivers?

N'oppose plus ton deuil au bonheur où j'aspire.
Ton visage est-il fait pour demeurer voilé?
Sors de ta nuit funebre, et permets que j'admire
Les divines clartez des yeux qui m'ont bruslé.

Où s'enfuit ta prudence acquise et naturelle?
Qu'est-ce que ton esprit a fait de sa vigueur?
La folle vanité de paroistre fidelle
Aux cendres d'un jaloux m'expose à ta rigueur.

Eusses-tu fait le vœu d'un éternel veuvage
Pour l'honneur du mari que ton lit a perdu,
Et trouvé des Césars dans ton haut parentage:
Ton amour est un bien qui m'est justement dû.

Qu'on a vu revenir de malheurs et de joyes,
Qu'on a vu trébucher de peuples et de rois,
Qu'on a pleuré d'Hector, qu'on a bruslé de Troyes,
Depuis que mon courage a fleschi sous tes lois!

Ce n'est pas d'aujourd'huy que je suis ta conqueste;
Huit lustres ont suivi le jour que tu me pris;
Et j'ay fidelement aimé ta belle teste
Sous des cheveux chastains, et sous des cheveux gris.

C'est de tes jeunes yeux que mon ardeur est née,
C'est de leurs premiers traits que je fus abattu;
Mais, tant que tu bruslas du flambeau d'hyménée,
Mon amour se cacha pour plaire à ta vertu.

[1] Among Maynard's other odes, of which a number are pleasing, read especially *Ode à Alcippe*, too long for quotation here, but of particular interest.

Je sçay de quel respect il faut que je t'honore,
Et mes ressentiment ne l'ont pas violé;
Si quelquefois j'ay dit le soin que me dévore,
C'est à des confidens qui n'ont jamais parlé.

Pour adoucir l'aigreur des peines que j'endure,
Je me plains aux rochers, et demande conseil
A ces vieilles forests, dont l'épaisse verdure
Fait de si belles nuits en despit du soleil.

L'âme pleine d'amour et de mélancolie,
Et couché sur des fleurs et sous des orangers,
J'ay monstré ma blessure aux deux mers d'Italie,
Et fait dire ton nom aux échos étrangers.

Ce fleuve impérieux à qui tout fit hommage,
Et dont Neptune mesme endura le mépris,
A sçu qu'en mon esprit j'adorois ton image,
Au lieu de chercher Rome en ses vastes débris.

Cloris, la passion que mon cœur t'a jurée
Ne trouve point d'exemple aux siecles les plus vieux.
Amour et la nature admirent la durée
Du feu de mes désirs, et du feu de tes yeux.

La beauté qui te suit depuis ton premier âge,
Au déclin de tes jours ne veut pas te laisser;
Et le temps, orgueilleux d'avoir fait ton visage,
En conserve l'éclat, et craint de l'effacer.

Regarde sans frayeur la fin de toutes choses,
Consulte ton miroir avec des yeux contens:
On ne voit point tomber ni tes lys ny tes roses,
Et l'hyver de ta vie est ton second printemps.

Pour moy, je cede aux ans, et ma teste chenue
M'apprend qu'il faut quitter les hommes et le jour;
Mon sang se refroidit; ma force diminue;
Et je serois sans feu, si j'estois sans amour.

C'est dans peu de matins que je croistrai le nombre
De ceux à qui la Parque a ravy la clarté.
Oh! qu'on oira souvent les plaintes de mon ombre
Accuser tes mépris de m'avoir maltraité!

Odes and odelettes, Horatian, Anacreontic, Sapphic:

Que feras-tu, Cloris, pour honorer ma cendre?
Pourras-tu sans regret ouïr parler de moy,
Et le mort que tu plains te pourra-t-il défendre
De blasmer ta rigueur et de louer ma foy?

Si je voyois la fin de l'âge qui te reste,
Ma raison tomberoit sous l'excès de mon deuil;
Je pleurerois sans cesse un malheur si funeste,
Et ferois, jour et nuit, l'amour à ton cercueil.

MORNING
By Théophile de Viau

L'aurore sur le front du jour
Seme l'azur, l'or et l'yvoire,
Et le soleil, lassé de boire,
Commence son oblique tour. . . .

La lune fuit devant nos yeux;
La nuit a retiré ses voiles;
Peu à peu le front des estoilles
S'unit à la couleur des cieux.

Desjà la diligente avette
Boit la marjolaine et le thyn,
Et revient, riche du butin
Qu'elle a pris sur la mont Hymette. . . .

Je voy les agneaux bondissants
Sur ces blez qui ne font que naistre;
Cloris chantant les mene paistre
Parmi ces coteaux verdissants. . . .

La charrue escorche la plaine;
Le bouvier, qui suit les sillons,
Presse de voix et d'aiguillons
Le couple de bœufs qui l'entraisne.

Alix appreste son fuseau;
Sa mere, qui lui fait la tasche,
Presse le chanvre qu'elle attache
A sa quenouille de roseau.

Une confuse violence
Trouble le calme de la nuit,
Et la lumiere avec le bruit
Dissipe l'ombre et le silence. . . .

Le forgeron est au fourneau;
Voy comme le charbon s'allume!
Le fer rouge, dessus l'enclume,
Etincelle sous le marteau.

Ceste chandelle semble morte;
Le jour la fait évanouir.
Le soleil vient nous éblouyr:
Vois qu'il passe au travers la porte!

Il est jour: levons-nous, Philis;
Allons à nostre jardinage,
Voir s'il est, comme ton visage,
Semé de roses et de lis.

THE NIGHTMARE
By Théophile de Viau

Un corbeau devant moy croasse;
Une ombre offusque mes regards;
Deux belèttes et deux renards
Traversent l'endroit où je passe;
Les pieds faillent à mon cheval;

Mon laquais tombe du haut-mal;
J'entends craqueter le tonnerre;
Un esprit se presente à moy;
J'oy Charon qui m'appelle à soy;
Je voy le centre de la terre.

Ce ruisseau remonte en sa source;
Un bœuf gravit sur un clocher;
Le sang coule de ce rocher;
Un aspic s'accouple d'une ourse;
Sur le haut d'une vieille tour
Un serpent dechire un vautour;
Le feu brusle dedans la glace;
Le soleil est devenu noir;
Je voy la lune qui va choir;
Cet arbre est sorty de sa place.

NIGHT [1]

By Marc-Antoine de Saint-Amant

Paisible et solitaire nuict
  Sans lune et sans estoilles,
Renferme le jour qui me nuit
  Dans tes plus sombres voilles;
Haste tes pas, deesse, exauce-moy:
  J'ayme une brune comme toy.

J'ayme une brune dont les yeux
  Font dire à tout le monde
Que, quand Phebus quitte les cieux
  Pour se cacher sous l'onde,
C'est de regret de se voir surmonté
  Du vif eclat de leur beauté.

Mon lut, mon humeur et mes vers
  Ont enchanté son ame;
Tous ses sentiments sont ouvers
  A l'amoureuse flame;
Elle m'adore, et dit que ses desirs
  Ne vivent que pour mes
    plaisirs.

Quel jugement y doy-je assoir?
  Veut-elle me complaire?
Mon cœur s'en promet à ce soir
  Une preuve plus claire.
Vien donc, o nuict, que ton obscurité
  M'en decouvre la verité!

Sommeil, respans à pleines mains
  Tes pavots sur la terre,
Assoupiz les yeux des humains
  D'un gracieux caterre,
Laissant veiller en tout cet element
  Ma maistresse et moy seulement.

Ainsy jamais de ta grandeur
  Rien n'abaisse la gloire;
Ainsy jamais bruit ny splendeur
  N'entre en ta grotte noire,
Comme autrefois quand, à chaque
    propos,
  Iris troubloit ton doux repos.

---

[1] Among Saint-Amant's odes, *La Pluie* and *Le Contemplateur*, especially, should also be read, as they are two of the most remarkable poems of this period. Their length precludes their inclusion here.

Odes and odelettes, Horatian, Anacreontic, Sapphic:

Ha, voila le jour achevé,
    Il faut que je m'appreste;
L'astre de Venus est levé
    Propice à ma requeste;
Si bien qu'il semble en se montrant
    si beau
    Me vouloir servir de flambeau.

Je ne puis estre decouvert
    La nuict m'est trop fidelle;
Entrons, je sens l'huis entr'ouvert,
    J'appercoy la chandelle.
Dieux! qu'est-ce-cy?   Je tremble à
    chaque pas,
    Comme si j'allois au trespas.

Tous ces vents, qui souffloient si fort,
    Retiennent leurs haleines;
Il ne pleut plus, la foudre dort,
    On n'oit que les fontaines
Et le doux son de quelques luts
    charmans
    Qui parlent au lieu des amans.

O toy, dont l'œil est mon vainqueur,
    Sylvie, eh! que t'en semble?
Un homme qui n'a point de cœur,
    Ne faut-il pas qu'il tremble?
Je n'en ay point, tu possedes le mien.
    Me veux-tu pas donner le tien?

SOLITUDE

By Marc-Antoine de Saint-Amant

O que j'ayme la solitude!
Que ces lieux sacrez à la nuit,
Esloignez du monde et du bruit,
Plaisent à mon inquiétude!
Mon Dieu! que mes yeux sont con-
    tens
De voir ces bois, qui se trouverent
A la nativité du tems,
Et que tous les siecles reverent
Estre encore aussi beaux et vers
Qu'aux premiers jours de l'univers!

Un gay zephire les caresse
D'un mouvement doux et flatteur.
Rien que leur extresme hauteur
Ne fait remarquer leur vieillesse.
Jadis Pan et ses demy dieux
Y vindrent chercher du refuge
Quand Jupiter ouvrit les cieux,
Pour nous envoyer le deluge,
Et, se sauvans sur leurs rameaux,
A peine virent-ils les eaux.

Que sur cette espine fleurie,
Dont le printemps est amoureux,
Philomèle, au chant langoureux,
Entretient bien ma resverie!
Que je prens de plaisir à voir
Ces monts pendans en precipices,
Qui, pour les coups du desespoir,
Sont aux malheureux si propices,
Quand la cruauté de leur sort,
Les force à rechercher la mort.

Que je trouve doux le ravage
De ces fiers torrens vagabons,
Qui se precipitent par bonds
Dans ce valon vert et sauvage!
Puis, glissant sous les arbrisseaux,
Ainsi que des serpens sur l'herbe,
Se changent en plaisans ruisseaux,
Où quelque naïade superbe
Règne comme en son lict natal,
Dessus un throsne de christal!
Que j'ayme ce marets paisible!

Il est tout bordé d'alisiers,
D'aulnes, de saules et d'oziers
A qui le fer n'est point nuisible.
Les nymphes, y cherchans le frais,
S'y viennent fournir de que-
    nouilles,
De pipeaux, de joncs et de glais,
Où l'on voit sauter les grenouilles
Qui de frayeurs s'y vont cacher,
Si tost qu'on veut s'en aprocher.

Là, cent mille oyseaux aquatiques
Vivent, sans craindre, en leur repos,
Le giboyeur fin et dispos,
Avec ses mortelles pratiques.
L'un, tout joyeux d'un si beau jour,
S'amuse à becqueter sa plume;
L'autre allentit le feu d'amour
Qui dans l'eau mesme se consume,
Et prennent tous innocemment
Leur plaisir en cet element.

Jamais l'esté ny la froidure
N'ont veu passer dessus ceste eau
Nulle charrette ny batteau
Depuis que l'un et l'autre dure;
Jamais voyageur alteré
N'y fit servir sa main de tasse;
Jamais chevreuil desesperé
N'y finit sa vie à la chasse;
Et jamais le traistre hameçon
N'en fit sortir aucun poisson.

Que j'ayme à voir la decadence
De ces vieux chasteaux ruinez,
Contre qui les ans mutinez
Ont deployé leur insolence!
Les sorciers y font leur sabat;
Les demons follets s'y retirent,
Qui d'un malicieux ebat
Trompent nos sens et nous mar-
    tirent;
Là se nichent en mille troux
Les couleuvres et les hyboux.

L'orfraye, avec ses cris funèbres,
Mortels augures des destins,
Fait rire et dancer les lutins
Dans ces lieux remplis de tenèbres.
Sous un chevron de bois maudit
Y branle le squelette horrible
D'un pauvre amant qui se pendit
Pour une bergere insensible
Qui, d'un seul regard de pitié,
Ne daigna voir son amitié.

Aussi le ciel, juge equitable
Qui maintient les loix en vigueur,
Prononça contre sa rigueur
Une sentence epouvantable:
Autour de ces vieux ossemens,
Son ombre, aux peines condamnée,
Lamente en longs gemissemens
Sa malheureuse destinée,
Ayant, pour croistre son effroy,
Tousjours son crime devant soy.

Là se trouvent, sur quelques marbres,
Des devises du temps passé;
Icy l'âge a presque effacé
Des chiffres taillez sur les arbres;
Le plancher du lieu le plus haut
Est tombé jusques dans la cave,
Que la limace et le crapaut
Souillent de venin et de bave;
Le lierre y croist au foyer
A l'ombrage d'un grand noyer.

Là dessous s'estend une voûte
Si sombre en un certain en-
    droit,
Que, quand Phebus y descendroit,
Je pense qu'il n'y verroit goutte;
Le Sommeil aux pesans sourcis,
Enchanté d'un morne silence,
Y dort, bien loing de tous soucis
Dans les bras de la Nonchalence,
Laschement courbé sur le dos,
Dessus des gerbes de pavots.

Odes and odelettes, Horatian, Anacreontic, Sapphic:

Aux creux de ceste grotte fresche
Où l'Amour se pourroit geler,
Echo ne cesse de brusler
Pour son amant froid et revesche.
Je m'y coule sans faire bruit,
Et par la celeste harmonie
D'un doux lut, aux charmes instruit,
Je flatte sa triste manie,
Faisant repeter mes accords
A la voix qui lui sert de corps.

Tantost, sortant de ces ruines,
Je monte au haut de ce rocher,
Dont le sommet semble chercher
En quel lieu se font les bruïnes;
Puis je descends tout à loisir
Sous une falaise escarpée,
D'où je regarde avec plaisir
L'onde qui l'a presque sappée
Jusqu'au siege de Palemon,
Fait d'esponges et de limon.

Que c'est une chose agreable,
D'estre sur le bord de la mer,
Quand elle vient à se calmer
Après quelque orage effroyable,
Et que les chevelus Tritons,
Hauts, sur les vagues secouées
Frapent les airs d'estranges tons
Avec leurs trompes enrouées,
Dont l'éclat rend respectueux
Les vents plus impetueux!

Tantost l'onde, brouillant l'arène,
Murmure et fremit de courroux,
Se roullant dessus les cailloux
Qu'elle apporte et qu'elle r'entraine.
Tantost, elle estale en ses bords,
Que l'ire de Neptune outrage,
Des gens noyez, des monstres morts,
Des vaisseaux brisez du naufrage,
Des diamans, de l'ambre gris,
Et mille autres choses de pris.
Tantost, la plus claire du monde,

Elle semble un miroir flottant,
Et nous represente à l'instant
Encore d'autres cieux sous l'onde;
Le soleil s'y fait si bien voir,
Y contemplant son beau visage,
Qu'on est quelque temps à sçavoir
Si c'est luy-mesme ou son image;
Et d'abord il semble à nos yeux,
Qu'il s'est laissé tomber des
    cieux.

Bernieres, pour que je me vante
De ne rien faire que de beau,
Reçoy ce fantasque tableau
Fait d'une peinture vivante.
Je ne cherche que les deserts
Où, resvant tout seul, je m'amuse
A des discours assez diserts
De mon genie avec la Muse;
Mais mon plus aymable entretien
C'est le ressouvenir du tien.

Tu vois dans cette poësie,
Pleine de licence et d'ardeur,
Les beaux rayons de la splendeur
Qui m'esclaire la fantaisie;
Tantost chagrin, tantost joyeux,
Selon que leur fureur m'enflame,
Et que l'objet s'offre à mes yeux,
Les propos me naissent en l'ame
Sans contraindre la liberté
Du démon qui m'a transporté.

Oh! que j'ayme la solitude!
C'est l'element des bons esprits,
C'est par elle que j'ay compris
L'art d'Apollon sans nulle estude.
Je l'ayme pour l'amour de toy,
Connoissant que ton humeur l'ayme;
Mais quand je pense bien à moy,
Je la hay pour la raison mesme:
Car elle pourroit me ravir
L'heur de te voir et te servir.

Baisers:

THE ARDENT LOVER [1]

(*Odes*, II, xvi)

By Pierre de Ronsard

Ma petite colombelle,
Ma petite toute belle,
Mon petit œil, baisez-moy:
D'une bouche toute pleine
D'amours, chassez-moy la peine
De mon amoureux esmoy.

Quand je vous diray: " Mignonne
Approchez-vous, qu'on me donne
Neuf baisers tout à la fois,"
Donnez-m'en seulement trois.

Tels que Diane guerrière
Les donne à Phœbus son frère,
Et L'aurore à son vieillard;
Puis reculez vostre bouche,
Et bien loin tout farouche
Fuyez d'un pied frétillard.

Comme un taureau par la prée
Court après son amourée,

Ainsi tout chaud de courroux
Je courray fol apres vous;

Et prise, d'une main forte,
Vous tiendray de telle sorte
Qu'un aigle, un pigeon tremblant:
Lors faisant de la modeste,
De me redonner la reste
Des baisers ferez semblant.

Mais en vain serez pendante
Toute à mon col, attendante
(Tenant un peu l'œil baissé)
Pardon de m'avoir laissé.

Car en lieu de six, adonques
J'en demanderay plus qu'onques
Tout le ciel d'estoiles n'eut,
Plus que d'arene poussée
Aux bords, quand l'eau courroucée
Contre les rives s'esmeut.

TO COLOMBA

(*Jeux rustiques*)

By Joachim du Bellay

Sus, ma petite Columbelle,
Ma petite belle rebelle,
Qu'on me paye ce qu'on me doit:
Qu'autant de baysers on me donne
Que le poëte de Veronne
A sa Lesbie en demandoit.

Mais pourquoy te fais-je demande
De si peu de baisers, friande?
Si Catulle en demande peu,
Peu vrayment Catulle en desire,
Et peu se peuvent-ilz bien dire,
Puis que compter il les a peu.

De mille fleurs la belle Flore
Les verdes rives ne colore,
Cerés de mille espics nouveaux
Ne rend la campagne fertile,
Et de mille raisins et mille
Bacchus n'emplist pas ses tonneaux.

Autant donc que de fleurs fleurissent,
D'espicz et de raisins meurissent,
Autant de baysers donne-moy:
Autant je t'en rendray sur l'heure,
A fin qu'ingrat je ne demeure
De tant de baysers envers toy.

[1] For the poetical antecedents of the baiser as a genre compare certain poems of Catullus and the *Basia* (1541) of the eminent Neo-Latin poet of the Renaissance, Johannes Secundus or Jean Everaerts (1511–36).

Mais, sçais-tu quelz baysers, mignonne?
Je ne veulx pas qu'on les me donne
A la Françoise, et ne les veulx
Tels que la Vierge chasseresse,
Venant de la chasse, les laisse
Prendre à son frère aux blonds cheveux:

Je les veulx à l'italienne,
Et tels que l'Acidalienne
Les donne à Mars, son amoureux:
Lors sera contente ma vie,
Et n'auray sur les Dieux envie,
Ny sur leur nectar savoureux.

THE KISS

By Jacques Tahureau

Qui a leu comme Venus,
Croisant ses beaux membres nus
Sur son Adonis qu'el' baise,
Et luy pressant le doux flanc
Son col douillettement blanc
Mordille de trop grand' aise;

La colombe roucoulante,
Enflant sa plume tremblante,
Et liant d'un bec mignard
Mille baisers, dont la grâce
Celle du cygne surpasse
Sus sa Lœde fretillard;

Qui a leu comme Tibulle
Et le chatouillant Catulle
Se baignent en leurs chaleurs;
Comme l'amoureux Ovide,
Sucrant un baiser humide,
En tire les douces fleurs;

Les chevres qui vont broutant,
Et d'un pied leger sautant
Sur la molle verte rive,
Lors que d'un trait amoureux,
Dedans leur flanc chaleureux,
Ell' brulent d'amour lascive.

Qui a veu le passereau,
Dessus le printemps nouveau,
Pipier, batre de l'esle,
Quand d'un infini retour,
Il mignarde, sans sejour,
Sa lascive passerelle;

Celuy qui aura pris garde
A cette façon gaillarde
De tels folastres esbas,
Que, par eux, il imagine
L'heur de mon amour divine,
Quand je meurs entre tes bras.

Blasons:

THE MARGUERITE

By Jean de la Taille

En avril où naquit Amour,
J'entrai dans son jardin un jour,
Où la beauté d'une fleurette
Me plut sur celles que j'y vis.
Ce ne fut pas la paquerette,
L'œillet, la rose ni le lys:
Ce fut la belle marguerite,
Qu'au cœur j'aurai tousjours escrite.

Elle ne commençoit encor
Qu'à s'éclore, ouvrant un fond d'or;
C'est des fleurs la fleur plus parfaite,
Qui plus dure en son teint naïf
Que le lys ni la violette,
La rose ni l'œillet plus vif;
J'aurai tousjours au cœur escrite
Sur toutes fleurs la marguerite.

Les uns loueront le teint fleuri
D'autre fleur dès le soir flestri,
Comme d'une rose tendrette
Qu'on ne voit qu'en un mois fleurir:
Mais par moi, mon humble fleurette
Fleurira toujours sans flestrir:
J'aurai toujours au cœur escrite
Sur toutes fleurs la marguerite.

Plust à Dieu que je pusse un jour
La baiser mon saoul, et qu'Amour
Ceste grace et faveur m'eust faite,
Qu'en saison je pusse cueillir
Ceste jeune fleur vermeillette,
Qui croissant ne fait qu'embellir!
J'aurois toujours au cœur escrite
Sur toutes fleurs la marguerite.

THE ROSE

(*A Demoiselle Rose de la Taille, sa cousine*)

By Jean de la Taille

Aux uns plaist l'azur d'une fleur,
Aux autres une autre couleur:
L'un des lys, de la violette,
L'autre blasonne de l'œillet
Les beautés, ou d'une fleurette
L'odeur ou le teint vermeillet:
A moy, sur toute fleur desclose,
Plaist l'odeur de la belle rose.

La rose est des fleurs tout l'honneur,
Qui en grace et divine odeur
Toutes les belles fleurs surpasse,
Et qui ne doit au soir flestrir
Comme une autre fleur qui se passe,
Mais en honneur toujours fleurir:
J'aime, sur toute fleur desclose,
A chanter l'honneur de la rose.

J'aime à chanter de ceste fleur
Le teint vermeil et la valeur,
Dont Vénus se pare, et l'aurore,
De ceste fleur, qui a le nom
D'une que j'aime et que j'honore,
Et don't l'honneur ne sent moins
  bon:
J'aime, sur toute fleur desclose,
A chanter l'honneur de la rose.

Elle ne défend à aucun
Ni sa vue, ni son parfum;
Mais si de façon indiscrette
On la vouloit prendre ou toucher,
C'est lors que sa pointure aigrette
Montre qu'on n'en doit approcher:
J'aime, sur toute fleur desclose.
A chanter l'honneur de la rose.

Idillies:

THE SHEPHERDESS [1]

By Jean Vauquelin de la Fresnaye

Pasteurs, voici la fonteinette
Où tousjours se venoit mirer,
Et ses beautez, seule, admirer
La pastourelle Philinette.

Voici le mont où de la bande
Je la vis la dance mener,
Et les nymphes l'environner
Comme celle qui leur commande.

[1] For Vauquelin's idea of the pastoral lyric see the text, Vol. I, pp. 683–685.

Idillies:

Pasteurs, voici la verte prée
Où les fleurs elle ravissoit,
Dont, après, elle embellissoit
Sa perruque blonde et sacrée.

Ici, folastre et decrochée,
Contre un chesne elle se cacha;
Mais, par avant, elle tascha
Que je la vis estre cachée.

Dans cet antre secret encore,
Mile fois elle me baisa;
Mais, dupuis, mon cœur n'apaisa
De la flamme qui le devore.

Donc, à toutes ces belles places,
A la fontaine, au mont, au pré,
Au chesne, à l'antre tout sacré,
Pour ces dons, je rends mile graces.

PHILANON TO PHYLLIS

By Jean Vauquelin de la Fresnaye

Toy qui peux bien me rendre heureux,
Pourquoy te rends tu si hautaine,
Philis di moy? Car si tu veux
Tu rendras heureuse ma peine.

Je sçay que je ne suis des beaux;
Mais aussi je ne suis sans grace,
Au moins si l'argent de ces eaux
Me montre au vray quelle est ma
    face.

Nul plus que moy n'a de troupeaux,
Ni plus de fruicts ni de laitage:
Chez moy ne manquent les chevreaux,
Ni le salé, ni le fourmage.

Je voudroy seulement ici
Dedans ces bois tout franc d'envie,
Sans des villes avoir souci,
Vivre avec toy toute ma vie.

Las! Philanon, qui le conduit
En t'egarant en cette sorte?
Vois-tu point ton troupeau, qui fuit
Le loup, qui ton mouton emporte?

TO JANE

By Jean Vauquelin de la Fresnaye

O Janette, tu fuis en vain
Amour que suivent les plus belles:
Tu es boiteuse, il a des ailes:
Tu seras prise tout soudain.

TO PHYLLIS

By Jean Vauquelin de la Fresnaye

Entre les fleurs, entre les lis,
Doucement dormoit ma Philis,
Et tout autour de son visage,
Les petits Amours, comme enfans,
Jouoient, folastroient, triomphans,
Voyant des cieux la belle image.

J'admirois toutes ces beautez
Egalles à mes loyautez,
Quand l'esprit me dist en l'oreille:
Fol, que fais-tu? le temps perdu
Souvent est chèrement vendu;
S'on le recouvre, c'est merveille.

Alors, je m'abbaissai tout bas,
Sans bruit je marchai pas à pas,
Et baisai ses lèvres pourprines:
Savourant un tel bien, je dis
Que tel est dans le paradis
Le plaisir des âmes divines.

THE DEERSTALKER

By Jean Vauquelin de la Fresnaye

Amour, tay-toy, mais pren ton arc:
Car ma biche belle et sauvage,
Soir et matin, sortant du parc,
Passe tousjours par ce passage.

Voici sa piste, ô la voilà!
Droit à son cœur dresse ta vire,
Et ne faux point ce beau coup-là,
Afin qu'elle n'en puisse rire.

Hélas! qu'aveugle tu es bien!
Cruel, tu m'as frappé pour elle.
Libre elle fuit, elle n'a rien;
Mais las; ma blessure est mortelle.

TO LEUCOTHEA

By Jean Vauquelin de la Fresnaye

L'hiver ridé n'a point gastée
La fleur d'esté de Leucothée:
Ses rides n'ont si fort osté
Les premiers traits de sa beauté,
Qu'entre les rides de sa face,

Amour caché ne nous menace.
De ses rides les petits plis
De feux cachez sont tous remplis:
Ainsi, nous montre son visage
Le beau soleil dans un nuage:
Ainsi, Dafnis cache aux rameaux
La glu pour prendre les oiseaux.

Stances:

THE COUNTRY LIFE

(Abridged, from *Bergeries*)

By Philippe Desportes

O bien-heureux qui peut passer sa vie,
Entre les siens, franc de haine et d'envie,
Parmy les champs, les forests et les bois,
Loin du tumulte et du bruit populaire,
Et qui ne vend sa liberté pour plaire
Aux passions des princes et des rois!

Il n'a soucy d'une chose incertaine;
Il ne se paist d'une esperance vaine;
Nulle faveur ne le va decevant;
De cent fureurs il n'a l'ame embrasée,
Et ne maudit sa jeunesse abusée,
Quand il ne trouve à la fin que du vant.

Il ne fremist, quand la mer courroucée
Enfle ses flots, contrairement poussée
Des vens esmeus, soufflans horriblement;
Et quand, la nuict, à son aise il sommeille,
Une trompette en sursaut ne l'éveille,
Pour l'envoyer du lict au monument.

L'ambition son courage n'attise;
D'un fard trompeur son ame il ne déguise;
Il ne se plaist à violer sa foy;
Des grands seigneurs l'oreille il n'importune
Mais, en vivant contant de sa fortune,
Il est sa cour, sa faveur et son roy.

Je vous rens grace, ô deïtez sacrées
Des monts, des eaux, des forests et des prées,
Qui me privez de pensers soucieux.

Et qui rendez ma volonté contente,
Chassant bien loin ma miserable attente
Et les desirs des cœurs ambitieux. . . .

Si je ne loge en ces maisons dorées,
Au front superbe, aux voûtes peinturées
D'azur, d'esmail, et de mille couleurs,
Mon œil se paist des thresors de la plaine
Riche d'œillets, de lis, de marjolaine,
Et du beau teint des printanieres fleurs . . .

Ainsi vivant, rien n'est qui ne m'agrée:
J'oy des oiseaux la musique sacrée,
Quand au matin ils benissent les cieux,
Et le doux son des bruyantes fontaines
Qui vont coulant de ces roches hautaines
Pour arrouser nos prez delicieux . . .

Douces brebis, mes fidelles compagnes,
Hayes, buissons, forests, prez et montagnes,
Soyez témoins de mon contentement!
Et vous, ô dieux! faites, je vous supplie,
Que cependant que durera ma vie,
Je ne connoisse un autre changement.

THE JEALOUS NIGHT

(*Diverses amours*)

By Philippe Desportes

O Nuict! jalouse Nuict, contre moy conjurée,
Qui renflammes le ciel de nouvelle clarté,
T'ay-je donc aujourd'huy tant de fois desirée
Pour estre si contraire à ma felicité?

Pauvre moy! je pensoy qu'à ta brune rencontre
Les cieux d'un noir bandeau dussent estre voilez,
Mais, comme un jour d'esté, claire tu fais ta monstre
Semant parmy le ciel mille feux estoilez.

Et toy, sœur d'Apollon, vagabonde courriere,
Qui pour me découvrir flambes si clairement,
Allumes-tu la nuict d'aussi grande lumière,
Quand sans bruit tu descens pour baiser un amant?

Stances:

Hélas! s'il t'en souvient, amoureuse deesse,
Et si quelque douceur se cueille en le baisant,
Maintenant que je sors pour baiser ma maistresse,
Que l'argent de ton front ne soit pas si luisant.

Ah! la fable a menty, les amoureuses flammes
N'eschaufferent jamais ta froide humidité;
Mais Pan, qui te conneut du naturel des femmes,
T'offrant une toison, vainquit ta chasteté.

Si tu avois aimé, comme on nous fait entendre,
Les beaux yeux d'un berger, de long sommeil touchez,
Durant tes chauds desirs tu aurois peu apprendre
Que les larcins d'amour veulent estre cachez.

Mais flamboye à ton gré, que ta corne argentée
Fasse de plus en plus ses rais estinceler:
Tu as beau découvrir, ta lumière empruntée
Mes amoureux secrets ne pourra deceler.

Que de facheuses gens, mon Dieu! quelle coustume
De demeurer si tard dans la ruë à causer!
Otez-vous du serein, craignez-vous point le rheume?
La nuit s'en va passée, allez vous reposer.

Je vay, je vien, je fuy, j'escoute et me promeine,
Tournant tousjours mes yeux vers le lieu desiré;
Mais je n'avance rien, toute la ruë est pleine
De jaloux importuns, dont je suis esclairé.

Je voudrois estre Roy pour faire une ordonnance
Que chacun deust la nuict au logis se tenir.
Sans plus les amoureux auroient toute licence;
Si quelque autre failloit, je le feroy punir.

O somme! ô doux repos des travaux ordinaires,
Charmant par ta douceur les pensers ennemis,
Charme ces yeux d'Argus, qui me sont si contraires
Et retardent mon bien, faute d'estre endormis.

Mais je perds, malheureux, le tans et la parole,
Le somme est assommé d'un dormir ocieux;
Puis durant mes regrets, le nuit pronte s'envole,
Et l'aurore desjà veut defermer les cieux.

Je m'en vay pour entrer, que rien ne me retarde,
Je veux de mon manteau mon visage boucher;
Mais las! je m'aperçois que chacun me regarde,
Sans estre découvert, je ne puis approcher.

Je ne crains pas pour moy; j'ouvrirois une armée,
Pour entrer au sejour qui recele mon bien;
Mais je crains que ma dame en pust estre blasmée,
Son repos, mille fois m'est plus cher que le mien.

Quoi! m'en iray-je donc? mais que voudrois-je faire?
Aussi bien peu à peu le jour s'en va levant,
O trompeuse espérance!   Heureux cil qui n'espere
Autre loyer d'amour que mal en bien servant!

CONSOLATION FOR MONSIEUR FRANÇOIS DU PERIER UPON THE DEATH OF HIS DAUGHTER

(Abridged)

By François de Malherbe

Ta douleur, Du Perier, sera donc eternelle,
    Et les tristes discours
Que te met en l'esprit l'amitié paternclle
    L'augmenteront tousjours!

Le malheur de ta fille, au tombeau descenduë
    Par un commun trespas
Est-ce quelque dedale où ta raison perduë
    Ne se retrouve pas?

Je sçay de quels appas son enfance estoit pleine,
    Et n'ay pas entrepris,
Injurieux ami, de soulager ta peine,
    Avecque son mepris.

Mais elle estoit du monde où les plus belles choses
    Ont le pire destin,
Et, rose, elle a vecu ce que vivent les roses,
    L'espace d'un matin.

Puis, quand ainsi seroit que, selon ta priere,
    Elle auroit obtenu
D'avoir en cheveux blancs terminé sa carriere,
    Qu'en fust-il advenu?

Stances:

> Penses-tu que, plus vieille, en la maison celeste
>   Elle eust eu plus d'accueil?
> Ou qu'elle eust moins senti la poussiere funeste
>   Et les vers du cercueil?
>
> Non, non, mon Du Perier, aussi-tost que la Parque
>   Oste l'ame du corps,
> L'age s'évanouit au deça de la barque,
>   Et ne suit point les morts. . . .
>
> La mort a des rigueurs à nulle autre pareilles.
>   On a beau la prier,
> La cruelle qu'elle est se bouche les oreilles,
>   Et nous laisse crier.
>
> Le pauvre en sa cabane, où le chaume le couvre,
>   Est sujet à ses loix,
> Et la garde qui veille aux barrieres du Louvre
>   N'en defend point nos rois.
>
> De murmurer contr'elle et perdre patience,
>   Il est mal à propos:
> Vouloir ce que Dieu veut est la seule science
>   Qui nous met en repos.

WE ARE LIKE THE CHAFF THAT THE
WIND DRIVETH AWAY

By Mathurin Régnier

Quand sur moy je jette les yeux,
A trente ans me voyant tout vieux,
Mon cœur de frayeur diminuë;
Estant vieilly dans un moment,
Je ne puis dire seullement
Que ma jeunesse est devenuë.

Du berceau courant au cercueil,
Le jour se dérobe à mon œil,
Mes sens troublez s'evanouïssent.
Les hommes sont comme des fleurs,
Qui naissent et vivent en pleurs,
Et d'heure en heure se fanissent.

Leur âge à l'instant écoulé,
Comme un trait qui s'est envolé,
Ne laisse après soy nulle marque,

Et leur nom si fameux icy
Si tost qu'ils sont morts, meurt aussi,
Du pauvre autant que du Monarque.

N'agueres verd, sain et puissant,
Comme un Aubespin florissant,
Mon printemps estoit délectable:
Les plaisirs logeoient en mon sein,
Et lors estoit tout mon dessein
Du jeu d'amour, et de la table.

Mais, las! mon sort est bien tourné;
Mon age en un rien s'est borné,
Foible languit mon esperance;
En une nuict, à mon malheur,
De la joye et de la douleur
J'ay bien appris la difference.

La douleur aux traits venemeux,
Comme d'un habit espineux
Me ceint d'une horrible torture;
Mes beaux jours sont changés en
  nuits,
Et mon cœur tout flestry d'ennuys
N'attend plus que la sepulture.

Enyvré de cent maux divers,
Je chancelle, et vay de travers,
Tant mon ame en regorge pleine;
J'en ay l'esprit tout hebêté,
Et, si peu qui m'en est resté,
Encor me fait-il de la peine.

La memoire du temps passé
Que j'ay folement depencé,
Espand du fiel en mes ulceres,
Si peu que j'ay de jugement
Semble animer mon sentiment
Me rendant plus vif aux miseres.

Ha! pitoyable souvenir!
Enfin, que dois-je devenir?
Où se reduira ma constance?
Estant ja defailly de cœur,
Qui me donra de la vigueur
Pour durer en la penitence?

Qu'est-ce de moy?   Foible est ma
  main,
Mon courage, helas! est humain,
Je ne suis de fer ny de pierre.
En mes maux monstre-toy plus doux,
Seigneur: aux traits de ton courroux
Je suis plus fragile que verre.

Je ne suis à tes yeux, sinon
Qu'un festu sans force, et sans nom,
Qu'un hibou qui n'ose paroistre,
Qu'un fantosme icy bas errant,
Qu'une orde escume de torrent,
Qui semble fondre avant que naistre.

Où, toy, tu peux faire trembler
L'univers et desassembler
Du Firmament le riche ouvrage,
Tarir les Flots audacieux,
Où, les élevant jusqu'aux Cieux,
Faire de la Terre un naufrage.

Le Soleil fléchit devant toy,
De toy les Astres prennent loy,
Tout fait joug dessous ta parole:
Et cependant, tu vas dardant
Dessus moy ton courroux ardent,
Qui ne suis qu'un bourrier qui vole.

Mais, quoy! si je suis imparfait,
Pour me defaire m'as-tu fait?
Ne sois aux pecheurs si severe:
Je suis homme, et toy Dieu Clement,
Sois donc plus doux au chastiment,
Et punis les tiens comme Pere.

J'ay l'œil scellé d'un sceau de fer,
Et desja les portes d'Enfer
Semblent s'entr'ouvrir pour me
  prendre;
Mais encore, par ta bonté,
Si tu m'as osté la santé,
O Seigneur, tu me la peux rendre.

Le tronc de branches devestu,
Par une secrette vertu
Se rendant fertile en sa perte,
De rejettons espere un jour
Ombrager les lieux d'alentour,
Reprenant sa perruque verte.

Où, l'homme, en la fosse couché.
Après que la mort l'a touché,
Le cœur est mort comme l'escorce.
Encor l'eau reverdit le bois,
Mais, l'homme estant mort une fois,
Les pleurs pour luy n'ont plus de
  force.

Stances:

THE SIMPLE LIFE

(Abridged, from *Stances sur la retraite*)

By Honorat de Racan

Tircis, il faut penser à faire la retraite:
La course de nos jours est plus qu'à demy faite;
L'âge insensiblement nous conduit à la mort.
Nous avons assez vu sur la mer de ce monde
Errer au gré des flots notre nef vagabonde;
Il est temps de jouïr aux délices du port.

Le bien de la fortune est un bien périssable;
Quand on bastit sur elle, on bastit sur le sable.
Plus on est élevé, plus on court de dangers;
Les grands pins sont en butte aux coups de la tempeste;
Et la rage des vents brise plustost le faiste
Des maisons de nos rois que les toits des bergers.

Oh! bienheureux celuy qui peut de sa mémoire
Effacer pour jamais ce vain espoir de gloire,
Dont l'inutile soin traverse nos plaisirs,
Et qui, loin retiré de la foule importune,
Vivant dans sa maison, content de sa fortune,
A selon son pouvoir mesuré ses désirs!

Il laboure le champ que labouroit son pere;
Il ne s'informe point de ce qu'on délibere
Dans ces graves conseils d'affaires accablez;
Il voit sans intérest la mer grosse d'orages,
Et n'observe des vents les sinistres présages
Que pour le soin qu'il a du salut de ses blez. . . .

Il ne va point fouiller aux terres incognuës,
A la mercy des vents et des ondes chenuës,
Ce que nature avare a caché de thresors,
Et ne recherche point, pour honnorer sa vie,
De plus illustre mort ny plus digne d'envie
Que de mourir au lit où ses pères sont morts. . . .

Agréables déserts, séjour de l'innocence,
Où, loin des vanitez de la magnificence,
Commence mon repos et finit mon tourment,

Vallons, fleuves, rochers, plaisante solitude,
Si vous fustes tesmoins de mon inquiétude,
Soyez-le dés-ormais de mon contentement.

GROW OLD ALONG WITH ME, THE BEST IS YET TO BE

By Théodore Agrippa d'Aubigné

Mes volages humeurs, plus sterilles que belles,
S'en vont; et je leur dis: Vous sentez, irondelles,
S'esloigner la chaleur et le froid arriver.
Allez nicher ailleurs, pour ne tascher, impures,
Ma couche de babil et ma table d'ordures;
Laissez dormir en paix la nuict de mon hyver.

D'un seul poinct le soleil n'esloigne l'hemisphere;
Il jette moins d'ardeur, mais autant de lumiere.
Je change sans regrets, lorsque je me repens
Des frivoles amours et de leur artifice.
J'ayme l'hyver qui vient purger mon cœur de vice,
Comme de peste l'air, la terre de serpens.

Mon chef blanchit dessous les neiges entassées.
Le soleil, qui reluit, les eschauffe, glacées.
Mais ne les peut dissoudre, au plus court de ses mois.
Fondez, neiges, venez dessus mon cœur descendre,
Qu'encores il ne puisse allumer de ma cendre
Du brasier, comme il fit des flammes autrefois.

Mais quoi! serai-je esteint devant ma vie esteinte?
Ne luira plus sur moi la flamme vive et sainte,
Le zèle flamboyant de la sainte maison?
Je fais aux saints autels holocaustes des restes,
De glace aux feux impurs, et de naphte aux celestes:
Clair et sacré flambeau, non funebre tison!

Voici moins de plaisir, mais voici moins de peines,
Le rossignol se taist, se taisent les Sereines.
Nous ne voyons cueillir ni les fruits ni les fleurs;
L'esperance n'est plus bien souvent tromperesse,
L'hyver jouit de tout. Bienheureuse vieillesse,
La saison de l'usage, et non plus des labeurs!

Mais la mort n'est pas loin; cette mort est suivie
D'un vivre sans mourir, fin d'une fausse vie:
Vie de nostre vie, et mort de nostre mort.

Stances:

> Qui hait la seureté, pour aimer le naufrage?
> Qui a jamais esté si friant de voyage
> Que la longueur en soit plus douce que le port?

APOLLO CHAMPION

By Théophile de Viau

Moy, de qui les rayons font les traicts de tonnerre
Et de qui l'univers adore les autels,
Moy, dont les plus grands dieux redouteroient la guerre,
Puis-je, sans deshonneur, me prendre à des mortels?

J'attaque malgré moy leur orgueilleuse envie,
Leur audace a vaincu ma nature et le sort;
Car ma vertu, qui n'est que de donner la vie,
Est aujourd'huy forcee à leur donner la mort.

J'affranchis mes autels de ces fascheux obstacles,
Et, foulant ces brigands que mes traicts vont punir,
Chacun, dorénavant viendra vers mes oracles,
Et préviendra le mal qui lui peut advenir.

C'est moy qui, penetrant la dureté des arbres,
Arrache de leur cœur une sçavante voix,
Qui fais taire les vents, qui fais parler les marbres,
Et qui trace au destin la conduite des rois.

C'est moy dont la chaleur donne la vie aux roses
Et fait ressusciter les fruits ensevelis;
· Je donne la durée et la couleur aux choses,
Et fais vivre l'éclat de la blancheur des lis.

Si peu que je m'absente, un manteau de tenebres
Tient d'une froide horreur ciel et terre couvers;
Les vergers les plus beaux sont des objets funebres;
Et quand mon œil est clos, tout meurt dans l'univers.

THE GIBBET

By Théophile de Viau

La frayeur de la mort esbranle le plus ferme.
Il est bien mal-aisé
Que, dans le desespoir, et proche de son terme,
L'esprit soit appaisé.

L'ame la plus robuste et la mieux preparee
    Aux accidens du sort,
Voyant auprès de soy sa fin tout asseuree,
    Elle s'estonne fort.

Le criminel pressé de mortelle crainte
    D'un supplice douteux,
Encore avec espoir endure la contrainte
    De ses liens honteux.

Mais quand l'arrest sanglant a resolu sa peine,
    Et qu'il voit le bourreau
Dont l'impiteuse main luy destache une chaine,
    Et luy met un cordeau;

Il n'a goutte de sang qui ne soit lors glacee.
    Son ame est dans les fers,
L'image du gibet luy monte à la pensée,
    Et l'effroy des enfers.

L'imagination de cet objet funeste
    Luy trouble la raison;
Et, sans qu'il ayt du mal, il a pis que la peste,
    Et pis que le poison. . . .

La consolation que le prescheur apporte
    Ne luy fait point de bien;
Car ce pauvre se croit une personne morte
    Et n'escoute plus rien. . . .

La nature, de peine et d'horreur abbatue,
    Quitte ce malheureux;
Il meurt de mille morts, et le coup qui le tue
    Est le moins rigoureux.

Villanesques and villanelles:

THE REJECTED PLOWMAN
(Villanesque, without refrain)
By Mellin de Saint-Gelays

Je ne say que c'est qu'il me faut
    Froid ou chaud;
Je ne dors plus ny je ne veille,
    C'est merveille

De me voir sain et langoureux;
Je croy que je suis amoureux.
    En quatre jours je ne fais pas
        Deux repas,

Villanesques and villanelles:

Je ne voy ne bœufs ne charrue;
  J'ay la rue
Pour me promener nuict et jour,
Et fuy l'hostel et le séjour.
    Aussi il m'estoit grand besoin
      D'avoir soin
Qui auroit des danses le prix:
    J'y fus pris,
Et m'amusay tant à la feste,
Qu'encores m'en tourne la teste.
    Je ne say où le mal me tient,
      Mais il vient
D'avoir dansé avec Catin.
    Son tetin
Alloit au bransle, et maudit sois-je,
Il estoit aussi blanc que neige.
    Elle avoit son beau collet mis
      De Samis,
Son beau cordon à petits nœuds
Pendant sur ses souliers tous neufs.
    Je me vy jetter ses yeux verds
      De travers;

Dont je fis des sauts plus de dix,
  Et luy dis,
En luy serrant le petit doigt:
" Catin, c'est pour l'amour de toy! "
Sur ce poinct elle me laissa
    Et cessa
De faire de moy plus de conte:
    J'en eus honte
Si grande que pour me boucher
Je fy semblant de me moucher.
    Je l'ay veue une fois depuis
      A son huis,
Et une autre allant au marché.
    J'ay marché
Cent pas pour luy dire deux mots
Mais elle me tourne le dos.
    Si ceste contenance fiere
      Dure guere,
A dieu grange, à dieu labourage!
    J'ay courage
De me voir gendarme un matin
Ou moyne, en despit de Catin.

THE UNGRATEFUL MISTRESS

(Villanesque, with refrain)

By Joachim du Bellay

J'ay trop servi de fable au populaire
En vous aymant, trop ingrate maistresse:
Suffise vous d'avoir eu ma jeunesse.

J'ay trop cherché les moyens de complaire
A vos beaus yeux, causes de ma detresse:
Suffise vous d'avoir eu ma jeunesse.

Il vous falloit me tromper ou m'attraire
Dedans vos lacs d'une plus fine addresse:
Suffise vous d'avoir eu ma jeunesse.

Car la raison commence à se distraire
Du fol amour qui trop cruel m'oppresse:
Suffise vous d'avoir eu ma jeunesse.

A WINNOWER OF WHEAT TO THE WINDS [1]

(Villanelle, without refrain)

By JOACHIM DU BELLAY

A vous, troppe legere,
Qui d'œle passagere
Par le monde volez,
Et d'un sifflant murmure
L'ombrageuse verdure
Doucement esbranlez,

J'offre ces violettes,
Ces lis et ces fleurettes,
Et ces roses icy,
Ces vermeillettes roses,
Tout freschement écloses,
Et ces œilletz aussi.

De vostre douce haleine
Eventez ceste plaine,
Eventez ce sejour,
Cependant que j'ahanne
A mon blé, que je vanne
A la chaleur du jour.

TO MARGUERITE [2]

(Villanelle, with refrain)

By JOACHIM DU BELLAY

En ce moys delicieux,
Qu'amour toute chose incite,
Un chacun à qui mieulx mieulx
La doulceur du temps imite,
Mais une rigueur despite
Me faict pleurer mon malheur.
Belle et franche Marguerite,
Pour vous j'ay ceste douleur.

[1] This little poem in rustic style, from the *Jeux rustiques*, one type of the sixteenth-century villanelle, but without refrain, is inspired by a Neo-Latin poem of the Italian poet, Andrea Navagero (Naugerius) (1455–1529):

VOTA AD AURAS

Aurae, quae levibus percurritis aëra pennis,
Et strepitis blando per nemora alta sono,
Serta dat haec vobis, vobis haec rusticus Idmon
Spargit odorato plena canistra croco.
Vos lenite aestum et paleas seiungite inanes,
Dum medio fruges ventilat ille die.

[2] The villanelle, in one acceptance of the term, is a songlike composition with a rural atmosphere. This one by Joachim du Bellay, from the *Jeux rustiques*, is of that type. Note the double refrain. Du Bellay's villanelle should be compared with Jean Passerat's fixed-form villanelle, p. 383, and with Eustache Deschamps' virelai-villanelle in Anthology A, pp. 154–155.

Villanesques and villanelles:

Dedans vostre œil gracieux
Toute doulceur est escrite,
Mais la doulceur de voz yeux
En amertume est confite,
Souvent la couleuvre habite
Dessoubs une belle fleur.
Belle et franche Marguerite,
Pour vous j'ay ceste douleur.

Or puis que je deviens vieux,
Et que rien ne me profite,
Desesperé d'avoir mieulx,
Je m'en iray rendre hermite,
Je m'en iray rendre hermite,
Pour mieulx pleurer mon malheur
Belle et franche Marguerite,
Pour vous j'ay ceste douleur.

Mais si la faveur des Dieux
Au bois vous avoit conduitte,
Où, desperé d'avoir mieulx,
Je m'en iray rendre hermite:
Peult estre que ma poursuite
Vous feroit changer couleur.
Belle et franche Marguerite,
Pour vous j'ay ceste douleur.

THE INCONSTANT SHEPHERDESS [1]

(Villanelle, with refrain)

By Philippe Desportes

Rozette, pour un peu d'absence	a	
Vostre cœur vous avez changé,	b	
Et moy, sçachant cette inconstance,	a	
Le mien autre part j'ay rangé:	b	I
Jamais plus, beauté si legere	c	
Sur moy tant de pouvoir n'aura:	d	
Nous verrons, volage bergere,	C	
Qui premier s'en repentira.	D	

Tandis qu'en pleurs je me consume,		
Maudissant cet esloignement,		
Vous, qui n'aimez que par coustume,		
Caressiez un nouvel amant.		II
Jamais legere girouëtte		
Au vent si tost ne se vira:		
Nous verrons, bergere Rozette,	C–	
Qui premier s'en repentira.	D	

Où sont tant de promesses saintes,
Tant de pleurs versez en partant?
Est-il vray que ces tristes plaintes

[1] This villanelle by Philippe Desportes is also of the rural song type and should be compared with the villanelle by Du Bellay. The double refrain in this case is varied in the line before the last of strophes II and IV.

Sortissent d'un cœur inconstant?   III
Dieux! que vous estes mensongere!
Maudit soit qui plus vous croira!
Nous verrons, volage bergere,   C
Qui premier s'en repentira.   D

Celuy qui a gaigné ma place
Ne vous peut aymer tant que moy,
Et celle que j'aime vous passe
De beauté, d'amour et de foy.   IV
Gardez bien vostre amitié neufve,
La mienne plus ne varira,
Et puis, nous verrons à l'espreuve   C–
Qui premier s'en repentira.   D

THE LOST DOVE [1]

(Villanelle, fixed-form type)

By Jean Passerat

J'ai perdu ma tourterelle;   Si ton amour est fidelle,
Est-ce point celle que j'oy?   Aussi est ferme ma foy;
Je veux aller après elle.   Je veux aller après elle.

Tu regrettes ta femelle,   Ta plainte se renouvelle,
Hélas! aussi fais-je, moy.   Toujours plaindre je me doy;
J'ai perdu ma tourterelle.   J'ai perdu ma tourterelle.

En ne voyant plus la belle,
Plus rien de beau je ne voy;
Je veux aller après elle.

Sextine:

ETERNITY [2]

By Pontus de Tyard

Lors que Phebus sue le long du jour,
Je me travaille en tourmens et ennuis;
Et souz Phébé les languissantes nuits

---

[1] A villanelle of the type made popular by Passerat (1534–1602). Cf. the virelai-villanelle by Deschamps, pp. 154–155, George Saintsbury, *History of French Literature*, Oxford, Clarendon Press, 1917, p. 182, says: " His Villanelle ' J'ai perdu ma Tourterelle ' is probably the most elegant specimen of a poetic trifle that the age produced, and has of late years attracted great admiration." The rime scheme is as follows: $A(1)$ $bA(2)$ $abA(1)$ $abA(2)$ $abA(1)$ $abA(2)$.

[2] The sequence of the terminals, which are *not* rimes in the sestina, is as follows: 123456; 615243; 364125; 532614; 451362; 246531; 2536.

Sextine:

Ne me sont rien qu'un penible sejour:
Ainsi tousjours pour l'amour de la belle,
Je voy mourant en douleur eternelle.

Bien doy-je, helas, en memoire eternelle
Me souvenir et de l'heure et du jour
Que je fuz pris aux beaux yeux de la belle;
Car onques puis je n'ay receu qu'ennuiz,
Qui m'ont privé du plaisir et sejour
Des plaisans jours et reposantes nuits.

Heureux amans, vous souhaitez les nuits
Avoir durée obscure et eternelle,
Pour prolonger vostre amoureux sejour;
Et à moy seul, si rien plait, plait le jour,
Pour esperer, apres mes longs ennuiz,
Nourrir mes yeux aux beautez de la belle.

Mais, rencontrant les soleils de la belle,
Tout esbloui aux tenebreuses nuiz
De mes travaux je rentre, et aux ennuiz
De ma pensée en son cours eternelle,
Laquelle fait tout moment, nuit et jour,
Dans les discours de mon esprit sejour.

Las! je ne puis trouver lieu de sejour,
Tant j'ay de maux pour tes cruautés, belle;
Car si je brusle et arrs le long du jour,
Je me dissoul en pleurs toute les nuits,
Te voyant vivre en rigueur eternelle,
Pour me tuer en eternels ennuiz.

Inconsolable, ô ame, en tes ennuiz,
Qui veux sortir de ce mortel sejour,
Pour t'envoller en la vie eternelle,
Peus-tu languir pour une autre plus belle?
Espere encor, espere; car ces nuiz
S'esclairciront de quelque plaisant jour.

Mais haste-toy, ô jour, que mes ennuiz
Prendront sejour aux faveurs de la belle;
Change l'obscur de mes dolentes nuiz
En la clarté d'une joye eternelle.

Chapitre in terza rima:

TO MARY, QUEEN OF SCOTS [1]
By Mellin de Saint-Gelays

Bien fut le ciel au monde favorable
Lors qu'il y mit, premiere et sans exemple,
Ceste beauté à luy seul comparable.

    Il avoit pris, en son tour large et ample,
Pour ornement de si belle figure,
Tout ce qu'en elle on admire et contemple;

    Dont l'ayant faicte en tout de sa nature,
Retint pour elle une place asseurée
Au plus clair lieu de sa region pure:

    Où volontiers l'eust deslors retirée,
S'elle n'eust deu par fatale ordonnance
Tenir la terre et y estre adorée.

    Qui donc ne veut se perdre en l'ignorance
Du plus grand bien qui eust sceu comparoistre,
Vienne se rendre à son obéissance,

    Vienne ses yeux contenter et repaistre
Du clair object qui seul faict en ce monde,
En pleine nuict, le soleil apparoistre.

    Il luy verra, sous cheveleure blonde,
Une chenue et prudente pensée,
Sur qui l'espoir de maint laurier se fonde;

    En la blancheur par nul trouble offensée
De l'ample front, il verra vertu peinte,
Finie en elle, aux autres commencée.

    Dans ses beaux yeux, en flamme non esteinte
Avec amour verra jointe et enclose
Honnesteté, sans querelle ou contrainte;

    Il verra teint un visage, où repose
Douceur hautaine et gracieuse audace,
Comme entre liz une vermeille roze.

    Il verra sourdre en bien petite espace,
Parmy rubis, une mer d'éloquence,
Où le bon sens regne, et la bonne grace.

    Et s'il la trouve en repos et silence,
Il luy verra Majesté si aimable,
Qu'aux plus durs cœurs elle fait violence.

    Il luy verra maintien si aggréable,
En tous ses faicts, si tous les fait comprendre,
Qu'aux Grâces mesme elle en est admirable.

---

[1] In the chapitre, in Italian, capitolo, the rimes proceed in the usual " terza rima " manner, as follows: ababcbcdc, etc.

Si donc heureux un chacun se peut rendre,
En la voyant sans faveur plus expresse,
Qui sauroit l'heur mesurer et comprendre
Du semidieu qui l'a pour sa maistresse!

Hymnes:

TO SAINT GERVAISE AND SAINT PROTAISE [1]

By Pierre de Ronsard

La victorieuse couronne,
Martyrs, qui vos fronts environne,
N'est pas la couronne du prix
Qu'Elide donne pour la course,
Ou pour avoir pres de la source
D'Alphée esté les mieux appris.

Avoir d'un inveincu courage
De Neron méprisé la rage
Vous a rendus victorieus,
Quand l'un eut la teste tranchée,
Et l'autre l'eschine hachée
De gros fouëts injurieus.

Ce beau jour qui vostre nom porte
Chaqu'an me sera saint, de sorte
Que, le chef de fleurs relié,
Dansant autour de vostre image,
Je vous pairai de l'humble homage
De ce chant à vous dédié.

Ce jour l'oüeille audacieuse
Court par la troupe gracieuse
Des loups, et sans berger n'a peur.
Ce jour les villageois vous nomment,
Et oisifs par les prés vous chomment,
Leurs bœufs afranchis du labeur.

Regardés du ciel nos services
Et avocassés pour nos vices,
Regardés nous (disent ils) or,
Dontés le peché qui nous presse,
Et cet an sauvés nous d'opresse,
Et les autres suivans encor.

Faites que de blés l'apparance
Ne démente nostre esperance,
Et du raisin ja verdelet
Chassés la nue menassante,
Et la brebis aux chams paissante
Emplissés d'aigneaus et de laict.

A VISION [2]

(Prosopopée de Louys de Ronsard, maistre d'hostel du Roy Henry II et pere de l'autheur)

By Pierre de Ronsard

Vous qui sans foy errez à l'avanture,
Vous qui tenez la secte d'Epicure,
Amendez vous, pour Dieu ne croyez pas
Que l'ame meure avecques le trespas.
La nuict hastoit la moitié de sa course,
Et my-courbé le gardien de l'Ourse

Viroit son char d'un assez petit tour
Au rond du Pole, en attendant le jour:
   Quand j'apperceu sur mon lict une image
Gresle, sans oz, qui l'œil et le visage,
Le corps, la taille, et la parole avoit
Du pere mien quand au monde il vivoit.
   En me poussant, trois fois elle me touche:
La retouchant, s'en-vola de ma couche
Loin par trois fois, et par trois fois revint:
A la parfin plus affreuse, me print
La gauche main, et chargeant ma poitrine
Me dit ces mots tous remplis de doctrine:
   Mon cher enfant, par le congé de Dieu
Je fais d'enhaut ma descente en ce lieu
Pour t'enseigner quel chemin tu dois suivre
En ceste terre, et comme tu dois vivre,
Comme tu dois plein d'ardeur et de foy
Venir un jour au ciel avecques moy.
   Premierement crain Dieu sur toute chose,
Aye tousjours dedans ton ame enclose
Sa saincte loy, et tousjours Jesuchrist
Nostre Sauveur en ton cueur soit escrit.
   Apres, mon fils, si tu veux que Dieu t'aime,
Aime ton proche autant comme toy-mesme:
Dieu le commande, et ne te ry de luy,
Si par malheur luy survient quelque ennuy.
   D'un serment vain le nom de Dieu ne jure,
Fuy tout larcin, abstien toy de luxure,
Ne sois meurdrier, ne sois point glorieux,
Sois humble à tous, porte honneur aux plus vieux,
En jugement pour gain, ou pour dommage,
Ou pour rancœur, ne dy faux tesmoignage.
   Ton cœur ne soit d'avarice entaché,
Ne commets point un scandaleux peché,
Ne sois menteur, ny plain de flaterie:
Vers l'innocent n'use de tromperie:
Des imposteurs entre-eux tous differens
Ne suy la foy: vy comme tes parens.
   Et par sur tout obeys à ton Prince,
Et n'enfrain point les loix de ta province:
Sois doux et sage, et ne sois avancé
De dire à tous ce que tu as pensé,
Ains temporise, et tousjours te conseille
Aux gens de bien, et leur preste l'oreille.
   Vivant ainsi tu seras bien-heureux,
Riche d'honneurs, et de biens plantureux:
Et mort ton ame en la vie eternelle

Hymnes:

Se viendra joindre à la mienne, et à celle
De l'Oncle tien, qui encores d'ici
Voit, comme moy, la peine et le souci
Qui te tourmente, et fait à Dieu priere,
Pour ton profit, de ne t'y laisser guiere.
    Ainsi disant je vins pour l'embrasser,
Et par trois fois je la voulu presser,
La cherissant: mais la nueuse Idole
Fraudant mes doigts, ainsi que vent s'en-vole
Trois fois touchée, et tout esmerveillé
Au poinct du jour soudain je m'esveillé.

THE HEAVENS DECLARE THE GLORY OF GOD[1]

(*Hynne du ciel*, à Jean de Morel, Ambrunois)

By PIERRE DE RONSARD

Morel, qui pour partage en ton ame possedes
Les plus nobles vertus, thresor dont tu ne cedes
A nul de nostre siecle, ou soit en equité,
Soit en candeur de mœurs, ou soit en verité,
Qui seul de nos François de mes vers pris la charge
Couverts de ta faveur, comme Ajax sous sa targe
Couvroit l'archer Teucer, que les Troyens pressoyent
De traits, qui sur le dos du boucler se froissoyent:
    Ce-pendant qu'à loisir l'Hynne je te façonne
Des Muses, pren en gré ce Ciel que je te donne,
A toy digne de luy, comme l'ayant cognu
Long temps avant que d'estre en la terre venu,
Et qui le recognois, si apres la naissance
Quelque homme en eut jamais çà-bas la cognoissance.
    O Ciel rond et vouté, haute maison de Dieu,
Qui prestes en ton sein à toutes choses lieu,
Et qui roules si tost ta grand' boule esbranlée
Sur deux essieux fichez, que la vistesse ailée
Des aigles et des vents par l'air ne sçauroyent pas
En volant egaler le moindre de tes pas:
Tant seulement l'esprit de prompte hardiesse
Comme venant de toy, egale ta vistesse.
O Ciel viste coureur, tu parfais ton grand tour
D'un pied jamais recreu, en l'espace d'un jour!
Ainçois d'un pied de fer, qui sans cesse retourne
Au lieu duquel il part, et jamais ne sejourne

[1] See pp. 451–452, note 20.

Trainant tout avec soy, pour ne souffrir mourir
L'Univers en paresse à faute de courir.

   L'esprit de l'Eternel, qui avance ta course
Espandu dedans toy, comme une vive source
De tous costez t'anime, et donne mouvement,
Te faisant tournoyer en sphere rondement
Pour estre plus parfait: car en la forme ronde
Gist la perfection qui toute en soy abonde.

   De ton branle premier des autres tout divers,
Tu tires au rebours les corps de l'Univers,
Bandez en resistant contre ta violence,
Seuls à part demenant une seconde dance:
L'un deçà, l'autre là, comme ils sont agitez
Des mouvemens reiglez de leurs diversitez.
Ainsi guidant premier si grande compagnie,
Tu fais une si douce et plaisante harmonie,
Que nos luts ne sont rien au pris des moindres sons
Qui resonnent là haut de diverses façons.

   D'un feu vif et divin ta voute est composée,
Non feu materiel dont la flame exposée
Çà bas en nos fouyers mangeroit affamé
De toutes les forests le branchage ramé:
Et pource tous les jours il faut qu'on le nourrisse
Le repaissant de bois, s'on ne veut qu'il perisse.
Mais celuy qui là haut en vigueur entretient
Toy et tes yeux d'Argus, de luy seul se soustient
Sans mendier secours: car sa vive etincelle
Sans aucun aliment se nourrit de par-elle:
D'elle mesme elle luit comme fait le Soleil,
Temperant l'Univers d'un feu doux et pareil
A celuy qui habite en l'estomac de l'homme,
Qui tout le corps eschaufe et point ne le consomme.

   Qu'à bon droit les Gregeois t'ont nommé d'un beau nom!
Qui bien t'avisera, ne trouvera sinon
En toy qu'un ornement, et qu'une beauté pure,
Qu'un compas bien reglé, qu'une juste mesure,
Et bref, qu'un rond parfait: dont l'immense grandeur,
Hauteur, largeur, biais, travers et profondeur
Nous monstrent en voyant un si bel edifice,
Combien l'esprit de Dieu est rempli d'artifice,
Et subtil artizan, qui te bastist de rien
Et t'accomplist si beau, pour nous monstrer combien
Grande est sa Majesté, qui hautaine demande
Pour son Palais royal une maison si grande.

   Or ce Dieu tout puissant, tant il est bon et dous,
S'est fait le citoyen du monde comme nous,
Et n'a tant desdaigné nostre humaine nature,

Hymnes:

Qu'il ait outre les bords de ta large closture
Autre maison bastie, ains s'est logé chez toy,
Chez toy, franc de soucis, de peines et d'esmoy,
Qui vont couvrant le front des terres habitables,
Des terres, la maison des humains miserables.
    Si celuy qui comprend doit emporter le pris
Et l'honneur sur celuy qui plus bas est compris,
Tu dois avoir l'honneur sur ceste masse toute,
Qui tout seul la comprens dessous ta large voute,
Et en son ordre à part limites un chacun:
Toy, qui n'as ton pareil, et ne sembles qu'à un
Qu'à toy, qui es ton moule, et la seule modelle
De toy-mesme tout rond, comme chose eternelle.
    Tu n'as en ta grandeur commencement ne bout,
Tu es tout dedans toy, de toutes choses tout,
Non contraint, infini, fait d'un fini espace,
Dont le sein large et creux toutes choses embrasse
Sans rien laisser dehors: et pource c'est erreur,
C'est un extreme abus, une extreme fureur
De penser qu'il y ait des mondes hors du monde.
Tu prens tout, tu tiens tout dessous ton arche ronde
D'un contour merveilleux la terre couronnant,
Et la grand'mer qui vient la terre environnant,
L'air espars et le feu: et bref, on ne voit chose
Ou qui ne soit à toy, ou dedans toy enclose,
Et de quelque costé que nous tournions les yeux,
Nous avons pour object la closture des Cieux.
    Tu mets les Dieux au joug d'Anangé la fatale,
Tu depars à chacun sa semence natale,
La nature en ton sein ses ouvrages respend:
Tu es premier chaisnon de la chaisne qui pend:
    Toy comme fecond pere, en abondance enfantes
Les Siecles, et des ans les suites renaissantes,
Les mois et les saisons, les heures et les jours
Ainsi que jouvenceaux jeunissent de ton cours
Frayant sans nul repos une orniere eternelle,
Qui tousjours se retrace et se refraye en elle:
Bref, te voyant si beau, je ne sçaurois penser
Que quatre ou cinq mille ans te puissent commencer.
    Sois Saint de quelque nom que tu voudras, ô Pere,
A qui de l'Univers la nature obtempere,
Aimantin, varié, azuré, tournoyant,
Fils de Saturne, Roy tout-oyant, tout-voyant,
Ciel grand Palais de Dieu, exauce ma priere:
Quand la mort desli'ra mon ame prisonniere,

Et celle de Morel, hors de ce corps humain,
Daigne les recevoir, benin, dedans ton sein
Apres mille travaux: et vueilles de ta grace
Chez toy les reloger en leur premiere place.

THE HYMN OF THE THREE CHILDREN

(Daniel iii)

(Paraphrase of the *Benedicite*)

By Philippe Desportes

O vous! du Seigneur les ouvrages,
Clairs miroirs, vivantes images,
Qui par tout son art faites voir,
Effets que de rien il fist estre,
Tous, tous benissez vostre maistre,
Louez et haussez son pouvoir.

Anges, ses ministres fidelles,
Purs esprits, lumieres tres belles,
Cieux si reglement mesurez,
Humeur en crystal congelée,
Plus haut que la vouste estoilée,
Le Seigneur, sans fin, reverez.

Vertus, dont l'heureuse influence
Aux elemens donne puissance,
Estoiles, fleurs du firmament,
Œil du jour, œil de la nuict brune,
Soleil ardant, humide lune,
Loüez le Seigneur hautement.

Benissez-le, pluye et rosée,
Confort de la terre embrasée,
Vents legers, espritz agitez,
Feu, dont la nature est si vive,
Hiver pesant, chaleur active,
Sur tout le Seigneur exaltez.

Frimas et bruine menuë
Flocons blancs tombans de la nuë,
Gelée et glaçons condensez,
Jours et nuicts, terrestres ombrages,
Tourbillons, foudres et nuages,
Sans fin le Seigneur benissez.

Benissez sa bonté propice,
Terre, des vivans la nourrice,
Monts et costeaux moins relevez,
Tout ce qui se germe en la terre,
Et les mineraux qu'elle enserre,
Tous, tous, le Seigneur elevez.

Fleuves, mers, ruisseaux et fontaines,
Benissez-le; lourdes baleines,
Poissons, qui dans l'eau vous jouëz,
Hostes de l'air de tous ramages,
Animaux privez et sauvages,
D'un accord le Seigneur louëz.

Haussez-le sur toute puissance,
Vous humains faits à sa semblance.
Benisse Israël sa bonté;
Ministres des divins offices,
Prestres vouëz aux sacrifices,
Par vous le Seigneur soit chanté.

Serfs du Seigneur, donnez-luy gloire;
Esprits, celebrez sa memoire,
Qui puis la justice embrassez;
Humbles de cœur et de pensée,
Dont l'ame est toute à lui dressée,
Sans fin le Seigneur benissez.

Entre tous qui gloire luy donnent,
Que nos voix plus hautement sonnent,
Nous qu'il a d'enfers retirez
Et des mains d'une mort certaine,
Et de la fournaise inhumaine,
Qui nous eust à coup devorez.

Hymnes:

> Confessons qu'il est debonnaire,
> Que sa grace à jamais esclaire,
> Et qu'il est le grand Dieu des Dieux.
> Ainsi levans au ciel leurs ames,
> Et s'esgayans dedans les flames,
> Chantoyent les trois enfans hebrieux.

OF OUR LORD'S NATIVITY [1]

(Hymne sur la Nativité de Nostre Seigneur, faite par le commandement
du Roy Louis XIII, pour sa Musique de la Messe de minuit)

By Mathurin Régnier

Pour le salut de l'Univers,
Aujourd'huy les Cieux sont ouvers,
Et par une conduite immense,
La grace descend dessus nous,
Dieu change en pitié son courroux,
Et sa Justice en sa Clemence.

Le vray Fils de Dieu Tout-puissant,
Au fils de l'homme s'unissant,
En une charité profonde,
Encor qu'il ne soit qu'un Enfant,
Victorieux et triomphant,
De fers affranchit tout le monde.

Dessous sa divine vertu,
Le peché languit abbatu,
Et de ses mains à vaincre expertes,
Etouffant le serpent trompeur,
Il nous assure en nostre peur,
Et nous donne gain de nos pertes.

Ses oracles sont accomplis
Et ce que par tant de replis
D'âge, promirent les Prophetes,
Aujourd'huy se finit en luy,
Qui vient consoler nostre ennuy,
En ses promesses si parfaites.

Grand Roy, qui daignas en naissant,
Sauver le Monde perissant,
Comme Pere, et non comme Juge,
De Grace comblant nostre Roy,
Fay qu'il soit des meschans l'effroy,
Et des bons l'assuré refuge.

Qu'ainsi qu'en Esté le Soleil,
Il dissipe, aux rays de son œil,
Toute vapeur, et tout nuage,
Et qu'au feu de ses actions,
Se dissipant les factions,
Il n'ayt rien qui luy fasse ombrage.

Chansons lamentables:

THE DEATH OF ADONIS [2]

By Mellin de Saint-Gelays

> Laissez la verde couleur,
> O princesse Cytherée,
> Et de nouvelle douleur
> Vostre beauté soit parée.

[1] Compare the Noëls, pp. 324–325.

[2] Note that this and the next elegiac chansons lamentables have importance
for the history of three genres, the chanson, the ode, and the élégie. Consult
Sebillet and Du Bellay especially on this question.

Plorez le fils de Myrrha,
Et sa dure destinée:
Vostre œuil plus ne le verra;
Car sa vie est terminée.

Venus, à ceste nouvelle
Remplit toute la vallée
D'une complainte mortelle,
Et au lieu s'en est allée,

Ou le gentil Adonis
Estandu sur la rosée
Avoit ses beaux yeux ternis,
Et de sang l'herbe arrosée.

Dessous une verde branche
Auprés de luy s'est couchée,
Et de sa belle main blanche
Sa playe luy a touchée.

O nouvelle cruauté
De voir en pleurs si baignée
La Déesse de beauté
D'ami mort accompagnée!

L'un est blessé et tranfix
Aux flancs par beste insensée;
Et l'autre l'est de son fils
Bien avant de sa pensée.

Mais l'un sa playe ne sent,
Personne ja trespassée;
Et l'autre a le mal recent
De sa douleur amassée.

Toutefois de mort atteint
Il n'a de rien empirée
La grand' beauté de son teint,
Des Nymphes tant désirée.

Mais, comme une rose blanche
De poignant ongle touchée
Ne peut tenir sur la branche,
Et sur une autre est couchée;

Ainsi le piteux amant
Tenoit sa teste appuyée,
Comme il souloit en dormant
Sur sa maistresse ennuyée.

Et ne fust le sang, qui sort
De la partie entamée,
Elle penseroit qu'il dort,
A sa grace tant aimée.

Autant de sang qu'il espand
Dessus l'herbe colorée,
Autant de larmes respand

La povre amante esplorée.
Le sang rougit mainte fleur,
Qui blanche estoit autour née;
Et mainte est de large pleur
En couleur blanche tournée.

Ce teint leur demourera.
Pour enseigne de durée,
Tant que le monde sera,
De leur grand-peine endurée.

Là vindrent de tous les bois
Oiseaux par grande assemblée,
Monstrans à leur triste voix
Combien leur joye est troublée.

Mais sur tout se fait ouïr
La povre desesperée
Qui pour d'Adonis jouir
Se souhaite estre expirée.

" O deïté trop cruelle!
O vie trop obstinée!
Las, que n'ay-je, ce dit-elle,
Une fin predestinée?

" O demeure du ciel tiers
Par moy jadis tant prisée,
Combien, et plus volontiers,
J'irois au champ Elisée.

" A la fille de Ceres
Est ma joye abandonée:
O qu'heureuse je serois
D'estre en sa place ordonnée?

" Vienne le grand ravisseur
De l'infernale contrée,
Il pourra bien estre seur
D'avoir faveur rencontrée,

" Las, que le ciel ne m'ottroye
Pouvoir morte estre laissée,
Aussi bien que devant Troye
Il me souffrit voir blessée!

" Si je peus lors estre ainsi
Par dure playe offensée,
Pourquoi ne peux-je estre aussi
Par mort de deuil dispensée?

" N'ayez plus sur moy d'envie,
Royne du ciel honorée,
Puis qu'Adonis est sans vie
Peu vaut ma pomme dorée.

" Las! tant ne me contentois
De me la voir adjugée,

Chansons lamentables:

Comme heureuse me sentois
D'estre en si bon cœur logée.
　" Et vous, povres chiens lassés,
Bestes d'amour asseurée,
Sans Seigneur estes laissés,
Moy sans ami demourée.
　" Bien pourrez recouvrer maistre
Aimant la chasse usitée;
Et m'amour ne pourroit estre
En autruy resuscitée.
　" De course legere et prompte
Suyviez la beste lancée;
Mais fortune, qui tout dompte,
S'est plus que vous avancée.
　" O violent animal!
O fureur désavouée!
Comme osas-tu faire mal
A chose à Venus vouée?
　" Comme ne peust s'appaiser
Ta dent par ire accrochée
Venant atteindre et baiser
Beauté des Dieux approchée.
　" Et vous, ami, trop espris
De vostre force esprouvée,
Si mon conseil eussiez pris
Mieux je m'en fusse trouvée.
　" Cerfs, Dains, et bestes fuyantes
Estoyent mieux vostre portée,
Que les fieres et bruyantes,
Qui m'ont tant desconfortée.
　" Qu'aviez-vous à faire queste

D'autre proye pourchassée?
Estoit ce' peu de conqueste
De m'avoir prinse et lassée? "
　Ainsi faisant tristes plaints
Cypris d'espoir desnuée,
Leva ses yeux d'humeur pleins
Vers le clair ciel sans nuée,
　Et vid le soleil couchant
Mettant fin à la journée;
Si fit un souspir tranchant
Et vers le mort s'est tournée.
　Disant: " Las, l'heure est venue,
Que toute chose créée
De sa peine soustenue
Dormant sera recreée.
　" Mais pour moy les jours et nuits
N'ont point d'heure disposée
A terminer mes ennuis
Et me trouver reposée."
　Au son de ses cris indignes
Respond Echo tourmentée,
Et mesme ses deux blancs cygnes
Chanson piteuse ont chantée.
　Mais voyant l'obscure nuict
Estre ja presque arrivée,
Ont doucement et sans bruit
Leur maistresse en l'air levée.
　Plus elle approcha des cieux,
Plus tient la teste baissée;
Et eust volontiers ses yeux
Et sa veue en bas laissée.

LAMENT FOR ADONIS

By Pernette du Guillet

Amour, avecque Psychés,
Qu'il tenoit à sa plaisance,
Jouoient ensemble aux échets,
En très-grand réjouissance.

Mais bientost il a oui
Bien loin lamenter un cygne,
De quoy peu s'est réjoui,
Et l'a pris pour mauvais signe.

Laissons le jeu, je vous pri'
Dit-il d'une voix amere,
Et allons ouïr le cri
Du messager de ma mere.

Lors tous deux s'en vont bouter
A la prochaine fenestre,
Et leur vue droit jetter
Là où l'oiseau pouvoit estre.

Si ont vu, sur un étang
Long et grand comme une mer,
Un beau cygne pur et blanc,
Qui chantoit un chant amer.

" O déesse, disoit-il,
" Regnant du ciel empyrée,
" Par ton engin trop subtil
" Notre joye est empirée!

" Puisque, par ta grande envie,
" Au malheureux Adonis
" Tu as abrégé la vie,
" Et sont ses beaux jours finis."

Lors l'enfant, à ces nouvelles,
Son épouse a accollée,
Et ébranlant ses deux aisles,
En l'air a pris sa volée.

Arrivé près de Cypris,
Avec les enfans de Gnide,
Tous ensemble ont entrepris
Punir la beste homicide:

Et si bien ont pourchassé
Et continué leur suite,
Que le sanglier tout lassé
N'a sceu où prendre la fuite.

Parquoy toute la cohorte
S'est étendue à l'entour,
Et d'une corde bien forte
Au col luy ont fait maint tour:

L'un le traisnoit par la corde,
L'aiguillonnant et heurtant;
L'autre, sans miséricorde,
De son arc l'alloit battant.

Ainsi pris, l'ont amené
Devant Vénus éplorée,
Qui, pour luy, a démené
Complainte désespérée;

Et tant de luy se douloit,
Que, sans plus vouloir attendre,
Tout soudain elle vouloit
L'étrangler de sa main tendre:

Mais les Graces luy ont dit
Qu'elle se feroit outrage,
Afin qu'à ce contredit
Elle appaisast son courage.

Qui alors eust vu la beste,
Comment morte elle sembloit,
Humblement baissoit la teste,
Tant de peur elle trembloit.

" Qui t'a meu, beste insensée,
" D'avoir mon ami outré? "
Dit Vénus, qui, offensée,
Adonis luy a monstré,

Gisant là tout étendu,
La face découlourée,
Dont maint soupir, a rendu
La pauvre amante éplorée.

Alors le sanglier honteux
S'est prosterné à genoux,
Et d'un son doux et piteux
S'est excusé devant tous,

Disant: " Déesse honorée,
" Pardonne-moy ce méfait;
" Car d'ire délibérée
" Ne t'ay cet outrage fait.

" Bien est vray que, quand je vis
" La forme du jeune enfant,
" Certes il me fut advis
" De voir un dieu triomphant,

" Tant me donnoit grand' merveille
" Sa chair blanche et délicate,
" Et sa bouche plus vermeille
" Que n'est aucune écarlate.

Chansons lamentables:

" Parquoy d'une ardeur surpris
" Je me laissay approcher,
" Me semblant un trop grand prix,
" Si je le pouvois toucher.

" Donc au contour d'une branche,
" Pour mon ardeur appaiser,
" Découvrant sa cuisse blanche,
" Je la luy voulus baiser:

" Mais luy, trop chaud et ardent,
" Suivant sa course adressée,
" Se va jetter sur ma dent,
" Que je tenois abaissée;

" Et tellement luy méchut,
" Qu'à cette heure trop perverse,
" Au plus près de moy il chut,
" Tout sanglant, à la renverse.

" Mais j'atteste tous les dieux,
" Juges de mon innocence,
" Que sur moy j'eusse aimé mieux
" Attirer si grande offense.

" Et pour ce que la dent fit
" Si outrageux malefice,
" Et que tant vers vous méfit,
" Je veux bien qu'on la punisse.

" Voici la dent et la hure
" Qui ont causé tel émoy:
" Las! de leur male aventure
" Prenez vengeance sur moy."

Ainsi parloit la douleur
Du sanglier, qui tant souffroit,
Comme cause du malheur,
Qu'à la mort mesme il s'offroit.

Parquoy toute l'assistance
Vint à Vénus supplier
De mitiger sa sentence,
Et son courroux oublier.

" Déliez-le donc, dit-elle,
" Puisque, pour mon ami mort,
" Il s'accuse à mort cruelle,
" Ayant de son fait remord.

" Mais qu'il jure qu'ès forests
" Jamais plus il n'entrera,
" Ains qu'en boues et marais
" Toujours il se vautrera:

" Et afin qu'en luy demeure
" Long souvenir du méfait,
" Je veux qu'il porte à toute heure
" Une marque de son fait;

" C'est qu'en terre l'étendrez,
" Et, pour réparer l'injure,
" Les pieds autant lui fendrez,
" Que la plaie a d'ouverture,

" Afin que, par ce moyen,
" Ceux qui le rencontreront
" Entendent le malheur mien,
" Et peut-estre pleureront."

De Vénus ce mot sacré
Ne fut point hors de sa bouche,
Que la beste, de son gré,
Dessus la terre se couche.

Il laissa patiemment
Exécuter la sentence,
Puis debout, bien humblement
Remercia l'assistance.

Et pour montrer qu'il vouloit
Que l'on sceust sa déplaisance,
N'a depuis, comme il souloit,
Aux bois fait sa demeurance.

Élégies:

AN ANXIOUS LOVER TO HIS LADY [1]

By Clément Marot

Qu'ay je meffaict, dites, ma chere amye?
Vostre amour semble estre toute endormie:
Je n'ay de vous plus lettres ne langage;
Je n'ay de vous un seul petit message;
Plus ne vous voy aux lieux acoustumez;
Sont jà estains voz desirs allumez,
Qui avec moy d'un mesme feu ardoient?
  Où sont ces yeulx lesquelz me regardoyent
Souvent en ris, souvent avecques larmes?
Où sont les motz qui tant m'ont faict d'alarmes?
Où est la bouche aussi qui m'appoisoit
Quand tant de foys et si bien me baisoit?
Où est le cueur qu'irrevocablement
M'avez donné?   Où est semblablement
La blanche main qui bien fort m'arrestoit
Quand de partir de vous besoing m'estoit?
  Hélas! amans, hélas! se peult il faire
Qu'amour si grand' se puisse ainsi deffaire?
Je penserois plus tost que les ruisseux
Feroient aller encontrement leurs eaux,
Considerant que de faict ne pensée
Ne l'ay encor, que je sçache offensée.
  Doncques, Amour, qui couves soubz tes aesles
Journellement les cueurs des damoyselles,
Ne laisse pas trop refroidir celuy
De celle là pour qui j'ay tant d'ennuy,
Ou trompe moy en me faisant entendre
Qu'elle a le cueur bien ferme, et fust il tendre.

---

[1] This graceful élégie of doubting love is more lyrical than the épître, which in some respects it resembles. These forms were not always clearly distinguished by Renaissance poets. Both are usually in riming couplets. But the élégie should strike a loftier, more passionate and plaintive note. The épître is a familiar genre in which many notes may be expressed. It is regrettable that because of their length more examples of this important form cannot be offered.

Élégies:

THE ROSES [1]
(*To Jeanne, Princesse de Navarre*)
By Bonaventure des Périers

Un jour de may, que l'aube retournée
Rafraichissoit la claire matinée,
Afin d'un peu recreer mes esprits,
Au grand verger, tout le long du pourpris
Me promenois par l'herbe fraische et drue
Là où je vis le rosee espandue,
Et sur les choux ses rondelettes goutes
Courir, couler, pour s'entrebaiser toutes:
Le rossignol, ainsi qu'une buccine,
Par son doux chant, faisoit au rosier signe
Que ses boutons à rosée il ouvrist,
Et tous ses biens au beau jour descouvrist;
L'aube naissante avoit couleur vermeille
Et vous estoit aux roses tant pareille
Qu'eussiez douté si la belle prenoit
Des fleurs le teint, ou si elle donnoit
Aux fleurs le sien, plus beau que nulles choses:
Un mesme teint avoient l'aube et les roses.
Jà commençoient à leurs ailes estendre
Les beaux boutons; l'un estoit mince et tendre,
Encor tapi dessous sa coëffe verte;
L'aultre monstroit sa creste descouverte,
Dont le fin bout un petit rougissoit:
De ce bouton la prime rose issoit . . .
Mais celui-ci démeslant gentement
Les menus plis de son accoustrement,
Pour contempler sa charnure refaite,
En moins de rien fut rose toute faite:
En un moment devint seche et blesmue,
Et n'estoit plus la rose que denue.
Vu tel meschef, me complaignis de l'aage,
Qui me sembla trop soudain et volage,
Et dis ainsi: las! à peine sont nées
Ces belles fleurs qu'elles sont jà fanées;
Et, tant de biens que nous voyons fleurir,

---

[1] Compare the Horatian sentiments, "Carpe diem, carpe rosam," expressed in this poem in the élégie style, with those in Ronsard's celebrated short ode, "Mignonne, allons voir si la rose." Des Périers does not call this poem an élégie, but it seems quite definitely thus classifiable and is especially interesting because of its early date.

Un mesme jour les fait naistre et mourir:
Mais si des fleurs la beauté si peu dure,
Ah! n'en faisons nulle plainte à nature.
Des roses l'aage est d'autant de durée,
Comme d'un jour la longueur mesurée . . .
Or, si ces fleurs un seul instant ravit,
Ce néanmoins, chacune d'elle vit
Son aage entier.   Vous donc, jeunes fillettes,
Cueillez, cueillez bientost les roses vermeillettes,
Puisque la vie, à la mort exposée,
Se passe ainsi que roses ou rosée.
Tant de joyaux, tant de nouveautez belles,
Tant de presens, tant de beautez nouvelles,
Brief, tant de biens que nous voyons florir,
Un mesme jour les faict naistre et mourir!
Dont nous, humains, à vous, dame Nature,
Plaincte faisons de ce que si peu dure
Le port des fleurs, et que, de tous les dons
Que de voz mains longuement attendons
Pour en gouster la jouissance deue,
A peine, las, en avons nous la veue.
Des roses l'aage est d'autant de durée
Comme d'un jour la longueur mesurée;
Dont fault penser les heures de ce jour
Estre les ans de leur tant brief sejour,
Qu'elles sont jà de vieillesse coulées.
Ains qu'elles soient de jeunesse accollées.
Celle qu'hyer le soleil regardoit
De si bon cueur que son cours retardoit
Pour la choisir parmy l'espaisse nue,
Du soleil mesme a esté mescongnue
A ce matin, quand plus n'a veu en elle
Sa grand' beauté qui sembloit eternelle.
Or, si ces fleurs, de graces assouvyes,
Ne peuvent pas estre de longues vies,
(Puisque le jour, qui au matin les painct,
Quand vient le soir, leur oste leur beau tainct,
Et le midy, qui leur rit, leur ravit)
Ce neantmoins, chascune d'elles vit
Son aage entier.   Vous donc, jeunes fillettes,
Cueillez bientost les roses vermeillettes,
A la rosée, ains que le temps les vienne
A desseicher; et, tandis, vous souvienne
Que ceste vie, à la mort exposée,
Se passe ainsi que roses ou rosée.

Élégies:

TO THE LADIES OF LYONS [1]

(*Élégie* iii)

By Louise Labé

Quand vous lirez, ô Dames Lionnoises,
Ces miens escrits pleins d'amoureuses noises,
Quand mes regrets, ennuis, despits et larmes
M'orrez chanter en pitoyables carmes,
Ne veuillez point condamner ma simplesse,
Et jeune erreur de ma fole jeunesse,
Si c'est erreur.   Mais qui dessous les Cieus
Se peut vanter de n'estre vicieus?
L'un n'est content de sa sorte de vie,
Et tousjours porte à ses voisins envie;
L'un forcenant de voir la paix en terre,
Par tous moyens tache y mettre la guerre;
L'autre, croyant povreté estre vice,
A autre Dieu qu'Or ne fait sacrifice;
L'autre sa foy parjure il emploira
A decevoir quelcun qui le croira;
L'un, en mentant, de sa langue lezarde,
Mile brocars sur l'un et l'autre darde.
Je ne suis point sous ces planettes née,
Qui m'ussent pù tant faire infortunée;
Onques ne fut mon œil marri de voir
Chez mon voisin mieux que chez moy pleuvoir;
Onq ne mis noise ou discord entre amis;
A faire gain jamais ne me soumis;
Mentir, tromper, et abuser autrui,
Tant m'a desplu que mesdire de lui.
Mais, si en moy rien y ha d'imparfait,
Qu'on blame Amour: c'est lui seul qui l'a fait.
Sur mon verd aage en ses laqs il me prit,
Lors qu'exerçoi mon corps et mon esprit
En mile et mile euvres ingenieuses,
Qu'en peu de tems me rendit ennuieuses.
Pour bien savoir avec l'eguille peindre,
J'usse entrepris la renommée esteindre
De celle là qui, plus docte que sage,
Avec Pallas comparoit son ouvrage.
Qui m'ust vu lors en armes fiere aller,
Porter la lance et bois faire voler,

---

[1] Probably this is the French Renaissance élégie that best sustains comparison with Latin elegiac poetry.

Le devoir faire en l'estour furieus,
Piquer, volter le cheval glorieus,
Pour Bradamante, ou la haute Marphise,
Seur de Roger, il m'ust, possible, prise.
Mais quoy?   Amour ne put longuement voir
Mon cœur n'aymant que Mars et le savoir,
Et, me voulant donner autre souci,
En souriant, il me disoit ainsi:
" Tu penses donq, ô Lionnoise Dame,
Pouvoir fuir par ce moyen ma flame?
Mais non feras, j'ay subjugué les Dieus
Es bas Enfers, en la Mer et es Cieus.
Et penses tu que n'aye tel pouvoir
Sur les humeins de leur faire savoir
Qu'il n'y ha rien qui de ma main eschape?
Plus fort se pense, et plus tot je le frape.
De me blamer quelquefois tu n'as honte,
En te fiant en Mars, dont tu fais conte;
Mais, meintenant, voy si, pour persister
En le suivant, me pourras resister."
Ainsi parloit, et, tout eschaufé d'ire,
Hors de sa trousse une sagette il tire,
Et, decochant de son extreme force,
Droit la tira contre ma tendre escorce:
Foible harnois pour bien couvrir le cœur
Contre l'Archer qui tousjours est vainqueur.
La bresche faite, entre Amour en la place,
Dont le repos premierement il chasse,
Et, de travail qu'il me donne sans cesse,
Boire, menger et dormir ne me laisse.
Il ne me chaut de soleil ne d'ombrage;
Je n'ay qu'Amour et feu en mon courage,
Qui me desguise et fait autre paroitre,
Tant que ne peu moymesme me connoitre.
Je n'avois vù encore seize hivers,
Lors que j'entray en ces ennuis divers;
Et jà voici le treizième esté
Que mon cœur fut par Amour arresté.
Le tems met fin aus hautes Pyramides,
Le tems met fin aus fonteines humides;
Il ne pardonne aus braves Colisées,
Il met à fin les viles plus prisées;
Finir aussi il ha acoutumé
Le feu d'Amour, tant soit il allumé.
Mais, las! en moy il semble qu'il augmente
Avec le tems, et que plus me tourmente.
Paris ayma Œnone ardentement,

Mais son amour ne dura longuement;
Medée fut aymée de Jason,
Qui tot apres la mit hors sa maison.
Si meritoient elles estre estimées,
Et, pour aymer leurs Amis, estre aymées.
S'estant aymé, on peut Amour laisser;
N'est-il raison, ne l'estant, se lasser?
N'est-il raison te prier de permettre,
Amour, que puisse à mes tourmens fin mettre?
Ne permets point que de Mort face espreuve,
Et plus que toy pitoyable la treuve;
Mais, si tu veus que j'ayme jusqu'au bout,
Fay que celui que j'estime mon tout,
Qui seul me peut faire plorer et rire,
Et pour lequel si souvent je soupire,
Sente en ses os, en son sang, en son ame,
Ou plus ardente, ou bien egale flame.
Alors ton faix plus aisé me sera,
Quand avec moy quelcun le portera.

TO CASSANDRA

By Pierre de Ronsard

Mon œil, mon cœur, ma Cassandre, ma vie,
Hé! qu'à bon droit tu dois porter d'envie
A ce grand Roy, qui ne veut plus souffrir
Qu'à mes chansons ton nom se vienne offrir.
C'est luy qui veut qu'en trompette j'echange
Mon luth, afin d'entonner sa louange,
Non de luy seul mais de tous ses ayeux
Qui sont là hault assis au rang des Dieux.
    Je le feray puis qu'il me le commande:
Car d'un tel Roy la puissance est si grande,
Que tant s'en faut qu'on la puisse eviter,
Qu'un camp armé n'y pourroit resister.
    Mais que me sert d'avoir tant leu Tibulle,
Properce, Ovide, et le docte Catulle,
Avoir tant veu Petrarque et tant noté,
Si par un Roy le pouvoir m'est oté
De les ensuyvre, et s'il faut que ma lyre
Pendue au croc ne m'ose plus rien dire?
    Doncques en vain je me paissois d'espoir
De faire un jour à la Tuscane voir,

Que nostre France, autant qu'elle, est heureuse
A souspirer une pleinte amoureuse:
Et pour monstrer qu'on la peut surpasser,
J'avois desja commencé de trasser
Mainte Elegie à la façon antique,
Mainte belle Ode, et mainte Bucolique.

    Car, à vray dire, encore mon esprit
N'est satisfait de ceux qui ont escrit
En nostre langue, et leur amour merite
Ou du tout rien, ou faveur bien petite.

    Non que je sois vanteur si glorieux
D'oser passer les vers laborieux
De tant d'amans qui se pleignent en France:
Mais pour le moins j'avois bien esperance,
Que si mes vers ne marchoient les premiers,
Qu'ils ne seroient sans honneur les derniers.
Car Eraton qui les amours descœuvre,
D'assez bon œil m'attiroit à son œuvre.

    L'un trop enflé les chante grossement,
L'un enervé les traine bassement,
L'un nous depeint une Dame paillarde,
L'un plus aux vers qu'aux sentences regarde,
Et ne peut onq tant se sceut desguiser,
Apprendre l'art de bien Petrarquiser.

    Que pleures-tu, Cassandre, ma douce ame?
Encor Amour ne veut couper la trame
Qu'en ta faveur je pendis au métier,
Sans achever l'ouvrage tout entier.

    Mon Roy n'a pas d'une beste sauvage
Succé le laict, et son jeune courage,
Ou je me trompe, a senti quelquefois
Le trait d'Amour qui surmonte les Rois.

    S'il l'a senti, ma coulpe est effacée,
Et sa grandeur ne sera courroucée,
Qu'à mon retour des horribles combas,
Hors de son croc mon Luth j'aveigne à-bas,
Le pincetant, et qu'en lieu des alarmes
Je chante Amour, tes beautez et mes larmes.

    " Car l'arc tendu trop violentement,
    " Ou s'alentit, ou se rompt vistement.

    Ainsi Achille apres avoir par terre
Tant fait mourir de soudars en la guerre,
Son Luth doré prenoit entre ses mains
Teintes encor de meurdres inhumains,
Et vis à vis du fils de Menetie,
Chantoit l'amour de Briseïs s'amie:
Puis tout soudain les armes reprenoit,

Et plus vaillant au combat retournoit.
   Ainsi, apres que l'ayeul de mon maistre
Hors des combats retirera sa dextre,
Se desarmant dedans sa tente à part,
Dessus le Luth à l'heure ton Ronsard
Te chantera: car il ne se peut faire
Qu'autre beauté luy puisse jamais plaire,
Ou soit qu'il vive, ou soit qu'outre le port,
Leger fardeau, Charon le passe mort.

LAMENT FOR THE FOREST OF GASTINE [1]

By Pierre de Ronsard

Quiconque aura premier la main embesongnée
A te couper, forest, d'une dure congnée,
Qu'il puisse s'enferrer de son propre baston,
Et sente en l'estomac la faim d'Erisichthon,
Qui coupa de Cerés le Chesne venerable,
Et qui gourmand de tout, de tout insatiable,
Les bœufs et les moutons de sa mere esgorgea,
Puis pressé de la faim, soy-mesme se mangea:
Ainsi puisse engloutir ses rentes et sa terre,
Et se devore apres par les dents de la guerre.
   Qu'il puisse pour vanger le sang de nos forests,
Tousjours nouveaux emprunts sur nouveaux interests
Devoir à l'usurier, et qu'en fin il consomme
Tout son bien à payer la principale somme.
   Que tousjours sans repos ne face en son cerveau
Que tramer pour-neant quelque dessein nouveau,
Porté d'impatience et de fureur diverse,
Et de mauvais conseil qui les hommes renverse.
   Escoute, Bucheron (arreste un peu le bras)
Ce ne sont pas des bois que tu jettes à bas,
Ne vois-tu pas le sang lequel degoute à force
Des Nymphes qui vivoyent dessous la dure escorce?
Sacrilege meurdrier, si on pend un voleur
Pour piller un butin de bien peu de valeur,
Combien de feux, de fers, de morts, et de destresses
Merites-tu, meschant, pour tuer des Deesses?
   Forest, haute maison des oiseaux bocagers,
Plus le Cerf solitaire et les Chevreuls legers

---

[1] Some critics regard this Élégie xxiv as the most original and touching of Ronsard's élégies and as superior to his amorous elegiac verses.

Ne paistront sous ton ombre, et ta verte criniere
Plus du Soleil d'Esté ne rompra la lumiere.

 Plus l'amoureux Pasteur sur un tronq adossé,
Enflant son flageolet à quatre trous persé,
Son mastin à ses pieds, à son flanc la houlette,
Ne dira plus l'ardeur de sa belle Janette:
Tout deviendra muet, Echo sera sans voix:
Tu deviendras campagne, et en lieu de tes bois,
Dont l'ombrage incertain lentement se remue,
Tu sentiras le soc, le coutre et la charrue:
Tu perdras ton silence, et haletans d'effroy
Ny Satyres ny Pans ne viendront plus chez toy.

 Adieu vieille forest, le jouet de Zephyre,
Où premier j'accorday les langues de ma lyre,
Où premier j'entendi les fleches resonner
D'Apollon, qui me vint tout le cœur estonner:
Où premier admirant la belle Calliope,
Je devins amoureux de sa neuvaine trope,
Quand sa main sur le front cent roses me jetta,
Et de son propre laict Euterpe m'allaita.

 Adieu vieille forest, adieu testes sacrées,
De tableaux et de fleurs autrefois honorées,
Maintenant le desdain des passans alterez,
Qui bruslez en Esté des rayons etherez,
Sans plus trouver le frais de tes douces verdures,
Accusent vos meurtriers, et leur disent injures.

 Adieu Chesnes, couronne aux vaillans citoyens,
Arbres de Jupiter, germes Dodonéens,
Qui premiers aux humains donnastes à repaistre,
Peuples vrayment ingrats, qui n'ont sceu recognoistre
Les biens receus de vous, peuples vraiment grossiers,
De massacrer ainsi nos peres nourriciers.

 Que l'homme est malheureux qui au monde se fie!
O Dieux, que veritable est la Philosophie,
Qui dit que toute chose à la fin perira,
Et qu'en changeant de forme une autre vestira:
De Tempé la vallée un jour sera montagne,
Et la cyme d'Athos une large campagne,
Neptune quelquefois de blé sera couvert.
La matiere demeure, et la forme se perd.

Fables:

THE WOLF AND THE INFANT [1]

By Jean-Antoine de Baïf

Un loup, ayant fait une queste
De toutes parts, enfin s'arreste
A l'huis d'une cabane dans une terre
Au cri d'un enfant que sa mere
Menaçoit, pour le faire taire,
De jetter aux loups ravissans.

Le loup, qui l'ouït, en eut joye,
Espérant d'y trouver sa proye.
Et tout le jour il attendit
Que la mere son enfant jette;
Mais le soir venu, comme il guette,
Un autre langage entendit;

Car la mere qui, d'amour tendre,
En ses bras son fils alla prendre,
Le baisant amoureusement,
Avecques lui la paix va faire,
Et le dorlotant pour l'attraire,
Lui parle ainsi flatteusement:

Nenni, nenni, non, non, ne pleure;
Si le loup vient, il faut qu'il meure;
Nous tuons le loup s'il y vient.
Quand ce propos il ouït dire,
Le loup grommelant se retire:
Céans l'on dit l'un, l'autre on tient.

THE GRASSHOPPER AND THE ANT

By Jean-Antoine de Baïf

Tout l'esté chanta la cigale;
Et l'hyver elle eut la faim vale:
Demande à manger au fourmé:
" Que fais-tu tout l'esté " — " Je chante."
— Il est hyver: dance, faineante."
Apprends des bestes, mon ami.

THE WEASEL

By Jean Vauquelin de la Fresnaye

Il advint d'aventure un jour qu'une belette,
De faim, de pauvreté, gresle, maigre et défaite,
Passa par un pertuis dans un grenier à blé,
Où fut un grand monceau de froment assemblé,
Dont gloute elle mangea par si grand abondance,
Que comme un gros tambour s'enfla sa grosse pance,
Mais voulant repasser par le pertuis estroit,
Trop pleine elle fut prise en ce petit destroit.
Un compere le rat lors lui dit: O commere!
Si tu veux resortir, un long jeusne il faut faire;
Que ton ventre appétisse, il faut avoir loisir,

---

[1] One has only to read fables written before his time to appreciate how remarkable is the genius of the greatest of fabulists, Jean de la Fontaine.

Ou bien en vomissant perdre le grand plaisir
Que tu pris en mangeant, tant que ton ventre avide,
Comme vuide il entra, qu'il s'en retourne vuide.
Autrement par le trou tu en repasseras;
Puis au danger des coups tu nous demeureras.

Coq-à-l'asne:

TO LYON JAMET [1]

By Clément Marot

Je t'envoye un grand million
De salutz, mon amy Lyon:
S'ilz estoient d'or, ils vauldroient mieulx:
Car les Françoys ont parmy eulx
Tousjours des nations estranges.
Mais quoy? nous ne pouvons estre anges.
C'est pour venir à l'équivoque,
Pource qu'une femme se mocque,
Quand son amy son cas luy compte.
Or pour mieulx te faire le compte,
A Romme sont les grans pardons;
Il fault bien que nous nous gardions
De dire qu'on les appetisse;
Excepté que gens de justice
Ont le temps après les chanoynes.
Je ne vey jamais tant de moynes
Qui vivent et si ne font rien.
L'empereur est grand terrien,
Plus grand que Monsieur de Bourbon.
On dict qu'il faict à Chambourg bon,
Mais il faict bien meilleur en France:
Car si Paris avoit souffrance,
Montmartre auroit grand desconfort.
Aussi, depuis qu'il gele fort,
Croyez qu'en despit des jaloux,
On porte souliers de veloux,
Ou de trippe, que je ne mente.
Je suis bien fol: je me tourmente
Le cueur et le corps d'une affaire
Dont toy et moy n'avons que faire:
Cela n'est que irriter les gens;

Tellement que douze sergens,
Bien armez jusques au collet,
Battront bien un homme seulet,
Pourveu que point ne se deffende.
Jamais ne veulent qu'on les pende.
Si disent les vieulx quolibetz
Qu'on ne voit pas tant de gibetz
En ce monde que de larrons.
   Porte bonnetz carrez ou rondz,
Ou chapperons fourrez d'ermines,
Ne parle point, et fais des mines:
Te voyla sage et bien discret.
Lyon, Lyon, c'est le secret;
Apprens tandis que tu es vieulx,
Et tu verras les envieux
Courir comme la Chananée,
En disant qu'il est grand' année
D'amoureuses et d'amoureux,
De dolens et de langoureux,
Qui meurent le jour quinze foys.
Samedy prochain toutesfoys
On doit dire la loy civile,
Et tant de veaulx qui vont par
   ville
Seront bruslez sans faulte nulle,
Car ilz ont chevaulché la mulle,
Et la chevaulchent tous les jours.
Tel faict à Paris longs sejours
Qui vouldroit estre en autre lieu.
Laquelle chose, de par Dieu,
Amours finissent part cousteaux.

[1] The coq-à-l'asne is a genre Middle French rather than Renaissance in *spirit*, closer in tone to the fatras than to the satire. The discussion of the genre theoretically is, however, in the Arts Poétiques, not the Arts de Seconde Rhétorique.

Les trois dames des Blancs Manteaulx
S'habillent toutes d'une sorte.
Il n'est pas possible qu'on sorte
De ces cloistres aucunement
Sans y entrer premierement,
C'est un argument de sophiste;
Et qu'ainsi soit, un bon papiste
Ne dit jamais bien de Luther,
Car s'ilz venoyent à disputer,
L'un des deux seroit heretique.
Oultre plus, une femme etique
Ne sçauroit estre bonne bague.
D'avantage, qui ne se bragüe
N'est point prisé au temps present;
Et, qui plus est, un bon present
Sert en amours plus que babilz.
Et puis la façon des habitz
Dedans un an sera trop vieille,
Pour garder l'aultre de diffame;
Mais tant y a que mainte femme
S'efforce à parler par escript.
Or est arrivé l'Antechrist,
Et nous l'avons tant attendu.
Ma dame ne m'a pas vendu,
C'est une chanson gringotée;
La musique en est bien notée,
Ou l'assiette de la clef ment:
Par la morbieu, voyla Clement;
Prenez — le, il a mangé le lard.
Il faict estre bon papelard,
Et ne courroucer point les fées.
Toutes choses qui sont coiffées,

Ont moult de lunes en la teste.
Escrivez moy s'on faict plus feste
De la lingere du Palais,
Car maistre Jehan du Pont Alays
Ne sera pas si oultrageux,
Quand viendra à jouer ses jeux,
Qu'il ne vous face trestous rire.
Un homme ne peult bien escrire,
S'il n'est quelque peu bon lisart.
La chanson du frere Grisart
Est trop salle pour ces pucelles,
Et si faict mal aux cueurs de celles
Qui tiennent foy à leurs maris.
  Si le grand rithmeur de Paris
Vient un coup à veoir ceste lettre,
Il en vouldra oster ou mettre,
Car c'est le roy des corrigears.
Et ma plume d'oye ou de jars
Est ja plus escroupionnée
Qu'une vieille bas enconnée;
D'escrire aujourd'huy ne cessa.
  Des nouvelles de pardeça:
Le roy va souvent à la chasse
Tant qu'il fault descendre la chasse
Sainct Marceau pour faire pleuvoir.
  Or, Lyon, puis qu'il t'a pleu veoir
Mon epistre jusques icy,
Je te supply m'excuser si
Du coq à l'asne vay sautant,
Et que ta plume en face aultant,
Affin de dire en petit metre
Ce que j'ay oublié d'y mettre.

Satire:

THE COURTIER POET[1]

By Joachim du Bellay

Je ne veux point icy du maistre d'Alexandre,
Touchant l'art poëtic, les preceptes t'apprendre:
Tu n'apprendras de moy comment jouer il fault
Les miseres des Roys dessus un eschafault:
Je ne t'enseigne l'art de l'humble comœdie,

---

[1] From the literary point of view this is the most important satire before
Mathurin Régnier's and also the first French satire, since Marot's *L'Enfer* does
not bear that title, although it is a satire in content.

Ny du Mëonien la Muse plus hardie:
Bref je ne monstre icy d'un vers Horatien
Les vices et vertuz du poëme ancien:
Je ne depeins aussi le Poëte du Vide,
La court est mon autheur, mon exemple et ma guide.
Je te veux peindre icy, comme un bon artisan,
De toutes ses couleurs l'Apollon Courtisan:
Ou la longueur sur tout il convient que je fuye,
Car de tout long ouvrage à la court on s'ennuye.
    Celuy donc qui est né (car il se fault tenter
Premier que long se vienne à la court presenter)
A ce gentil mestier; il fault que de jeunesse
Aux ruses et façons de la court il se dresse.
Ce precepte est commun: car qui veult s'avancer
A la court, de bonne heure il vient commencer.
    Je ne veulx que long temps à l'estude il pallisse,
Je ne veulx que resveur sur le livre il vieillisse,
Feuilletant studieux tous les soirs et matins
Les exemplaires Grecs, et les autheurs Latins.
Ces exercices-là font l'homme peu habile,
Le rendent catarreux, maladif, et debile,
Solitaire, facheux, taciturne et songeard,
Mais nostre courtisan est beaucoup plus gaillard.
Pour un vers allonger ses ongles il ne ronge,
Il ne frappe sa table, il ne resve, il ne songe,
Se brouillant le cerveau de pensemens divers
Pour tirer de sa teste un miserable vers,
Qui ne rapporte, ingrat, qu'une longue risée
Par tout ou l'ignorance est plus authorisée.
    Toy donc qui as choisi le chemin le plus court,
Pour estre mis au ranc des sçavans de la court,
Sans mascher le laurier, ny sans prendre la peine
De songer en Parnasse, et boire à la fontaine
Que le cheval volant de son pied fit saillir,
Faisant ce que je dy, tu ne pourras faillir.
    Je veulx en premier lieu, que sans suivre la trace
(Comme font quelques-uns) d'un Pindare et Horace,
Et sans vouloir, comme eux, voler si haultement,
Ton simple naturel tu suives seulement.
Ce proces tant mené, et qui encore dure,
Lequel des deux vault mieulx, ou l'art, ou la Nature,
En matiere de vers, à la court est vuidé:
Car il suffit icy que tu soyës guidé
Par le seul naturel, sans art et sans doctrine,
Fors cest art qui apprend à faire bonne mine.
Car un petit sonnet qui n'a rien que le son,
Un dixain à propos, ou bien une chanson,

Satire:

Un rondeau bien troussé, avec une ballade
(Du temps qu'elle couroit) vault mieux qu'une Iliade.
Laisse moy donques là ces Latins et Gregeois,
Qui ne servent de rien au poëte François,
Et soit la seule court ton Virgile et Homere,
Puis qu'elle est (comme on dit) des bons esprits la mere.
La court te fournira d'argumens suffisans,
Et seras estimé entre les mieulx disans,
Non comme ces resveurs, qui rougissent de honte
Fors entre les sçavans, desquelz on ne fait compte.
      Or si les grands seigneurs tu veux gratifier,
Argumens à propos il te fault espier:
Comme quelque victoire, ou quelque ville prise,
Quelque nopce, ou festin, ou bien quelque entreprise
De masque, ou de tournoy: avoir force desseings,
Desquelz à ceste fin tes coffres seront pleins.
      Je veux qu'aux grands seigneurs tu donnes des devises,
Je veux que tes chansons en musique soyent mises,
Et à fin que les grands parlent souvent de toy.
Je veux que lon les chante en la chambre du Roy.
Un sonnet à propos, un petit epigramme
En faveur d'un grand Prince, ou de quelque grand'Dame,
Ne sera pas mauvais: mais garde toy d'user
De mots durs, ou nouveaux, qui puissent amuser
Tant soit peu le lisant: car la douceur du stile
Fait que l'indocte vers aux oreilles distille:
Et ne fault s'enquerir s'il est bien ou mal fait
Car le vers plus coulant est le vers plus parfaict.
      Quelque nouveau poëte à la court se presente,
Je veux qu'à l'aborder finement on le tente:
Car s'il est ignorant, tu sçauras bien choisir
Lieu et temps à propos, pour en donner plaisir:
Tu produiras par tout ceste beste, et, en somme,
Aux despens d'un tel sot, tu seras galland homme.
      S'il est homme sçavant, il te fault dextrement
Le mener par le nez, le louer sobrement,
Et d'un petit soubriz et branslement de teste
Devant les grands seigneurs luy faire quelque feste:
Le presenter au Roy, et dire qu'il fait bien,
Et qu'il a merité qu'on luy face du bien.
Ainsi tenant tousjours ce povre homme soubs bride,
Tu te feras valoir, en luy servant de guide:
Et combien que tu soys d'envie epoinçonné,
Tu ne seras pour tel toutefois soubsonné.

Je te veux enseigner un autre poinct notable:
Pour ce que de la court l'eschole c'est la table,
Si tu veux promptement en honneur parvenir,
C'est ou plus sagement il te fault maintenir.
Il fault avoir tousjours le petit mot pour rire,
Il fault des lieux communs, qu'à tous propos on tire,
Passer ce qu'on ne sçait, et se monstrer sçavant
En ce que lon a leu deux ou trois soirs devant.
    Mais qui des grands seigneurs veult acquerir la grace
Il ne fault que les vers seulement il embrasse,
Il fault d'autres propos son stile deguiser,
Et ne leur fault tousjours des lettres deviser.
Bref, pour estre en cest art des premiers de ton aage
Si tu veux finement jouer ton personnage,
Entre les Courtisans du sçavant tu feras,
Et entre les sçavans courtisan tu seras.
    Pour ce te fault choisir matiere convenable,
Qui rende son autheur aux lecteurs aggreable,
Et qui de leur plaisir t'apporte quelque fruict.
Encores pourras tu faire courir le bruit,
Que si tu n'en avois commandement du Prince
Tu ne l'exposerois aux yeux de ta province,
Ains te contenterois de le tenir secret:
Car ce que tú en fais est à ton grand regret.
    Et à la verité, la ruse constumiere,
Et la meilleure, c'est, rien ne mettre en lumiere:
Ains jugeant librement des œuvres d'un chacun,
Ne se rendre subject au jugement d'aucun,
De peur que quelque fol te rende la pareille,
S'il gaigne comme toy des grands Princes l'oreille.
    Tel estoit de son temps le premier estimé.
Duquel si on eust leu quelque ouvrage imprimé,
Il eust renouvelé, peut estre, la risée
De la montaigne enceinte: et sa Muse prisée
Si hault au paravant, eust perdu (comme on dit)
La reputation qu'on luy donne à credit.
Retien donques ce poinct: et si tu m'en veux croire,
Au jugement commun ne hasarde ta gloire.
Mais sage sois content du jugement de ceux
Lesquelz trouvent tout bon, ausquelz plaire tu veux,
Qui peuvent t'avancer en estats et offices,
Qui te peuvent donner les riches benefices,
Non ce vent populaire, et ce frivole bruit
Qui de beaucoup de peine apporte peu de fruict.
    Ce faisant, tu tiendras le lieu d'un Aristarque,
Et entre les sçavans seras comme un Monarque:
Tu seras bien venu entre les grands seigneurs,

Desquelz tu recevras les biens et les honneurs,
Et non la pauvreté, des Muses l'heritage,
Laquelle est à ceux-là reservée en partage,
Qui dedaignant la court, facheux et malplaisans,
Pour allonger leur gloire, accourcissent leurs ans.

Épître:

TO HIS MAJESTY, KING FRANÇOIS I [1]

(Au Roy, pour avoir esté dérobé)

By Clément Marot

On dict bien vray, la maulvaise Fortune
Ne vient jamais qu'elle n'en apporte une
Ou deux ou trois avecques elle, Syre.
Vostre cueur noble en sçauroit bien que dire;
Et moy, chetif, qui ne suis Roy ne rien,
L'ay esprouvé, et vous compteray bien,
Si vous voulez, comme vint la besongne.
J'avois un jour un valet de Gascongne,
Gourmand, ivrongne, et asseuré menteur,
Pipeur, larron, jureur, blasphemateur,
Sentant la hart de cent pas à la ronde,
Au demourant, le meilleur filz du monde,
Prisé, loué, fort estimé des filles
Par les bordeaulx, et beau joueur de quilles.
Ce venerable hillot fut adverty
De quelque argent que m'aviez departy,
Et que ma bourse avoit grosse apostume;
Si se leva plus tost que de coustume,

---

[1] Of this épître Joseph Vianey, *Chefs-d'œuvre poétiques du XVIe siècle* (Paris, Hatier, 1932), pp. 40–41, remarks: " La Cour était rentrée depuis peu quand une grave épidémie désola Paris. On qualifia le mal de peste, suivant la coutume. Le poète en fut atteint au mois d'avril 1531, et il demeura gravement malade pendant plusieurs mois, bien qu'il fût soigné par les trois médecins les plus fameux du temps. Pour comble d'infortune, son valet lui déroba une jolie somme dont le Roi lui avait fait cadeau. Il écrivit alors une épître au souverain pour lui raconter le larcin et le prier de remplacer par un nouveau don l'argent desparu. Cette épître est bien connue. C'est, sans doute, le chef-d'œuvre du genre. Dans aucun Marot n'a conté plus lestement, peint d'un trait plus juste, loué avec plus de grâce, plaisanté avec plus d'esprit. Elle fut publiée, en 1532, dans les *Autres Œuvres de Clément Marot* qui suivirent l'*Adolescence Clementine*. . . . Le Roi fut sensible à tant d'esprit. Par une pièce en date du 13 février il accorda à ' son cher et bien aimé valet de chambre ordinaire la somme de cent écus d'or au soleil, en faveur et considération de ses bons et agréables services.' . . .''

Et me va prendre en tapinoys icelle,
Puis vous la meit tresbien soubz son esselle
Argent et tout (cela se doit entendre).
Et ne croy point que ce fust pour la rendre,
Car oncques puis n'en ay ouy parler.
   Brief, le villain ne s'en voulut aller
Pour si petit; mais encore il me happe
Saye et bonnet, chausses, pourpoint et cappe;
De mes habitz (en effect) il pilla
Tous les plus beaux, et puis s'en habilla
Si justement, qu'à le veoir ainsi estre,
Vous l'eussiez prins (en plein jour) pour son maistre.
   Finablement, de ma chambre il s'en va
Droict à l'estable, où deux chevaulx trouva;
Laisse le pire, et sur le meilleur monte,
Pique et s'en va. Pour abreger le compte,
Soyez certain qu'au partir du dict lieu
N'oublia rien, fors à me dire adieu.
   Ainsi s'en va, chatouilleux de la gorge,
Ledict valet, monté comme un sainct Georges,
Et vous laissa Monsieur dormir son soul,
Qui au resveil n'eust sceu finer d'un soul.
Ce Monsieur-là, Syre, c'estoit moy mesme,
Qui, sans mentir, fuz au matin bien blesme,
Quand je me vey sans honneste vesture,
Et fort fasché de perdre ma monture;
Mais de l'argent que vous m'aviez donné,
Je ne fuz point de le perdre estonné;
Car vostre argent, tresdebonnaire Prince.
Sans poinct de faulte est subject à la pince.
   Bien tost après ceste fortune-là,
Une autre pire encore se mesla
De m'assaillir, et chascun jour m'assault,
Me menaçant de me donner le sault,
Et de ce sault m'envoyer à l'envers
Rithmer soubz terre et y faire des vers.
   C'est une lourde et longue maladie
De trois bons moys, qui m'a toute eslourdie
La povre teste, et ne veult terminer,
Ains me contrainct d'apprendre à cheminer,
Tant affoibly m'a d'estrange manière;
Et si m'a faict la cuysse heronniere,
L'estomac sec, le ventre plat et vague:
Quand tout est dit, aussi mauvaise bague
Ou peu s'en fault que femme de Paris,
Saulve l'honneur d'elles et leurs maris.
   Que diray plus? Au misérable corps

Epître:

Dont je vous parle il n'est demouré fors
Le povre esprit, qui lamente et souspire,
Et en pleurant tasche à vous faire rire.
    Et pour autant, Syre, que suis à vous,
De trois jours l'un viennent taster mon poulx
Messieurs Braillon, Le Coq, Akaquia,
Pour me garder d'aller jusqu'à quia.
    Tout consulté, ont remis au printemps
Ma guarison; mais, à ce que j'entens,
Si je ne puis au printemps arriver,
Je suis taillé de mourir en yver,
Et en danger, si en yver je meurs,
De ne veoir pas les premiers raisins meurs.
    Voilà comment, depuis neuf moys en ça,
Je suis traicté. Or, ce que me laissa
Mon larronneau, long temps a, l'ay vendu,
Et en sirops et julepz despendu;
Ce neantmoins, ce que je vous en mande
N'est pour vous faire ou requeste ou demande:
Je ne veulx point tant de gens ressembler,
Qui n'ont soucy autre que d'assembler;
Tant qu'ilz vivront ilz demanderont, eulx;
Mais je commence à devenir honteux,
Et ne veulx plus à voz dons m'arrester.
    Je ne dy pas, si voulez rien prester,
Que ne le prenne. Il n'est point de presteur
(S'il veult prester) qui ne face un debteur.
Et sçavez vous (Syre) comment je paye?
Nul ne le sçait, si premier ne l'essaye;
Vous me devrez (si je puis) de retour,
Et vous feray encores un bon tour.
A celle fin qu'il n'y ait faulte nulle,
Je vous feray une belle cedulle,
A vous payer (sans usure, il s'entend)
Quand on verra tout le monde content;
Ou si voulez, à payer ce sera
Quand vostre los et renom cessera.
    Et si sentez que soys foible de reins
Pour vous payer, les deux princes Lorrains
Me plegeront. Je les pense si fermes
Qu'ilz ne fauldront pour moy à l'un des termes.
Je sçay assez que vous n'avez pas peur
Que je m'enfuye ou que je soys trompeur;
Mais il faict bon asseurer ce qu'on preste.

Bref, vostre paye, ainsi que je l'arreste,
Est aussi seure, advenant mon trespas,
Comme advenant que je ne meure pas.
    Avisez donc si vous avez desir
De rien prester: vous me ferez plaisir,
Car puis un peu j'ay basty à Clement,
Là où j'ay faict un grand desboursement,
Et à Marot, qui est un peu plus loing:
Tout tombera, qui n'en aura le soing.
    Voylà le poinct principal de ma lettre;
Vous sçavez tout, il n'y fault plus rien mettre.
Rien mettre? Las! Certes, et si feray,
Et ce faisant, mon style j'enfleray,
Disant: " O Roy amoureux des neuf Muses,
Roy en qui sont leurs sciences infuses,
Roy plus que Mars d'honneur environné,
Roy le plus roy qui fut oncq couronné,
Dieu tout puissant te doint, pour t'estrener,
Les quatre coings du monde gouverner,
Tant pour le bien de la ronde machine,
Que pour autant que sur tous en es digne."

Élégie-épître:

OF RONSARD'S ANCESTRY [1]

By Pierre de Ronsard

    Je veux, mon cher Belleau, que tu n'ignores point
D'où, ne qui est celuy, que les Muses ont joint
D'un nœud si ferme à toy, afin que des années,
A nos neveux futurs, les courses retournées
Ne celent que Belleau et Ronsard n'estoient qu'un,
Et que tous deux avoient un mesme cœur commun.
    Or quant à mon ancestre, il a tiré sa race
D'où le glacé Danube est voisin de la Thrace:
Plus bas que la Hongrie, en une froide part,
Est un Seigneur nommé le Marquis de Ronsart,
Riche d'or et de gens, de villes et de terre.
Un de ses fils puisnez ardant de voir la guerre,
Un camp d'autres puisnez assembla hazardeux,
Et quittant son pays, faict Capitaine d'eux
Traversa la Hongrie et la basse Allemaigne,

---

[1] Ronsard's Élégie XVI, in this case, is not properly so called, as the sense shows. It is an épître without the smallest elegiac quality. This misuse of the élégie became common and confusing in this period.

Élégie-épître:

Traversa la Bourgongne et la grasse Champaigne,
Et hardy vint servir Philippe de Valois,
Qui pour lors avoit guerre encontre les Anglois.
  Il s'employa si bien au service de France,
Que le Roy luy donna des biens à suffisance
Sur les rives du Loir: puis du tout oubliant
Freres, pere et pays, François se mariant
Engendra les ayeux dont est sorty le pere
Par qui premier je vy ceste belle lumiere.
  Mon pere fut tousjours en son vivant icy
Maistre-d'hostel du Roy, et le suivit aussi
Tant qu'il fut prisonnier pour son pere en Espaigne:
Faut-il pas qu'un servant son Seigneur accompaigne
Fidele à sa fortune, et qu'en adversité
Luy soit autant loyal qu'en la felicité?
  Du costé maternel j'ay tiré mon lignage
De ceux de la Trimouille, et de ceux du Bouchage,
Et de ceux des Roüaux, et de ceux des Chaudriers
Qui furent en leurs temps si vertueux guerriers,
Que leur noble vertu que Mars rend eternelle
Reprint sur les Anglois les murs de la Rochelle,
Où l'un fut si vaillant qu'encores aujourd'huy
Une rue à son los porte le nom de luy.
  Mais s'il te plaist avoir autant de cognoissance
(Comme de mes ayeux) du jour de ma naissance,
Mon Belleau, sans mentir je diray verité
Et de l'an et du jour de ma nativité.
  L'an que le Roy François fut pris devant Pavie,
Le jour d'un Samedy, Dieu me presta la vie
L'onzieme de Septembre, et presque je me vy
Tous aussi tost que né, de la Parque ravy.
  Je ne fus le premier des enfans de mon pere,
Cinq davant ma naissance en enfanta ma mere:
Deux sont morts au berceau, aux trois vivans en rien
Semblable je ne suis ny de mœurs ny de bien.
  Si tost que j'eu neuf ans, au college on me meine:
Je mis tant seulement un demy an de peine
D'apprendre les leçons du regent de Vailly,
Puis sans rien profiter du college sailly.
Je vins en Avignon, où la puissante armée
Du Roy François estoit fierement animée
Contre Charles d'Autriche, et là je fus donné
Page au Duc d'Orleans: apres je fus mené
Suivant le Roi d'Escosse en l'Escossoise terre,
Où trente mois je fus, et six en Angleterre.

A mon retour ce Duc pour page me reprint:
Long temps à l'Escurie en repos ne me tint
Qu'il ne me renvoyast en Flandres et Zelande,
Et depuis en Escosse, où la tempeste grande
Avecques Lassigni, cuida faire toucher
Poussée aux bords Anglois la nef contre un rocher.

Plus de trois jours entiers dura ceste tempeste,
D'eau, de gresle et d'esclairs nous menassant la teste:
A la fin arrivez sans nul danger au port,
La nef en cent morceaux se rompt contre le bord,
Nous laissant sur la rade, et point n'y eut de perte
Sinon elle qui fut des flots salez couverte,
Et le baggage espars que le vent secoüoit,
Et qui servoit flottant aux ondes de jouet.

D'Escosse retourné, je fus mis hors de page,
Et à peine seize ans avoient borné mon âge,
Que l'an cinq cens quarante avec Baïf je vins
En la haute Allemaigne, où la langue j'apprins.

Mais làs! à mon retour une aspre maladie
Par ne sçay quel destin me vint boucher l'ouie,
Et dure m'accabla d'assommement si lourd,
Qu'encores aujourd'huy j'en reste demy-sourd.
L'an d'apres en Avril, Amour me fist surprendre,
Suivant la Cour à Blois, des beaux yeux de Cassandre:
Soit le nom faux ou vray, jamais le temps veinqueur
N'effacera ce nom du marbre de mon cœur.

Convoiteux de sçavoir, disciple je vins estre
De d'Aurat à Paris, qui cinq ans fut mon maistre
En Grec et en Latin: chez luy premierement
Nostre ferme amitié print son commencement,
Laquelle dans mon ame à tout jamais, et celle
De nostre amy Baïf sera perpetuelle.

Discours:

TO THE VERY ILLUSTRIOUS AND MOST VIRTUOUS PRINCESS, MARY STUART, QUEEN OF SCOTLAND [1]

By Pierre de Ronsard

Bien que le trait de vostre belle face
Peinte en mon cœur par le temps ne s'efface,
Et que tousjours je le porte imprimé
Comme un tableau vivement animé;

[1] This Discours is of lesser significance than those from which considerable quotation is made in the chapter on Ronsard. It is chosen as the illustration here for its brevity and for its connection with Mary of Scotland. Cf. Ronsard's sonnet, p. 273, and Saint-Gelays' chapitre, pp. 385–386, to the same lady.

Discours:

J'ay toutefois, pour la chose plus rare
(Dont mon estude et mes livres je pare)
Vostre semblant qui fait honneur au lieu,
Comme un portrait au temple de son Dieu.
    Vous n'estes vive en drap d'or habillé,
Ny les joyeux de l'Inde despouillée,
Riches·d'esmail et d'ouvrages, ne font
Luire un beau jour autour de vostre front;
Et vostre main des plus belles la belle
N'a rien sinon sa blancheur naturelle,
    Et vos longs doigts, cinq rameaux inégaux,
Ne sont pompeux de bagues ny d'anneaux,
Et la beauté de vostre gorge vive
N'a pour carcan que sa blancheur naïve.
    Un crespe long, subtil et delié,
Ply contre ply retors et replié,
Habit de dueil, vous sert de couverture
Depuis le chef jusques à la ceinture,
Qui s'enfle ainsi qu'un voile quand le vent
Souffle la barque et la cingle en avant.
    De tel habit vous estiez accoustrée
Partant, helas! de la belle contrée
(Dont aviez eu le sceptre dans la main)
Lorsque pensive, et baignant vostre sein
Du beau crystal de vos larmes roulées,
Triste marchiez par les longues allées
Du grand jardin de ce royal Chasteau
Qui prend son nom de la beauté d'une eau.
    Tous les chemins blanchissoient sous vos voiles,
Ainsi qu'on voit blanchir les rondes voiles
Et se courber bouffantes sur la mer,
Quand les forçats ont cessé de ramer;
Et la galere au gré du vent poussée
Flot desur flot s'en va tout eslancée
Sillonnant l'eau, et faisant d'un grand bruit
Pirouetter la vague qui la suit.
    Lors les rochers, bien qu'ils n'eussent point d'âme,
Voyant marcher une si belle Dame,
Et les deserts, les sablons, et l'estang
Où vit maint Cygne habillé tout de blanc,
Et des hauts Pins la cime de verd peinte,
Vous contemploient comme une chose sainte,
Et pensoient voir (pour ne voir rien de tel)
Une Déesse en habit d'un mortel
Se promener, quand l'aube retournée

Par les jardins poussoit la matinée,
Et vers le soir, quand déjà le soleil
A chef baissé s'en alloit au sommeil. . . .
    Ce livre doncq' plus heureux que ton maistre,
Tu vas au lieu auquel je voudrois estre,
Voire où je suis tousjours par le penser:
Et si le corps pouvoit la mer passer
Comme l'esprit, je verrois à toute heure
Le beau sejour où la Royne demeure,
De qui les yeux luisent comme un beau jour. . . .
    Elle courtoise, ô livre glorieux,
Te recevant d'un visage joyeux,
Et te tendant la main de bonne sorte,
Te demand'ra comme Ronsard se porte,
Que c'est qu'il fait, ce qu'il dit, ce qu'il est:
Tu luy diras qu'icy tout luy desplaist,
Soul de soy-mesme: et que mesme sa vie
Comme pesante à son corps luy ennuye,
Se trouvant seul, et pleurant par les bois
La triste mort d'un Prince et de deux Rois.

Églogue: [1]

PAN AND ROBIN

(Églogue du Roy Soubs les Noms de Pan et Robin)

By Clément Marot

    Un pastoureau, qui Robin s'appelloit,
Tout à par soy n'agueres s'en alloit
Parmy fousteaux (arbres qui font umbrage),
Et là tout seul faisoit, de grand courage,
Hault retentir les boys et l'air serain,
Chantant ainsi: " O Pan, dieu souverain,
Qui de garder ne fus onc paresseux
Parcs et brebis et les maistres d'iceux,
Et remets sus tous gentilz pastoureaux
Quand ilz n'ont prez, ne loges, ne toreaux,
Je te supply (si onc en ces bas estres
Daignas ouyr chansonettes champestres),
Escoute un peu, de ton verte cabinet,
Le chant rural du petit Robinet.
    Sur le printemps de ma jeunesse folle,
Je ressemblois l'arondelle qui vole

---

[1] Marot's églogue (1539) is also called: *Églogue faicte par Marot et par luy au Roy présentée. Sous le nom de Robin le pastoureau.*

Éclogue:

Puis çà, puis là: l'aage me conduisoit,
Sans peur ne soing, où le cueur me disoit.
En la forest (sans la craincte des loups)
Je m'en allois souvent cueillir le houx,
Pour faire gluz à prendre oyseaulx ramages,
Tous differens de chantz et de plumages;
Ou me souloys (pour les prendre) entremettre
A faire bricz, ou cages pour les mettre.
Ou transnouoys les rivieres profondes,
Ou r'enforçoys sur le genoil les fondes
Puis d'en tirer droict et loing j'apprenois
Pour chasser loups et abbatre des noix.
    O quantesfoys aux arbres grimpé j'ay,
Pour desnicher ou la pye ou le geay,
Ou pour jetter des fruictz ja meurs et beaulx
A mes compaings, que tendoient leurs chappeaux.
    Aucunesfoys aux montaignes alloye,
Aucunesfoys aux fosses devalloye,
Pour trouver là les gistes des fouynes,
Des herissons ou des blanches hermines,
Ou pas à pas le long des buyssonnetz
Allois cherchant les nidz des chardonnetz
Ou des serins, des pinsons ou lynotes.
    Desja pourtant je faisoys quelques notes
De chant rustique, et dessoubz les ormeaux,
Quasy enfant, sonnoys des chalumeaux.
Si ne sçaurois bien dire ne penser
Qui m'enseigna si tost d'y commencer,
Ou la nature aux Muses inclinée,
Ou ma fortune, en cela destinée
A te servir: si ce ne fust l'un d'eux,
Je suis certain que ce furent tous deux.
    Ce que voyant le bon Janot, mon pere,
Voulut gaiger à Jaquet, son compere,
Contre un veau gras deux aignelletz bessons,
Que quelque jour je feroys des chansons
A ta louange (ô Pan, dieu tressacré),
Voyre chansons qui te viendroyent à gré.
Et me souvient que bien souvent aux festes,
En regardant de loing paistre nos bestes,
Il me souloit une leçon donner
Pour doulcement la musette entonner,
Ou à dicter quelque chanson rurale
Pour la chanter en mode pastorale.

Aussi le soir, que les trouppeaux espars
Estoient serrez et remis en leurs parcs,
Le bon vieillard après moy travailloit,
Et à la lampe assez tard me veilloit,
Ainsi que font leurs sansonnetz ou pyes
Auprès du feu bergeres accroupies.
Bien est il vray que ce luy estoit peine;
Mais de plaisir elle estoit si fort pleine,
Qu'en ce faisant sembloit au bon berger
Qu'il arrousoit en son petit verger
Quelque jeune ente, ou que teter faisoit
L'aigneau qui plus en son parc luy plaisoit;
Et le labeur qu'après moy il mit tant,
Certes, c'estoit affin qu'en l'imitant
A l'advenir je chantasse le los
De toy (ô Pan), qui augmentas son clos,
Qui conservas de ses prez la verdure,
Et qui gardas son trouppeau de froidure.
"Pan (disoit-il), c'est le dieu triumphant
Sur les pasteurs; c'est celuy (mon enfant)
Qui le premier les roseaux pertuysa,
Et d'en former des flustes s'advisa:
Il daigna bien luy mesme peine prendre
D'user de l'art que je te veux apprendre.
Apprends le donc, affin que montz et boys,
Rocz et estangs, apprennent soubz ta voix
A rechanter le hault nom, après toy,
De ce grand Dieu que tant je ramentoy;
Car c'est celuy par qui foysonnera
Ton champ, ta vigne, et qui te donnera
Plaisante loge entre sacrez ruisseaux
Encourtinez de flairans arbrisseaux.
Là d'un costé auras la grand' closture
De saulx espez, où pour prendre pasture
Mousches à miel la fleur succer iront
Et d'un doulx bruit souvent t'endormiront
Mesmes alors que ta fluste champestre
Par trop chanter lasse sentiras estre.
Puis tost après sur le prochain bosquet
T'esveillera la pye en son caquet:
T'esveillera aussi la columbelle,
Pour rechanter encores de plus belle."
Ainsi, soingneux de mon bien, me parloit
Le bon Janot, et il ne m'en chaloit;
Car soucy lors n'avoys, en mon courage,
D'aucun bestail ne d'aucun pasturage.
Quand printemps fault et l'esté comparoit,

Éclogue:

Adoncques l'herbe en forme et force croist.
Aussi, quand hors du printemps j'euz esté,
Et que mes jours vindrent en leur esté,
Me creut le sens, mais non pas le soucy;
Si employay l'esprit, le corps aussi,
Aux choses plus à tel aage sortables,
A charpenter loges de boys portables,
A les rouler de l'un en l'autre lieu,
A radouber treilles, buyssons et hayes,
A proprement entrelasser les clayes
Pour les parquets des ouailles fermer,
Ou à tyssir (pour frommages former)
Paniers d'osier et fiscelles de jonc,
Dont je souloys (car je l'aymois adonc)
Faire present à Heleine la blonde.
     J'apprins les noms des quatre partz du monde,
J'apprins les noms des ventz qui de là sortent,
Leurs qualitez, et quel temps ilz apportent,
Dont les oiseaulx, sages devins des champs,
M'advertissoyent par leurs volz et leurs chantz.
     J'apprins aussi, allant aux pasturages,
A eviter les dangereux herbages,
Et à cognoistre et guerir plusieurs maulx
Qui quelquefoys gastoient les animaulx
De nos pastiz: mais par sus toutes choses,
D'autant que plus plaisent les blanches roses
Que l'aubespin, plus j'aymois à sonner
De la musette, et la fy resonner
En tous les tons et chantz de bucoliques,
En chantz piteux, en chantz melancoliques,
Si qu'à mes plainctz un jour les Oreades,
Faunes, Silvans, Satyres et Dryades,
En m'escoutant jectèrent larmes d'yeux;
Si feirent bien les plus souverains Dieux;
Si feit Margot, bergere qui tant vault.
Mais d'un tel pleur esbahyr ne se fault,
Car je faisois chanter à ma musette
La mort (helas!), la mort de Loysette,
Qui maintenant au ciel prend ses esbatz
A veoir encor ses trouppeaux icy bas.
     Une autre foys, pour l'amour de l'amye,
A tous venants pendy la challemye,
Et ce jour là à grand' peine on sçavoit
Lequel des deux gaigné le prix avoit,

Ou de Merlin ou de moy: dont à l'heure
Thony s'en vint sur le pré grand' alleure
Nous accorder, et orna deux houlettes
D'une longueur, de force violettes:
Puis nous en feit present pour son plaisir:
Mais à Merlin je baillé à choisir.
  Et penses tu (ô Pan, dieu debonnaire)
Que l'exercice et labeur ordinaire
Que pour sonner du flajolet je pris
Fust seulement pour emporter le prix?
Non, mais afin que si bien j'en apprinse,
Que toy, qui es des pastoureaux le prince,
Prinsses plaisir à mon chant escouter,
Comme à ouyr la marine flotter
Contre la rive, ou des roches haultaines
Ouyr tomber contre val les fontaines.
  Certainement, c'estoit le plus grand soing
Que j'eusse alors, et en prends à tesmoing
Le blond Phebus qui me voyt et regarde,
Si l'espesseur de ce boys ne l'en garde,
Et qui m'a veu traverser maint rocher
Et maint torrent pour de toy approcher.
  Or m'ont les Dieux celestes et terrestres
Tant faict heureux, mesmement les sylvestres,
Qu'en gré tu prins mes petis sons rustiques,
Et exaulças mes hymnes et cantiques,
Me permettant les chanter en ton temple,
Là où encor l'image je contemple
De ta haulteur, qui en l'une main porte
De dur cormier houlette riche et forte,
Et l'autre tient chalemelle fournie
De sept tuyaux, faictz selon l'harmonie
Des cieulx, où sont les sept Dieux clairs et haulx,
Et denotant les sept artz liberaulx,
Qui sont escriptz dedans ta teste saincte,
Tout de pin bien couronnée et ceincte.
  Ainsi et donc en l'esté de mes jours,
Plus me plaisoit aux champestres sejours
Avoir faict chose (ô Pan) qui t'agreast,
Ou qui l'oreille un peu te recreast,
Qu'avoir autant de moutons que Tityre;
Et plus (cent foys) me plaisoit d'ouyr dire:
" Pan faict bon œil à Robin le berger."
Que veoir chés nous trois cents beufz heberger,
Car soucy lors n'avoys en mon courage
D'aucun bestail ne d'aucun pasturage.
  Mais maintenant que je suis en l'autonne,

Églogue:

Ne sçay quel soing inusité m'estonne,
De tel' façon que de chanter la veine
Devient en moy, non point lasse ne vaine,
Ains triste et lente, et certes, bien souvent,
Couché sur l'herbe, à la frescheur du vent,
Voy ma musette à un arbre pendue
Se plaindre à moy qu'oysive l'ay rendue;
Dont tout à coup mon desir se resveille,
Qui de chanter voulant faire merveille,
Trouve ce soing devant ses yeulx planté,
Lequel le rend morne et espovanté:
Car tant est soing basanné, layd, et pasle,
Qu'à son regard la muse pastoralle,
Voyre la Muse heroyque et hardie,
En un moment se trouve refroidie,
Et devant luy vont fuyant toutes deux
Comme brebis devant un loup hydeux.
    J'oy d'autre part le pyvert jargonner,
Siffler l'escouffle et le butor tonner,
Voy l'estourneau, le heron et l'aronde
Estrangement voller tout à la ronde,
M'advertissant de la froide venue
Du triste yver, qui la terre desnue.
    D'autre costé j'oy la bise arriver,
Qui en soufflant me prononce l'yver;
Dont mes trouppeaux, cela craignant et pis,
Tout en un tas se tiennent accroupis,
Et diroit on, à les ouyr besler,
Qu'avecques moy te veulent appeller
A leur secours, et qu'ilz ont cognoissance
Que tu les as nourriz dès leur naissance.
    Je ne quiers pas (ô bonté souveraine)
Deux mille arpentz de pastiz en Touraine,
Ne mille beufz errants par les herbis
Des montz d'Auvergne, ou autant de brebis:
Il me suffit que mon troupeau preserves
Des loups, des ours, des oyons, des loucerves,
Et moy du froid, car l'yver qui s'appreste
A commencé à neiger sur ma teste.
    Lors à chanter plus soing ne me nuyra,
Ains devant moy plus viste s'enfuyra
Que devant luy ne vont fuyant les Muses,
Quand il verra que de faveur tu m'uses.
    Lors ma musette, à un chesne pendue,

Par moy sera promptement descendue,
Et chanteray l'yver à seureté
Plus hault et clair que ne feiz onc l'esté.
   Lors, en science, en musique et en son,
Un de mes vers vauldra une chanson;
Une chanson, une eglogue rustique;
Et une eglogue, une œuvre bucolique.
   Que diray plus? vienne ce qui pourra:
Plus tost le Rosne encontremont courra,
Plus tost seront haultes foretz sans branches,
Les cygnes noirs et les corneilles blanches,
Que je t'oublie (ô Pan de grand renom),
Ne que je cesse à louer ton hault nom,
   Sus, mes brebis, trouppeau petit et maigre,
Autour de moy saultez de cueur allaigre,
Car desja Pan, de sa verte maison,
M'a faict ce bien d'ouyr mon oraison.

Dramatic verse:

DIDO'S CURSE

(*Didon se sacrifiant*, 1558, Act II)

By Estienne Jodelle

Va, je ne te tiens point! va, va, je ne replique
A ton propos, pipeur; suy ta terre italique.
J'espère bien enfin (si les bons dieux, au moins
Me peuvent estre ensemble et vengeurs et tesmoins)
Qu'avec mille sanglots tu verras le supplice
Que le juste destin garde a ton injustice.
Assez tost un malheur se fait a nous sentir;
Mais las! tousjours trop tard se sent un repentir.
Quelque isle plus barbare, ou les flots equitables
Te porteront en proye aux tigres, tes semblables;
Le ventre des poissons, ou quelque dur rocher
Contre lequel les flots te viendront attacher,
Ou le fons de ta nef, après qu'un trait de foudre
Aura ton mas, ta voile et ton chef mis en poudre,
Sera ta sepulture, et mesmes en mourant
Mon nom entre tes dents on t'orra murmurant,
Nommant Didon! Didon! et lors, tousjours presente,
D'un brandon infernal, d'une tenaille ardente,
Comme si de Megere on n'avoit la sœur,
J'engraveray ton tort dans ton parjure coeur:
Car, quand tu m'auras fait croistre des morts le nombre,
Par tout devant tes yeux se roydira mon ombre.

Dramatic verse:

Tu me tourmentes, mais en l'effroyable trouble
Ou sans fin tu seras, tu me rendras au double
Le loyer de mes maux. La peine est bien plus grande
Qui voit sans fin son fait: telle je la demande;
Et si les dieux du ciel ne m'en faisoyent raison,
J'esmouvrois, j'esmouvrois l'infernale maison.
Mon dueil n'a point de fin. Une mort inhumaine
Peut vaincre mon amour, non pas vaincre ma haine.

A TENDER DAUGHTER TO HER FATHER

(*Antigone* ou *La Piété*, 1580, Act I)

By ROBERT GARNIER

Œdipe

Toy, qui ton père aveugle et courbé de vieillesse
Conduis si constamment, mon soustien, mon adresse,
Antigone ma fille, hélas! retire-toy,
Laisse-moy malheureux souspirer mon émoy,
Vaguant par ces déserts: laisse-moi, je te prie,
Et ne va malheurer de mon malheur ta vie.
Ne consomme ton âge à conduire mes pas, . . .
Retire-toi, ma fille! Et de quoy me profite,
Me voulant fourvoyer, ta fidele conduite?
Je ne veux point de guide au chemin que je suis:
Le chemin que je cherche est de sortir d'ennuy,
M'arrachant de ce monde, et délivrant la terre
Et le ciel de mon corps, digne de son tonnerre . . .
Las! pourquoi me tiens-tu? ma fille: vois-tu pas
Que mon père m'appelle et m'attire au trespas?
Comme il se montre à moy terrible, épouvantable?
Comme il me suit toujours et m'est inséparable?
Il me montre sa plaie, et le sang jaillissant
Contre ma fière main, qui l'alla meurtrissant.

Antigone

Domptez, mon géniteur, cette douleur amere.

Œdipe

Et qui pourrait dompter une telle misere?
De quoy sert plus mon âme en ce coupable corps?
Que ne sors-tu, mon âme? hélas! que tu ne sors
D'un si méchant manoir? penses tu qu'il me reste
Encore un parricide et encore un inceste?

Antigone

Rien, rien ne nous pourra séparer que la mort,
Je vous seray compagne en bon et mauvais sort.
Que mes frères germains le royaume envahissent
Et du bien paternel à leur aise jouissent:
Moy mon père j'auray, je ne veux autre bien,
Je leur quitte le reste, et n'y demande rien.
Mon seul père je veux; il sera mon partage:
Je ne retiens que luy, c'est mon seul héritage.

BY THE WATERS OF BABYLON

(Based on Psalm CXXXVII, *Super flumina Babylonis*,
from *Les Juives*, 1583, Act III)

BY ROBERT GARNIER

Chœur des Juives

Comment veut-on que maintenant
    Si desolees
Nous allions la flute entonnant
    Dans ces valees?

Que le luth, touché de nos dois,
    Et la cithare
Facent resonner de leurs vois
    Un ciel barbare?

Que la harpe, de qui le son
    Tousjours lamente,
Assemble avec nostre chanson
    Sa voix dolente?

Trop nous donnent d'affliction
    Nos maux publiques,
Pour vous reciter de Sion
    Les saints cantiques.

Hélas! tout souspire entre nous,
    Tout y larmoye:
Comment donc en attendez-vous
    Un chant de joye?

Notre âme n'a plus de chanter
    Envie aucune,
Mais bien de plaindre et lamenter
    Nostre infortune . . .

Aussi, tandis que nous aurons
    Ceste détresse,
Jour et nuit nous lamenterons
    Nostre tristesse.

Las! il n'y a que la mort,
    Que la mort dure,
Qui mette fin au déconfort
    Qui nous torture.

Que si son javelot mortel
    Ne nous delivre,
Au dueil d'un tourment eternel
    Nous faudra vivre.

Car helas! qui se contiendra
    De faire plainte,
Lors que de toy nous souviendra,
    Montagne sainte!

Or tandis qu'en son corps sera
    Nostre ame enclose,
Israel jamais n'oubliera
    Si chere chose.

Nos enfants nous soient desormais
    En oubliance.
Si de toy nous perdons jamais
    La souvenance.

Dramatic verse:

Nostre langue tienne au gosier Et nostre dextre Pour les instruments manier Ne soit adextre.	Que tousjours nostre nation Serve captive, Si jamais j'oublie Sion Tant que je vive.

THE SADNESS OF CHANGE

(*Sophonisbe*, ou *La Cartaginoise*, 1596)

By Antoine de Montchrestien

Oyez nos tristes voix,
Vous qui logez votre espérance au monde,
Vous dont l'espoir sur ce roseau se fonde,
Oyez-nous cette fois.

O! que l'on voit souvent
La gloire humaine imiter la fleurette,
Au poinct du jour joyeuse et vermeillette,
Au soir cuite du vent.

Qui sur tous s'élevoit
Comme un sapin sur les basses bruyeres,
Dedans le trone où tu les vis nagueres
Là plus il ne se voit.

Ton regard est bien clair
S'il peut de luy remarquer quelque trace,
Le lustre humain comme un songe s'efface,
Passe comme un éclair.

Penses-tu rien trouver
Que le destin n'altere d'heure en heure?
Bien que le ciel ferme en son cours demeure
Sa fin doit arriver.

Le sceptre des grands roys
Est plus sujet aux coups de la fortune
Qu'aux vents mutins les ondes de Neptune,
Aux foudres les hauts boys.

Cessons, pauvres humains,
De concevoir tant d'espérances vaines,
Puisque aussitost les grandeurs plus certaines
Tombent hors de nos mains.

Epic verse:

THE EMBARCATION OF FRANCUS
(*La Franciade*, 1572, Book I)
By PIERRE DE RONSARD

Et cependant les rudes matelots,
Peuple farouche ennemy du repos,
D'un cri naval hors du rivage proche
Démaroient l'ancre à la machoire croche,
Guindoient le mast à cordes bien tendu.
Chaque soldat en son banc s'est rendu
Escheu par sort; de bras et de poitrine
Ils s'efforçoient: le navire chemine!
Les cris, les pleurs dedans le ciel voloient
Dessus l'adieu de ceux qui s'en alloient.

    A tant Francus s'embarque en son navire,
Les avirons a double ranc on tire:
Le vent poupier, qui droitement soufla
Dedans la voile, à plein ventre l'enfla,
Faisant siffler antennes et cordage;
La nef bïen loin s'escarte du rivage!
L'eau sous la poupe aboyant fait un bruit
Qu'un trait d'escume en tournoyant poursuit.

    Qui vit jamais la brigade en la danse
Frapper des pieds la terre à la cadance
D'un ordre egal, d'un pas juste et conté,
Sans point faillir d'un ni d'autre costé,
Quand la jeunesse aux danses bien apprise
De quelque Dieu la feste solennise,
Il a pu voir les avirons egaux
Frapper d'accord la campagne des eaux.

    Ceste navire egalement tirée
S'alloit trainant dessus l'onde azurée,
A dos rompu, ainsi que par les bois
(Sur le printemps au retour des beaux mois),
Va la chenille errante à toute force
Avec cent pieds sur les plis d'une escorce.

    Ainsi qu'on voit la troupe des chevreaux
A petits bonds suyvre les pastoureaux,
Devers le soir au son de la musette;
Ainsi les nefs d'une assez longue traite
Suivoient la nef de Francus, qui devant
Coupoit la mer sous la faveur du vent,
A large voile, à my-cercle entonnée,
Avant de fleurs la poupe couronnée.

    L'eau se blanchit sous les coups d'avirons;

Epic verse:

L'onde tortue ondoye aux environs
De la carene, et autour de la prouë
Maint tourbillon en écumant se rouë;
La terre fuit; seulement à leurs yeux
Paroist le mer et la voute des cieux.

FRANCUS' SACRIFICE TO THE POWERS OF DARKNESS
(*La Franciade*, Book IV)
By PIERRE DE RONSARD

Lors, en tirant de sa gaine yvoirine
Un long couteau, le cache en la poitrine
De la victime, et le cœur luy chercha.
Dessus sa playe à terre elle broncha
En trepignant; le sang rouge il amasse
Dedans le creux d'une profonde tasse,
Puis le renverse: et s'inclinant le chef
Contre la fosse, invoqua de rechef
La royne Hecate et toutes les familles
Du noir Enfer, qui de la Nuict sont filles,
Le froid Abysme et l'ardant Phlegeton,
Styx et Cocyt, Proserpine et Pluton,
L'Horreur, la Peur, les Ombres, le Silence,
Et le Chaos, qui fait sa demeurance
Dessous la terre, en la profonde nuit,
Voisin d'Erebe, où le Soleil ne luit.
    Il achevoit, quand un effroy luy serre
Tout l'estomac; un tremblement de terre,
Se crevassant par les champs, se fendit;
Un long abboy des mastins s'entendit
Par le bocage, et Hyante est venue
Comme un esprit affublé d'une nue.
    Voicy, disoit, la Déesse venir.
Je sens Hecate horrible me tenir
Cœur sang et foye, et sa force puissante
Tout le cerveau me frappe et me tourmente.
Tant plus je veux alenter son ardeur,
Plus d'aiguillons elle me lance au cœur,
Me transportant, si bien que je n'ay veine
Ny nerf sur moy, ny ame qui soit saine,
Car mon esprit, qui le Démon reçoit,
Rien que fureur et horreur ne conçoit . . .
    Plus que devant une rage l'allume;

Elle apparut plus grand que de coustume:
De teste en pied le corps luy frissonnoit,
Et rien d'humain sa langue ne sonnoit.

THE CREATION

(Dieu contemple l'œuvre de la création,
Le Septieme Jour de la Sepmaine, 1578)

By Guillaume du Bartas

Ainsi ce grand Ouvrier, dont la gloire fameuse
J'esbauche du pinceau de ma grossiere Muse,
Ayant ces jours passez, d'un soin non soucieux,
D'un labeur sans labeur, d'un travail gracieux,
Parfait de ce grand Tout l'infiny paysage,
Se repose ce jour, s'admire en son ouvrage . . .
Il void ore comment la mer porte-vaisseaux
Pour hommage reçoit de tous fleuves les eaux.
Il void que d'autre part le Ciel ses ondes hume,
Sans que le tribut l'enfle, ou le feu le consume . . .
Il œillade tantost les champs passementez
Du cours entortillé des fleuves argentez.
Or il prend son plaisir à voir que quatre freres
Soustiennent l'Univers par leurs efforts contraires;
Et comme l'un par temps en l'autre se dissout,
Tant que de leur débat naist la paix de ce Tout;
Il s'égaye tantost a contempler la course
Des cieux glissant autour de la Croix et de l'Ourse,
Et comme sans repos, or' sus, or' sous les eaux,
Par chemins tout divers ils guident leurs flambeaux.
Or il prend ses esbats à voir comme la flamme,
Qui cerne ce grand Tout, rien de ce Tout n'enflamme;
Comme le corps glissant des non solides airs
Peut porter tant d'oiseaux, de glaçons et de mers;
Comme l'eau, qui toujours demande la descente,
Entre la terre et l'air se peut tenir en pente;
Comme l'autre element se maintient ocieux,
Sans dans l'eau s'enfondrer, ou sans joindre aux cieux.
Or' son nez à longs traits odore une grand'plaine,
Ou commence à flairer l'encens, la marjolaine,
La cannelle, l'œillet, le nard, le rosmarin,
Le serpolet, la rose, et le baume, et le thin.
Son oreille or' se plaist de la mignarde noise
Que le peuple volant par les forests desgoise:
Car, bien que chaque oiseau, guidé d'un art sans art,
Dans les bois verdoyans tienne son chant à part,

Epic verse:

Si n'ont-ils toutefois tous ensemble pour verbe
Que du Roy de ce Tout, la loüange superbe.
Et bref, l'oreille, l'œil, le nez du Tout-Puissant,
En son œuvre n'oit rien ne void, rien ne sent,
Qui ne presche son los, où ne luise sa face,
Qui n'espande partout les odeurs de sa grace.
Mais, plus que tous encor, les humaines beautez
Tiennent du Tout-Puissant tous les sens arrestez:
L'homme est sa volupté, l'homme est son saint image,
Et pour l'amour de l'homme il aime son ouvrage.

CAÏN

(Les Tragiques, 1616, Livre Six, *Vengeances)*

By Théodore Agrippa d'Aubigné

Ainsy Abel offroit en pure conscience
Sacrifices à Dieu; Caïn offroit aussy:
L'un offroit un cœur doux, l'autre un cœur endurcy;
L'un fut au gré de Dieu, l'autre non agreable:
Caïn grinça des dents, paslit espouvantable.
Il massacra son frere, et de cest agneau doux
Il fit un sacrifice à son amer courroux . . .
Mais quand le coup fut faict, sa premiere pasleur
Au prix de la seconde estoit vive couleur:
Ses cheveux vers le Ciel herissés en furie,
Le grincement de dents en sa bouche flestrie,
L'œil sourcillant de peur descouvroit son ennuy.
Il avoit peur de tout, tout avoit peur de luy:
Car le Ciel s'affubloit du manteau d'une nuë,
Si tost que le transy au Ciel tournoit la veuë;
S'il fuyoit aux déserts, les rochers et les bois
Effrayez abboyoient au son de ses abbois.
Sa mort ne put avoir de mort pour récompense:
L'Enfer n'eut point de mort à punir ceste offence:
Mais autant que de jours il sentit de trespas:
Vif, il ne vescut point; mort, il ne mourut pas.
Il fuit d'effroy transy, troublé, tremblant et blesme,
Il fuit de tout le monde, il s'enfuit de soy mesme.
Les lieux plus asseurez luy estoient des hazards,
Les fueilles, les rameaux et les fleurs, des poignards;
Les plumes de son lict, des esguilles picquantes;
Ses habits plus aysés, des tenailles serrantes;
Son eau, jus de ciguë, et son pain, des poisons:

Ses mains le menaçoient de fines trahisons:
Tout, image de mort, et le pis de sa rage
C'est qu'il cherche la mort et n'en voit que l'image.
De quelqu'autre Caïn il craignoit la fureur:
Il fut sans compagnon et non pas sans frayeur,
Il possédoit le monde, et non une asseurance;
Il estoit seul partout, hors mis sa conscience;
Et fut marqué au front, affin, qu'en s'enfuyant
Aucun n'osast tüer ses maux en le tüant.

THE LAST JUDGMENT

(*Les Tragiques*, Livre Sept, *Jugement*)

By THÉODORE AGRIPPA D'AUBIGNÉ

Mais quoy! c'est trop chanté, il faut tourner les yeux
Esblouys de rayons, dans le chemin des cieux.
C'est fait; Dieu vient reigner; de toute prophetie
Se void la periode à ce poinct accompplie.
La terre ouvre son sein; du ventre des tombeaux
Naissent des enterrez les visages nouveaux:
Du pré, du bois, du champ, presque de toutes places,
Sortent les corps nouveaux et les nouvelles faces.
Icy les fondemens des chasteaux rehaussez
Par les ressuscitans promptement sont percez;
Icy un arbre sent des bras de sa racine
Grouiller un chef vivant, sortir une poitrine;
Là l'eau trouble bouillonne, et puis s'esparpillant,
Sent en soy des cheveux et un chef s'esveillant.
Comme un nageur venant du profond de son plonge,
Tous sortent de la mort comme l'on sort d'un songe . . .
Un grand ange s'escrie a toutes nations:
" Venez respondre icy de toutes actions!
L'Eternel veut juger." Toutes ames venuës
Font leurs sieges en rond en la voute des nuës,
Et là les cherubins ont au milieu planté
Un throsne rayonnant de saincte majesté:
Il n'en sort que merveille et qu'ardente lumiere.
Le soleil n'est pas faict d'une estoffe si claire;
L'amas de tous vivans en attend justement
La desolation ou le contentement.
Les bons du Sainct-Esprit sentent le tesmoignage.
L'aise leur saute au cœur et s'espand au visage;
Car, s'ilz doivent beaucoup, Dieu leur en a faict don:
Ils sont vestus de blanc et lavez de pardon.
O tribus de Juda, vous estes à la dextre:

Epic verse:

Edom, Moab, Agar, tremblent à la senestre.
Les tyrans, abbattus, pasles et criminels,
Changent leurs vains honneurs aux tourments éternels,
Ils n'ont plus dans le front la furieuse audace;
Ils souffrent en tremblant l'impérieuse face,
Face qu'ils ont frappée, et remarquant assez
Le chef, les membres saincts qu'ils avoient transpercez.
Ils le virent lié, le voicy les mains hautes;
Ces severes sourcils viennent conter leurs fautes.
L'innocence a changé sa craincte en majestés,
Son roseau en acier tranchant des deux costés,
Sa croix au tribunal de presence divine.
Le ciel l'a couronné, mais ce n'est plus d'espine:
Ores viennent trembler à cet acte dernier
Les condamneurs aux pieds du juste prisonnier.
Voicy le grand heraut d'une estrange nouvelle,
Le messager de mort, mais la mort eternelle.
Qui se cache? qui fuit devant les yeux de Dieu?
Vous, Caïns fugitifs, où trouverez-vous lieu?
Quand vous auriez les vents collez soubs voz aisselles,
Ou quand l'aube du jour vous presteroit ses aisles,
Les monts vous ouvriroit le plus profond rocher,
Quand la nuict tascheroit en sa nuict vous cacher,
Vous enceindre la mer, vous enlever la nuë,
Vous ne fuiriez de Dieu ni le doigt ni la veuë.

NOTES ON POEMS IN THE ANTHOLOGIES

(The headings of these notes are the titles of the poems to which the notes belong. The numbers of the pages on which the poems occur are given after the titles.)

LAMENT FOR BERTRAN DU GUESCLIN (pp. 76–77)

[1] One of the most poetic ballades by Eustache Deschamps. It might be compared as to form and content with the funeral laments (planh) by the Provençal poets, Gaucelm Faidit and Bertran de Born. In the Provençal poems it is Richard Cœur de Lion, or his elder brother, Henry "the young king," who is commemorated. In Deschamps' poem it is Bertran du Guesclin, the great general of King Charles V of France. This ballade is layée, since the sixth line of the strophe is seven-syllable, whereas the other nine are ten-syllable. As in Machaut's ballades, there is no envoi. Deschamps deeply admired Du Guesclin, ablest servant of the wise king whom Christine de Pisan, Deschamps' self-acknowledged "disciple," thus praised in *Les Gestes du sage roy Charles V*: "De corsage estoit hault et bien formé, droit et lé par les espaules, et haingre par les flans; gros bras et beauls membres avoit si correspondens au cors qu'il convenoit, le visage de beau tour, un peu longuet, grant front et large; avoit sourcilz enarchiez, les yeuls de belle forme, bien assis, chasteins en couleur, et arrestez en regart, hault nez assez, et bouche non trop petite, et tenues levres; assez barbu estoit, et ot un peu les os des jœs hauls, le poil ne blont ne noir, la charneure clere brune; mais la chiere ot assez pale, et croy que ce, et ce qu'il estoit moult maigre, luy estoit venu par accident de maladie et non de condicion propre. Sa phinozomie et fasson estoit sage, attrempée et rassize, à toute heure, en tous estas et en tous mouvemens; chault, furieux en nul cas n'estoit trouvé, ains modéré en tous ses faiz, contenance, et maintiens, touz telz qu'appartenoient à remply de sagece, hault prince; et avec tout ce, certes, à sa belle parleure tant ordenée, arrengée sans aucune superfluité de parolle, ne croy que rethoricien quelconques en langue françoise sceust riens amender." Deschamps mourned sincerely both the general and the wise monarch who stayed the destruction of the Hundred Years' War. The disastrous period under Charles VI filled the poet with a pity and a dismay, which he frequently records. Yet, though disillusioned, he does not lose faith in France's destiny. Compare his ballade, *Royal Children*, in the next group, and also the long patriotic poems of Christine de Pisan.

TO ONE IN PARADISE (p. 205)

[2] Clément Marot is deservedly famous for the wit and grace of his épigrammes, in the sizain, huitain, dizain, and other short forms, so popular in France especially before the dominance of the sonnet, but also after. Of Clément Marot's épigrammes A. P. Lemercier says, in *Chefs-d'œuvre poétiques de Marot, Ronsard, J. du Bellay, D'Aubigné et Régnier* (Paris, Hachette,

435

n.d.) p. xviii: " Il y en a deux cent quatre-vingt-dix-neuf. Plusieurs ne
sont pas de Marot, qui les a insérées dans son recueil, soit pour faire honneur aux amis qui en étaient les auteurs, soit parce qu'il y répondait, ou
qu'elles étaient des réponses à des vers de lui. La plupart sont écrites en vers
de dix ou de huit syllabes; il y en a en alexandrins, et en vers plus courts.
Elles sont, à l'ordinaire, de deux, quatre, huit, dix, douze vers; rarement, de
six; assez souvent, beaucoup plus longues (par exemple, 77, 78, 79, et autres):
dans ce dernier cas, elles seraient peut-être mieux nommées *blasons*. Les
épigrammes sont, avec les épîtres, le meilleur de l'œuvre de Marot: esprit,
verve, souriante bonhomie, âpreté tranchante, toutes les qualités requises pour
le genre s'y trouvent à un degré éminent. Mais le poète y est trop souvent
graveleux et même obscène. C'est le défaut de son siècle: mais le propre des
esprits vraiment grands n'est-il pas de s'élever au-dessus de leur siècle? "

To this may be added a useful comment for the understanding of the
épigramme addressed to Anne. It is to be found in a work of value for the
study of the poetry of Marot, Du Bellay, Ronsard, D'Aubigné, Régnier, by
Joseph Vianey, *Chefs-d'œuvre poétiques du XVIᵉ siècle* (Paris, Hatier, 1932),
pp. 29, 31–32: " Au moment où Marot sortit de prison . . . commença son
roman d'amour. Il s'éprit d'une jeune fille délicieuse, avec laquelle il eut
un commerce (il le qualifie d'alliance) intellectuel et sentimental, demeuré
des deux côtés parfaitement pur. Qui était la 'grande amie' rencontrée en
mai 1526, plusieurs fois chantée depuis lors dans des élégies et des épigrammes?
Elle s'appelait Anne, elle était brune, elle était de la race des dieux, elle était
d'Alençon. De ces indications fournies par le poète lui-même et très longtemps non remarquées, M. Abel Lefranc a tiré enfin la vérité: la grande amie
fut Anne d'Alençon, nièce du duc et de la duchesse, protecteurs de Marot.
On la désignait sous le nom de Mlle de Saint Pol. Elle devint plus tard
Mme de Bernay . . . Quelques-unes des épigrammes faites en l'honneur d'Anne
comptent parmi les plus agréables bluettes qu'ait produites l'esprit précieux,
si naturel aux Français. Bien avant l'Hôtel de Rambouillet, avant la Pléiade,
Marot a badiné avec grâce sur la neige qui brûle et sur les cœurs qui s'échan-
gent. Il a même su mêler à ses galanteries une pointe de véritable émotion, et
jamais il n'a commis la faute d'oublier que les meilleurs de ces ouvrages-là sont
les plus courts."

TO CLÉMENT MAROT (p. 210)

[3] Of Mellin de Saint-Gelays, prominent among the contemporaries of
Clément Marot, Jean Plattard remarks, in *La Renaissance des Lettres en
France de Louis XII à Henri IV* (Paris, Colin, 1931), pp. 100–101: " A la
cour de François Ier, entre tous les représentants de l'italianisme brillait
Mellin de Saint-Gelays. . . . Elevé dans le palais épiscopal d'Angoulême,
puis à l'Université de Poitiers, il avait fait, jeune encore, un long séjour en
Italie. Il s'y était formé aux mathématiques, à la philosophie, aux arts, et
s'y était exercé à la poésie légère. Celle-ci devait être dans sa carrière mondaine une élégance et un instrument de séduction. Ordonné prêtre, nommé
aumônier du roi, puis garde de sa bibliothèque, son existence s'écoula tout
entière à la cour, où il faisait figure de prélat mondain et de poète courtisan.
Il organisait des mascarades, réglait des ballets, rimait des vers légers pour les
livres d'heures des dames de la cour, improvisait des épigrammes ou des
" étrennes " pour amuser les favorites du roi. Ses préférences allaient naturellement aux poèmes courts: aux épigrammes de huit vers, dont il avait pris le

modèle ches les pétrarquistes [strambottistes] italiens à la mode au début du siècle, et aux sonnets, qu'il fut un des premiers à acclimater en France. Au reste, ne se piquant point d'être auteur, il laissait circuler des copies manuscrites de ses vers, mais ne se décida que très tard à les livrer imprimés au public."

TO DELIA (p. 221)

[4] Maurice Scève's *Délie, object de plus haulte vertu* (1544) contains 449 related dizains of Platonic and Petrarchistic inspiration. They are printed in groups of nine, separated by emblems and figures. Tebaldeo and Serafino dall'Aquila are among the influential Italian sources of this sequence, dedicated to Délie (anagram for L'Idée), who, in actuality, was the poetess of Lyons, Pernette du Guillet. Scève was undoubtedly the true leader of what many critics have called the "École de Lyon." To be sure, some of the names associated usually with this group were but loosely united with it. Antoine Héroët, for example, was of Parisian origin, a philosopher favorite of Queen Marguerite de Navarre, and the bishop of Digne. His *Parfaicte Amye* (1542) was, however, published at Lyon by Estienne Dolet. It anticipated the *Délie* (1544) by two years.

No critic has better understood the importance of Scève than Raoul Morçay, in *La Renaissance* (Paris, Gigord, 1933), pp. 299–303: " La *Délie* est une œuvre singulière. Ce n'est pas un poème suivi comme la *Parfaicte Amye* d'Héroët; c'est une suite de 449 dizains qui, n'ayant pas même le lien étroit des sonnets de Pétrarque, ne sont guère que des variations sur le thème unique de son amour pour Délie et sur les souffrances qui en naissent. Bien que cet amour soit une passion honnête et chaste, elle est cependant pour lui une source incessante de douleurs intimes qu'il exprime à l'aide de symboles, à la façon des strambottistes italiens. Car il dérive d'eux autant que de Pétrarque. A Pétrarque il a pris cette apparence d'unité qui consiste à couler sa pensée dans un mètre uniforme; de même que le maître n'a écrit que des sonnets pour Laure, ainsi il emploie uniquement le dizain qu'il porte d'ailleurs à un rare degré de perfection. De Pétrarque aussi il a appris à honorer l'amour chaste; il n'a pas chanté seulement l'Idée dont Délie serait l'anagramme, ainsi que l'imaginait Colletet, à la fin du siècle: il a chanté une femme réelle, mais il n'en a chanté qu'une, et les hommages qu'il lui a adressés sont des hommages que ne ternit aucune image impudique. . . . Mais il est autant l'élève des Pétrarquistes que de Pétrarque. . . . La *Délie* est un réservoir de tous les symboles en usage dans les milieux pétrarquisants. Et comme si ce symbolisme recherché ne lui suffisait pas, Scève l'a encore accentué. . . . Il avait le goût de l'allégorie et du mystère et tout cela contribue à le rendre énigmatique à nos yeux. Obscur même, car il faut bien en convenir, il est d'une lecture difficile. Mais lorsqu'on a eu le courage de fermer son âme à tous les bruits extérieurs et qu'on le lit à tête reposée, le front dans les mains, comme si l'on allait communier à un mystère ou prendre part à un rite d'initiation, alors on est récompensé. On est étonné, d'abord, de voir surgir des vers admirables, étincelants et profonds, qu'envieraient nos symbolistes modernes, tant ils recèlent de flamme secrète et de pensée. . . . On sera charmé aussi par la musicalité de l'ensemble. Tout n'est pas clair, nous l'avons dit, loin de là, mais tout est d'une douceur pénétrante. Qu'on parcoure tel dizain qu'on voudra, même le plus inintelligible, on sera frappé par cette harmonie qui produit l'effet d'une véritable incantation. Il semble que pour lui les syllabes françaises aient une valeur magique dont il joue. . . . Nous savons du reste qu'il aimait beaucoup la musique. . . . Enfin, il y a chez lui . . . une profondeur de pensée et de sentiment où ne parvinrent presque jamais ni du Bellay ni Ronsard. Les rapports que ceux-ci entrevoient entre la nature et leur âme sont de ces rapports superficiels, faciles à saisir, même par des hommes qui n'ont jamais profondément réfléchi. Scève a su à la fois discerner et analyser les mouvements les plus ténus de la sensibilité, leur associer la mystérieuse poésie de la création et atteindre ainsi à ce qu'on oserait presque appeler la poésie pure. . . . Ce savant, ce subtil, ce précieux poète, a révélé à son temps que la poésie n'est pas un amusement, mais une chose haute et grave et d'un difficile labeur. La leçon n'a pas été perdue."

TO A LADY IN HEAVEN (p. 229)

[5] This is Clément Marot's translation of Petrarch's sonnet commencing "Li angeli eletti e le anime beate. . . ." Marot and Mellin de Saint-Gelays introduced the ten-syllable sonnet into France simultaneously. Clément wrote a dozen sonnets and Mellin about twenty. Attention should be called also to the first French sonnet, less attractive than the one given in Anthology B, but written in 1536:

TO RENÉE DE FRANCE, DUCHESS OF FERRARA

By CLÉMENT MAROT

Me souvenant de tes grâces divines
Suis en douleur, princesse, en ton absence,
Et si languis quand suis en ta présence,
Voyant ce lis au milieu des espines

O la douceur des douceurs féminines,
O cœur sans fiel, a race d'excellence
O dur mari rempli de violence
Qui s'endurcit par les choses bénignes!

Si seras-tu de la main soustenue
De l'Eternel, comme chère tenue,
Et les nuysans auront honte et reproche.

Courage donc; en l'air je voy la nue
Qui ça et là s'escarte et diminue
Pour faire place au beau temps qui approche.

Of this poem Raoul Morçay declares, in *La Renaissance* (Paris, Gigord, 1933), p. 113: " Ce n'est peut-être pas un chef-d'œuvre, mais c'est le premier sonnet qui ait été composé dans notre langue et c'est déjà le sonnet tel que tous les Français le pratiqueront, coupé après les deux premiers quatrains par un distique auquel se suspend un dernier quatrain. S'il n'a pas la grâce fragile que lui donneraient les deux tercets italiens, il contient un charme subtil qui l'a fait adopter immédiatement par Ronsard, et il est touchant de songer que ce bijou d'architecture, qui devait si souvent enclore les soupirs des amants, a servi d'abord de cadre aux plaintes et aux vœux du poète exilé."

MOODS (p. 233)

[6] Louise Labé's sequence of twenty-four passionate sonnets, published in 1555, after the earlier *recueils* of the Pléiade poets, but still in some respects "marotique" in style, proclaim her love for the poet Olivier de Magny, an affair which began in her thirtieth year and his twenty-seventh, and which went its course with little interference from the lady's obliging and wealthy husband, Ennemond Perrin. Considered a beauty, a scholar, and a "salonnière" by her contemporaries, she is primarily a poet of passion. No French poet has better expressed such fatal ardors, unless it be Jean Racine. Is there not a similarity to some of his tragic lines in the sonnets which precede and in this so-called twenty-fifth sonnet found by Édouard Turquety and attributed to Louise?

> Las! cettuy jour, pourquoy l'ay je du voir
> Puisque ses yeux alloient ardre mon ame?
> Doncques, Amour, faut-il que par ta flame
> Soit transmué mon heur en desespoir?
>
> Si on savoit d'aventure prevoir
> Ce que vient lors, pleinte, poincture et blasme,
> Si fresche fleur esvanouir son basme,
> Et que tel jour fait esclore tel soir;
>
> Si on savoit la fatale puissance,
> Que vite aurois eschapé sa presence!
> Sans tenter plus, que vite j'aurois fuy!
>
> Las, las! que dy je? O si pouvoit renoitre
> Ce jour tant doux où je le vis paroitre,
> Oiseau leger comme j'irois à luy!

TO THE LADY OLIVE (p. 242)

[7] *L'Olive* appeared in two editions, the first in 1549, and the second, augmented, in 1550. In the first there were fifty sonnets; in the second, one hundred and fifteen. On this earliest of Du Bellay's sonnet sequences Joseph Vianey remarks, in *Chefs-d'œuvre poétiques du XVIe siècle* (Paris, Hatier, 1932), pp. 89–90: "*L'Olive* acclimata le sonnet en France.

> Par moi les Grâces divines
> Ont fait sonner assez bien
> Sur les rives Angevines
> Le sonnet Italien.

Ainsi s'exprimait fièrement Du Bellay lui-même. Fierté légitime. Car si jusque là Marot et Saint-Gelays, puis après eux Scève et Peletier du Mans, avaient fait quelques sonnets, si Vasquin Filleul de Carpentras avait traduit 196 sonnets de Pétrarque, l'*Olive* était bien le premier recueil de sonnets originaux publié par un Français. Du Bellay accepte sans changement la technique du sonnet telle que Peletier la lui a transmise. Il y emploie le vers de dix syllabes. Il ne s'astreint pas à faire alterner les rimes masculines et les rimes féminines, liberté qui suscite dans l'*Olive* souvent de fâcheuses négligences, mais parfois de délicates beautés. Il combine les rimes des tercets tantôt à la manière de Marot, tantôt à la manière des Italiens. Car Marot, assimilant les six derniers vers du sonnet à un sixain, y avait adopté la disposition des rimes la plus familière au sixain français: elle offre deux vers à rimes plates suivis de quatre à rimes embrassées; représentons les rimes de ces tercets par les lettres c d e; nous avons: c c d, e e d. Cette disposition, la seule que Marot ait admise, et qui est en revanche la seule que les Italiens aient écartée, est devenue en France la disposition dite ' régulière.' Saint-Gelays et Peletier l'avaient quelquefois adoptée, soit telle quelle, soit avec des variantes (c c d, e d e: c d c, d e e). Mais ils n'avaient pas renoncé aux dispositions très diverses des Italiens. L'auteur de l'*Olive* se fit à cet égard le disciple docile de Peletier." Du Bellay's sequence of Petrarchistic sonnets obviously owes much to Petrarch and his successors in ideas and sentiments expressed as well as in form.

AWAKE MY SOUL (p. 247)

[8] Concerning Du Bellay as a Christian poet, Raoul Morçay has the following interesting comments in *La Renaissance* (Paris, Gigord, 1933), p. 439: " L'homme fut un des plus sympathiques de ce temps. Né gentilhomme, fier de son nom, mais d'une maison qui avait décliné tandis que la branche cadette montait à tous les honneurs, il espéra un moment, quand il partit pour Rome, se créer une situation et une fortune. Déçu, il sut porter sa pauvreté avec dignité, vivre content de son sort, et à la place de tous les biens qui lui étaient refusés, garder jalousement, au milieu des cours, son indépendance et la liberté de son esprit. Rival de Ronsard, peut-être son égal, il ne lui porta jamais envie, reconnut de bonne grâce sa supériorité, ne cessa jamais de l'aimer tendrement. Il était pour tous un ami exquis, fidèle et bienveillant. A part quelques infimes exceptions, sa muse fut toujours chaste, parce que son cœur l'était, plus d'une fois chrétienne, parce que le paganisme avait peu mordu sur lui et Ronsard n'avait pas tort, quand il représentait son ombre venant, de la tombe, lui murmurer des conseils de désintéressement, de sagesse et de foi. Souffreteux, un peu sourd, mais poli, délicat, spirituel, du Bellay a passé au milieu de ses compagnons comme une apparition distinguée, comme le type du grand seigneur, noble et simple en toutes ses démarches. Le poète vaut l'homme."

THE IDEAL WORLD (p. 249)

[9] Of the sonnet known as *L'Idée* Louis Cons remarks in his thoughtful *Anthologie littéraire de la Renaissance française* (New York, Holt, 1931), p. 255: " Sonnet CXIII de *l'Olive*, un de ceux ajoutés dans l'édition de 1550 aux 50 sonnets du recueil de 1549. Il est très fortement inspiré d'un sonnet de l'italien Bernardino Daniello lequel à son tour s'était souvenu d'un sonnet de Pétrarque. C'est une claire et suave exposition de l'un des aspects de la théorie platonicienne des *Idées* comme êtres suprasensibles et comme modèles absolus des choses. La comparaison de l'âme avec une chose ailée et aérienne est fréquente chez les platoniciens. Du Bellay a ajouté à Daniello (et bien plus encore à Platon) la note madrigal du Paradis d'amour et de plaisir et celle du dernier vers sur " la beauté qu'en ce monde j'adore." Is not the love mentioned in the poem that of mystical experience and not therefore to be coupled with pleasure in its usual meaning? Mohammed's " Paradise " is one of " love and pleasure." A Christian Platonist reference to the Ideal World of Spirit should be otherwise interpreted. Certainly Dean Inge quotes Du

Bellay's poem, at the end of the last chapter of his *The Philosophy of Plotinus* (2 vols., London, Longmans, 1929) II, 241, as a sufficient statement in poetic form of a mysticism at once Christian and Platonic, spiritual and philosophical.

An interpretation more in accord with true Christian Platonism, which has nothing madrigalesque in its essence, is that expressed by Raoul Morçay in *La Renaissance* (Paris, Gigord, 1933), pp. 58–60: " Le Soleil qui illumine et féconde l'univers est le symbole de la Divinité. . . . La nature et tous les êtres d'ici-bas sont . . . éclairés et embellis par la projection d'un rayonnement divin. De là résulte cette conception nouvelle de l'amour qui est peut-être le trait le plus original et le plus séduisant du néo-platonisme de la Renaissance. Si, en effet, Dieu s'irradie dans tous les êtres et leur confère ainsi leur beauté, c'est lui en définitive que nous admirons et que nous devons reconnaître dans l'être aimé. On est quelquefois embarrassé pour distinguer dans une œuvre littéraire la marque de Pétrarque ou celle de Platon. On peut en effet s'y tromper, surtout parce que . . . Pétrarque a écouté les leçons de Platon. . . . Mais ce tour philosophique est exceptionnel chez le chantre de Laure. Quand il chante la dame de ses pensées, ce n'est pas à une image lointaine et irréelle qu'il s'adresse; il a toujours sous les yeux son être réel, il décrit son front, l'éclat de ses yeux, ses cils tranquilles, ses cheveux d'or fin, l'ivoire pur de ses doigts, son pas léger sur le gazon. Seulement, il ne s'arrête pas aux traits physiques; d'un bond, il cherche l'âme et son amour s'achève en une sorte d'adoration qui ne va pas se perdre dans les régions éthérées de la métaphysique, mais qui a pour terme la maîtresse idéalisée, élue entre mille. Il continue ainsi, après le Dante de la *Vita nuova*, le culte délicat de la femme. tel qu'on le pratiquait chez les troubadours de langue d'oc. Tel n'est pas le mouvement d'un cœur platonicien. Pour lui la personne aimée est un reflet de la divinité, une image de la beauté suprême. Poète et amoureux, lui aussi s'attarde au détail des beautés particulières, mais il les dépasse toujours et l'acte d'adoration, par lequel il termine ses chants, monte toujours vers la divinité ou tout au moins vers ce type idéal et réel à la fois sur lequel, d'après Platon, sont modelés tous les êtres d'ici-bas. On en pourra juger en relisant le beau sonnet du poète Daniello dont s'est si heureusement inspiré Du Bellay et le sonnet de Du Bellay lui-même. . . . Encore faut-il noter qu'ici le poète ne s'élève pas jusqu'au terme dernier où conduit l'amour platonicien. Si l'on veut savoir jusqu'où peut monter l'âme fidèle dans cette dialectique amoureuse, il faut lire les dernières pages du *Courtisan* de Castiglione; là, Pierre Bembo décrit d'une manière admirable, avec une chaleur et une subtilité qui font penser à saint François de Sales, les ascensions successives de l'âme aimante qui, partant de l'amour sensible, finit par se perdre dans la contemplation de la Beauté divine. Le néo-platonisme n'est pas à proprement parler une création de l'Humanisme; mais c'est la seule philosophie qui ait vraiment séduit les amis de l'antiquité et il lui restera toujours l'honneur d'avoir sauvé, dans une société que certaines formes d'art conduisaient au matérialisme, les droits sacrés d'une haute spiritualité."

ORIGINALITY (p. 253)

[10] The *Regrets* (1558) of Du Bellay, notable sequence of elegiac and satiric sonnets, was probably composed after the *Antiquitez de Rome*, although they were published within a few weeks of each other, the *Regrets* being the earlier *recueil* to appear. This series of sonnets is perhaps the most personal

of Du Bellay's three collections. In it his bitterness, his disillusionment, his wounded pride, his plaintive melancholy combine to form poems of compelling power, of a moving sincerity, of a warm simplicity that cannot fail to command appreciation. Few Renaissance sonnet sequences are of equal fineness. Part of the sonnets in the *Regrets* were composed at Rome and relate to incidents or to personalities experienced or seen there. Others were written on the homeward voyage or after the return, possibly a third of the whole number. Some Italians, such as Berni, had written satirical sonnets dealing with papal corruption. Yet it is not upon these sources but rather upon his own observation that Du Bellay draws. He manipulates the Alexandrine with delicate dexterity as he rings the gamut from subtle irony to moral indignation. He finds notes that Ovid, similarly exiled, though for wholly different reasons, could never express in his *Tristia* and *Pontica*. Du Bellay owes Ovid something, but not his ethical sensitivity. He surpasses also his Italian predecessors in the satiric sonnet, Burchiello, Doni, Matteo Franco, Luigi Pulci, Berni. Compare Eustache Deschamps' satirical ballades.

CASSANDRA (p. 259)

[11] *Les Amours de Cassandre* (1552) was inspired by Cassandre Salviati, daughter of Bernardo Salviati, a rich Italian banker resident in France, whom Ronsard met at Blois in 1545 and again in 1547, when she had married the Seigneur de Pray. It is said that Cassandre was an ancestress of the poet Alfred de Musset. These *Amours* of Ronsard's form the third Petrarquizing series in French, the two earlier being Joachim du Bellay's *L'Olive* (1549) and Pontus de Tyard's *Les Erreurs amoureuses*, Book I, of the same year. Upon Ronsard's conception of the sonnet Joseph Vianey, in *Chefs-d'œuvre poétiques du XVIᵉ siècle* (Paris, Hatier, 1932), p. 178, offers an important comment: " Il imposa au sonnet français deux lois que ses contemporains acceptèrent aussitôt presque sans réserves (Baïf résista; Belleau et Du Bellay furent très dociles) et que la plupart de ses successeurs ont respectées sans bien en connaître l'origine: excluant, pour la disposition des rimes dans les tercets, les combinaisons très variées des Italiens, il adopta seulement la combinaison imaginée par Marot; de plus, il fit alterner les rimes masculines et féminines. (Les exceptions, chez Ronsard, sont insignifiantes.) Ce genre de sonnet, que Ronsard n'a pas inventé, mais que son autorité a consacrée, est le sonnet qu'on est convenu d'appeler en France " régulier." Pourquoi Ronsard a-t-il voulu n'avoir qu'un seul type de sonnet et que ce fût celui-là? Une des raisons en fut qu'il caressait l'espoir que ses sonnets seraient chantés. En fait quelques-unes le furent. Or, il n'avait pas la prétention qu'on fît une mélodie spéciale pour chacun. Mais la même mélodie ne pouvait être utilisée pour plusieurs que si les rimes y étaient disposées de la même façon. Une autre raison fut que Ronsard cherchait sans cesse à faire du nouveau; or, il venait d'admettre pour l'ode le principe de la diversité indéfinie des strophes; il admit, par contraste, pour le sonnet le principe de l'uniformité du type. Enfin, dernière et forte raison, il revendiqua toujours, pour la versification française l'indépendance à l'égard des modèles italiens. Or, ceux-ci avaient exclu un seul type de sonnet, celui que Marot devait créer. C'en était assez pour que Ronsard déclarât régulier en France le sonnet que l'Italie avait estimé irrégulier. Ainsi, les deux devanciers de Ronsard, Du Bellay et Tyard, avaient employé indifféremment le sonnet marotique et le sonnet italien: lui s'en tint au marotique."

TO APRIL (p. 307)

[12] About this most famed of the chansons by Rémy Belleau, Louis Cons states in the *Anthologie littéraire de la Renaissance française* (New York, Holt, 1931), p. 274: " Ce fameux petit poème d'un rythme si frais et si vif appartient à la *Première Journée* de la *Bergerie* (1565), cette espèce de chante-fable pastorale, mi-prose et mi-vers où Belleau, tout pénétré qu'il soit des Anciens et surtout des poètes anacréontiques, semble se souvenir de Lemaire de Belges, en même temps qu'il annonce l'*Astrée*. Les vers . . . se trouvent ' tout fraîchement gravés avec la pointe d'un poinçon sur les appuis d'une terrasse, riche de cent chiffres, devises et entrelacs ' qui est le dépôt ordinaire des ' rêveries et colères passionnées de l'Amour.' Le rythme de cette pièce n'a pas été inventé par Belleau (on le trouve dans un des *Psaumes* de Marot) mais il a été vraiment renouvelé par lui. Rythme et mètre nous semblent avoir inspiré une pièce du poète anglais Herrick dans les *Hesperides* (1648). C'est le poème intitulé *To Violets*. . . . La *Bergerie* qui contient *Avril* est un recueil de poèmes très divers: odes, sonnets, stances, hymnes, etc. Le cadre se ressent de la Pastorale de Sannazar. C'est une espèce de chante fable où au cours d'un dialogue en prose entre des grands seigneurs déguisés en bergers sont introduits les poèmes en question. Belleau a le sens du rythme et de la couleur. C'est un miniaturiste délicat."

THE BABBLING BIRD (p. 312)

[13] This is an example of the attempt by Jean-Antoine de Baïf to apply to French classical meters based on quantity. The meter employed is the trochaic dimeter, catalectic, composed of three trochees and a half, with the substitution of a dactyl in the third foot ($-\cup|-\cup|-\cup\cup|-$). This song, like others by Baïf, was set to music by the musician Claude le Jeune and was published in 1603 in a collection of songs entitled *Le Printemps*. These verses have cadence, if not rime, due to their exact syllable count (eight-syllable lines without fixed verse pause) and the use of the refrain, which cleverly binds the little song into a rhythmic whole. Note also the uniform beginning of the first three stanzas.

Of Baïf Maurice Allem says, in the Introduction to the *Anthologie poétique française, XVIe siècle*, Vol. I (Paris, Garnier, n.d.), pp. xxxix–xli: "Baïf . . . a beaucoup écrit . . . il entreprit aussi de réformer la prosodie française, en appliquant à notre versification le système, fondé sur la combinaison des voyelles longues et des voyelles brèves, qui avait été celui des grecs et des romains. Il n'était pas le premier à tenter cette révolution. . . . Sans rejeter le principe de notre prosodie, il imagina un vers de quinze syllabes [the so-called " vers baïfin," not quantitative verse], avec césure après la septième, et rime finale. Mais il s'attacha principalement aux vers mesurés, conçus tout à fait à la manière des anciens et dépourvus de rime. Tâche ingrate, car il était malaisé de discerner la longueur de chaque syllabe française . . . Baïf ne désespéra pas d'y parvenir. Il établit dans ce dessein une académie formée de musiciens et de poètes, et ' dont l'objet principal, dit Sainte-Beuve, fut de mesurer les sons élémentaires de la langue.' Cette institution fut réalisée en 1567. Baïf lui donna des statuts et la dénomma: *Académie française*, mais elle porta aussi le nom d'*Académie de musique et de poésie*. À sa tête, comme, directeurs, ou, pour leur rendre leur titre véritable, comme ' entrepreneurs,' étaient placés: pour la poésie, Baïf, et pour la musique, son ami Thibaut de Courville, ' maître en l'art de bien chanter.' Elle comprenait, outre les poètes et les compositeurs, des chanteurs et des joueurs d'instruments, qui, devant un public choisi, exécutaient les œuvres des académiciens. Trois années après sa fondation, en novembre 1570, Charles IX octroya à cette institution des Lettres patentes, qui lui donnaient une existence légale; il s'en déclara le premier auditeur et accepta d'en être appelé le *Protecteur*. Protégée ensuite par Henri III, l'Académie eut peu d'activité pendant les troubles qui marquèrent le règne de ce prince, et elle ne survécut pas à son fondateur, qui mourut en 1589. Parmi les ' Académiques ' avaient figuré les meilleurs poètes de cette période. . . . Cependant, la mode des vers métriques ne se répandit guère."

THE EARTH IS THE LORD'S (p. 318)

[14] This ringing metrical translation of Psalm XXIV, " Domini est terra," is virtually an ode. It should be compared with Ronsard's *Odes*. Compare also Marot's Psalm with Malherbe's " N'espérons plus, mon âme," a paraphrase of certain of the verses in Psalm CXLVI, pp. 323–324.

Of Marot's translation of the Psalms (30 in 1541, 20 more in 1543) Joseph Vianey in *Chefs-d'œuvre poétiques du XVIᵉ siècle* (Paris, Hatier, 1932), pp. 73–74, says: " L'idée de traduire les Psaumes vint certainement à Marot en fréquentant chez la reine de Navarre. Les poésies personnelles de la princesse sont pleines de souvenirs bibliques et jusque dans la préface de l'*Heptaméron*, . . . elle proclame, . . . que la lecture des saintes lettres est son seul passe-temps, que sa joie est de chanter ou de réciter les cantiques de David. Marot affirme qu'il a translaté les Psaumes ' selon la vérité hébraïque.' Ce n'est pas un vain mot. Il ne connaissait pas l'hébreu. Mais le professeur d'hébreu du Collège Royal, Vatable, était son ami, et lui traduisit mot à mot le texte hébraïque en prose française. La vérification est même très facile à faire pour nous. Car Vatable publia plus tard en latin une traduction et un commentaire du Psalmiste, souvent reproduits. . . . Respecter le vrai sens des Psaumes conduisait le traducteur à en respecter la poésie. De cette poésie, Marot est loin d'avoir tout compris. Mais il y a goûté au moins deux choses: la vivacité du mouvement, que les libertés de la syntaxe d'alors lui ont permis de reproduire assez bien, et l'audace du réalisme, qu'il était même porté à exagérer. En même temps que conforme à la vérité hébraïque, l'œuvre, dans la pensée de Marot, devait être populaire. Elle le fut. Il écrivit ses Psaumes pour qu'ils fussent chantés. Or, il n'espérait pas qu'on fît tout de suite pour eux des mélodies particulières. Il fut donc amené à choisir les strophes des chansons alors à la mode. Et nous savons qu'en fait ses Psaumes furent d'abord chantés sur des airs connus et que plusieurs furent même chantés sur des airs différents, chaque chanteur choisissant l'air qu'il savait ou qu'il aimait. Apparentés à nos chansons populaires par leurs strophes, presque toutes excellentes, les Psaumes de Marot les rappellent encore par les qualités du développement: la matière est habilement distribuée entre les divers couplets; des conjonctions mettent une liaison claire entre les idées; la phrase marche avec aisance et aboutit parfois à un trait heureux. Assurément, de grands défauts déparent cette traduction. . . . En dépit de tant de faiblesse, on conçoit pourtant sans peine que ces Psaumes aient eu en leur temps un si grand succès: on croyait y trouver avec le vrai sens la saveur de l'original, et c'étaient des cantiques très vivants."

Raoul Morçay, in *La Renaissance* (Paris, Gigord, 1933), p. 118, shows admirably the value and the importance of Clément Marot's psalms: "Il est artiste plus que poète et c'est sans doute pour cela — plus que pour ses sentiments religieux — qu'il s'est adonné vers la fin de sa vie à la traduction des Psaumes. Ronsard plus tard s'est vanté d'avoir inventé l'ode; les premières odes françaises sont les psaumes de Marot. Sebillet les appelle des cantiques, tout en remarquant que l'ode n'est pas autre chose qu'un cantique. Un cantique est chose grave si l'on songe aux effusions d'âme qu'il renferme; mais c'est chose légère si l'on ne prend garde qu'à la rythmique, puisqu'il est composé de strophes courtes, pas plus longue qu'une épigramme; de plus la liberté dont jouit le poète qui peut à son gré agencer les strophes, lui permet de réaliser les dessins les plus variés. Peut-on croire que Marot n'ait pas été séduit par cette souveraine liberté et qu'il n'ait pas vu l'occasion inespéré de déployer son talent de versificateur? Il avait déjà composé 42 chansons profanes pour lesquelles il avait utilisé, sinon créé 37 combinaisons strophiques; avec les 39 nouvelles qu'il a introduites dans la traduction des psaumes, il arrive au chiffre imposant de 76 arrangements différents. Aussi Faguet a-t-il raison de dire: 'Il a donné des leçons et des exemples aux poètes de son temps presque autant en choses de rythmes qu'en choses de style.' Mais ces innovations, remarquons-le bien, pour fines et multiples qu'elles aient été, sont dans la droite ligne des préoccupations des anciens poètes. Marot s'est contenté d'élaguer le vieil arbre, de le débarrasser des branches inutiles et de lui faire porter une frondaison rajeunie."

TO MADAME MARGUERITE, DUCHESS OF SAVOY, SISTER OF KING HENRY II (p. 325)

15 This is an example of the heroic Pindaric ode by Ronsard. It is briefer than most, but shows the formal division into strophe, antistrophe, and epode. Upon Ronsard's Pindaric odes Joseph Vianey, in *Chefs-d'œuvre poétiques du XVIe siècle* (Paris, Hatier, 1932), pp. 165–166, 180–181, also offers a useful commentary: "Le premier livre des Odes contient les odes pindariques. Le poète y célèbre les grands personnages de son temps. Bon écolier de Pindare, il y combine les fables mythologiques, les sentences, les images hardies, les épithètes rares, les figures de pensée, tout cela dans ce beau désordre que Boileau recommandera plus tard. Et, toujours à la manière de Pindare, il divise le poème en plusieurs groupes de strophes, dont chacun comprend une strophe, puis une antistrophe de même contexture que la strophe, puis une épode de contexture différentes — les romantiques l'ont fait avec art. — Mais l'épode chez Ronsard est mal distinguée de la strophe, et la strophe, habituellement trop longue, n'a rien d'organique. Les odes pindariques sont la partie de son œuvre dont Ronsard fut d'abord le plus fier. Mais c'est celle qui plus tard contribua le plus à son discrédit. . . . Le cinquième livre des *Odes*, qui suit les *Amours* dans le recueil de 1552, contient une pièce fameuse: l'ode au chancelier Michel de l'Hospital. C'est une ode pindarique de plus de 800 vers. Dans un long récit mythologique, Ronsard y développe l'idée que les poètes sont les conducteurs de l'humanité, mais à la condition qu'ils aient plus de génie que de métier et un haut sentiment de leur mission. . . . A sa date . . . cette très longue pièce . . . suscita de l'admiration, à tout le moins de la surprise. Elle donnait l'impression de ce que pouvait être le grand lyrisme et des relations qu'il pouvait avoir avec l'épopée. Mais elle fut la

dernière création de la muse pindarique de Ronsard. . . . Il commençait à concevoir quelques doutes sur la valeur du genre."

Raoul Morçay, in *La Renaissance* (Paris, Gigord, 1933), pp. 340–341, voices a more appreciative verdict upon Ronsard's most elaborate Pindaric ode, the *Ode à Michel de l'Hospital*, than do most critics. This ode was written to thank the Chancellor for his mediation in the quarrel between Ronsard and Saint-Gelays. "C'est en effet pour remercier le Chancelier de Marguerite qu'il lui dédia cette longue ode pindarique de 800 vers, qui est une des mieux venues de cette période. Là, en termes saisissants, il exprime sa pensée sur la poésie et à ce titre on peut la considérer comme un troisième manifeste de la Pléiade. Nulle part, dans toute son œuvre, Ronsard n'a mieux magnifié le poète messager des dieux, mieux exalté l'inspiration qui seule assure aux vers l'immortalité; jamais mieux que dans ces déclarations, suggérées par Hésiode et Platon, mais animées d'un souffle presque épique, n'avait été creusé le fossé qui sépare le poète moderne de l'amuseur public qu'était le rhétoriqueur." Concerning the doctrine expressed in Ronsard's ode Morçay further says, pp. 363–364: "Plus encore que leurs principes d'art, ce qu'ils [Ronsard, etc.] ont dit sur la sainteté de la poésie, sur le caractère divin de l'inspiration est entré définitivement dans nos conceptions modernes. Boileau lui-même, qui a beaucoup plus accordé à l'art qu'au souffle intérieur, semble avoir emprunté à Ronsard le début de son *Art poétique:*

> C'est en vain qu'au Parnasse un téméraire auteur
> Pense de l'art des vers atteindre la hauteur:
> S'ils ne sent point du ciel l'influence secrète.
> Si son astre en naissant ne l'a formé poète,
> Dans son génie étroit il est toujours captif.
> Pour lui Phébus est sourd et Pégasse est rétif.

Il faut noter toutefois une différence entre les deux. Quand Boileau parle de l'influence secrète du ciel il n'emploie visiblement qu'une métaphore pour désigner le génie, les dispositions naturelles ou, si l'on veut, la vocation. Sa pensée est d'un rationaliste, sinon d'un physiologiste. Nos auteurs du XVIe siècle ont pris au sens propre ' l'influence du ciel.' Est-ce pour avoir été impressionnés par les oracles et les sybilles de l'antiquité? Est-ce pour avoir lu les grands prophètes d'Israël, inspirés dans toute la force du mot? Toujours est-il qu'ils paraissent avoir cru réellement à un don immédiat, à une influence mystérieuse et réservée du ciel sur le poète. Du législateur classique et des jeunes enthousiastes de la Pléiade, il est permis de se demander qui a eu raison. Évidemment l'action du ciel n'a que faire avec les visions érotiques de Ronsard non plus qu'avec les rêveries pétrarquistes de du Bellay. Il n'est pas requis qu'un dieu intervienne pour souffler une ode à Cassandre, à Olive, à Marie ou à Francine. Mais s'il est vrai que la vertu propre de la grande poésie, celle d'Eschyle, de Dante, de Shakespeare, de Lamartine ou de Hugo est de nous faire communier par instants à la vie infinie et aux fins de l'univers; s'il est vrai que le vrai poète ne se contente pas de remuer en nous les émotions humaines, mais qu'il éveille en nos âmes des vibrations mystérieuses, dont les ondes dépassent les bornes de notre monde fermé; s'il est vrai que certaines pages recèlent une force magique qui nous transporte dans un monde idéal où nous oublions la réalité; s'il est vrai, en un mot, que toute grande poésie est voisine de la prière et que l'état poétique est quelque chose d'analogue à l'état mystique, on n'hésitera pas à dire que Ronsard, même s'il n'a pas pénétré à fond sa propre pensée, a vu plus clair que l'homme de la raison et qu'il a mieux défini la haute poésie de tous les temps."

THE PERFECT MISTRESS (p. 330)

[16] This is the earliest of Pierre de Ronsard's published odes. It was printed in the *Œuvres poétiques* (1547) of Jacques Peletier. Concerning the *Odes* of Ronsard, A. P. Lemercier, in *Chefs-d'œuvre poétiques de Marot, Ronsard, Du Bellay, D'Aubigné et Régnier* (Paris, Hachette, n.d.), p. xxxvi, has certain comments of interest: " Il y en a cinq livres, qui parurent de 1550 à 1553. Il y faut ajouter les *Odes retranchées*, qui ne sont pas moins de soixante-seize. Ces dates, de 1550 à 1553, ne sont exactes qu'en gros. Dans les éditions de Ronsard postérieures à 1553, il y a, insérées parmi les autres, des odes de composition plus récente. Il y en a même d'antérieures à 1550, par exemple, au début du quatrième livre, l'*Épithalame d'Antoine de Bourbon*, déjà imprimé en 1549. Le premier livre renferme les quinze odes *pindariques* de Ronsard. Ronsard a d'autres odes, qu'il divise en *pauses* (voir livre IV, ode 10, *le Ravissement de Céphale*) : on ne voit pas bien pourquoi ; si le sens du mot pause est assez clair en musique, il ne l'est pas du tout en rythmique. Il a des odes *saphiques* (voir livre V, 30, 31) ; des odes en vers *mesurés*, en vers *non mesurés*. Il y emploie l'alexandrin, les vers de onze, de dix, de neuf, de huit, de sept, de six, de quatre, de trois syllabes. Il les combine avec une adresse parfaite, avec une admirable entente de l'Harmonie, en une prodigieuse variété de strophes: il y a encore, pour les jeunes poètes, à puiser dans le trésor de Ronsard. Nul n'a coupé le vers mieux que lui. On pourrait le chicaner sur l'agencement des rimes. Il n'a jamais regardé comme absolue la règle de l'alternance des féminines et des masculines. Du Bellay non plus. ' Je n'ai, lecteur, entremêlé fort superstitieusement les vers masculins avec les féminins, comme on voit en ces vaudevilles et chansons.' (*Vers Lyriques. Au Lecteur.*) Ils avaient raison. L'instinct de Ronsard lui avait, dès le premier jour, fait deviner que notre versification serait victime de l'uniformité. (Voir de Ronsard, *Odes*, IV, 11, une pièce qui n'est pas même rimée, et *Odes*, IV, 17, une pièce en vers de neuf à dix syllabes: *Chère Vesper, lumière dorée.*)"

Of Ronsard's Horatian odes Joseph Vianey says, in *Chefs-d'œuvre poétiques du XVIe siècle* (Paris, Hatier, 1932), pp. 165–166: "Dans la préface (des *Odes* de 1550), Ronsard, à la suite de l'auteur de la *Deffence et Illustration*, déclare la guerre au passé. Il revendique à tort la gloire d'avoir le premier employé le mot *ode*, (car Lemaire de Belges s'en était déjà servi). Mais il réclame en toute justice le mérite d'avoir le premier fait des odes à la manière d'Horace (car il en faisait depuis 1543) et celui d'en avoir fait à la manière de Pindare). . . . Être un Horace français, c'est à dire être un Marot profane, composer comme Marot des odes que la Cour chanterait, mais puisque l'auteur des *Psaumes* avait épuisé la veine religieuse, d'ailleurs monotone, célébrer dans des odes, à la Manière d'Horace, l'Auguste et les Mécènes de la France; redire, toujours à la suite du poète latin, la joie de vivre, d'aimer et de boire: voilà quelle fut . . . l'ambition de Ronsard. . . . Le premier livre des *Odes* contient les odes pindariques. . . . Dans les trois autres livres, Ronsard chante, à la manière d'Horace, la brièveté de la vie, l'amour, le plaisir, la nature. . . . Déjà dans ces *Odes* de 1550 il manifeste . . . un sentiment profond de la fuite universelle des choses, une admiration délicate des beautés de la nature, et surtout une entente singulière de la musique des vers. Ses strophes sont rarement de son invention. Il les a empruntées à Marot, plus grand créateur que lui. Mais mieux que Marot il les approprie au caractère du sujet. . . . Dans l'ensemble, le recueil de 1550 donne l'impression d'une belle variété, et déjà y apparaît une très juste conception du lyrisme, qui ira se précisant à mesure que le recueil s'enrichira de pièces nouvelles: c'est que le lyrisme comprend l'expression de tous les sentiments et que la forme doit varier avec la passion. Ronsard finira par admettre que le domaine lyrique confine en haut à l'épopée par l'ampleur de la pièce et la magnificence des images, en bas à l'épître familière, au simple billet: il aura une ode de plus de 800 vers, et il en aura de huit; il consentira à introduire dans le recueil des *Odes* les pièces non divisées en strophes, qu'à la date de 1550, il en exclut pour les reléguer dans le *Bocage*."

For the comprehension of Ronsard's odes it is necessary to have in mind the conception of lyricism which was his and which is not altogether ours. Raoul Morçay emphasizes the importance of this point in *La Renaissance* (Paris, Gigord, 1933), p. 392: "Nous avons de nos jours beaucoup trop restreint le domaine du lyrisme. Nous ne voulons le reconnaître que dans la poésie strictement personelle. Mais on eût bien surpris les anciens si on leur eût affirmé qu'Alcée, Sapho et Anacréon étaient les seuls lyriques de l'Hellade. Ils ne définissaient pas les genres par la nature des sujets, mais par la forme même des poèmes. S'agissait-il d'un long récit en vers? Ils le nommaient hymne ou épopée; d'un dialogue entre personnages figurés? Ils l'appelaient drame; dès lors qu'un poème était composé de strophes revenant régulièrement comme les couplets d'une chanson, distribués de manière à pouvoir être chantées sur le même air, il était essentiellement lyrique, quelle que fût la nature des sentiments exprimés, impressions intimes ou émotions collectives et impersonelles. C'est ainsi que Ronsard entend le lyrisme. Il n'y fait pas entrer le sonnet dans lequel tant de modernes, à commencer par Ronsard lui-même, ont versé et enclos leurs joies et leurs pleurs. Seul est le lyrique, pour lui comme pour les anciens, le poème organisé d'après un système strophique."

AND THIS SAME FLOWER THAT SMILES TODAY TOMORROW WILL BE DYING (p. 331)

[17] This famous odelette by Pierre de Ronsard (1524–85) has been fully studied in Paul Laumonier's *Ronsard poète lyrique* (Paris, Hachette, 1909), pp. 582–591. It was first published in 1553, at the end of the second edition of the *Amours*. According to Joseph Vianey, *Le Pétrarchisme en France au XVIe siècle* (Montpellier, Coulet, 1909), p. 41, it was probably inspired by Poliziano's poem " Deh, non insuperbir per tua belleza. . . ."

Of *Mignonne, allons voir si la rose*, probably Ronsard's best known ode, Joseph Vianey says, in *Chefs-d'œuvre poétiques du XVIe siècle* (Paris, Hatier, 1932), pp. 189–191: " Ces dix-huit vers sont aujourd'hui encore les plus estimés de ceux que Ronsard a écrits. À eux seuls, ils ont peut-être plus fait pour sa gloire que tout le reste de son œuvre. Or le succès en fut immédiat, retentissant, et il devait se prolonger jusqu'à la fin du siècle. L'ode fut mise en musique, et partout on la chantait. Le duc de Guise la fredonnait au château de Blois quand il pénétra dans la chambre où l'attendaient ses assassins. Ce succès immense, qui révélait à Ronsard où était son génie, fut peut-être, de toutes les causes qui l'orientèrent après 1554 dans une voie nouvelle, la plus efficace. . . . Quand Ronsard écrivit la chanson fameuse *Mignonne, allons voir si la rose*, il avait commencé à découvrir ceux qu'on peut appeler, en forçant la note, les marotiques de l'antiquité. Déjà, en 1553, dans un recueil de *Folastries* (si digne de ce nom qu'il n'osa pas le signer), il avait publié dix-sept épigrammes traduites de pièces faisant partie de l'*Anthologie grecque*. Celles-ci avaient déjà été traduites en latin par Muret, en 1552, dans ses *Epigrammata*. Ce fut donc le latiniste Muret qui révéla à Ronsard les grâces de l'*Anthologie*, comme l'helléniste Dorat lui avait révélé les sublimes beautés de Pindare. À la même date, il connut par la publication qu'en fit Turnèbe (1553), des fragments des gnomiques. Ainsi, il apprenait que les Grecs, bien avant Marot, avaient aimé la chanson gracieuse, l'épigramme, l'épître familière. Il en fut convaincu davantage encore quand Henri Estienne eut fait paraître, en mars 1554, le texte du pseudo-Anacréon, accompagné d'une traduction latine. Le succès de cette publication fut immense. Ronsard la salua dans une ode, et il montra bientôt dans ses œuvres qu'après l'*Anthologie* et les gnomiques, Anacréon lui avait fait sentir le prix du simple et de l'exquis. Vers le même temps, il s'aperçut qu'en Italie les néo-latins s'étaient souvent abreuvés aux sources anthologiques. Il s'engoua notamment de Marulle, moderne Catulle, moins sensuel que l'ancien, plus mignard, un des maîtres de la chanson d'amour."

TO SAINT GERVAISE AND SAINT PROTAISE (p. 386)

18 The hymne (or hynne, as Pierre de Ronsard sometimes spells it) is placed apart from the chanson, psaume, ode, odelette, etc., classification because the word has several meanings. It may mean, in Renaissance times, a Christian lyric. It may also mean a didactic poem, of religious, philosophic, or scientific content, not a lyric at all, in couplets. It may also mean a quasi-narrative poem, in couplets. The first two types, the more important, are represented in the following selections. Pierre de Ronsard says of the genre in his *Pièce-préface* to *Les Hynnes*:

> Les hynnes sont des Grecs invention premiere.
> Callimaque beaucoup leur donna de lumiere,
> De splendeur, d'ornement. Bons Dieux! quelle douceur,
> Quel intime plaisir sent-on autour du cœur
> Quand on list sa Delos, ou quand sa lyre sonne
> Apollon et sa Sœur, les jumeaux de Latonne,
> Ou les Bains de Pallas, Ceres, ou Jupiter!
> Ah, les Chrestiens devroient les Gentils imiter
> A couvrir de beaux Liz et de Roses leurs testes,
> Et chommer tous les ans à certains jours de festes
> La memoire et les faicts de nos Saincts immortels,
> Et chanter tout le jour autour de leurs autels:
> Vendre au peuple devot pains d'espice et foaces,
> Defoncer les tonneaux, fester les Dedicaces,
> Les haut-bois enrouez sonner branles nouveaux,
> Les villageois my-beus danser soubs les ormeaux:
> Tout ainsi que David sautoit autour de l'Arche,
> Sauter devant l'Image, et d'un pied qui démarche

Sous le son du Cornet, se tenant par les mains
Sollenniser la feste en l'honneur de nos Saincts.
L'âge d'or reviendroit: les vers et les Poëtes
Chantans de leurs Patrons les louanges parfaites,
Chacun à qui mieux-mieux le sien voudroit vanter:
Lors le Ciel s'ouvriroit pour nous ouyr chanter.
Eux voyans leur memoire icy renouvellée,
Garderoient nos troupeux de tac et clavellée,
Nous de peste et famine: et conservant nos murs,
Nos peuples et nos Rois, l'envoyroient chez les Turcs,
Ou loin sur le Tartare, ou aux pays estranges
Que ne cognoissent Dieu, ses Saincts, ny leurs louanges.

A VISION (p. 386)

[19] This strange " hymne "-like poem, evoking the spirit of Ronsard's father, is here included with the hymnes because in spirit, content, and form it is close to the poet's philosophic hymnes in riming couplets. In content it resembles also Ronsard's religious hymnes in strophes. Pierre de Ronsard, the prince of humanist poets, in a troublous hour can express Christian hope and spiritual trust, in poetic prayer as well as in philosophical hymnes, vigorous discours, and religious sonnets. The little-noticed *Prière a Dieu faicte par Monsieur de Ronsard estant malade* deserves quotation as further evidence of such sentiments in his poetry:

Dieu, vray Dieu, et seigneur de nous pauvres humains,
Dieu qui nous baillas estre, et nous fis de tes mains,
Dieu, Dieu qui es seul Dieu, Dieu de qui la facture
C'est la Terre et le Ciel, c'est toute creature,
C'est tout, tout ce qui est, et tout ce qui sera,
Lors qu'il faudra qu'il soit, lors ta main le fera:
Dieu, qui de tous nos faits comme il te plaist disposes,
Dieu, qui d'un seul clin d'œil peux faire toutes choses,
Dieu, sans qui, ni le Ciel, ni l'homme terrien,
N'ici bas, ne là haut, n'ont puissance de rien,
Dieu, que seul Dieu je tien, Dieu en qui seul j'espere,
Dieu que je recognoi pour mon Seigneur et pere,
Dieu, mon Roy, Dieu mon tout, Dieu en qui j'ay ma foy,
Dieu en qui je m'atten, Dieu en qui seul je croy,
Las mon Dieu, si tu vois qu'en toy je me confie,
Guery moy, ô Seigneur, de ceste maladie:
S'il est ainsi, mon Dieu, que je n'ay attenté
Autre moyen que toy pour r'avoir ma santé,
Si je n'ay point forgé dedans ma fantasie
Mille Dieux abuseurs que peint la Poësie,
Si d'autre que de toy je n'ai cherché secours,
Si seulement à toy j'ay tousjours eu recours,
Gueri moy, ô Seigneur, et de ton Ciel m'envoye
Le jour tant desiré que sain je me revoye.
Lors, mon Dieu, s'il te plaist me remettre en santé,
Le bien que m'auras fait sera par moy chanté,
Lors ayant dans le cœur emprainte la memoire

Du bien qu'auray receu, j'exalterai ta gloire,
Et par tout où j'iray, je diray que c'est toy
Qui seul m'as delivré de la peine où j'estoy.

Such prayerful notes are not dominant in Ronsard's poetry, but they are present, and not seldom, a fact which is too often overlooked.

THE HEAVENS DECLARE THE GLORY OF GOD (p. 388)

[20] Concerning the Ronsardian hymn no critic has spoken more discerningly than Raoul Morçay, in *La Renaissance* (Paris, Gigord, 1933), pp. 418–421: " De nos jours le mot n'a pas un sens très précis. Chez Lamartine (*Hymne au Jour, Hymne à la Nuit, Encore un Hymne*) il désigne une poésie d'inspiration lyrique qui n'a pas le caractère strophique; dans l'Église on appelle ainsi un chant mesuré en l'honneur de Dieu. . . . Chez les Grecs, l'hymne est un genre déterminé et l'un des plus anciens. On chantait des hymnes avant la période d'Homère et il nous en reste une trentaine qui remontent au VIIIe et au VIIe siècles avant notre ère (*Hymnes homériques*). Ce sont essentiellement des poèmes *narratifs*, de dimensions variables, en l'honneur d'un dieu ou d'un héros. Ces poèmes étaient chantés, sur une musique très simple, analogue aux mélopées qui accompagnèrent plus tard les récits des jongleurs ou aux monodies qui constituent la psalmodie juive et chrétienne. Des hymnes primitifs naquit une espèce de musique, narratif toujours et consacré, comme par le passé, à l'éloge des dieux et des héros; c'est ce poème, épopée en miniature, que cultivèrent, en même temps que les odes anacréontiques, certains poètes de la période alexandrine, entre autres Callimaque et les Latins de la période classique; la *Chevelure de Bérénice*, que Catulle appelle une élégie, n'est que la traduction d'un hymne de Callimaque. On voit donc bien la nature de l'hymne, tel qu'il était légué par la tradition grecque, par comparaison avec l'ode pindarique. Les sujets sont sensiblement les mêmes, mais tandis que l'ode alterne les mouvements lyriques et les narrations épiques, qu'elle s'accompagne à la fois de musique et de danse, qu'elle se développe sur un type fixe, l'hymne est un récit suivi où n'interviennent ni chœurs, ni évolutions, ni instruments. Ce genre est d'une facture plus aisé que les autres poèmes, la liberté de l'artiste n'y étant pas gênée par les exigences de rythmes fixes; surtout il offrait à Ronsard un moyen inédit de revenir à la haute poésie. Puisque, pour lui comme pour les anciens, ce qui distingue entre eux les divers genres est moins le sujet traité que la forme extérieure du poème, il pourra introduire dans ces nouveaux recueils ce qu'on nomme la poésie philosophique. Dès lors que le cadre sera respecté, l'humaniste scrupuleux qui est en lui sera en paix avec sa conscience d'artiste. C'est pourquoi, à côté d'œuvres comme l'*Hymne à Henri II*, où il loue le Roi en s'adressant à lui, il en compose d'autres — le plus grand nombre — qui ne sont guère que des méditations philosophiques dédiées à tel ou tel personnage, à Pierre de Pascal (*Hymne de la Mort*), à Jean de Morel (*l'Eternité*), à Odet de Coligny (*l'Hymne à la Philosophie*). Les hymnes ne sont pas la partie la plus vivante de l'œuvre de Ronsard. L'hyperbole dans la louange déplaît à notre esprit démocratique et à notre goût; les scènes mythologiques développées largement, soit pour comparer aux héros antiques les personnages qu'il loue, soit pour illustrer les grands sujets qui le hantent, nous paraissent lointaines et bien étrangères; trop souvent les considérations que développent le poète ressemblent à de froides dissertations. On lit peu ces deux livres aujourd'hui. Ils n'en offrirent pas moins, au moment

où ils parurent, un intérêt capital. . . . Dans les meilleurs de ses hymnes, surtout dans l'*Hymne de Castor et Pollux* où il raconte successivement les deux combats des fils de Léda, les procédés auxquels il recourt, le souffle qui anime ses récits sont d'un poète épique. . . . Il y a d'ailleurs de fort beaux morceaux dans les *Hymnes*. C'est là que pour la première fois, dans l'*Hercule Chrestien*, il s'est essayé à la poésie chrétienne. . . . Les deux livres des *Hymnes* sont écrits en alexandrins. Ces vers qu'il avait aimés d'abord pour leur simplicité, Ronsard les admet ici comme les plus nobles, les plus capables de porter de hautes pensées et les nomme très justement les vers héroïques des Français. De ces derniers ouvrages, date la prépondérance de l'alexandrin dans notre poésie philosophique, épique et dramatique."

It is very important indeed to note that, though a number of Ronsard's best hymnes have their philosophic basis in Christian theology, only two of his poems in the hymne form are lyric. Even these (see I, 527–529; II, 386–387), with the more or less Christian odes (see II, 335–336), suffer by comparison with such a devout Christian lyric as the following *Hymn for Evensong* (anon., fifth century), which must be placed here as a proper measure of Ronsard's lesser fortune in religious lyric verse and in relation also to his relative success with the philosophic hymne, or the discours, of Catholic inspiration:

> O lux beata Trinitas
> et principalis unitas,
> jam sol recedit igneus,
> infunde lumen cordibus.
>
> Te mane laudum carmine,
> te deprecamur vespere;
> te nostra supplex gloria
> per cuncta laudet saecula.

INDEX

THE Index is intended to give access to material in all parts of this work. It lists, with page references only, names of persons and institutions, titles of publications, genres, topics of versification, and subjects of a general aesthetic nature. Limitations of space prevent the addition of recapitulative subentries with these items, but this lack is compensated for in some measure by the digests and comments which appear in the Conclusions at the end of all chapters except Chapters I, VII, and XVI.

The volume number is omitted before all references to the first volume; the number II appears before those to the second volume.

There are four italicized subheadings in the Index, as follows: *Conclusion(s)*, *examples*, *bibliography*, and *references*. They appear in the order given. The nature of the material to be found under each subheading is indicated below:

Conclusion(s), references to summaries of or comments upon the importance and the significance of the works of various theorists of poetry.

Examples, references to illustrative poems in either the text or the Anthologies. The genres are listed alphabetically. The abbreviation " fr." (fragment) indicates that only a part of a poem is quoted.

Bibliography, references to bibliographical material in the footnotes or appended to titles in the Lists. Such classified references are to data on first French and recent editions or to modern critical studies only. Other references to old editions, French, Latin, or Italian, appear not under *bibliography*, but at the end of general *references*, without other special indication than the paging of the Lists, II, 4–50, necessarily provides.

References, the numbers of the pages on which general material may be found. Under this heading numbers unaccompanied by subentries come first; they are followed by names of poets and theorists in alphabetical order.

The following items are not included in the Index: with few exceptions, names appearing only in bibliographical notes and names of historical figures of no literary importance; titles of poems other than those having to do with some aspect of aesthetic theory or general philosophy; titles of longer works of no importance for the theory of poetry or for the development of philosophical speculation in relation to aesthetics. For book titles, italicized in the Index, references are to the text and notes of the first volume only. Further references to titles in the Lists of the second volume may be found only indirectly, under authors' names, as noted above at the end of the paragraph on *bibliography*.

UNIVERSITY OF MICHIGAN PUBLICATIONS

LANGUAGE AND LITERATURE

Vol. I. Studies in Shakespeare, Milton and Donne. By Members of the English Department. Pp. viii + 232. $2.50.

Vol. II. Elizabethan Proverb Lore in Lyly's 'Euphues' and in Pettie's 'Petite Pallace,' with Parallels from Shakespeare. By Morris P. Tilley. Pp. x + 461. $3.50.

Vol. III. The Social Mode of Restoration Comedy. By Kathleen M. Lynch. Pp. x + 242. $2.50.

Vol. IV. Stuart Politics in Chapman's 'Tragedy of Chabot.' By Norma D. Solve. Pp. x + 176. $2.50.

Vols. V-VI. El Libro del Cauallero Zifar. By C. P. Wagner.
   Vol. V. Part I. Text. Pp. xviii + 532. With 9 plates. $5.00.
   Vol. VI. Part II. Commentary. (*In preparation.*)

Vol. VII. Strindberg's Dramatic Expressionism. By C. E. W. L. Dahlström. Pp. xii + 242. $2.50.

Vol. VIII. Essays and Studies in English and Comparative Literature. By Members of the English Department. Pp. viii + 231. $2.50.

Vol. IX. Toward the Understanding of Shelley. By Bennett Weaver. Pp. xii + 258. $2.50.

Vol. X. Essays and Studies in English and Comparative Literature. By Members of the English Department. Pp. vi + 278. $2.50.

Vol. XI. French Modal Syntax in the Sixteenth Century. By Newton S. Bement. Pp. xviii + 168. $2.50.

Vol. XII. The Intellectual Milieu of John Dryden. By Louis I. Bredvold. Pp. viii + 189. $2.50.

Vol. XIII. Essays and Studies in English and Comparative Literature. By Members of the English Department. Pp. vi + 328. $3.00.

Vols. XIV-XV. Three Centuries of French Poetic Theory (1328-1630). By W. F. Patterson.
   Vol. XIV. Parts I-II. Pp. xx + 978. $5.00.
   Vol. XV. Parts III-IV. Pp. vi + 523. $3.50.

The Comedies of John Dryden. By N. B. Allen. (*In press.*)

Elizabethan Comic Character Conventions as Revealed in the Comedies of George Chapman. By P. V. Kreider.

Orders and requests for detailed book lists should be addressed to the University of Michigan.